JN018057

国境と人類

文明誕生以来の難問

ジェイムズ・クロフォード
東郷えりか 訳

河出書房新社

国境と人類　目次

第三部　越える

第四部　崩す

国境と人類

文明誕生以来の難問

ウィリアム、マギー、イザベラ、ジェイムズへ

序文

オーストリアとイタリアが接するアルプスの高所では、国境線がじわじわと解けて斜面を下降している。アメリカの中心部では、白いスプリンター・バンに乗り込んだ三人の男たちによって、亡霊となった国境が再び蘇（よみがえ）っている。サバナがサハラ砂漠にぶつかるアフリカの埃（ほこり）っぽい辺境地では、木々や作物からなる緑の境界地帯が根を張り、必死に拡大している。大英博物館の地下倉庫の奥の棚には、国境の境界標が眠っている。失われてから何千年もの歳月を経た境界標からは、それがどのようにして世界を形づくるようになったかは知る由もない。

　国境の断片は私の机の上にもある。てのひらに収まるほどの小さな物体だ。それがあまりにも軽く感じることに、私はいつも驚かされる。形状はほぼ立方体だ。そのうちの五方の面は灰色で粗く、ごつごつとしている。しかし、一面だけは滑らかで、黄色とオレンジのペンキがスプレーされている。一〇年前、eBay（イーベイ）で購入したものだ。ベルリンの壁のかけらということになっているが、そうでない可能性は十分にある。おそらくただのコンクリートの塊で、建設現場であさって、ペンキをなすりつけたものかもしれない。真偽は不確かなままでも、構わない気がする。

　一九八九年一一月に壁が倒されたとき、私は一一歳だった。ベルリンの人びとが壁の上で踊るニュースを見たのを覚えている。一つの大きな長方形の塊が地面に崩れ落ちる同じ映像が、繰り返し流されていた。その後、何日間も、何週間も、何カ月間も、世界中から人びとがやってきては、壁の一部を自分でもぎ取ろうと試みた。壁のキツツキ（マウアーシュペヒト）と彼らは呼ばれた。二、三ドイツマルクを払って人びとは小型のハンマーを借りて、壁を削り取るのだった。

もちろん、誰もが西側の壁の一部を欲しがった。壁のキツツキにも「つつきの順」があったのだ。西側のかけらには象徴となっていた落書きが描かれていたが、東側は特徴がなく、ただの平らな灰色の表面だったからだ。商売っ気のある東ベルリン子は、新たに開かれた資本主義経済をすぐさま奉じて、自分たちの側から採取した本物のかけらにスプレーで色を塗り、買い手にとってより本物らしく見えるようにした。私の手元にある塊が、そうしたかけらの一つであることを願っている。

今日、ベルリンの壁は世界各地に最も運ばれた国境の壁となっている。その断片は六つの大陸で見られる。博物館や美術館に展示され、街角にも設置されている。ある大きな塊は、ラスヴェガスのカジノで男性用小便器の背後の壁として使われてすらいる。壁の崩壊は、一部の人にとっては、国境の終わりの始まりとなるはずのものだった。歴史の終焉だとすら言われた。だが、歴史はつづいている。実際には、あのとき以来、歴史は加速してきた。そして国境はカムバックを遂げている。というよりはむしろ、国境は一度も本当になくなりはしなかったのだ。

*

二〇一八年一一月中旬の月曜日の朝、ニューヨークの惣菜（そうざい）屋チェーンが、「アボカドの品不足」という件名のｅメールを私に送ってきた。メールの説明では、輸入価格をめぐる係争のせいで「この三週間、メキシコとアメリカの国境を通過するアボカドが皆無」であるため、「冷凍貯蔵されたアボカドを提供して、品質と味を損なう」よりはと、アボカドを「メニューから外す」ことにしたのだという。状況が変わったらすぐに「お知らせ」するとこのチェーン店は約束した。自分がどうしてそのメーリングリストに載るようになったかすら、私にはさっぱりわからなかった。なにしろ私はエディンバラに住んでいるのだ。

　二日後、アメリカのドナルド・トランプ大統領がアメリカの南の国境に七〇〇〇人の部隊を配備し、移民（マイグラント）の「侵入」と彼が呼ぶものにたいし、「殺傷力の高い武器」を使用することを認めた。そのような移民の最初の四〇〇人――ホンジュラス、グアテマラ、エルサルバドルからの一万人を超える徒歩キャラバン隊の一部――が、国境のメキシコ側のティファナ市に到着したばかりだった〔訳注：英語ではとくに近年の出稼ぎのための短期移住者を「マイグラント」、定住を前提に祖国を離れて永住権を獲得する人を「イミグラント」と使い分ける傾向があるが、基本的にいずれも「移民」と訳した〕。

　同じ週に、北朝鮮と韓国が両国を七〇年にわたって分断し、厳重に要塞化された一帯すべての前線の監視所を爆破したことが報道された。両国の国境を完全に「非武装化」する暫定的合意の第一歩としてである。

　その週の木曜日には、インドとパキスタンの両政府が、パキスタンにある神聖な寺院で、シク教の教祖グル・ナーナクの永眠の地を巡礼者が訪れられるように、国境を越える回廊を設置することで合意した。同日、中東では、数千人のパレスチナのデモ参加者がイスラエル軍兵士と衝突するなかで、ガザ地区一帯が交戦状態になり、催涙ガス、投石、弾丸、それに火を付けたタイヤからの煙が、高さ八メートルのコンクリート製「分離壁」の上空を覆った。

　この週は、イギリスのテリーザ・メイ首相がブリュッセルから戻って、欧州連合とのブレグジット協定をまとめる仲介をしてきたことを発表し、「これを限りに人の自由な移動を終わらせる」と告げた。

　アボカド、「侵入」、巡礼のための回廊、移民のキャラバン、分離壁、殺傷力のある武器、そしてイギリスの首相が自由の終わりをたたえる……。そのすべてが、一一月のわずか七日間に起こった。

　あとから考えると、これが国境（ボーダー）／境界をめぐるとりわけ特異な週であったとは思わない。しかし、これによって私は、日を追うごとに少しずつ強迫観念のように、国境とは、境界とは本当はどこから生じたのか疑問を抱くようになった。いつ境界は出現したのか？　どのように進化して、根を張るようになったのか。地球全体に物理的にも仮想上でも張り巡らされたこの広大な線状のネットワークに、どのように発展したのか。そして今日なぜ、国境は世界各地の政治的・社会的大混乱の最も危険な火種のように見えるのだろうか？　これは単なる結果として現われた兆候なのか。それとも、境界そのものが原因となりうるのか？

国境はじつに単純な考えだ。目に見えようが、見えまいが、線を一歩越えれば、別の場所にいることになる。あたりの景色は、草の葉の一本一本にいたるまで、まったく同じに見えるかもしれないが、もうあなたは別の場所に、別の国にいる。そこにはおそらく別の言語を話す人びとがいるだろう。その文化や慣習、法律、考えはまるで異なるかもしれない。あなたのほうがまるで異なっている可能性もある。あなたが誰であって、どう暮らしているかは、容認されるかもしれないし、されないかもしれない。国境の片側では富が約束され、もう一方には貧困が確実に存在する。何を読み、誰を愛するかは自由に選べるかもしれないし、そのために刑務所行きとなるか、死罪にすらなるかもしれない。

これらの線や柵や壁や検問所、およびそれらが位置する空間には、途方もない力がある。何も変わらないのに、すべてが違うのだ。これは作家のオミタブ・ゴシュ（アミタヴ・ゴーシュ）がインド・パキスタンの分離独立を説明するのに「線の魔法」と表現したものなのだ[1]。魔法は不条理であり、同時に宿命的でもある。私はこの魔法の根源を探して、それがいつのことであれ、そこから現在にいたるまでを、ずっと追ってみたいと思った。

＊

誰にでも、自分の個人的な国境の物語があるだろうと思う。私のはこうだ。

一九〇八年六月一二日に、ウィリアム、マギー、ネリーという三人の乗客がキュナード汽船カーマニア号という蒸気タービンで動く遠洋定期船に乗ってリヴァプールを出港した。この船はまだ就航三年目で、スコットランド中西部のクライドバンクのジョン・ブラウン社が所有する船団中で最大かつ最速の船として建造されていた。総トン数約二万トン、全長二〇〇メートルほどの船で、最高速度は一八ノットだった。三階建ての巨大なデッキには一等から最下等室まで、二六五〇人分の寝台があった。

ウィリアムは三一歳、マギーは二三歳、ネリーは二八歳だった。三人があとにしたのは、ウィリアムが廏務員（きゅうむいん）として働いていたスコットランド国境地帯のホーイックの農村地帯だった。彼らはこれから大西洋を横断するところだった。アメリカへ行くのだ。

三人は六月一八日に、息苦しいほど蒸し暑いニューヨークの夏のエリス島に着いた。その日、ニューヨーク市は観測史上で最も暑い日となった。船の乗客名簿には、三人が誰であったかはわずかにしか記録されていない。年齢、国籍（「スコッチ」）。ウィリアムとマギーの明るい色の髪と青い目と「色艶のよい」肌。ネリーの黒髪と茶色の目。ウィリアムは身長一七五センチ、マギーは一六七センチ、ネリーは一七〇センチだった。ウィリアムとマギーは夫婦で、ネリーはウィリアムの妹だった。

カーマニア号の船長は、乗客全員が船の外科医によって身体検査と問診を受けたとする宣誓供述書に署名をした。これによってウィリアム、マギー、ネリーは「低脳」や「愚か」ではなく、「気が触れて」もいなかったことが確認された。彼らは結核を患ってもおらず、「忌まわしく危険な伝染病」にも罹（かか）っていなかった。三人は一夫多妻者や売春婦でもなく、「不道徳な行為」でこれまでに有罪になったこともない。無政府主義者でもなかった。

第一次世界大戦直前の一〇年間に、エリス島はしばしば年間一〇〇万人以上の移民（イミグラント）を処理していた。前年は、この島の歴史で最も繁忙を極めた一二カ月間だった。列をなす何千人もの人びとに交じって数時間待ったのちに、ウィリアム、マギー、ネリーは健康診断と法律関連の検査を無事に通過した。アメリカに入国できたのだ。ニューヨークから三人は鉄道に乗って二五〇〇キロほど西へと旅をし、大陸内部のコロラド州西部に向かった。彼らはロッキー山脈を越えた側の高地の草原を所有している牧場で雇われることになっていた。ウィリアムは馬の世話を、マギーとネリーは男たちの世話をした。

その六〇年前まで、この土地はメキシコ領だった。二〇世紀になる前の数十年間に、先住民のユート族は山岳地帯から追いやられ、その後コロラド州全土からも締めだされた。そして彼らの代わりに、過放牧状態の南部の草原からテキサス・ロングホーンの大群が北上させられてきた。この土地は放牧地となり、牛たちは広大な土地を歩き回り、冬季は雪の積もらない谷に、夏季は高原へと移動した。どの方角にも一五〇キロ以上先まで町も定住地もなく、ほかの牧場すら存在しなかった。ただ、ウィリアムとマギー、ネリーと一団のカウボーイがいるだけだ。その多くは家族持ちでない若い男たちだった。カウボーイたちはがさつで無口であり、すぐにマギーの日々の料理に文句を言うようになった。

三人はそれでも二冬は辛抱した。だが、牧場での暮らしは広々とした、おそらくは広過ぎる空間は暮らすことを意味しており、その孤立感がマギーには耐え難いものとなった。彼らはまもなく再び旅に出たが、今回は東へ向かい、グレートプレーンズを抜けてミシシッピ川を渡り、アレゲニー山脈を越えてニューヨークの港にまでたどり着いた。まだ毎日、何千もの移民が国内に入り込んできていた。しかし、ウィリアムとマギーとネリーにとって、アメリカの夢は実現されないままとなった。三人が新世界で探し求めていたものは見つからなかった。彼らは流れにさからって移動した。遠洋定期船の予約をし、大西洋を越えて祖国に戻ったのだ。一九一一年には、彼らはロウェルタウンの村に近い、スコットランドとイングランドの境界にまたがる土地の、自分たちの農場で働いていた。翌年、マギーは息子を産んだ。ジョン・ダルグリーシュ・ショート、私の祖父だ。

それから一〇年ほどのちに、ジェイムズという一七歳の少年がカナダの国境を越えてデトロイトに入った。一九二三年九月二九日のアメリカ移民局の第一次審査書類には、彼が身長一六〇センチほどで、赤毛に青い目であることが記録されている。彼は前年にスコットランド北東部のフレイザーバラの小さな港町をあとにし、単身グラスゴーまで旅をし、そこから船でケベック・シティに渡り、同地でしばらく遠い親戚と一緒に暮らしていた。彼の父ジョンは漁師で、そのまた父も同様だった。しかし、ジェイムズには別の野望があった。アメリカに到着した際に職業を尋ねられて、「機械工」と彼は答えた。彼はまさに適所にやってきていた。

デトロイトにはあらゆる産業があった。都市というよりは一大工場地帯であり、労働者の需要は尽きることがなかった。二〇世紀初頭、デトロイトの人口はわずか二五万人強だった。一九二〇年代には、一二五万人にまで膨れ上がっていた。

ジェイムズはフォード・モーター社に雇われ、一時期、世界最大の製造施設となったハイランドパーク工場で働き始めた。四〇万平方メートル超の敷地には、事務所や複数の工場、鋳造所、それに独自の発電所までが備わっていた。ジェイムズは世界初の工場の組み立てラインに自分の居場所を定めた。車のシャーシは工場の床に据えつけられた全長四五メートルのベルトコンベアーで運ばれてきた。それぞれのラインに数百人の工員が配置され、T型フォード車の三〇〇〇個の部品を組み立てるのに必要な八四工程を実行する役割を担っていた。彼がデトロイトにやってきてわずか四年後の一九二七年には、ハイランドパークの組み立て工場から一五〇〇万台の車が生産されていた。

一九二六年の夏に、ジェイムズはイザベラに出会った。そのわずか数カ月前に、彼女はスコットランドのフォールカークの実家を出て、単身、汽船アセニア号に乗ってグラスゴーからモントリオールまで旅をし、その後も旅をつづけて五月の初めにデトロイトに到達した。それからほぼ一年後の一九二七年五月九日に、イザベラとジェイムズはノースウェスタン・バプテスト教会で結婚した。彼は二

○歳で、彼女は二三歳だった。彼らの息子ジョンは一二月のクリスマスのわずか三日前に生まれた。

一家はミッドタウンのウェストハンコック通りに、家賃一カ月三三ドルで間借りをして暮らした。一九三〇年の初めに、イザベラは娘マーガレットを産んだ。しかし、そのころには、デトロイトの巨大なマシンはよろめき始めていた。一九二九年一〇月のウォール街大暴落が大恐慌の引き金となり、アメリカの誰もが買えるように設計され、値段設定されていたフォードの自動車は、ほぼ一夜にして贅沢品（ぜいたくひん）に様変わりしてしまった。一九二九年から一九三〇年のあいだに生産台数は半減した。一九三一年末には、さらにその三分の一に減少した。何万もの労働者が余剰人員となった。工場全体が閉鎖に追い込まれた。大恐慌のピーク時には、アメリカ全土で失業率が二五％近くになった。デトロイトではそれ以上になり、人口の三分の一以上が仕事にあぶれていた。

ジェイムズはまだ失業していなかったが、前代未聞の規模の業績不振に対処するために、年収は半分以下に落ち込んだ。一九三三年の暮れも押し迫ったころ、ジェイムズとイザベラはウェストハンコック通りの家の食卓に着いた。ジェイムズは手に一〇セント銀貨をもっていた。二人は将来についてどうすべきかを、もう何カ月も話し合っていた。もはや議論の種も理由も尽きてしまい、二人は代わりに運を天に任すことにした。コインを投げるのだ。裏ならば、とどまる。表ならば行く。わが家を構え、子どもたちが生まれた街にとどまるのか。毎日、何百もの人がホームレスとなって飢えて死んでいると言われていた、周囲で崩れつつある街に残るのか。それとも行くのか。荷物をまとめて、ジョンとマーガレットを連れて、スコットランドへ戻るのか。家族のもとに帰り、過去の歴史や、あとに残してきたはずの暮らしに戻るのか。

ジェイムズはコインを高く投げ、それが回転しながら食卓の上に落ちるのを眺め、てのひらを下にしてその上に置いた。それから、その手をどけた。自由の女神の頭部が二人を見上げていた〔訳注：一九一六年から四五年発行の銀九〇％含有のダイム硬貨〕。答えは出ていた。行くのだ。

一家は一九三四年の初めにデトロイトを発(た)った。ジェイムズ、イザベラ、マーガレット、ジョンのクロフォード一家だ。私の曽祖父母に大叔母、それに祖父である。

コインを投げたその一件について、私はよく考える。もちろん、人生がまるで異なる方向に進みかねない瞬間は、数えきれないほどある。それでも、である。コインを投げる行為は、気持ちよいほど一か八かの選択となる。解釈の余地や微妙な差異を残さないものだ。表か裏か。行くかとどまるか。コインの裏が出ていれば、私は存在しなかったはずだ。あのデトロイトのキッチンの空中でコインが回るあいだに、どちらに転ぶかを決める二本の重要な分岐線がつながったり切れたりしていたのだ。

親族のあいだでは、やや異なる話も言い伝えられている。帰国する決心はすでについていて、コインを投げたのは、どこに帰るかを決めるためだったのだと。ジェイムズの生まれ故郷のフレイザーバラなのか。イザベラの故郷のフォールカークなのか。だが、もしかするとコインは二度投げられたのではないか？　一度は運に任せたのであれば、なぜ二度目もそうしないだろう？　曽祖父母にじかに尋ねることはできなかった。イザベラは一九九〇年に、ジェイムズはその二年後に他界した。彼らの物語の記憶はすでに薄れ、口伝えに語られ、記憶違いされることで、一族に伝わる寓話として脚色されていた。

それでも、私の曽祖父母たちが、それも父方と母方の双方ともが、アメリカへの移民だったという事実は印象深い。そして、理由が何であれ、これらの冒険が、未知の国への大きな飛躍が、失敗に終わったということは。ジェイムズとイザベラ・クロフォード。ウィリアムとマギー・ショート。彼らは海を越え、国境を越えて移住し、そして最終的にまた移住して戻ってきたのだ。

＊

私の曽祖父母たちには、少なくとも選択の余地があった。いまでは多くの人びとにとって、とどまるか行くかについて、迷うことはない。選択肢は一つ、移動するしかない。そうなると、国境は可能性を示す単なる一本の線ではなく、唯一の線となる。それ以外のすべてのことは忘却の彼方に葬られるのだ。国境の向こうには未来が、何かしらの未来がある。そこへたどり着くには、ただそこを越えなければならない。

今日の世界では、そう言うことは実行することよりもはるかに易しい。一方で、私たちは技術の圧力とグローバル化に対応して、国境を無視するどころか、消滅させようと奮闘している。世界は縮んでいる。比喩的にも、そして気候変動の結果、かなり文字どおりにも。多くの国境はそれに対応して、強化され、堅固なものになり、増強すらされている。今日、世界には人類史にこれまでにないほど多くの国境が存在する。ナショナリズムの言説はその量を増すばかりであり、国境線は以前よりも明確に引かれ、きつく張られている。とはいえその間も生存の脅威は迫りつつあり、オミタブ・ゴシュが描いた「魔法」をもってしても防げない。

私たちはいまや誰もが、実際には境界上に立っている。そのなかを覗いていようが、外を眺めていようが、世界の不平等にこれまでにないほどの規模と度合いで対峙しているのだ。私たちを分断している線は、憎しみと希望の双方を伝える究極の導管となっている。顔をそむけて「壁を築き」、「移動を止め」ようとする一部の人びとの願望は、国境の磁力を増すばかりだろう。国境は私たちの世界にとって、リトマス紙のようなものになったのだ。社会、政治、文化、経済、芸術など、人間のあらゆる自由の進歩か後退かを示す証拠だ。ノーマン・メイラーが述べたように、「人は行く手を阻まれるまで一直線に進むことでどれだけ遠くまで行けるかを知るのである」。『国境と人類』は、そのような行き止まりへの私の旅だ。

本書を執筆する過程で、私は昔からある国境も新しい境界線も探して旅をした。ギリシャの山岳地帯では、古代の境界標や国境の戦場にある集団墓地を探しに出かけた。スコットランドの夏の黄昏時に、ローマ帝国が見捨てた辺境地も歩いた。北極線から北極圏内に三四五キロ北へ行った先では、国境を解消し、自分たちの大昔からの文化の言語と分断された景観を再び取り戻すことを一生の仕事としてきた芸術家に出会った。ベツレヘムでは、紛争で引き裂かれ、境界に固執したヨルダン川西岸で、私は「世界一眺めの悪い」ホテルに宿泊した。エッツタール・アルプスの高所では、国境が消えつつある氷河の世界まで登った。

やがて、二〇二〇年になると私は数カ月間どこにも行けなくなった。三月一二日、木曜日に、私は人けのないオスロ空港を経由してトロムソからエディンバラまでの帰国便に乗った。その同じ日に、ノルウェーは同国人以外のあらゆる人にたいして国境を閉鎖した。COVID-19（新型コロナウイルス感染症）のパンデミックが急速に世界を封鎖していった。そして国境の通過可能性が、つまりその厳格さや緩さがたびたびトップニュースとなった。隔離期間やロックダウンが何週間、何カ月間にもおよび、旅をすることが不可能になるなかで、私は人生が何らかの形で国境によって台無しとなった人びとを探しだし、話をしようと試みた。周辺部や辺境地で暮らし、働く人びとや、スペインの報道写真家のカルロス・スポットルノが私に語ったように、「国境線上にわが身を置いた」人びとだ。

私の目論見は、これら現代の旅だけでなく、過去の旅や、そこでの会話や、物語を使って、国境とは何かを理解しようと試みることだ。境界がいかにつくられ、つねに動き、どう曲げられ、断ち切られる一方となっているかを。ピンと張りめぐらされた国境線は、どちらを向こうと世界中の出来事の旋律に合わせて振動するどころか、それらを呼び寄せてすらいるようだ。国境の将来は私たち自身の将来と密接にかかわっている。自分たちの景観を、記憶を、自己認識（アイデンティティ）を、そして私たちの運命をも支配しながら。

人はどうすれば国を憎むようになるのだろうか？　あるいは愛するようになるのだろうか？［……］私にはそんな芸当はできない。民のことなら知っているし、町や農場や丘や川、岩は知っている。丘陵の耕作地の外れに、秋の日暮れに太陽がどう沈むかは知っている。でも、それらすべてに境界線を設けることの意味は、どこにあるのだろうか？　土地に名前を付け、その名前が当てはまらない場所までできたら、そこを愛するのを止めることに？　自分の国を愛するとはどういうことなのか。それは自分の国でないものを憎むことなのか？

——アーシュラ・K・ル・グィン『闇の左手』

世界には名前がない、と彼は言った。丘や山や砂漠の名前は、地図のなかにしか存在しない。それらに名前をつけるのは、道を見失わないためだ。だが、道がすでに失われているからこそ、私たちはそれらの名前をつけたのだ。世界は失われるはずはない。失われるのは私たちのほうだ。そして、それらの名前も、それらの座標も私たち自身が付けたものなので、それによって自分たちを救うことはできない。

——コーマック・マッカーシー『越境』

プロローグ
平原の外れ

私は世界で最古の国境に手を触れていた。または少なくとも、今日、見ることができて、確かに、「これが——これが国境だ」と言える形でまだ残っている最古の境界標だ。私の手はその冷たい石灰岩の表面を撫でる。クリームがかった白のずんぐりした円柱で、ところどころ氷のように輝く水晶の筋が入っている。長さは五〇センチ近くあり、コンクリート製の車止めポールと、大きさも形もよく似ている。

どうしてそれが境界標だとわかるのか。なぜなら、そう教えてくれるからだ。円柱は一面にぐるりと碑文が刻まれている。一見すると、濡れた砂地に鳥が残した足跡のようだ。時とともに風化して滑らかになったその溝に、私は指先を走らせてみた。

ちょうどいま私がアングルポイズ・ランプの明かりのもとで身をかがめているように、四五〇〇年前、誰かがハンマーと鑿をもってこの石柱の上に身をかがめていたのだ（火明かりで仕事をしたのか、それとも照りつける太陽のもとだったのか？）。彼らは刻んだり彫ったりし始めた。長い直線が段を分けるために刻まれている。これらの段にはその後、蜘蛛のような、楔のような文字が書き込まれた。知られるなかで人類最古の筆記の形態、シュメールの楔形文字である。

私には楔形文字は読めない。この文字を読める専門家たちは、膨大な数の記号を学ぶためには、一〇年やそこらは研究しなければならないだろうと言う。それぞれの記号に考えうる複数の、矛盾した意味を学ぶのである。少なくともそのことは、私も知っている。目の前にある碑文は私には異質なものかもしれないが、それをこしらえた手はそうではない。明かりを動かして滑らかな表面を斜めから照らし、円柱をじっくり眺め回すと、彫りが深くなり、影が濃くなって、語られる物語の速度が上がる瞬間を感じることができた。鑿が石材の肉や筋に深く食い込んだ場所で。

碑文の書き手は、石柱の表面をほぼ隙間なく使いながら先へと彫り進めた。彼らが記録していたものは、彫って保存していたものは、国境の物語だった。これは人類が残した最も古い国境の記録だ。おそらく、これは歴史を書こうとした最初の試みですらあるかもしれない[1]。

ラガシュとウンマ

この物語は、時の始まりに端を発する。

すべての神の父であるエンリルは、二人の不死身の子ども、ニンギルスとシャラにそれぞれの所有物として都市を授けた。ラガシュ市はニンギルスのもので、ウンマ市はシャラのものとなった。この二つの都市に属する土地が隣り合っていたため、エンリル自身が双方のあいだの境界線を定めた。神聖な境界線だ。

しかし、ウンマの人びとはそれを守らなかったのだと、この書記は語る。人びとはエンリルが定めた神聖な線を越えて、ラガシュの土地を自分たちのものにしようとした。彼らは、グ・エディナ――平原の外れ――というニンギルスが「愛でた土地」を占領した。ラガシュの北西の国境沿いにある肥沃な土地である。そこで、エンリルが介入し、地上の代理人である中立的なキシュ王国の支配者メサリムに、もう一度、国境を定めるように指示をした。距離を測り、長い境界の水路を掘り、今後の対立を避けるために、石板、つまり石碑に領土の具体的な権利と所有者を刻み、分割線そのものの上に立てるようにと。その石碑が、知られるなかで史上最古の平和条約である「メサリムの条約」となった。これは世界最初の法律文書の一つでもある。

平和は長続きしなかった。ウンマの新しい支配者のウシュは、その国境を受け入れるのを拒んだ。彼は石碑を地面になぎ倒して、境界の水路を越えて、平原の外れの土地を占領した。

何年かが過ぎ、おそらくは数十年が過ぎただろう。やがて、聖なる土地を奪われ、怒りに燃えたニンギルスは、ラガシュに新しい指導者を立てた。巨人のようなスーパーヒーローのエアンナトゥムである。生まれたとき、女神ニンフルサグによって乳を与えられ、罰当たりな方法で強奪された土地を奪い返すべく運命づけられた人間だった。

二輪戦車を乗り回したエアンナトゥムは、今回はエナカリに率いられたウンマ軍を全滅させ、国境を再び引き直した。それだけでなく境界の水路を、二線堤（控堤）で守り、水をたたえた幅広い灌漑用運河につくり変えたのである。メサリムの引き抜かれた古い石碑は元に戻し、新たな境界標を立て、エンリルとニンギルスのための聖堂も建てて、運河のウンマ側には幅一キロにわたる立入禁止区域を設けた。将来の紛争を避けるために彼は譲歩して、ウンマの人びとが平原の外れの小さな区画には出入りできるようにした。そこで収穫される大麦の一部をラガシュに差しだすという条件において。

それでも、争いごとがなくなりはしなかった。恨みは積もり、世代を超えて受け継がれた。やがて、エナカリの息子のウルルンマは、父が受け入れた「恥ずべき」条件に腹を立てて、戦争の準備を始めた。ラガシュに収穫からの租税を納めるのを拒んだのち、彼は国境まで進軍して、メサリムの石碑やエアンナトゥムの柱を引き抜き、燃やし、粉砕し、聖堂を破壊して、水がウンマ領に流れるように変えることで、運河を「干上がらせる」作業に着手した。

それに応じたのは、偉大なエアンナトゥムの甥に当たるエンメテナだった。彼は国境の最先端にある「黒犬の丘」で、「土地泥棒」のウルルンマと対峙した。彼はそこでウンマ軍を食い止め虐殺した。ウルルンマは境界の運河を越えて命からがら逃げだし、「部下の骨は平原一帯に散乱させたままにした」[2]。ウルルンマは逃げおおせたかもしれないが、彼の運命は定まった。ウンマ市に戻るとまもなく、側近たちの反乱によって暗殺されてしまったのだ。

紛争後、エンメテナは聖堂を再建し、境界の運河を延長したため、そのころには運河は六〇キロほどつづくようになった。そしてその全長に沿って、新たに一連の境界標を立てた[3]。いま私が目にしており、この物語を伝えている円柱は、そうした境界標の一つだった。

無人地帯

それ以来、この境界標はどれほどの旅をしてきたことか。あれは二〇二一年一月の初めのことだった。円柱は、大英博物館の中東コレクションの華美な研究室にある長い木のテーブルの上で、柔らかい長方形の黒い発泡スチロールのなかに収まっていた。

私のテーブルは、丸天井のアーチ道が五つ連なる場所に一列に並ぶテーブルの真ん中に位置していた。頭上には、三階の高さまでそびえる錬鉄製のバルコニーと棚があった。この中央部から柱間が一〇スペース分つづいており、人工遺物を収納した夥しい数のトレーがガラス戸付きの丈の高い木製棚に守られて並んでいた。隣りのテーブルでは、古代アッシリアの都市ニムルドで出土した陶器の破片を扱っていた。その向こうのテーブルでは、白いティッシュペーパーの山の上で、ばらばらになった楔形文字の円柱が研究用に並べられていた。私たちが腰掛けている椅子ですら、人工遺物のように見えた。椅子の革は乾燥してひび割れており、ところどころ詰め物が出てきていたので、この部屋が一九世紀なかばに最初に開設されて以来、使われてきたのだろうと想像できた。

私は円柱を転がしてみた。それは驚くほど重たかった。その石灰岩には、ぎっしりと詰まった筋肉質な密度が感じられた。楔形文字は、川の葦でつくった尖筆を使って、湿った粘土に書かれるのが最も一般的だった。石材にこれほど細かくその文字を刻む作業は、たいへんなものだったに違いない。

苦労の結晶だ。

翻訳の作業も同様である。博物館の古代メソポタミア文字のアシスタント・キーパーで、楔形文字に関する世界最高の権威の一人であるアーヴィング・フィンケルが、この円柱の長い碑文を解読したのは二〇一八年になってからのことだった。少なくともそれまでの一世紀半にわたって、この円柱はここブルームズベリー地区の地下にある広大な倉庫に眠っていた。棚の上で埃をかぶっているただの石の塊であり、何百万点にもおよぶその他の収蔵物の一つでしかなかった。

そのような収蔵室に、そもそもこの円柱がどのようにしてたどり着いたのかは明らかではない。博物館による入手メモには、「一八八四年より前に入手した可能性が高い」とだけ記されている。これは一九世紀後半のどこかでロンドンまで運ばれてきたに違いない。テムズ川をさかのぼって、そこで待ち受ける埠頭にやってきて、グレイヴセンド辺りのごった返した波止場で荷揚げされたのだろう。途中、建設されたばかりのスエズ運河を通ったのだろうか。それとも喜望峰を経由してずっと長い航路をたどったのか？　そこにくる前は、多くの木枠のなかに梱包されて、蛇行するティグリス川を艀でゆっくりと下り、ペルシャ湾とアラビア海に注ぐ「速い川」であるシャット・アルアラブ川〔訳注：ペルシャ語名アルヴァンド川は速い川を意味する〕まで運ばれたのだろう。

正確な発見場所は不明のままだ[4]。かつては緑豊かな平原が乾燥して砂漠になったメソポタミアの一帯のどこか、つまり現在、私たちがイラクと呼ぶ土地だ。一九世紀にはこの国で多くの発掘が行なわれており、砂漠一帯に試掘坑の触手が伸びていた。発見されたときは、興奮の叫び声が上がっただろうか？　それともその日の積荷にもう一つ荷物が加わることに、疲れた表情で肩をすくめたに過ぎなかったのか。どちらにせよ、この円柱が地中から引っ張りだされて、数千年ぶりに日の目を見た瞬間があった。

しかし、その本当の重要性に、私たちはいまようやく気づいている。フィンケルは碑文を読み進めるうちに、文書内に例外的な表記が見られることに気づいた。どの言語でも言えることだが、楔形文字も時代とともに変化し、進化した。それでも、円柱の碑文はたびたびシュメール文字の最も古い形のものの一部を使用していたのだ。石碑が立てられるより八〇〇年以上前に最初に書かれた記号だ。一部の文字は彫りが浅いか、完全に彫られておらず、それが書かれた時点ですら、時によって侵食されていたかのように見せかけられていた。石が最も深く彫られていたのはニンギルスに関する部分で、彼の名前には「神」を意味する楔形文字の三種類の表現が補われていた。一方、ウンマの神であるシャラに言及した箇所では、鑿の彫り跡はほとんど判読できないほどかすかで、不安定だった。これは意図的なものと思われる。書記はウンマ人を嘲笑うと同時に証拠を捏造(ねつぞう)してもいたのだ。これは楔形文字によるフェイクニュースであり、荒らし行為だったのである。平原の外れにたいするラガシュの権利は、言語の始まりにまでさかのぼり、それどころか世界のいちばんの始まりにまでさかのぼるという証拠をつくりだそうとする試みだった(5)。

だが、それ以外のものもあった。碑文のなかに、ある特定の言い回しが登場する。この円柱では、知られるなかで人類史において初めて、「無人地帯」という言葉を読むことができるのだ。書き手はその言葉を使って、境界水路のウンマ側沿いにエンメテナの伯父によって最初に設定された立入禁止区域を説明した。それはただのさりげない一行で、細長い領地を文字どおり「無人」のまま、手を触れずに残し、そこには誰も入ってはいけないことを示す言葉だ。四五〇〇年前、それは事実上、重みのない言葉だった。しかし、その言葉は歴史を通して使われつづけた。そして、失われて埋もれてしまうどころか、つねに増大の過程をたどってきた。数千年を経るうちに、飛躍的に頻度を増し、とりわけ過去一世紀間に超大質量で、悲劇的な密度にまで到達した。

無人地帯。

今日、この言葉は歴史が間違った方向に進んでいることを思い起こさせる。この言葉は、人類の問題をはらんだ本質の核心部を突くものだ。場所をめぐって際限なく争いを繰り広げられる能力である。そしてここに、その言葉が人類最古の筆記の形態で、現存する最古の境界標に、歴史を記録する私たちの発展段階の試みの一つとして刻まれているのだ。

「ここに最初の物語がある。昔むかし、無人地帯に、国境があった……」

私はテーブルの上のすぐ傍ら(かたわ)に、フィンケルの翻訳文をもっていた。そこには「無人地帯」を表わすシュメール文字が選びだされていた。私は自分でもノートにそれを書いてみた。理解はせずに筆写する作業だ。もともとの楔形文字は小さな旗のような三角形が先端の書きだし部分にある一連の線で構成され、それが別々の形をなすように並べられている。私が書いてみた文字は、線はよろよろでインク染みもでき、形にまとまりがなく、散々なものとなった。もう一度試すと、今回は少しマシになった。それぞれの「旗」を文字のように扱ったおかげで、線がより自信に満ちた筆跡となった。

私はその言葉が円柱のどこに刻まれているのか、探しだそうと心に決めていた。身をかがめて、大きな拡大鏡で覗き込みながら、碑文の上を行きつ戻りつし、一つの段から次の段に移動するために円柱を転がした。大量の彫り跡や削り跡のなかで、碑文のどこを読んでいるのか、ともすれば見失いがちだった。

ようやく、私はそれを見つけた。その同じ文字の並びを。ところどころ消えかけてはいたが、彫られた文字は複雑で、優雅だった。私はそこに触れてみた。ランプの熱に照らされていたにもかかわらず、円柱はまだひんやりとしていた。

無人地帯。

私の指先に、その言葉がまだ真新しかった時代のままに保存されてあるということ、その感覚は刺激的であり、興奮させられるものだった。いつまでも眺めずにはいられなかった。拡大してみると、結晶質石灰岩(シュクルフィレ)は糸飴細工のように輝いていた。それは美しい物体だった。美しく、そして恐ろしいものだ。

円柱の物語の終わり

円柱の物語はラガシュの勝利とともに終わる。世代を超えてつづいた国境紛争について述べたあと、書き手はその争いを終結させる。そして、読み手が疑念を抱いた場合に備えて、碑文は最後に、傷口を再び開こうとする者に厳しい警告を発する。

ウンマの指導者がニンギルスの国境の水路を越え［……］その土地を力ずくで奪うことがあれば、その者がウンマの指導者であろうが、他国の指導者であろうが、エンリルに滅ぼされんことを！ニンギルスが戦闘用の大きな網をその指導者の上に投じ、巨大な手足を彼の上に打ち下ろさんことを！　彼の国の民が反旗を翻し、みずからの都市でその息の根を止めんことを！(6)

紀元前二四〇〇年ごろに最初に立てられたとき、この円柱は広い台座のなかに固められて垂直に立てられ、国境の堤防の上に設置されていた。日の光を浴びることで意図的に目につかせ、平原一帯にそのメッセージを放っていたのだ。これは、人工遺物としての歴史であり、その一つに記録されたものだった。国境そのものによって語られた、国境の長い物語だ。歴史ではあるが、おそらく私たちが知るような歴史ではないだろう。

円柱は神々と人間の活動が交錯する世界を物語る。神々は地上の境界線を定め、将来の王に授乳し、人間の兵とともに出陣した。同時に、そこにはお役所的な明確さも顕著に見られた。すなわち、国境が「ティグリス川からヌン運河まで」六〇キロほどにわたることや、ウンマはラガシュに四四〇〇万ヘクトリットルの大麦にたいする利息を払う必要があるが、一八〇〇万ヘクトリットル分しか返していないことなどである。[7]

これは断片によって語られる、断片的な物語だ。この円柱だけが唯一の情報源ではないからだ。ラガシュとウンマの国境紛争の話は、過去二世紀にわたってメソポタミアの砂地から出土した同様の品々からなる小さなコレクションのなかで、繰り返し語られている。割れた粘土板や壺に刻まれた楔形文字もある。文字で埋めつくされた石板も二枚ある。川によって摩耗した卵形の二つの巨石にも、争いに関する同一の話が彫られていた。[8]なかでも印象的なのは、一八八〇年代にフランスの考古学者が再発見した、ある大きな石の彫刻だ。現在はパリのルーヴル美術館にあり、「ハゲワシの碑」として知られる。そこには国境をめぐる主要な戦いのうちの一つがありありと描かれている。

割れた石灰岩の表面に施された浅浮き彫りには、神であるニンギルスと超人的な力をもつ英雄エアンナトゥムの姿が彫られている。石碑の片側では、巨人のようなニンギルスが大きな「戦闘網」で捕虜たちを捕らえている。一網打尽にされた裸のウンマ兵たちは、そこから逃れようとしている。ある不運な人物の頭上には鎚矛（メイス）が振り下ろされている。反対側の面では、二輪戦車に乗るエアンナトゥムが、楯（たて）をもち、攻撃に備えて槍（やり）を掲げた戦士の大軍の先頭に立っている。彼の軍勢の足元では、倒れた敵兵の死体が踏みつけられている。最上部では、ハゲワシがウンマ兵の切断された頭部を咥（くわ）えて運んでいる。そのむごたらしい細部から、この彫刻の現代名は付けられた。[9]

石碑の下のほうには、戦いの直後を描いたコマがある。死体が堆（うずたか）く積まれているため、頭に籠を載せた労働者たちがその上に土をかけるのに梯子（はしご）を登らなければならないほどだ。エアンナトゥムは玉座に座り、埋葬塚が高くそびえ、生贄（いけにえ）の動物が用意され、神聖な植物が地面に植えられ、水やりされる様子を眺めている。[10]国境の全長に沿って築かれたそれらの高い堤防は、単なる土の山ではなかった。そのなかには集団墓地があったのだ。戦死者たちの積み上げられた屍（しかばね）だ。血と骨で表現された国境なのである。

これらの逸話のなかで、国境は移動し変化する。ときにはより細部にわたって語られることもある。だが、さまざまな出来事が合体しては分離することもあり、時系列も混乱している。この国境の円柱は、それ以前に生じたあらゆる出来事を要約して、平原の外れの現地に据えることで、決定的な文書にしようと試みたものだった。しかし、この石碑が語っているのは、そこまでの物語でしかない。

　その後につづいたことは、かなり露骨に、円柱そのものの表面に現われている。大きな一撃によって柱の上部の一角がえぐり取られた場所は、かなり明確に見ることができる。碑文も削り落とそうと試みられていた。文書の一部が指三本分ほどの陥没によって失われていた。この石の硬さを考えれば、この小さな面積を消す努力だけでも、かなりのものだったに違いない。

　私はその凹(へこ)みを凝視し、そこに指を押し当ててみた。石の表面が崩れたことで、内部の緻密な結晶が露出していた。時が経つにつれて、不純物が酸化して、くすんだオレンジ色の円形がかすかに残っている。まるでタバコの火をもみ消した跡のように見えた。さらに土台部がある。ある時点で、途方もない力がかけられてこの円柱は台座から切り離され、横倒しになった。この行為によって醜くすり減り、一部が黒ずんだ断面が残された。それ以前に設置された境界標と同様に、この標識も長くはもたなかった。いったいどうすれば、そうならずにいられただろうか?

　この石碑には、次のような事態が生じた。この物語は、楔形文字が刻まれた粘土板のかけらで受け継がれ、その破片も現在はルーヴル美術館にある。境界標が設置されてから五〇年ほどのちに書かれたこの破片には、何の前書きもない。ただ、次々に流れてくるニュース報道のように、長々と執拗(しつよう)に惨禍を伝えるリストを並べ始める。その粘土板によると、ウンマ人はラガシュ一帯で聖堂や建物、彫像に火を付けた。そこでは次々にそれらの場所名が言及されては、そこの宝物が略奪された出来事が詳細に語られていた。ニンギルスが「愛でた土地」の大麦が台無しになった経緯が記録された。国境のすべての柱(私の目の前に横たわるものを含め)がいかに破壊され、根こそぎ倒されたかも述べられていた。そうして最後に、ラガシュ市の略奪が語られていた。

下手人はウンマの指導者ルガルザゲシだと名指しされた。抵抗を記す言葉を最後に述べて、書記は彼に天罰が下ることを祈った。「ウンマ人はラガシュのレンガを破壊したため、ニンギルスにたいする罪を犯したのだ。ニンギルスは自分に刃向かった手を切り落とすだろう」[11]。ルガルザゲシはすでにもっと広い領域に関心をもち始めていた。四〇〇〇年前の壊れた壺に残された勝利宣言のなかで、彼は自国に住むすべての民に自分がどれほどの繁栄をもたらすかを語った。エンリルから彼に与えられた土地は、「日の出るところから日の沈むところまで」、そして「低い海から、ティグリスとユーフラテス沿いに、高い海まで」つづくものだと[12]。

したがって、平原の外れは、もはや外れではなくなったのだ。一五〇〇年ほどの年月を経たのち、国境紛争はラガシュが破壊され服従することによって、本格的に終わった。国境の運河は、単なる灌漑用運河に過ぎないものとなった。国境は移動して、視界からも脳裡からも、外へ追いだされたのだ。国境がなくなると、ルガルザゲシの碑文は新しい平和の時代を始められると宣言した。

すべての人類が植物や薬草のごとくすくすくと繁栄せんことを［……］この国の民が「美しい大地」を敬わんことを。神々が私に与えてくれた幸運は決して変わることなく、未来永劫、私が先頭に立つ羊飼いでありつづけんことを[13]。

ルガルザゲシの「未来永劫」はあまり長くはつづかなかった。数年後には、彼は首に鎖を巻かれ、ニップル市の城門へ連れてこられた。「すべての国の王」は惨めな人物になりはてた。歴史上で最初の帝国であるアッカドの支配者、サルゴン大王の捕虜となったのだ[14]。ウンマ市も占領されて略奪、破壊の限りを尽くされ、かつてのライバル都市国家とさほど変わらない運命をたどることになった。天罰は下ったのだ。一つの国が、別の国に併合され、やがてさらに次の国に併合されたのだ。

最初の国境の物語

昔むかし、国境があった……。

国境とは、それが物語でないとしたら、何なのか？　国境は決して単なる線ではないし、標識や壁、外れの地でもない。それはまずは、一つの考えなのだ。そのときどきに現実として提示された考えだ。それは単に世界に存在するわけではない。それはただつくられるしかない。語られるしかないものだ。

この円柱が立てられる以前から、平原の外れをめぐる戦争の前から、国境はあった。その本当の物語は、とりわけその物理的な遺構は、ほぼ完全に私たちの前から失われているものの、国境はそれほど昔からあったに違いない。人類は確かに、何千年にもわたって領地に標識を立ててきたのだ。有史以前の世界では、狩猟採集者たちが木々に刻み目や記号を付け、動物の骨や臓物を枝に吊るした。主要な埋葬地は、狩猟場所の周辺部に設けられ、そうすることで死者の魂が見張り番となって、侵入者を追い払えるようにしていた。

オーストラリア北部の先住民社会では、遺体はときには何日間も運ばれて、部族の辺境の地に埋葬された。そこでは墓地が間隔を空けて連なり、一種の精神的な境界線をなしていた[15]。人類の最も初期の、何万年も昔の岩面画の作品——軟らかい表面に指で描かれた跡や、洞窟壁画、大きな石への彫刻など——は一つには、空間との関係を表明し、景観のなかに人間的で個人的なものを埋め込んで、「この場所は私のものだ」と言う試みだったのだ[16]。私のもので、あなたのものではないな？、と。

したがって、領土はそんな時代ですら、定義されていたのだ。しかし、それはまたつねに、再定義もされていた。人間の集団は、季節が変わるごとに野生動物の群れや魚群を追って場所を変え、移動しながら暮らしていた。スカンディナヴィア南部では、木製の埋葬台が高台に建てられるか、木の幹と幹のあいだに吊るされた。「空中墓」として知られるもので、これらの構造物は、そこに納められた遺骸の腐敗とともに劣化するものだった。その領土も同じように永久的ではないことを視覚に訴える象徴として意図されたものだったのである。[17]

　ラガシュの円柱はそれとは異なるものだった。言うなれば、地球を所有するプロセスにおける人間の進化の次の段階だったのだ。その碑文では、領土は永久的なものとされる。神によって分配され、時の始まりにおいて境界を定められたものとされていたのだ。この碑は六〇キロにわたって、地面そのものに切り込んで走る線について述べ、その線を越えてはならないと言うものだ。その一線を越えた者は、その力を無視した者は、神々によって罰せられるのだった。それは人類が国境について書いた最初の文書であり、ある主張の物語なのだ。

　というわけで、私はここから始める。一本の線が引かれる。それからもう一本、また一本、さらに一本と。私たちはそれ以来、国境線を引くのを止めていない。

　私は最後にもう一度、円柱に触れてみた。一部の物にはとにかくオーラが、存在感が、それを何と呼ぶにしろ、ある。円柱はじつに堅固で、何ともずっしりと重く、それ自体の重力場があるかのように、私を引き戻しつづけた。私はその石灰岩を刻んでいた書記のことを考えていた。堤防の上に円柱を据えつけた人びとの手のことを、そしてのちに再びそれを引き倒した手のことを。いまちょうど私が触れているように、かつてこの円柱に触れたすべての人びとのことを。

　線のような単純なものが、どんな感情をかき立て、そこからどんな行動を引き起こすことができるのか。国境はただ景観を分割するだけではない。そこに新しい世界を生みだし、新しい現実をつくりだすことで、景観を拡大しているのだ。人びとはすでに何千年間もこれをやってきた。地球の隅々まで広がることで。平原の上に奇妙な魔法をかけることで。自分たちの物語を塵（ちり）と土に刻むことで。

第一部　つくる

1

線状に連なる骨

「ここは人が住んでいないのだと彼らは言った。彼らはそう考えていた。ここは無人地帯なのだと。未開の地（ウィルダネス）なんだと」

　私は北極線から三四五キロほど北のトロムスダーレンで、芸術家で地図製作者のハンス・ラグナル・マティスンの自宅に上がって、スタジオのある屋根裏部屋の屋根の下にしゃがみ込んでいた。ハンスは大きな製図用チェストの横に座って、半透明のプラスチックシートを次々に引っ張りだした。それぞれに鉛筆や黒のインクで線と名前が書き込まれている。窓からは、フィヨルドの入り江の水域越しに島になったトロムソ市の街明かりが見えた。舞ってきた小さな雪片が黒々としたガラスに押しつけられては、消えていった。

　ハンスはまだ引きだしを開けつづける。

「中等学校に入ると、ほら、さまざまな教科を学ぶようになるだろう？　歴史や地理や外国語など。私は地理の時間に使ったワークブックがとても好きでね。白地図があって、自分で色を塗らなければならないものだ。山脈や中部地域や森林地帯を。それらをすべて色分けするものだった。それが始まりだ」

　ハンスは一つの引きだしの奥底を探るために、私に何枚かのシートをもっていてくれと手渡した。

「ああ、これだ！　これが私のつくった最初の正しい地図の原本だ。まあ、それほど原本ではないが。

これは複製なんだ。オリジナルの原本はなくなってしまったので」

彼は一枚の紙を引っぱりだして、掲げてみせた。

その地図は驚くほど色鮮やかだった。そこにはスカンディナヴィアの曲がった太い腕が、ロシア領コラ半島の曲がった肘の西までつづく様子が描かれていた。左上部には、燃える太陽で方位が表わされていた。右上部には、藍色の海に囲まれた月がある。山は赤、オレンジ、茶色で示され、低地は鮮やかな緑と黄色に塗られていた。地図の周囲はリボンの絵で囲まれており、片側にある装飾用の杖のところまできて、それに巻きつく。地図にはほかにも絵が描かれていた。古代の岩面彫刻、シャーマンの太鼓、木でできたコップ、ゆりかご、装飾のあるスプーンなどだ。

右下の隅には、地図のなかにもう一つの地図がある。北極点を中心とした地図で、それが鮮やかな黄色い星として描かれている。北半球は北極を中心に回っていた。ロシア、シベリア、アラスカ、カナダのヌナヴト準州、グリーンランド。スカンディナヴィアはこの地図の上部にあり、通常の言い方をすれば、上下さかさまになっている。この挿入部分の隣りには、地図の題名が、「サプミ」と、手の込んだ刺繍（ししゅう）作品として描かれていた。

サプミは一つの領土でもあり、概念でもある。これはツンドラとタイガ、山、森、川、海からなる、サーミ人の暮らす空間を表わしている。しかし、それはサーミの文化と暮らし方を表わすものでもあり、フェノスカンディア〔訳注：ノルウェーからコラ半島までの一帯〕に何千年間も、最終氷期の終わりにまでさかのぼって存在してきたものだ。

「これを非常に美しい地図にしたかったんだ」と、ハンスは語った。「われわれサーミ人はじつに悲惨な経験をしてきたからね。自分たちのために、この地図は美しいものにしたかった」

地図では、サプミはノルウェー、スウェーデン、フィンランド、そしてロシアにまでつづいている。しかし、そこに国境はない。現在、この一帯を占める四カ国の名前と国境は、そこには含まれていない。代わりに、サプミは自由に解き放たれており、線によって束縛されることなく、あたり一帯に広がる。

「別に難しい判断ではなかった。国境を含める理由は思いつかなかったからね。サプミはわれわれの祖地で、そういうものだからだ」

彼は私から目を逸らして、地図を見下ろした。それからため息を吐いた。

「私がサーミの最初の地図製作者だ。私より前にこれを試みた者は誰もいない。確かに、ほかの地図はあるよ。でも、サーミがつくったものではない。サーミにももちろん地図はあった。でも、その地図は頭のなかにあったんだ」

三国ケルン

その前日は、北から強い風が吹いていた。風はキルピスヤルヴィ湖の凍った湖面にうっすらと積もった新雪をひっきりなしに吹き寄せ、真っ平らな広がりの上に滑らかに、軽やかに粉雪の流れを送りだしていた。私の下ではスノーモービルが跳ねては横滑りしていた。ガイドのトマスは、最初はゆっくりと、木々のあいだの道を選びながらカバノキの森を抜けて先導していた。だが湖上に出たいまや、スロットルは全開にすることができた。私はスピードメーターが時速三〇キロ、四〇、五〇、六〇、七〇キロと上がってゆくのを眺めた。遠くに、灰色の雲の切れ目が現われた。一条の日の光がその景観にすっとまっすぐに金色の筋を描いた。

湖は周囲をぐるりと丘に囲まれていた。カバノキで黒々と覆われた低い丘陵が連なったものだ。だが、その丘の向こうには、雪をかぶって骨のように白く見える巨大なはげ山の尾根がつづいていた。体感温度は別だが、気温は氷点下六度だった。三月初めにしては暖かい。その一週間前までは、マイナス二五度だった。

「湖の氷の厚みはいまでは二メートルほどになっています」と、トマスは言った。「スノーモービルを安全に利用するには一〇センチもあれば十分です。二〇センチにもなれば、ここにジャンボ・ジェット機だって着陸できますよ」

私たちのルートは全長一一キロの湖を北東へ進むものだった。それはまた、一本の国境線の真上を通るものでもあった。フィンランドとスウェーデンを隔てる線は、キルピスヤルヴィ湖のちょうど真ん中を通る。一年のうち四カ月ほど国境は、揺れ動いて、きらめく水面の上にある。しかし、一〇月から六月までは、この国境は氷に閉ざされている。

雪は降りつづけた。雪はヘルメットのバイザーの下から叩（たた）きつけ、フェイスマスクの上で露出している皮膚に突き刺さる。反対方向からもう一台のスノーモービルが、重い荷を積んだ橇（そり）の上に黒い犬を座らせてやってきた。犬は飛びだしてきてこちらに向かって吠え、自分の橇の周りをぐるぐる回りながら私たちが通り過ぎるのを見ていた。湖の端までたどり着くと、そこからさらに一〇〇メートルほど、緩やかな丘を進んだ。トマスがゆっくり止まると、私はその後ろに乗りつけた。

「あの犬を見ましたか？」と、彼は尋ねた。「あれはサーミの犬です。トナカイを追う犬です。群れがいまどこかこの山中にいるに違いない」

彼は身振りで凍った湖を示した。

「昨年、見たんですよ。そうですね、一〇〇〇頭はいたに違いないトナカイをあのあたりで。一カ所にあれだけたくさんいるのは見たことがなかったですね」と、彼は笑った。「そう、デイヴィッド・アッテンボローの野生動物のドキュメンタリーでも見ているような感じです。冬の真っ昼間なのに、太陽はすごく低い位置にあって、極夜（きょくや）が終わった直後でした。するとトナカイが湖のほうに駆け下り始めたんです。周囲の雪をすべて蹴散らし、日の光のなかでもうもうと雪煙を上げながら。驚くような光景でした。トナカイを飼う人びとが後ろからスノーモービルに乗って追い、犬もそのあとにつづきました。犬たちはただ狂ったように吠えていました」

私は下方の湖を見やった。そこには白銀の世界が広がっていた。美しく平らな、何もない空間が。唯一それを乱しているのが、私たちのスノーモービルの通った跡だった。長い一本線が、遠ざかってゆくものだ。あたかも雪のなかに、自分たちで国境を刻んだかのように。

道をさらに進むと、再び森のなかに入っていった。私たちはもう数分間登って、生い茂るカバノキの枝のあいだの小道をたどると、今度は再び下りになって、自然の空き地と思われる場所に出た。その向こう側は開けていた。そこがもう一つの凍った湖であることに私は気が付いた。

湖の向こう側の一〇メートルかそこら行った先に、巨大な円形のコンクリートの塊があり、その上に小さな灰色の石が載っていた。もし私たちが国境線を引いてきたのだとすれば、ここが終着点となっただろう。私はスノーモービルから降りて、コンクリートの表面にこびりついた氷を払った。風上側は真っ白くなっていたが、風下側は黄色いペンキがあいだから覗いていた。コンクリート塊の周囲を時計回りに歩いてみた。数歩ごとに、自分が違う国にいることに気づいた。スウェーデンからフィンランドへ、フィンランドからノルウェーへ、ノルウェーからスウェーデンへ。そして再びスウェーデンからフィンランド、ノルウェーに。

ここにたどり着くのは一本の線だけではなく、三本の線なのだ。実際には、終着点ではなく、むしろ接点だ。「トライポイント」〔訳注：三国の境〕と呼ばれる場所だ。スウェーデンの最北端はここでフィンランドの最西端と一緒になる。そして、双方の先の西と北に、ノルウェーと北極海がある。一八九七年に、この標識はただの積み石(ケルン)として立てられた。三〇年後、冬季の厳しい気象条件で石が崩れつづけたあと、今日のような形態で再建された。高さ三メートル、横幅四メートルの円錐台(えんすいだい)〔訳注：プリンのような形〕の人工島で、ゴールダヤーヴリ湖の岸からわずかに離れた場所に設置されている。一年の四分の三は、この標識は雪に埋もれている。

近づいて見ると、このケルンのてっぺんの小さな石の塊は三面あることが見てとれた。それぞれの側面に、そこが面している国を象徴するものが彫られていた。スウェーデンは三つの王冠。ノルウェーは斧をもつライオンがいる紋章。そして最後の三面目には、ごく簡潔に、「スオミ」と文字が書かれている。「フィンランド」を意味するフィンランド語だ。だが、サプミについては、ここには何も書かれていない。

トライポイント——この「三国ケルン」と呼ばれるもの——は、サーミ人の土地のまった只中にある。一方から見れば、ここは地図製作上の珍しい存在で、数秒間で三つの国の国境を遊び感覚で越えられる場所となる（そのうえ、ちょっとしたタイムトラベルも楽しめる。時差のためフィンランドはスウェーデンとノルウェーより一時間早いのだ）。だが、別の見方をすれば、限りなく大昔から先祖代々暮らし、知り尽くした領土であっても、新参者が自国領とし、境界を定める事態が起こりうることを示す象徴でもある。そのような見方をすれば、大きなコンクリート製の円錐台は、地面に打ち込まれた杭となり、景観を三つに分断するものになる。地割れのように国境線を引いて大地を切り裂くものだ。それらの線は目には見えないかもしれないし、少なくとも大地に引かれてはいない。それでも、国境線はあなたを見ている。何かを意味しているのだ。そして、それは結果を伴う。

トナカイの牧畜民

一九〇四年の夏、二人のデンマーク人姉妹、エミリーとマリー・デマントが、スウェーデン北西部の、ノルウェーとの国境沿いにあるヴァッシヤウレ湖の湖畔のログキャビンで休暇を過ごした。姉妹は開通したばかりの鉄道でそこまで旅をしてきた。鉱業の町キルナの広大な採鉱場から、山を越えてノルウェーの不凍港であるナルヴィクまで鉄鉱石を運搬するために建設された鉄道だ。開けた高原で数日間ハイキングをしたあと、二人はヴァッシヤウレで再び列車に乗り——この停車場はまだできたばかりで、駅舎もプラットフォームもなかった――ナルヴィクまで旅をつづけた。キルナまでの帰りの列車で、二人はフィンランドの旅行者と「生き生きとした目の」もう一人の男性と乗り合わせた。彼は毛皮のチュニックを着て革製のズボンを穿いており、大きなナイフを動物の骨でこしらえた鞘に入れて携行していた。フィンランド人の乗客を通訳にして、四人は話し始めた。

ヨハン・トゥリというこのサーミ人は、以前はトナカイの牧畜を生業としていたが、狼の狩猟者に鞍替えし、トーネ湖の北岸にある夏の野営地にいる家族を訪ねる途中だった。トゥリは五〇歳になったばかりだった。彼は一八五四年に、そこから二二五キロ北西にある、ノルウェー北部の広大なフィンマルク県の中心地カウトケイノで生まれた。しかし、三歳のとき、スウェーデンの南にあるサーミの町、カレスアンドに一家で移住した。

一八〇九年にフィンランド大公国がスウェーデンからロシアに割譲されたため、フェノスカンディアは三分割された。ロシアとノルウェーのあいだの緊張は増し、一八五三年にロシアはフィンランドとノルウェーの国境を完全に封鎖した。サーミの牧畜民は何百年ものあいだ自分たちのトナカイを放牧させてきた牧草地をたちまち利用できなくなった。トゥリの家族のように、多くの人には移住する以外に選択の余地がなかった。彼らは一八八九年までほぼ三〇年間、カレスアンドにとどまったが、ロシアはフィンランドとスウェーデンの国境も封鎖した[1]。トナカイのための重要な越冬地が再び失われたのだ。今度はトゥリの父親は西へ向かうことにし、トナカイの群れをサーミの市場村であるユッカスヤルヴィに近い、トーネ湖の森に連れて行った。芝土で屋根を覆った粗末な木造小屋が集まる小さな集落から、数キロしか離れていない場所だ。一〇年後、それらの小屋が鉱業の町キルナに大発展した。

トゥリは、トナカイの牧畜に固執する家族にいかにうんざりしたかを語った。彼の兄弟二人は自分の群れをもつようになったが、トゥリは代わりに狩猟をし魚を釣って一人で暮らす道を選んだ。自然のなかでたった一人長期間過ごすことで、彼にはたくさんの考える時間が、夢を見る時間ができた。そのため、子どものころからの願望を思いだすことになった。自分たちサーミ人の物語と、その暮らし方について、ただ語るだけでなく、書き留めておくことだ。

　二人の姉妹のうち三〇歳の妹のエミリーも、彼女自身がずっと抱きつづけてきた夢を語った。いつの日かサーミの牧畜民と一緒に北方の地を旅してみたいと彼女はずっと願っていたのだ。「子どものころから、山の民のあいだで暮らしたいという、自分でも不思議な願望をもっていたの」と、エミリーは言った。そこで、スウェーデンの高地をガタゴトと走る列車のなかで取引がまとまった。エミリーはトゥリが自分の物語を執筆して出版するのを助けることにする。そしてトゥリは、エミリーが彼の兄の一家のもとで、トナカイの季節ごとの移動を追いながら、暮らして働けるように手筈を整えるのだ(2)。

書面に記された土地

トナカイはこの一帯に、どんな人間よりも長く生息してきた。一万年ほど前、内陸の氷床が後退し始めたのちに、トナカイは北へと移動した。人間、つまりサーミ人の最初の祖先である狩猟者たちがそのあとにつづいた。

　トナカイにとって、冬の寒さは脅威ではなかった。その分厚く密集した毛皮の繊維は中空で、驚くほど効果的に断熱することができる。氷点下五〇度の気温でも、深部体温を保てるのだ。だが、トナカイにとっての難題はつねに、地面が凍結し、雪に覆われてしまったときに餌を探せるかどうかだった。

　何千年ものあいだ、トナカイたちはきわめて特殊な移動パターンを編みだしてきた。冬には、低地の森を抜けて雪を掘りながら、彼らの主要な食糧源である地面のコケを探す。春に子が生まれると、トナカイは雪が早く解ける草地を探しだし、草などの植物を食べて寒い季節に失った体重を取り戻す。夏には暑さと蚊を避けて再び山地に戻る。八月には、トナカイは低地の草場に移動しており、発情期が始まる。秋は短い合間の季節で、夏の暖かさの名残を惜しんだのち、季節は急激に変わって極夜の日々が迫ってくる。[3] 九〇〇〇年近く、サーミの狩猟者とトナカイの暮らしのリズムはほとんど変わらなかった。だが、九世紀には、サプミの土地によそ者が移り住んできた。

西暦八九〇年ごろにアングロサクソンのアルフレッド大王の宮廷を訪れた古代スカンディナヴィアの首長オッタルは、サーミ人からトナカイ、テン、クマ、ラッコの毛皮、ダウンの羽毛、クジラの革やアザラシの毛皮でつくった船舶用の綱などの貢物を、定期的に受け取っていることを語った。これが主要な収入源なのだと、オッタルは自慢した。[4] それでも、サプミの北端のフィンマルクに古代スカンディナヴィア人の最初の村が出現し、それとともに最初の教会が建てられたのは、一三世紀になってからだった。そして、その後の数百年間は、大半の新しい集落は海岸周辺にとどまっていた。

しかし、必然的に、土地をめぐる圧力は増すばかりとなった。一五四二年には、スウェーデン王のグスタフ・ヴァーサが「恒久的に人の住まない土地はすべて神のものであり、われわれスウェーデン王室のものであって、ほかの誰のものでもない」と、宣言した。ヴァーサはデンマーク王国からスウェーデンの民を独立させる動きの先頭に立っていた。当時、ノルウェーはまだデンマークの支配下にあった。これはスカンディナヴィアに断層線を引くプロセスの始まりだった。それはサーミ人にとって容赦ない現実を意味するものだった。一五九一年にスウェーデンで行なわれた国勢調査には、北東の沿岸に三〇〇人近くが暮らすサーミ人の集落が含まれており、これらの人びとがスウェーデン、デンマーク、ロシアの王室に同時に税を納めていた実態が記録されていた。[5]

その結果、毛皮と肉の需要は急速に増した。交易商人と収税吏のニーズを満たすために、狩猟が活発化し、まもなくトナカイの頭数におよぶ影響が持続不能なものであることが明らかになった。代わりに、一七世紀までにサーミ人とトナカイのあいだに半家畜化という新たな絆が築かれた。北部一帯をトナカイが移動するにつれて、山間部や森に住む部族が年間を通して群れとともに暮らし、移動するようになったのだ。これはトナカイを絶滅させないために、頭数の管理を試みるものだった。

この一帯の土地を新たに利用する動きも出てきていた。一六三四年に、サーミ人のペーデル・オロフソンが北西部の高地のナーサフィエルという場所で銀鉱石の鉱脈と思しきものを見つけた。ここはスウェーデンとノルウェーの国境地帯で、まだどちらの領土とも未確定の土地だった。一年後には、採鉱場がフル操業していた。四〇キロほど離れたサドヴァヤウレ湖の湖岸の、サーミ人が「シルボヨック」（銀の流れ）と呼んでいた場所には、銀の製錬所が設けられた。[6]

製錬所の炉はつねに木炭の燃料をくべる必要があったため、湖周辺のマツの森はほぼ皆伐された。森林はまだ完全に元どおりになってはいない。産業からの副産物である鉱滓や廃棄物の山は川や地下水を汚染し、周囲の環境を様変わりさせた。地元のサーミ人は、当初は税を免除することによって説得され、そのころにはなかば飼い慣らされていたトナカイを使って採掘場から山間部を抜けて製錬所まで鉱石を輸送するようになった。だが、徐々に彼らは、トナカイがこうむる肉体的な影響と、群れの移動を妨げることによる結果を憂慮して、協力を拒むようになった。いくつかの記録によれば、スウェーデンの鉱山労働者はサーミの牧畜民を材木に縛りつけ、考えを変えるまで急流に押し流すことで、彼らを強制的に従わせていた。銀鉱石の道に「トナカイの白骨化した死骸」が散乱していた様子を語る記録もある。山から湖の岸辺まで、線状に連なる骨が道沿いにずっと残されていたのだ。[7]

まもなく、地元のサーミ人はほぼ一人残らずこの地を去り、その多くは北部や西部のノルウェー領に移住していった。鉱山と製錬所はわずか二〇年しか操業せず、一六五九年のスウェーデンとの紛争中にノルウェー軍によって破壊された。そこでの労働条件はきわめて過酷で、産出される銀の量は願っていたような富をもたらしはしなかった。それでも、国家と民間の探鉱者の目は、どちらも北方へと向けられていた。このとき初めて、人びとはサプミの奥地にまで関心を向け、その土地に何があるのかだけでなく、その地面の下まで詮索するようになった。そして、もちろん、誰がそこを所有しているのかも。

領土の問題は、論議を呼ぶ一方となった。この土地をめぐる論争から、スウェーデンとノルウェーのあいだで紛争が絶えなくなった。ついに一七三四年に、両国王は国境委員会を結成することで合意し、デンマークのクリスチャン六世が述べたように、同委員会は「ノルウェーとスウェーデンのあいだに国境線を引き、両側に国境地帯を設けた完全な地図を作成する」ことになった。[8]「あらゆる線と角度と曲線が正味の長さと幅で記載され、幾何学的に対処」できるはずの国境である。

そのためには、バルト海から北極海までつづくスカンディナヴィアの山脈を全長にわたって地上測量する必要があった。この当初の作業の大半は、一人の人物の手で成し遂げられた。デンマーク＝ノルウェー軍の士官で法学者であるペーテル・シュニトレルである。一七四二年に、シュニトレルは四年におよぶ現地調査に乗りだし、北部一帯を旅して回り、各地の集落――ほぼいずれもサーミの集落――で国境に関する聞き取りを行なった。調査が終わると、彼は自分の地図と日誌を軍の測量技師のチームに送った。彼らはシュニトレルの経路をたどり、正確に測量され、隅々まで描き込まれた国境線をつくりあげた。その結果は、一七五一年のストレームスタード条約によって合意されたように、ヨーロッパの二国間にある最長の国境としていまも存続する。全長二二〇〇キロにわたって、途切れることのない一本の線がつづいているのだ。[9]

この条約には、シュニトレルが現地で聞き取り調査した情報による追加条項がある。三〇の条項によって、サーミ人（当時は「ラップ人」または「ラップランド人」と呼ばれていた）にたいし、この分割された土地における彼ら特有の立場を認め、調整する特別な規定を定めていたのだ。「ラップ人は双方の国の土地を必要としているので、過去の慣習に即して、秋と春にトナカイとともに隣国へ移動する権利を有するものとする。そしてこれからも以前のように、それぞれの国の臣民同様、自分たちと家畜の暮らしを維持するために土地や岸辺を利用する権利をもつものとする[10]」

これはサプミが初めて書面で法的に承認された事例であり、国境線がどこに引かれようと、この土地一帯を自由に移動するサーミ人の権利を初めて認めたものだった。同時に、サーミ人はスウェーデンまたはノルウェーの国籍をもたなければならなくなった。これはたいがいその集団の越冬地がどこにあるかによって決まった。だが、多くの場合、それすら国境線によって分断されていたため、彼らはただ選択肢を与えられていた。直接の恩恵としては、サーミ人は何世紀にもわたって搾取されたのちに、一方の国で一度だけ税を納めればよくなった。

追加条項は、奇妙なほど相反する内容の文書だった。これはサーミ人の「マグナ・カルタ」〔訳注：イギリスで国王の権限を制限した大憲章になぞらえている〕と言われ、分散して暮らす人びとの存在と、その文化や大昔からの土地について正式に記したものだった[11]。それでも、皮肉なことに、これらの条項はその土地を分割するプロセス自体の一環として記されていたのだ。いったん与えた権利は、まだ取り上げることもできる。そして、いったん引かれ、開かれた国境線も、まだ閉鎖することができる。サプミの存在が書面に記された瞬間から、その土地は真ん中から二つに分割されたと、条項は述べていたのだ。

禁断の地

エミリー・デマントは姉とともにデンマークに帰国したが、ヨハン・トゥリとの取り決めを忘れてはいなかった。彼女は不定期ながら熱心にトゥリと文通をつづけ、同時にコペンハーゲン大学の比較言語学の教授ヴィルヘルム・トムセンに会い、サーミ語の基礎を習った。最初の旅から三年後の一九〇七年六月に、彼女はスウェーデン北部行きの列車に再び乗った。キルナを通過して、さらに北西まで進み、まだ一部凍結したままのトーネ湖を見下ろす小さな駅で彼女は下車した。数日後、トゥリが彼女に会いにやってきた。まだ太陽が地平線の上にある真夜中に、二人は湖を北岸まで漕いで渡り、それからトゥリの兄のアスラックが待っている野営地まで歩いて行った。[12]

アスラックは妻のシリと五人の子どもたちと一緒に「シーダ」と呼ばれる共同体のなかで暮らしていた。これは何家族ものグループと、彼らが利用する土地すべてと、彼らがそのときどきで暮らす特定の場所を網羅するサーミ語の言葉だ。シーダはある意味で、統治構造であり、かつ領土なのだが、つねに移動し、変化できる領土であって、トナカイとその牧畜民が国中を移住するなかで、その国境はその動きによって引かれては、引かれ直されている。

エミリーは雪解けが始まる直前にシーダにやってきており、シーダの人びとは夏の野営地に移動する準備をしていた。トゥリに別れを告げたあと、彼女がまず手がけた仕事の一つは、ホストファミリーがテントを倒すのを手伝い、それを小麦粉や干し肉、調理用具、皮革、寝具と一緒にボートに積み込むことだった。永遠に日没時がつづくような未明の時間に湖を北西へと進み、彼らは向こう岸まで到達した。そこから森のなかまで登り、再びテントを立てた。テントの内側になる地面にはカバノキの若い小枝を敷き詰め、石を丸く並べて炉をつくった。「外から見ると、テントは紫色の山を背景にして、色のついたランプのように輝いていた。山には長い筋になって雪が残っていた。テントのなかでは、私が長年、憧れてきた火が燃えていた。その現実は、私の夢に勝るものだった」[13]

その後八カ月間、真夏から翌年の三月まで、エミリーの暮らしは広大な大自然とアスラックの家族テントの小さな世界のあいだを、交互に行き来した。「外の環境は十分に壮大だった」と、彼女は書いた。「山並み、太陽、闇、嵐、巨大な空、星、オーロラ、それに広大な景観。私たちの社会の誰が、そんな背景のもとで働いているだろうか？」[14] それでも、陽光が消えてゆき、寒さが募るにつれて、変わらずあるものは、戻るべき場所は、いつもテントだった。「テントを張る場所は次々に変わったが、テントは内側も外側もいつも同じだった」。サーミ人が「暗い時間」と呼んだ極夜が北の一帯を包み込むにつれて、エミリーの居場所はごく狭いテント場ほどに縮み、直径数メートルほどの円でしかなくなった。「霧が周囲に迫るなかで、火が人びとも犬たちも引き寄せた。焚(た)き火からはぜる火花が赤い星のように空に舞い上がり、霞(かすみ)にかき消された[……]。やがて、焚き火は消えて、私たちは暗闇とともに残された(15)」

エミリーはサーミ人の暮らしにあらゆる側面から入り込んでいた。彼女は木を集めて、薪割りをした。料理や皮なめしもして、トナカイの毛皮で服をこしらえた。トナカイが運ぶ荷を詰め、群れとともに歩いた。彼女の最も克明な記録の一部には、群れとともに暮らし、移動したときに味わったスリルがよく描写されていた。このシーダには三〇〇〇頭近いトナカイがいて、その群れが一緒になると「灰色の波」となって、「黄泉(よみ)の国から聞こえてくる雷鳴のように、轟(とどろ)いた」。それは、「雹(ひょう)を降らせる嵐のように、山腹を駆け抜ける」生きた塊のようだった。エミリーはその壮観に、「震えを感じ」ざるをえなかったと書いた。だが、それは彼女だけではない。サーミ人はトナカイとごく身近に暮らしてきていたが、それでも「群れの光景にどこか酔ったような状態になっていた(16)」。

一九〇八年三月の終わりに、彼女はアスラックのシーダを離れて、カレスアンドの別のサーミ人一家に加わることにした。もう一度「同じ土地」をめぐるのは「少々退屈になる」ので、彼女は代わりに「新しい人びとと、新しい状況と、新しい領地」を体験してみたかったのだ。カレスアンドのシーダは長距離におよぶ難儀な春の移動に出かけるところだった。二〇〇キロ以上におよぶ旅で、スウェーデンからノルウェーまで山を越えて北西に向かい、トロムソ市を見下ろすトロムスダーレンの牧草地が目的地だった。エミリーはヘイッカとガーテ夫妻とともに、それから四カ月間、風が吹きさらす高地の峠を通って移動した。急激な雪解けによってあたりの状況はつねに変わり、危険に満ちていた。「あの峰と峰のあいだが、私たちの通り道なの」と、ガーテは彼女に言った。「下方には暗い森が地獄として見えるし、上方には急峻な山が天国としてそびえる場所よ」[17]

彼女は六月の終わりに、夏の野営地で数週間を過ごしたのちに、南へと旅をしてトロムソに到達した。一年余りを経て、彼女はトーネ湖の鉄道駅に戻ってきた。そこから山の上にある探鉱者の木造小屋までは、短い登りだった。なかではヨハン・トゥリが彼女を待っていた。その後、四カ月にわたって、夏から秋にかけて、エミリーは取引における自分側の約束を守った。サーミ人についてトゥリが本を執筆するのを手伝ったのである。

『サーミ人の物語』(*Muitalus sámid birra*)は、その二年後に刊行された。エミリーはトゥリにそれをサーミ語で書くように説得し、彼女がそれをデンマーク語に翻訳して、二つの版が隣り合わせに並ぶようにした。トゥリに会った人びとの多くは、彼を一種の高貴な野蛮人か、原始的な賢人として描いたが、彼は決して近代の世界を知らなかったわけではなかった。トゥリはこの世界に暮らし、それに適応もしており、自分のサーミ人としての暮らし方と近代世界を融合させようと試みていた。本を書いた理由そのものが、周囲全体で彼が体験してきた変化にたいする懸念を表明するためだった。サーミ人の権利を主張し、自分たちがその他のどの国民とも対等であることを示すためだ。『サーミ人の物語』は民族誌(エスノグラフィー)であり、かつ歴史書でもあり、民話から引用した物語には、トナカイの牧畜や伝統的な医術が詳細かつ実践できる形で描写されるが、本質的には、これは論争の書だった[18]。

「私はサーミ人だ」と、トゥリは感情を込めて冒頭の一文を書いた。「サーミの暮らしと状況についてすべてのことが書かれた本があれば、何よりだろうと私はかねがね考えてきた」と、彼はつづけた。「そうすればサーミの置かれた状況はどうかと、人びとが尋ねる必要はなくなり、そうなれば、サーミについて嘘を語り、とりわけスウェーデンやノルウェーで移住者とサーミのあいだで不和が生じて、サーミだけに責任があるという主張がなされても、誤った解釈がされなくなるだろう[19]」

一九〇一年に、傑出したデンマークの探検家クヌート・ラスムッセンがスウェーデン北部でサーミ人と一緒に暮らし、その体験について著書『ラップランド』(*Lapland*)で詳述した。あるサーミ人との会話を想起しながら、彼はサーミ人の将来について宿命論的な見解を提示した。「トナカイの群れは消滅し、未開の地とともにあなたの友人たちも死んでゆくだろう」と、ラスムッセンは言った。サプミに戦争がやってきたのだ、と彼はつづけた。「戦っているのは二つの文化だ。そして、勝利するのは新しい文化でなければならない。新しい文化はそれ自体に未来があるからだ」。その結果、サーミ人は「自分たちの土地で抑圧され、死を宣告された人びとが新しい人びとに無言の服従をするように屈することになった。列車やダイナマイトをもって突撃する人びとに。そうして、サーミ人たちはこの地でこれまでいつも暮らしてきたように、誰に気づかれることもなく静かに死んでゆくのである[20]」。

トゥリの本は、この「無言の服従」にたいする拒絶を表わすものだった。この作品は代わりに、意図的な抵抗の行為を、サプミのいわゆる「未開の地」の沈黙を破る声を提供した。ラスムッセンの『ラップランド』を読んで、「これは何とページ数も少なく、表面的なことか[21]」と述べたエミリーはすぐに、独自に本を書くことになった。一九一三年に彼女は、遊牧生活を送った年に書いた手紙と日記を、『山のなかでラップ人とともに』と題した一冊の本にまとめた。『サーミ人の物語』とともに、この本は太古からの文化が政治、経済、社会が急速に変化する時代をくぐり抜けてゆく様子を描く、優れた記録となった。そして、この本はサプミが比喩的にも文字どおりにも、彼女のすぐ目の前で縮小していった姿を捉えていた。領域への侵入と脅威は、あらゆる方角から迫り、炉の火の周囲に極地の闇が近づいてくるかのようだった。大規模な産業化、農業、定住地の拡大、集約林業、そして国境が。またもや国境だ。

エミリーの本のなかでも胸に迫る箇所は、ヘイッカとガーテとともにカレスアンドからトロムソに移動するあいだのことだった。彼女のたどった道筋はスウェーデンとフィンランドの国境線に沿っており、国境線自体はクェンカーマー川に沿ってキルピスヤルヴィ湖とゴールダヤーヴリ湖と三国の境のケルンまでつづくものだった。エミリーは道中、自分たちがどのように野営したかを書いた。彼らのテントは「丘の上にあり、そこからは〈禁断の地〉が一望に見渡せた」。つまり、フィンランドだ。「唯一境となっているのは、尾根の下方で厚く氷の張った川だったが、トナカイたちには凍った川を国境として守ることはできない」(22)。トナカイはたびたび国境線を越えてはぐれてしまい、不安になった牧畜民と犬たちがトナカイを追って再びスウェーデン側に連れ戻すのだった。

何日かが経って、再び移動していたとき、彼女はこんな光景を目にした。「はぐれたトナカイを追い込んでいた男たちの一人が、トナカイたちが休んでいるあいだ、丘の上に横になっていた。彼は近くのフィンランド領を眺めていた。何を考えているのかは容易に推測できた。[……]川の向こう岸の東のほうは、コケがびっしりと灰色に生えている。あそこなら、自分もトナカイも力と勇気を得られるだろうと[……]。だが、それらよいものはすべて、国境によって遮られており、その背後には法的規則が潜んでいたのだ」(23)

国境を越えてノルウェーに入るために、彼らはキルピスヤルヴィ湖とフィンランドの「禁断の地」を背にして西へ向かい、山間(やまあい)の高原まで登った。そこは「ケブミヤウレ」、すなわち「幽霊湖」と呼ばれた場所だった。夏至のころだったが、状況は過酷で、強風に雪、あられ、雨に見舞われた。彼らはテントが大嵐のなかでなぎ倒されないように、大きな花崗岩(かこうがん)の塊で重石をしなければならなかった。彼らサーミ人はこのような状況を「死の天候」と呼んだ(24)。彼らはノルウェーとの国境すれすれの場所にいた。

ガーテはエミリーに、「ハルダ」――黄泉の国の精霊――の「夜の泣き声」が聞こえると言った。「山腹沿いに吹く風には、ひどく不気味なものがあった」と、エミリーも同意した。この地域のサーミの民話は、フィンランド語で「ラヤンハルティヤ」と呼ばれる非常に特殊なハルダについて語る。

これは国境に徘徊（はいかい）する精霊で、国境が移動されたり、突破されたりすると叫ぶのだった。風に乗った叫び声がサプミの土地に引かれた国境線を嘆いていたのか、一方の土地からもう一方へ移動する牧畜民が直面する危険を警告していたのかを、ガーテが語ることはなかった。（しかし、その一〇年後、最終的な禁止が下された。一九一九年に、スウェーデンとノルウェーの国境協定が結ばれ、両国間の群れの移動が禁止された。さらに多くの牧草地と繁殖地が失われたのだ。何千年も昔からの移動ルートが、一瞬にして封鎖されたのである。）

サプミの分断された土地の国境線をたどり、横切って、越境した日々は、エミリーに強烈な印象を残した。サーミ人は、「暮らす場所を移動する渡り鳥なのだ。トナカイを追い、餌が見つかる場所に落ち着き、はるか遠方まで見渡せる美しい場所に灰色のテントを立てる」と、彼女は書いた。

エミリーは著書の最後に、読者に向かって、物悲しさと同時に、非難を込めた疑問を突きつけた。「国境を封鎖し、サーミ人から土地を奪うあなた方よ。あなた方は自分たちが何をしているかわかっているのだろうか？」[25]

「生きた土地」の地図をつくる

私はエミリーの行程を、一部はスノーモービルで、しかし大半はバスを使ってトロムソにいたるまでたどった。マンハッタン島の半分ほどの面積である島のこぶ状の丘には、小さな板張りの家が並ぶ長い通りが四方八方に広がっていた。周囲はどの方角もフィヨルドと山並みに囲まれている。海岸通り周辺には、チェーンホテルの角張ったビルが立ち並ぶが、ここはまだ建設されてまもない、田舎臭い、フロンティアの町らしさを残していた。

ハンス・ラグナル・マティスンは主要な港から少しばかり丘を登ったところにある中国料理店で会おうと言ってきていた。彼は七〇代なかばで、虚弱に見えるほど、華奢（きゃしゃ）な体格をしていた。銀白色の髪が、後退しつつある頭頂部から両脇に細長い房状に垂らされ、私がそれまでに見たこともない最も黒々とした両眼を引き立てていた。すべてが瞳孔で、それ以外の部分がないような目だった。その目は、エミリーの本で読んだ一節を思いださせた。「トナカイの目のなかに、まるで黒い凹面の鏡のように、すべての景観が見え［……］そのなかに前兆が見える」のだと、彼女が述べていたことを[26]。

ハンスは一九四五年七月一日に、戦争中の爆撃で廃墟(はいきょ)となったナルヴィクの港町で、双子の一人として生まれた。双子の片割れは幼少期に亡くなり、彼の両親もまもなく他界し、彼自身も病弱な子ども時代を送った。二歳のころ彼は結核に感染し、ほぼ九年間、入院生活を送った。そのうちの七年間はトロムソのサナトリウムで過ごした。一九五六年に退所すると、彼はやはりサーミ人だった里親の家族に引き取られたが、ずっと後年まで、そのことを知らなかった。一〇代になったある日、彼は里親の家の本や書類を調べていたとき、古いトロムソ郡の地図を見つけた[27]。

「この地図に、ノルウェー語の名称の横に括弧書きで別の地名が書かれているのを見て、これは何だと思ったんだ。それは違う言語だった。サーミ語だったんだ。当時、サーミ語は、タブーのようになっていた。自分がサーミであることは知っていたが、当時、私はその言葉を話すことも、書くこともできなかった」

第二次世界大戦後に、新しいノルウェーが誕生しつつあった。福祉国家の概念にもとづき、「平等」という考えに後押しされて建国されたノルウェーだ。だが、あまりにも純粋な平等であるため、それは差異を認めたがらないものだった。たとえば、ノルウェー人とサーミ人の違いなどだ。この新しいノルウェーでは、行動や食生活、暮らし、教育に基準が定められていた。一つの国には、一つの言語と、一つの歴史しか必要はなかった。学校での授業はすべて、ノルウェー語で行なわれた。サーミ語は過去の言語であって、古い世界の遺物なのだった。そしてそれは廃止する時がきたのだ。これはノルウェー化として知られる政策だった[28]。

「まだ入院していたころですら、自分がノルウェー化されているのはわかっていた」と、ハンスは語った。「病院にやってきたある患者を覚えている。彼女はしゃべらない人だった。それで誰もがこう言った。『ああ、彼女はしゃべれないんだ』。それが彼らの結論だった。でも、しゃべることはできた。ただ、ノルウェー語ではなかっただけだ。彼女はサーミ語しか話せなかったんだ」。ハンスは頭を振り、それからあの黒い目で私をじっと見つめた。「これはとんでもないことだ。私に言わせれば犯罪だ。子どもに、人に、母語を使わせないとは。これは精神的な責め苦だ。ノルウェー人はそのようなことを、いとも容易に許されてきた」

そんなときにトロムソの地図を見つけたことは、違法なことをするスリルを、否定された世界を垣間見る機会をもたらした。ノルウェーがもはや存在しないと、そもそも本当にありはしなかったのだと言っている世界である。ハンスは、探せる限り最も薄い紙を手に入れ、地図の上に重ねて海岸線をなぞった。それから、彼はただサーミ語の地名だけを書き入れ、ノルウェー語の地名はわざと排除した。当時それは何らかの違反行為のように感じられた。ささやかなことだが、重要な勝利なのだった。「私はこの地図を見て、思った。サーミ人であることは、結局それほど悪いことではないかもしれない、と」

二〇歳になると、ハンスは子ども時代に忘れてしまったサーミ語を再び学び始めた。ハンスの里親は大学まで行かせることはできなかったので、彼は教師として働き、それから建築業界で専門的な製図工として働いた。一九七三年には、大学に通えるだけの十分な資金も貯まり、オスロ国立芸術大学に合格した。

「私はチューターに、一年間、地図を描くことに費やしても構わないかと尋ねたんだ」と、ハンスは私に語った。「すると、彼はいいだろうと言った。そこで、私は考えた。よし、だが、単にどんな地図でも製作するというわけにはいかない。それに何かを語らせなければならない。芸術作品だからね。

だから、政治的なものとして始まったんだ」

しかし、すぐさま彼は問題にぶつかった。サーミの祖地はあまりにも広い地域にまたがっていたため、同じ尺度で全域を示した一枚の地図を探しだすことができなかったのだ。ノルウェー地図局に行ってみると、そのような地図は存在しないのだと言われた。それから、実際には地図はあるのだが、NATOによって作成されており、一般には公開されていないのだと説明された。ハンスはそれらの地図を見せてもらえるよう説得した。地図は軍の操縦士が使う航空図だった。

「私はその航空図をもらい、いまもまだもっているよ！」ハンスは嬉しそうに語った。「そこで私はそれらの地図をつなぎ合わせて、トレースした。それが、サプミのための輪郭線となった」

次に名称の問題が生じた。彼は古い地図や本をじっくり調べ、ノルウェー、スウェーデン、フィンランド、ロシアのサーミ人社会と連絡を取った。彼は一〇〇〇に近い谷間、山、川、牧草地、フィヨルド、定住地のリストをつくりあげた。これらの多くはノルウェー化の対象にもなった場所で、当初の姿から奇妙に歪められた存在に解釈されるか、書き直されていた。サーミ語で「暗い時代の谷」を意味していた名称はノルウェー語では「恥の谷」に、「孤独な湾」は意味不明の「家の空気」になっていた。もしくは、名称がそっくり入れ替えられていた。

彼の地図では、あらゆるものが手で描かれ、名前も手で書き込まれていた。部外者からは荒れ果てた手付かずの、無名の地として見なされていた景観が、突如としてあふれんばかりに満たされた場所となっていた。

「サーミの地名はじつによく、的確に描写するものだったから、サーミ人がその名前を聞けば、すぐにその景観が目に浮かぶんだ」と、彼は言った。

サーミ文化では、自然は何もない場所ではなく、これまで一度も空虚な場所であったためしはなかったからだ。名前をつけることは、知ることなのだ。ハンスが作成していたものは、「生きた土地」

の地図だったのであり、そこでは地理は政治的に、あるいは国ごとに配置されていたのではなく、文化的に位置していた。歴史はひっくり返されたのだ。ちょうど、彼の地図ではフェノスカンディアが上下さかさまになっていたように。国境は意味がないため、消滅した。そもそも本当は存在しないものを、なぜ描くのか？

「私はそれを、オスロで知っていた何人かのサーミ人に見せた。私よりいくらか年上の人たちだ。地図を見ると彼らはこう言った。『なあ、これでおまえは有名になるよ』。私はそんなことは考えてもいなかった」と、彼は笑って首を振った。「そんなことは考えてもいなかったんだ」

一九七五年に完成した地図は、急激に高まっていたサーミの政治意識を表わす強烈なシンボルとなった。それは独特な文化芸術の美しさと、挑発的で反植民地主義的な積極行動主義（アクティビズム）の反抗精神を掛け合わせたものだった。ハンスはオスロ・サーミ協会とノルウェー文化評議会に資金援助を求め、この地図を大量に印刷した。

「もちろんサーミの祖地の地図をつくることが、危険をはらんだ行為であるのは知っていた」と、ハンスは私に語った。「その原案を文化評議会に示したとき、相手側がいくらか懸念したのを記憶している。危惧されていると感じたよ。これがノルウェー人の優越感に平手打ちを喰らわすものとなることを、彼らは案じていたんだ。実際、そのつもりだったからね！　彼らもそのことには気づいていた。それでも、資金は出そうと言われた」

一九七八年に、ハンスはフィンマルク県のマーゼという小さなサーミの村に引越し、そこで、マーゼ・グループという、小さな家で一緒に暮らす芸術家の共同体の共同創立者となった。彼らはいずれもノルウェーの芸術学校の卒業生で、作品を利用してサーミ人の苦難を、より端的には存在そのものを広い世界に知らしめたいと考えていた。

その四年前、サーミ人は世界先住民評議会の創設メンバーとなっていた。ハンスはカナダのブリテイッシュ・コロンビア州ポートアルバーニで開かれた第一回大会に、印刷したサプミの地図をもって参加もして、ほかの先住民にも自分たちの領域を同じように描き直し、取り戻すことを推奨した。土地の権利は、最も急を要する不安定な問題と見なされていた。昔からの文化が根づいた土地を、各国政府や多国籍企業の開発や資源採掘からどうすれば守れるか。この問題はハンスとマーゼ・グループにとって切実な重要性をもつものだった。

マーゼ村はアルタ・カウトケイノ川の急峻な谷間の底にあった。ここは世界最大のサケの遡上場で、北へとまっすぐに流れて北極海に注いでいる。だが、ノルウェー政府のアルタ事業の計画では、この村は巨大な水力発電所を設置するためにダム湖の底に沈められることになっていた。「当初の計画では、ダムは非常に高所に建設されるため、教会の尖塔も水面下五〇メートルに沈むことになっていた」と、ハンスは私に語った。「しかも、教会は村を見下ろす丘の上にあるんだ！」

この計画にたいする大規模な反対運動が一九七八年に始まった。これはサーミ文化の発信に向けて人びとを結束させた出来事であり、ハンスのような芸術家および活動家はデモ行動用に視覚に訴える政治スローガンを生みだしていた。「われわれは再移動はしない！」や「われわれがここへ先にきた！」などのスローガンは、「チャイェット・サーミ・ヴオンニャ！」（サーミ魂を示せ）の掛け声と入り混じった。マーゼ・グループの一人であるシノヴァ・ペルシェンが赤と金と青の色でサーミ人の旗をデザインし、デモが行なわれるたびに、その旗が掲げられた[29]。

「アルタにたいしどう抵抗するかをわれわれは話し合った」と、ハンスは私に語った。「すでに暴力沙汰は起こっていたからね。橋が爆破されていた。その過程で、あるサーミ人は手を失っていた。同じことをもっとやるべきだと考えた者もいた。でも、私はこう言った。巨人のサーモに知恵で勝ったサーミの少年のように、われわれは彼らよりも賢くなる必要があるとね。私はハンストを提案した。彼らは乗り気にならなかった。でも、私は譲らなかった。それが最良の方法なんだ。ハンストをすれば、センセーションを巻き起こすだろうと主張したんだ」

ハンガーストライキは一九七九年一〇月にオスロのノルウェー国会議事堂の前で始まった。アルタ事業の即時停止と、サーミの土地の権利を法的に承認することを要求するものだった。これは世界中のメディアの関心を集め、一九八〇年には政府にダムの建設工事を中断させ、サーミ人の権利問題を究明するための委員会を立ち上げさせることになった。しかし、一九八一年にアルタの工事は再開し、建設現場にデモ隊がたびたび侵入したにもかかわらず、ダムは六年後には完成した。

それでも、抵抗運動がまったく無駄になったわけではなかった。事業計画は変更されてマーゼ村は水没を免れ、一九八八年にはノルウェー憲法が改定されて、「サーミ人が独自の言語や文化、暮らし方を残し、発展させせられるようにする」責任が政府にあることを認めた。つづいて一九八九年一〇月にはサーミ議会が発足した。アルタは、文化面および政治面で画期的なルネサンスを引き起こすきっかけとなったのだった。

「私たちの思いは、閉ざされた檻(おり)から流れだした」と、シノヴァ・ペルシェンは当時のことを書いた。「一つの運動が生まれたのだ［……］私たちは自分たちの土地や、言語、自尊心、文化、地所を取り戻したかったのだ。何百年ものあいだに、私たちから奪われたすべてのものを取り返したかったのだ」[30]

地図の後で

夕食後、ハンスはフィヨルドを渡って、トロムスダーレンにある彼の家まで私を連れて行った。ひらひらと舞う雪がヘッドライトの明かりに照らしだされた。まっすぐ前方の橋の向こう側には、北極教会（トロムスダーレン教会）のつなぎ合わされたコンクリート製の板がライトアップされていた。その背後には、標高一二〇〇メートルの巨大なサラショアイヴィ山がそびえていた（ノルウェーでは、この山はトロムスダルスティンドゥンと呼ばれているが、サーミ人が先に名前をつけていたのだ）。海岸沿いのわずか数キロ先に、エミリー・デマントがカレスアンドの群れとともに旅をしてきた夏の野営地があった。

ハンスは里親のものだった簡素な四角い木造の家に住んでいた。サラショアイヴィ山の下方の斜面を走る何本かの通り沿いに、延々と連なる家々の一軒である。私たちはポーチを通って、居間に入った。室内は長らく秩序の概念からは切り離された場所だった。平らな表面はいずれも本と紙が山積みにされていた。いくつかの大きな山は、小さな山の一時的な置き場になり、椅子やテーブルから不安定な角度で傾いて紙の階層状聖塔（ジッグラト）のようになっていた。部屋の片側は端から端まで、二羽のセキセイインコのための籠が占めており、私たちが到着すると、インコたちは熱心に鳴きだした。ハンスはラジオのスイッチを入れ、鳥たちに微笑んだ。

「この鳥たちはクラシック音楽が大好きなんだ」と、彼は言った。

バイオリン・コンチェルトの音色が部屋中に響き渡った。少し奥の壁のくぼみにソファ――もちろん、その上も紙で覆われていた――があり、その向かいのコーヒーテーブルの上に、膠鍋（にかわなべ）が並べられ、蓋の開いた段ボール箱が載っていた。

「あれが私の製本台だ」と、ハンスは説明した。「もう何年間も、サーミ人に関する古い本を収集してきてね。表紙を外して、製本し直すんだ。これが私の新しい趣味さ！　ほら、これはトナカイの革で装丁したものだ」

彼は棚から一冊の本を引っ張りだして、私に手渡した。それは非常に柔らかい、薄茶色の革で、手の込んだ模様が空押しされていた。私はハンスに何の模様なのかと尋ねた。

「昔のサーミのシャーマンの太鼓についていたデザインを型押ししたものだ」と、彼は言った。彼はサイドテーブルの上の山の一つを引っ張り、踊る人物や星、山、全速力で駆けるトナカイが描かれた美しい木版画を見せた。ラジオから、映画『サウンド・オブ・ミュージック』のなかの「すべての山に登れ」が流れ始めた。国境を越える讃歌だ。あまりのタイミングに、笑わずにはいられなかった。ハンスが二階のスタジオに案内するあいだ、この歌が家中に鳴り響いていた。

私はこれまでに彼が何枚の地図を作成したのか知りたかった。

「約五〇枚だね」と、彼は言った。「その多くはサプミのだ。全体図や部分図で。でも、世界各地のほかの先住民の土地の地図もある」

それでも、彼が製図用チェストから次々に紙を取りだすにつれて、そこには五〇枚どころではない数があるのが見て取れた。一枚の完全な地図にまとめられていったすべての版を数え上げたら、その合計は数百どころか、数千枚にもなっただろう。ハンスは考えられないほど細部にわたってスカンディナヴィアの海岸線を幾度も描き、その鋸歯（きょし）状の複雑な凹凸をトレースし、フィヨルドが細くなって川になり、川が内陸部の山々までつづく地形をたどった。いまではそれらすべてが筋肉の記憶（マッスルメモリー）となって彼の手に残っていて、自動化されてスイッチを入れたり切ったりできるのではないかと私は想像した。サプミを描いて存在させるうちに、いまや彼にはそれが止められないかのように。

サーミの新しい世代の芸術家たちの情報は把握しているのかと、私はハンスに聞いてみた。たとえば、サーミ国の独自の地図を描いたカタリーナ・ピラック・シックの作品は見たことがあるのか、と。ハンスは国境を抹消していたが、彼女はサプミを地政学的に定義された国家として想像していた。人口四五〇万人で、サーミ語を公用言語とし、トロムソを首都とする国だ。彼女の新しい国はスウェーデンとフィンランドとは国境を接するが、ノルウェーは吸収したか、植民地化したかのように見えた。彼女の地図はA４判の紙にただ黒いインクで描かれ、国境は緑色のボールペンで描かれていた。[31] そして、ハンスがやっていたように、彼女も従来の視点を逆にし、北と南を入れ替えていた。

ハンスは首を横に振った。彼女については聞いたことがない、と彼は言った。しかし、その心意気は評価した。「芸術家はつねに驚かせる必要がある。人びとの関心を集めるんだ」と、彼は言った。「いまでは私も古株になってしまった。私は革命家として自分の時代を生きたんだ」

サプミの将来については、現代の世界におけるその位置についてはどうなのだろうか？

「ほかのすべての文化のように、サーミ人の暮らし方もつねに変化し、適応している。ほかに選択肢がないからね。ノルウェー流の考え方がまださほど深く浸透していない場所もある。シーダの制度をまだ実践しつづけている場所だ。私の年上の従兄弟は、昔ながらの暮らしをしている最後の一人だ。冬には内陸部で狩りをして、夏になると海辺へ行く。しかし、すべてのサーミ人がトナカイの牧畜をしているわけではないことを忘れてはいけない。牧畜民は少数派だ。大半のサーミ人はいまではおおむね定住している。町に住んでいるんだ。都市にも住んでいる」

ハンスがサプミの全域を地図に描いてから、ほぼ半世紀が経った。その過程で四カ国の境界を消滅させることによって、彼は土地にたいする権利も主張した。もしくは、反訴した。スローガンで言ったように、「われわれがここへ先にきた！」のだと。ボーダーレスの者が国境地帯（ボーダーラー）の住民に対峙したのだ。しかし、その土地が何のためのものか、それをどうすべきか、そこが誰のものなのかをめぐる論争、それどころか争いはまだつづいている。ハンスは、カウトケイノの近くにあるビエドヨヴァギと呼ばれる場所の広大な銅山について語ってくれた。ここは一九七〇年代に操業を開始したが、世界的な価格の暴落によって閉山した。

「閉山したあとは、地面に巨大な穴だけを残していった。それがあの連中のやることだ。そこには誰もいないし、何もないのだから、その何が問題なんだ、とね。この種の考え方はいまもある」

今日、銅は携帯電話やラップトップ、電気自動車の動力などに使用され、その需要は飛躍的に高まっている。民間の採鉱会社はビエドヨヴァギの操業再開の働きかけをしている。それどころか、この北方の地全域で鉱物が競って採掘され始めている。

「探鉱者たちは急いでいる。望まない開発からサーミの地域を確実に守るための試みは進行中だ。だが、そうしたことが実現する前に、政府や企業が手を伸ばせば……」。ハンスは一瞬、言い淀んだ。彼は苦しみ、うんざりしているようだった。「そうなれば、多くのものが失われるだろう」

サプミの山

翌朝、私はトロムソの主要な広場のすぐ近くにある非常にトレンディなコーヒーショップに座って、スマホでサーミの芸術家マーレット・アーン・サラのウェブサイトを見ていた。[32]

その四年前の二〇一六年二月一日に、マーレット・アーンは、タナの町にあるフィンマルク県地方裁判所の外にトラックで乗りつけ、地面に二〇〇頭分のトナカイの頭部を山積みにした。彼女のウェブサイトには、雪の上に設置され、てっぺんにノルウェーの国旗を立てられた身の毛のよだつピラミッドの写真があった。切断された頭部にはまだ毛皮や目がついており、凍ってはいたが、血まみれになっていた。

マーレット・アーンの弟のヨヴセット・アーンテ・サラは、当時まだ二四歳だったが、その日、法廷に出頭することになっていた。自分のトナカイの群れの三五％を強制的に殺処分する命令を受けて、異議を呈する訴訟を起こしていたのだ。間引きは、誰彼構わず、すべての牧畜民に課せられた要請だった。過放牧を防ぎ、ツンドラの環境保護を確かなものとするうえで不可欠なのだと、政府は言った。だがヨヴセットにしてみれば、それは牧畜の許可証をもつのに必要とされる頭数以下に、自分のトナカイを減らす恐れのあるもので、そうなれば廃業を迫られるのだ。それは、サーミとして暮らし、文化を実践する彼の権利を守るという国家の法的要件に違反している、とヨヴセットは主張した。

マーレット・アーンは、政府の間引きをすでに実施した処理施設から、二〇〇頭分のトナカイの頭部を集めた。メディアには、これは弟の訴訟を支援するために制作した抗議の芸術作品なのだと語った。《サプミの山》と題されたものだと、彼女は言った。一九世紀に北アメリカでアメリカバイソンの群れが絶滅させられたあとに残った巨大な頭骨の山を、直接参照した作品タイトルだ。この大量殺害はもちろん、アメリカとカナダの両政府から、先住民の文化を撲滅する手段として認可されていた。マーレット・アーンは歯に衣を着せるつもりはなかった。

ヨヴセットは勝訴したが、ノルウェー政府が上訴した。二〇一七年一月に、裁判はトロムソの地方裁判所に移った。そして、《サプミの山》も一緒に移動した。マーレット・アーンはその前年ずっと、トナカイの頭部をもらい、皮を剝いで、筋肉や舌、目、顎の骨を取り除いてから茹(ゆ)でて乾燥させ、頭骨だけを残す作業をしていた。このようにむきだしにすると、伝統的な処理方法ではないことが明らかになった。頭部は一発の銃弾で撃たれており、どの額の骨もそこにぽっかりと穴が空いていた。私が座っていた場所からわずか数百メートル先のトロムソの裁判所の外で、彼女はこれら三五頭分のトナカイの頭骨をプレキシガラスの立方体のなかで、何列かに分けて上部の木枠から吊るしていた。

ヨヴセットはこのときも勝訴したが、政府が再び上訴した。裁判はオスロの最高裁へ移った。マーレット・アーンはそれに応じて、彼女の芸術作品を進化させつづけた。ノルウェーの国会議事堂の真ん前に、その四〇年近く前にハンストするサーミの抗議者たちが陣取った同じ場所に、彼女は四〇〇頭分のトナカイの頭骨を長さ四・五メートルの金属製ポールからワイヤーで吊るして、巨大なカーテンをつくりあげた。彼女は頭骨を骨の色ごとに入念に並べ、一九七〇年代のアルタのダム計画にたいするデモ活動の期間に、シノヴァ・ペルシェンがデザインしたサーミの旗を意図的に想起させていた。そして、彼女はこの作品に新しい名前をつけた。今回それは《最高のサプミの山》となっていた。

だが、この裁判でヨヴセットは敗訴した。マーレット・アーンのウェブサイトは、「ゴー・ファンド・ミー」のページへのリンク——現在はリンクが切れている——で終わっており、国連人権委員会に訴えを起こす裁判をクラウドファンディングで支援してもらえるようになっていた。ヨヴセットは訴訟を進められるだけの十分な資金を得られたのだが、最終的な判決はまだ下っておらず係争中である（二〇二一年一二月現在）。どういう風の吹き回しか、ノルウェーのオスロ国立美術館が《最高のサプミの山》を購入して常設展示することになった。抑圧的支配と国家の官僚制度に抵抗する芸術品が、国家の所有物となったのだ。その展示がサーミ人の闘争を助けるのか、ただ意味もなく鑑賞するものとなるかは、解釈の問題となる。だが、それが本当にマーレット・アーンの狙いだったのだろうか、と私は疑問に思った[33]。

　私はコーヒーを飲み終え、トロムソの最南端にあるトロムソ大学に向かって歩きだした。その日は明るく晴れて風はないが、しんしんと冷える日だった。道路も歩道もガラスのように透明になった氷で覆われていた。私がたどった行程は、稜線（りょうせん）に沿って島を緩やかに登っており、南方および東方にはフィヨルドを囲んで長く連なる白い山並みが見えた。

　マーレット・アーンとヨヴセットの一連の出来事はあまりにも奇妙であったため、歩きながらもずっと私はそのことを考えつづけた。それらの出来事がいかにサーミの歴史を想起させ、証言するような役割をはたしていたかを。それ以前のアルタへの抗議活動や、ハンスとマーゼ・グループのように、芸術とアクティビズムを合体させたその方法を。マーレット・アーンの作品のあからさまな残虐性と、彼女がそれを進化させ、適応させていったことを。それはその前の晩にハンスが言ったことにも通じていた。「サーミ人の暮らし方もつねに変化し、適応している。ほかに選択肢がないからね」、と。しかし、トナカイの群れがいなくなって、土地がすべて奪われるまで適応したら、何が残るのか？《サプミの山》の大量の頭骨を最も有り体に解釈すれば、あまりにも適応すると、いずれは死を招くことになる。

　私はトロムソ大学にイヴァール・ビョルクルンドに会うために向かっていた。先住民研究を専門とする文化人類学者である。建物のロビーを通り抜けたとき、岩を並べた上に芸術的に配置された「ネブクワル」、つまりキタトックリクジラの巨大な骨格標本に出くわした。またもや骨だ。巨大な胸郭。斧の柄（え）が並んだような脊椎骨。トロムソは言うまでもなく、かつては北大西洋で最大級の、最も賑（にぎ）わった捕鯨基地の一つだった。多くの骨がここにたどり着いた。

受付係が防犯ドアを通って、イヴァールの研究室まで私を案内してくれた。そこは静かな広々とした部屋で、カバノキの木立が見下ろせた。イヴァールは六〇代前半で、白髪交じりの髪はふさふさとしていた。長身で、身のこなしも物腰も柔らかい。すぐに笑みが浮かび、いまにも笑いだしかねないように見えた。私は前の晩にハンスに会ったのだと話した。

「じつはね、一九七〇年代の彼と同じ時期に、私もオスロの大学に通っていたんですよ」と、彼は言った。「彼の地図を最初に見たとき、目から鱗（うろこ）だ！と思いました。あれは衝撃的な地図だった。どの学生寮の壁にも、あの地図が貼られていてね。あれはものごとに新しい文脈を与えるものだった。世界を見る新しい方法です。イギリスの地図を手にして、それをさかさまにしたようなものですから！そこから新しい物語が語られていきました」

イヴァールはいまでは、この物語で自分自身の役割を演じていた。二〇一八年に、彼はノルウェーの政策と、それがサーミ人にしでかした不正義を調査するために政府が設置した「真実と和解の委員会」の一員に任命された。

「委任されたことは三つありました」と、彼は説明した。「何が起こったのか？　今日の状況はどうなのか？　そして今後、何ができるかです」

委員会は二〇二二年秋までに結果を報告することになっていた。[34] このプロセスが始まって二年経ったいま、どんな状況になっているのか私は聞いてみた。

「何と言えばよいか」と、彼は言った。「われわれはまだ過去を掘り進めているところです。そして、そのことで意見の一致を見ようと努めています。ノルウェー化に関することとなると、二種類の政策があるんでね。誰もが、よし、法律を確認しようと考えたわけです。同化させることを具体的な目的とした法律を。まあ、それらは簡単に見つかります。しかし、それ以外の目的をもった法律や規則で、その結果が同化となったものについてはどうなのか？　福祉をもたらし、もっと利潤が出るようにすることを目的とした法令だが、われわれのやり方で実施しなければならないものです。それが、ノルウェー式のやり方なんです。今日のトナカイの牧畜は、この恰好（かっこう）の事例ですよ」。彼はそう言って皮肉たっぷりに笑った。「何と言ったか、『地獄への道は善意で舗装されている』かな？　それもたくさんの善意です。でも、その結果は完全に同化でした」

私は彼に、マーレット・アーンとヨヴセットと、政府によるトナカイの群れの間引きにたいする彼らの法廷闘争について読んだばかりなのだと話した。

イヴァールは大きくうなずいた。「じつに多くのことが危うくなっていて、大きな対立を生む結果になっています。サーミの若い世代は政治に大きくかかわっていますからね。彼らの芸術を見ればわかります。一世代前までは、福祉政策のために、土地の奪い合いとなったものです。ノルウェーに住む人は誰もがよい生活を享受できるべきで、われわれは福祉政策を発展させるべきだというわけです。今日では、それは地球規模の利益のためです。気候変動が生じているから、グリーンテクノロジーを発展させる必要がある。だからより多くの土地を奪う必要がある。風力発電や採鉱などのために、とね。つまり、サーミ人とその資源基盤は、ノルウェーの当局がどんな政治課題を掲げても、いつも標的にされているんです」

私はハンスが国境のない地図を描いたことを再び考えた。だが、彼が思い描いたサプミは失われつつあるようだった。どちらを向いても、首を絞める縄は強まっていた。トナカイと牧畜民は、土地が壮大なインフラ・プロジェクトによって接収されるにつれ、土地そのものから追いやられていたのだ。鉄や銅の鉱山。フィンマルク県の中心部を通り抜ける高速鉄道の計画。ツンドラの広大な領域が、政府が過放牧から守りたがった同じツンドラが、広大な風力発電の用地として割り当てられているのだ。「グリーン植民地主義」と呼ばれてきたものが台頭しているのである。大規模な「再野生化（リワイルディング）」や森林再生やグリーン・エネルギー・プロジェクトが地球のために実施されているが、その過程でその土地で生活している人びと、サーミ人は立ち退（の）かされているのである。

「これを見てください」と、イヴァールは言った。彼はコンピューター画面に、トロムソから一〇〇キロほど北西にある、北極海に面したフィヨルドの地図を映しだした。

「ここに住む人びとは、沿岸のサーミ人として定義されています。彼らにはここで漁をする権利があります。ノルウェーでは原則として、領海の魚はすべて国民が所有します。原則としては、すべての魚を私も所有しています。でも、政治的な力があるのは、サケの生産に携わる人びとです」

彼は二枚目の、より詳細な地図を開いた。さまざまな色で不規則な形の範囲が描かれたフィヨルド一帯の図だ。

「ここに見えるのは漁業活動とそれぞれの漁場です。漁には異なる種類の技術が使われています。要するに、この地図からわかるのは、フィヨルド全体が目一杯漁業に利用されているということです。この黒い線はサーミ人の漁場が失われて養殖場になったところを示します。これらは養殖場、養殖場、養殖場、そして、この一帯も全部そうです」

イヴァールは沿岸のサーミ人が失ったのは漁場だけではなく、魚そのものもいなくなったのだと説明した。養殖場が水質を汚染したため、タラはもうフィヨルドに入ってこなくなったのだ。かつては野生のサケが毎年春になると産卵のために戻ってきていたが、養殖のサケからサケジラミが付着して、個体数が激減した。

「とんでもない状況です」と、彼は言った。「でもこのとんでもない状況が儲かるわけです。これは石油の次にノルウェーで稼いでいる産業ですから」。彼は再びフィヨルドの地図を指差した。「そして、ここと、もう一つここにも、新たな養殖場をつくりたがっています。つまり、新たな争いが始まるわけです」

サプミはただ四つに分断された土地ではないことが、私にはますます明らかに見えてきた。何千にも切り分けられていたのだ。主要な国際的断層に沿って亀裂が走っているだけでなく、完全に粉々になっているのだ。大小さまざまな境界線がどこにでも引かれていたのである。ツンドラによって引かれた線が、陸地だけでなくフィヨルドの海域にもインクで描き込まれた円が。

「さらにこれです」と、イヴァールはつづけ、壁に貼られた地図のほうを向いて、ノルウェーの最北端近くの海岸線を指差した。「これは新たなアルタです。二一世紀のアルタ、クヴァールスンドです。巨大な銅山で、一〇年か一五年ほど計画が進んでいました」

推定七二〇〇万トンの銅鉱石が埋蔵されているこの鉱山は、ノルウェー貿易・産業相のトルビョルン・ルーエ・イーサクセンによれば、この国の経済において「グリーン・シフト」を実施し、石油への依存から脱却するうえで欠かせないものなのだった[35]。たとえその過程で、周囲の自然の生息域を破壊することで、それを成し遂げるのだとしても。

「したがって、いまでは前線がどこにあるかは非常に明らかになっています」と、イヴァールは言った。「アルタのときのように、誰もがこの問題を注視しています。断固反対しているのは、すべてのサーミ人とノルウェーの環境団体です。でも、政府にとっては、これは非常にいいビジネスです。これは狂気の沙汰のプロジェクトですよ。多くの牧畜民とその家族にしてみれば、トナカイの牧草地が乱されたり、破壊されたりすることになるからです。そして、これは沿岸のサーミの漁師にとってフィヨルドの暮らしを破壊することにもなります。これらの埋蔵物は汚染を引き起こすので、魚が死んでしまうからです。それが危険ではない、誰にとっても大丈夫だと言える人はいません。政府にとっての主要な論拠はお金です」

私はイヴァールに、サーミ人の適応力についてどう思うか尋ねてみた。ハンスが私に言ったことを、マーレット・アーン・サラの《サプミの山》のメッセージを。

「まあ、トナカイの牧畜を見てごらんなさい」と、彼は言った。「トナカイの牧畜は一〇〇年前、二〇〇年前から変わらないと人びとは考えています。でも、そうではない。同じでありつづけるものは二つしかありません。人間とトナカイです。牧畜民のやり方は変わってきている。いまでは技術によって大いに動かされていますからね。スノーモービルに全地形対応車、ヘリコプターと、何でもありです。彼らは牧畜を現代の状況に合ったものにすることにかけては、非常に長けています。政治にしろ、法律にしろ、何でも。彼らはいつだって解決策を見つけだしています」

だが、それでは明らかに持続可能ではないだろうと、私は思った。いずれは、もう戻れないところまで行き着いてしまうに違いない。たとえば、牧畜民自身におよぶ気候変動の影響はどうなのか？　極地は記録的な高温にもなっている。林野火災が北極線よりも北の森林に猛威を振るってきた。

イヴァールはうなずいた。「そうです。私は先日、カウトケイノにある越冬地から戻ってきたところです。彼らはいま問題をかかえています。凍結も、雪解けも急激になっていて、雪が硬くなっているんです。トナカイが雪を掘ってもコケまで行き着けない。事態は悪化しつつあります。冬がかつてのように安定しなくなっています。だから、そう、これまでは、彼らも一時的な解決策を見出していました。でも、それにはいつも限界がある。もう牧草地が残されていなければ、おしまいだということです」

ハンスの自由で開放的で制約のない地図から、カタリーナ・ピラック・シックの地政学的に定義されたサーミの国家までの移行を考えた。これは最後の適応で、彼らを救うものだったのか？　サプミに国境は必要だったのか？

「まあ、これは一部のノルウェー人が抱く疑念の一部です。あなた方は単に自治を求めているだけなんだ。自分たちの国をつくりたいんだろう、と。でも、サーミの政治家がそう言ったためしはありません。もちろん、言葉の綾としては面白いものです。挑発的ですから」

イヴァールは一瞬考えてからつづけた。「でも、それは領土の自治が何を意味するかしだいです」。多くのサーミ人は自分たちが資源を管理する必要があると主張します。トナカイの牧畜民は領地の所有権が欲しいわけではありません。彼らは非常に強いユーザー権を求めているのです。今日のものよりずっと強い権利です。だから、ある意味で、そう、彼らは何らかの国境線を求めています。彼らは保護を求めているんです」

国境を引く商売

私は大学をあとにして、トロムソの中心部まで歩いて戻った。太陽は急速に沈みつつあり、周囲の山々を最初は黄色に、それからオレンジに、そのあと虹色を帯びたピンクに染めていた。

ここには、多くの意味でラガシュとウンマの物語よりもずっと古い国境の物語があった。最終氷期の終わりにまでさかのぼる物語だ。実際には、それよりさらにさかのぼると言えるだろう。二万年前、トナカイはヨーロッパの中部と南部の狩猟採集民の主食だった。トナカイの骨は、ラスコー洞窟に旧石器時代の芸術家たちが残したスタジオのあちこちから見つかっている。道具や武器だけでなく、楽器をつくるためにも使われていたのだ。

この物語はしばらく、地質学的なペースで移動していた。氷床は後退し、ゆっくり、ゆっくり、ゆっくりと境界線が迫ってきた。あまりにもゆっくりであったため、実際の衝突の瞬間はなく、ただ着実に、絶え間なく、ただしどんどん加速しながら、忍び寄ったのだ。国境のない土地、太古からの土地は、まだ生きており、まだ存続しているが、近代の四つの国家の境界内にとどめられている。だが、これは生存の物語なのか、それとも衰退の物語なのか？

そこではつねに、損失が積み重ねられてきた。一エーカーごとに、牧草地ごとに、トナカイ一頭ごとに。気温も一度ずつ。いまでは気候変動ですらこの生息域を脅かしており、トナカイの移動ルートを狭め、群れを大陸のいちばん片隅にまで追いやり、北極海に突き落とさんばかりになっている。それと同時に、この気候変動と闘うことを誓う政府は、より多くの「未開の地」や森林が必要だとし、携帯電話、電気自動車の需要を満たすためにさらに多くの土地を奪う。そして、トナカイがあまりにも多くの草を食べているとして殺す。これは現実とは思えないほどばかげたことに思われた。

「じつに皮肉なことです。非常に皮肉なことです」と、イヴァールは言った。「たとえば、トナカイの牧畜と養殖を比較してください。養殖のサケが食べる餌の七五％に、ブラジルからの大豆が含まれています。熱帯雨林を燃やして、大豆が栽培できるようにしている土地からです。そしてその大豆を地球の裏側から送って、ノルウェーの養殖場でサケに与えるための植物性（ベジタリアン）の餌を製造しているのです。それが、地元のフィヨルドの環境を汚染し、野生の魚を殺すか追いやるかしている。それと比べたら、トナカイの牧畜は土地を利用するごく理に適（かな）った方法に思えます」

　同時に、サーミの文化は繁栄しているようだった。たかだか半世紀前には、サーミ人であることは汚名であり、恥ずべきことだった。「いまでは、粋なことなんです」と、イヴァールは言った。「サーミの暮らしや歴史、言語などに何らつながりがなくても、サーミ人になることが流行っているんです。この展開は、サーミの政治が一般にもたらした結果かもしれません。そもそもどんな有権者の集まりでしょう？　彼らはみんな都市部に住む三〇歳以下の若者です。そうなれば、資源基盤を明確にするために何らかの領土が必要となるんでしょうか？」

　土地がなくても、領土がなくても、民族として生き残れるのか？　存続できるのか？　それとも、それは単に私たちの西洋化した考え方なのか？　所有権へのこだわりだ。私たちの世界を築いてきたやり方だ。境界をなすのか、なさぬのか。私はアンデルス・スンナによるもう一つのサーミ芸術の作品のことを考えた。スウェーデンの若いトナカイ牧畜民から芸術家になった人物である[36]。

二〇一六年に制作されたその作品は、幅五メートル、高さ二・五メートルの絵で、暗い地味な色に塗られている。黒、茶色、青、深紅色。片側には、顔がほとんどない四人の不吉な人物がいる。茶色いシャツを着て、赤い腕章を着けており、そのうちの一人がスカンディナヴィアの白い景観に赤いインクで国境の輪郭線を描いている。この線の一端には、黒々とした巨大な奈落の底がある。別の人物はごく小さなトナカイと二人の牧畜民を手にして、その穴の上に掲げて、なかへ落とそうとしている。この絵地図は柵とトナカイの骨格をステンシルしたもので囲まれている。この場面が繰り広げられるのを、絵の右側で眺めているのは、トナカイを連れた一人のサーミの牧畜民で、白い山と血のように赤い太陽を背景にもっとずっと大きく描かれている。このサーミ人は四人の人物を非難するように指差している。太陽が彼とトナカイの影を落としており、それがなかば消えかけた骨格となって示されている。この作品は、《植民地主義会社》と名づけられている。国境を引く商売だ。

これは頭から離れないイメージだ。一度見たら、なかなか忘れられない。《サプミの山》のように、その言わんとすることは明瞭で、揺るぎなく、あからさまだ。そして、ハンス・ラグナル・マティスンの地図のように、これは問題の根底に国境があると特定している。サーミ人は国境線を引こうと言われたら、はたしてそれを望むのだろうか？　牧草地やツンドラ、フィヨルド、移動ルートの周囲に線を引いて、これらはもう自分たちのものだ、と言うのだろうか？　そして、そう言うのだとすれば、それは実際に、植民地主義の終幕となって、同化の最終段階となるのか？　彼らを、ついに、われわれにすることで。

2

果てしない周縁部

パルノナス山脈のどこかに、戦争時の集団墓地がある。ギリシャのペロポネソス半島の南東部を斜めに走る、巨大な灰色の石灰岩の山塊だ。そこには五九八名という正確な数の兵士が埋められたと言われている。生き残ったのはわずか二人という戦いの犠牲者たちだ(1)。今日、その痕跡はすべて失われ、墓石は崩壊あるいは消失し、遺体は起伏の多い景観のなかで、アルゴリコス湾とエーゲ海まで波となってつづくこぶや皺（しわ）のなかに隠れてしまった。

ギリシャの地理学者パウサニアスが紀元二世紀にこの場所を訪れたときは、墓碑はまだそこにあった。『ギリシャ案内記』に彼は、海岸からつづく険しい細い山道をたどって、オリーブの木立を抜けながらぐねぐねと登ったところで、開けた高原に着いたと書いた。この平らな場所が戦場となったのだと、彼は述べた。兵士たちはそこで戦って倒れ、彼らの墓は地面を掘ってつくられ、簡素な石で記憶されていたと。

パウサニアスはこの寂しい古戦場から、パルノナス山の高所の、「ヘルマイ」と彼が呼んだ場所まで登りつづけた。この名称は、そこに立っていた三体の「ヘルマ」に因（ちな）んでいる。長方形の柱状で、男性の頭部と性器が彫刻されたものだ（通常はヘルメス神を表わしているため、この名前が付いた）。これらのヘルマは、古代の境界標だった(2)。そして、これらの境界標が、下方の山腹で戦いが起こった原因だった。

ペロポネソス半島のこの一角では、三つの領土が接していた。スパルタとアルゴス、テゲアの辺境地が互いに接しており、争いの絶えない不穏な地域となっていた。山脈の東側では、地形は平坦になって海までつづき、テュレア平野と呼ばれる肥沃な農地がつづいていた。紀元前六世紀には、スパルタがアルゴスからこの平野を併合して、占拠していた。そのため、伝説によれば、アルゴスは兵を召集して、奪われた土地のために戦うことにした。戦争が宣言されたが、非常に特殊な条件で戦うことで合意に達した。双方から三〇〇人の兵が会戦を行ない、その他の軍勢はそれぞれの国境内まで退却するというものだ。勝った側がテュレア平野を戦利品として獲得する。

非常に互角の戦いであったため、高原での戦いは双方が全滅する結果となった。日が暮れたとき、まだ立っていたのは二人しかいなかった。アルゴスの戦士アルケノルとクロミウスである。彼らは損傷した遺体が散乱した戦場を見やり、自分たちだけが生き残ったと判断して、アルゴスに向けて出発し、勝利の知らせを故郷へもち帰った。ところが、大虐殺の生き残りがまだいたのだ。スパルタの将軍オトリャデースである。意識を失い、負傷していたが、夜遅くになって死者に囲まれたなかで目を覚ました。折れた槍の柄を松葉杖代わりにしてどうにか身を起こすと、彼は死者のあいだを静かに移動し始め、その武器や楯や鎧(よろい)を取り外した。夜明けには戦利品の山が出来上がり、彼はそこにみずからの血でこう書いて捧げた。「戦利品の守り手、ゼウスへ」[3]

翌日、両軍の主力部隊が遭遇したとき、どちらも勝利を主張した。議論は紛糾し、まもなく争いが始まった。「戦士たちの戦い」によって避けたはずの戦争が、結局は勃発した。五九七人の戦死は序章でしかなかった。その後につづいた紛争で、両軍に多大な犠牲が生じた。最終的に、スパルタが勝利し、テュレア平野は彼らのものとなった。

だが、スパルタ軍のうちの一人は、勝利によって慰められることはなかった。オトリャデースは、自分が目撃してきたことに精神的なショックを受けたか、仲間がみな戦死したのに生き残ったことを恥じたのか、山地の戦場を離れてスパルタに戻るのを拒んだ。その代わりに彼はその地で自死を遂げ、大量の戦死者にもう一名を加えることになった(4)。

最果ての地エスカティア

一人の人物がかがみ込み、地面の上に二つの物体を置いた。簡素な彫像と、祭壇にするための平らな石である。この人物は「エスカティア」の上に立っていた。つまり、最果ての地、末端である。後方には、彼らの知る国がある。前方には「エレモス・コーラ」、つまり、無人地帯がある(5)。「ホメーロス風讃歌」が、荒涼とした未開の地で、「分割もされず、人も住まず、生肉を食う獣が暗い谷間をうろつく(6)」と描く場所だ。獣だけではない。そこには神々も徘徊していた。危険で、気まぐれな神々だ。狩りの女神アルテミス。酩酊（めいてい）の神で、抑制の利かない情熱と暴力を具現化したディオニューソス。林地や小高い丘に出没する半身が人で半身がヤギのパーン。パーンは羊飼いとその群れの守護神で、突如として姿を現わして大声を上げ、闇雲（やみくも）な恐怖「パニコン」を引き起こすことができる。つまりパニックという言葉はパーンからきているのである(7)。

境界にとどまる人物は、秩序や理性、管理、そして生命でさえもすり減り、崩れてゆく場所を眺めている。そこには死が待っているからだ。野生の地に入ることは、カミソリの刃に沿って歩くことなのだ。暗い森や、吹きさらしの山腹には、暴力的な衝突が待ち受けている。ともかく、昔からの言い伝えはそう語る。自分たちの価値を証明するためにそこへ向かう、あるいはそうしようとして命を落とす英雄たちについて語る物語だ。エスカティアは生者の地から抜けでる道なのだ。それは死者の領域、つまり黄泉の国、冥府へつづく境界域だ。エスカティアの向こうでは、文明は崩壊する。時そのものもなくなる。人手が入っておらず、体系化されていない未開の地には、過去と現在をつなぎ留めるものが何もない(8)。

その人物は祈りを捧げ、祭壇に食べ物か飲み物の入った器を置く。献酒をして、大地にブドウ酒を注ぐ。それから踵を返して、勝手を知った安全な道を歩いて自分の村へ、家へと帰る。しかし、このような人物は目に見えない糸を解いていたのだ。彼らの通り道は中心部を周辺部とつないでいた。

彼らはこの旅を再び始める。ほかの者も同行する。あとにはより多くの物が残され、さらに供物が捧げられる。簡素だった祭壇は大きくなり、壁と柱に囲まれた。そこは聖域となり、神々と結びついた地となる。そこで行なわれる儀式では、この辺境地が不法侵入者やよそ者、未開の地の混沌から守られるよう神々の加護を求める。周辺一帯にほかにも聖域が出現する。村はやがて町になり、町は都市になる。一つの空間が定義されてゆく。ポリス、都市国家が。その中心には、都市の中心街であるアステュがあり、周囲には農村地帯が広がる。牧草地やオリーブ林、耕作地などで、それがエスカティアまでつづく。聖域は接点であり、山や丘、川などの自然の地理と結びついて境界線をつくる景観内の定点である。それらの聖域は、ポリスの外縁の限界を表わす。つまり国境線だ。[9]

ポリスの境界

国境の内側のものはすべて、市民のものだ。より正確に言えば、都市国家内の男性市民のものだ。女性や子どもも、ポリスの歴史をたたえる儀式や祭式で自分たちの役割を担うことはできたが、土地や建物の所有権を主張することも、政治に参加することもできなかった。ポリスの市民権は、男性専用のクラブのようなものだった。市民権では、文明的に行動する本能は男性の領分と見なされ、空間そのものも男女別になっていた。男性は市の秩序と理性を表わしていた。一方、女性はエスカティアとその向こうの未開の地のように、予測不能で激しやすく、熱を帯びていると考えられていた。無人地帯のエレモス・コーラは、文字どおりの真実となった。国境を越えれば、脅威にさらされ、危険で、圧倒的に女性的な領域に入ることになった。[10]

境界線の向こうで儀式を行なうのは、男性ではなく女性だった。ディオニューソスの女信者「マイナス」たちは、長い行列をなしてテーバイ市を離れて山に向かった。未開の地までくると、彼女たちは靴を脱ぎ、毛皮をまとい、大酒を飲み、打楽器が速いテンポを刻む忙しない音楽に乗って踊り、陶酔状態になった[11]。マイナスたちの話は魅力的であるとともに、恐ろしいものでもあった。彼女たちは神話と劇の恰好の題材となった。戯曲家のエウリピーデースは『バッカイ』という悲劇作品の中心に彼女たちを据えた。観客は、自身を崇める狂信的集団の祭司に変装したディオニューソスが、都市の安定と秩序を大混乱させるさまを眺めた。この神はすべての女たちを連れだし、「狂乱状態にして、家から駆り立てて山に登らせ、彼女らはそこで狂気に陥ったまままさまよい、ヨーロッパモミの下の、屋根もない岩の上に」暮らすようになった[12]。ディオニューソスはそれからテーバイの王を騙して一緒に山へ連れてゆき、鬘をかぶせ、ドレスを着せて変装させ、マイナスたちを覗き見させた。だが、王は見つかってしまい、狂気に駆られた女たちに八つ裂きにされた。この惨たらしい殺害の中心をなしていたのは王自身の母親であり、彼女は自分の手で息子の頭部をかかえてテーバイ市に戻った。有頂天になった彼女は、それがライオンの頭なのだと信じていた。

民衆の想像のなかでは、国境は単なる領土の標識をはるかに超えたものとして見られ、理解されていたのだ。それは多くの物事のあいだの境だった。正気と狂気、社会と無秩序、男と女、人間と神、平和と暴力。そこは恐れられると同時に、崇められた場所なのだった。境がなければ、ポリスは存在しえなかった。そこがどんなところであって、何を支持し、何を信じるかを理解するには、外縁が必要だった[13]。それはエスカティアで一人きりで神々に供物を捧げていた人物から始まった、アイデンティティの物語なのだ。それが国境を生みだし、その種がまかれた瞬間だった。そして、そこから、都市の魂と精神そのものが生みだされたのである。

辺境の地での通過儀礼

二五〇〇年ほど前のアテナイ。「エペーボス」と呼ばれるごく若い青年たちの一団が、二年間の軍事訓練を始めようとしていた。この期間が終わると、彼らは正式な重装歩兵(ホプリテス)、つまり市民兵となり、土地や財産を所有することができるようになる。しかし、まずは都市を離れ、郊外の地も抜けて、エスカティアまで旅をしなければならない。彼らはそこで「ペリポロイ」(パトロールする者)として知られるようになる。ペリポロイの基本的な任務は、北方にあるボイオーティアの競合都市領土をアテナイと隔てる山岳地方にある国境の要塞を守ることだ。これらの前哨(ぜんしょう)基地から、若者たちは周囲を歩いて回り、外れの地の地理的特質そのものを学び、景観のなかを動き回ることでそれを体感しながら日々を過ごす。[14]

もちろん、これには明らかな理由づけがある。完全な市民権をもった暁には、この土地が彼らのものになるからだ。若者たちは将来のアテナイの兵士であり、商人や政治家や指導者なのだ。彼らは自分たちのポリスの範囲を知り、理解する必要がある。しかし、それだけではない。若者たちを国境の地へ送ることには象徴的な理由もあった。都市とその領土が形成された背後の歴史と神話もまた、そこに見いだせるのだ。

かつてエスカティアで生じた戦いの物語がある。アテナイの王、テューモイテース——ミーノータウロスを殺したテーセウスの最後の子孫——と、ボイオーティアの王、「白き者」クサントスのあいだで一騎打ちが行なわれたことがあった。この決闘は係争地をめぐる争いを解決して、国境線の位置を決める手段として合意されたものだった。ところが、決闘を行なう段になると、老齢のテューモイテースは身を引いて、別のアテナイの戦士である「黒き者」メラントスが代わりを務めた。

決闘のさなかにメラントスはクサントスに向かって、規則が守られていないと叫んだ。「見ろ、誰かが横で戦っているぞ!」と、声を上げたのだ。クサントスが驚いて振り返った隙にメラントスがつけ込み、彼を殺した。別の言い伝えでは、クサントスの傍らに注意を逸らすために現われた人物、つまり黒いヤギ皮をまとったディオニューソスがいたとする。しかし、大半の物語はただ決闘に勝ったメラントスの狡猾さ、「アパテー」――騙しの手口――をたたえている。そして、アテナイが国境の地の所有権を得たことを[15]。

これが実際にあった出来事か、そうでないかは、ある意味で重要ではない。どちらにせよ、この物語はアテナイ人の想像と儀式文化のなかに織り込まれている。そして、少年から成人への旅を象徴するものとしての境界という考えも、また然りだ。辺境の地のこの領域は、一つの空間から別の空間へ移行する概念を表わしており、思春期の変貌には恰好の背景と見なされている。エスカティアはギリシャ世界の対立と矛盾が、最も歴然とむきだしになった場所なのだ。現実と神話、市民とよそ者、未開と文明である。

一六歳でエペーボスになるための儀式では、少年たちは長く伸ばした髪を捧げる。彼らはメラントス、「黒き者」に敬意を表して、黒い外套を与えられた。ほかの儀式では、少女に変装するために女装して、市内から国境の聖域まで向かう行列に加わることを奨励された。そうして二年が経過して、市民になる準備ができたとき、彼らは「父祖の地の境界の石と、小麦、大麦、ブドウ、オリーブ、イチジクの木」に誓いを立てた[16]。

このとき、彼らのどっちつかずの状態で戯れていた若い日々が終わったことになる。彼らはそこを通過したのであり、いまや男となり、国境の内側にある世界につなぎ留められたのだ。そこは規則と確実性のある世界であり、小麦や大麦、ブドウがあって、耕作され、人里となった土地であり、秩序のある世界だ。

そのような通過儀礼は、アテナイ人だけのものではなかった。スパルタにも、「クリュプテイア」――「秘密の」、「隠れた」組織――と呼ばれる、それに相当する制度がある。クリュプテイアもやはり大人になる直前の少年たちで構成され、彼らもまた国境の地に送られていた。しかし、集団の一部となる代わりに、彼らは小さなグループを組んで、または完全に一人でうろつき回る。少年たちの任務は、未開の地で何としても生き残ることであり、最小限の荷物で身軽に旅をし、武器をもつ場合にも、短剣一本だけに限られていた。昼間は身を潜めていなければならなかったが、夜間には辺境地の周辺をうろつき、「ヘイロタイ」と呼ばれるスパルタの奴隷を見つけたら、何ら罰せられることなく、捕まえて殺すことが許されていた。

彼らが行なうことはいずれも、のちに彼らがなる存在とは正反対のものだった。つまり、スパルタの重装歩兵であり、規律正しく、信念をもった兵士の理想であり、社会の柱である。クリュプテイアでは、少年たちは誰一人信用してはならず、機知を働かせて生き、盗み、欺き、騙し、人を殺(あや)めることすらしなければならない[17]。

そのプロセス全体が、壮大な象徴的行動となるのだった。国境の地で犠牲とされているのは、思春期そのものにほかならない。

戦争と球技

ギリシャ世界における辺境の地へのこのこだわりは、増すばかりだった。ポリスとその人口が増大するにつれて、隣国とのあいだにある耕作限界地の所有や使用をめぐって圧力が高まった。国境紛争は日常茶飯事になりつつあった。エスカティアにも定住者が移り住み、森林を切り倒し、以前は共通の牧草地であったところを占有するようになった。かつての都市国家は広大な未開の地に点在する文明の島だった。このころにはその反対の状況となっていた。無人地帯(エレモス・コーラ)こそが、周囲を囲まれていたのだ[18]。

一部のポリスは、国境にたいする主張を調停に付して、第三者に判断してもらっていた。役人がその土地を歩いて回り、辺境の地を最もよく知る牧畜民や羊飼いに面会して、過去の利用や支配権について根掘り葉掘り聞きだした。「ホロス」と呼ばれる石の標識が地面に設置された。これらは聖域の自然の地物と定点を組み合わせて、景観のなかにさらに詳しく境界を引くものとなった。新たな役職が生みだされたのだ。国境を引いて記録し、標識を付ける作業を任された役人、「ホリステース」である。そこで一つの「技術」が生まれた。景観を調査し、分割するための知恵や専門知識が発達したのだ[19]。

政治的、哲学的な思想は国境の力学に向けられた。国境によってポリスをどうまとめられるのか、その先の世界との接触を制限し管理するうえで国境はどう利用すべきか、という問題だ。アリストテレスは辺境の地は橋として、ほかの人びととの不可欠な接点を交渉する場所としてつねに見なさなければならないと主張した。「法律を制定するうえでは、立法者は二つのことに注意しなければならない。領土と民だ。しかし、隣接する地域も考慮しなければならないと付け加えることも重要だろう。都市国家がその他の国家と交流しながら暮らし、孤立するつもりでないのであれば[20]」

それと同時にアリストテレスは、周縁部に暮らす人びとは、その一帯とつねにかかわることで変化し、様変わりする可能性があるとも警告した。彼は国境の流動的な性質を案じ、都市の中心部の人びとが抱く見解とは異なるどころか、競合し敵対する考えを植えつけられることもありうると懸念した。辺境の地では政治的な所属が曖昧になり、ポリスの統一を脅かす危険すらあるだろうと、彼は主張した。それに対抗するために、市民一人ひとりに二カ所の土地を、一方は中心地に、もう一方は国境に割り当てる法律を制定することを推奨した。「この制度が守られていない場所では、一部の人びとは近隣諸国と諍い（いさか）を起こす危険を顧みなくなり、その他の人びとは慎重になるあまり、名誉を重んじなくなる[21]」

境界を定め、国境を築く作業は専門化され、ポリスの定義と運営の中心として位置付けられた。しかし、それらの国境線の起源をたどれば、相互に織りなされた物語の断片にまでさらにさかのぼることになる。決闘や交戦によって勝ち取られた領地や、神からの贈り物として定められ、権利が主張された土地の物語だ。自分たちが誰であって、自分たちの都市がどのように築かれたかを人びとに語る偉大な、英雄的な出来事の物語である。市民の壮大な儀式や祭りで毎年、再演されてきた物語だ。

アリストテレスの時代のアテナイでは、まだメラントスがエスカティアをめぐってクサントスに抜け目なく勝利したことがたたえられていた。スパルタでは、テュレア平野をめぐって戦われた「戦士たちの戦い」が追悼されていた。戦死した三〇〇人の兵たちの運命は、「美しい」死の理想として掲げられた。「ギュムノパイディアイ」とよばれる祭りが開かれ、戦死者は「テュレアの花冠」でたたえられ、彼らの犠牲にたいする讃歌が歌われた。時代とともに、この戦いはスパルタとアルゴスのあいだの共通の儀式へと発展した。毎年、成人の儀式として、それぞれの都市から三〇〇人のエペーボスが顔を合わせ、殺し合いではなく、一種の練習試合を再現するようになった[22]。

そうなると国境は、記憶の源になり、集団の起源を呼び起こすものとなった。国境の影響はどこにでも現われた。ポリス、または「ペッテイア」(「小石」を意味する)と呼ばれる盤上ゲームは、自分の駒、つまりペッテイアを碁盤目に区切られた盤の中央の境界線を越えて進ませ、相手の駒を取り囲み、敵地を占領することを目的とするものだった。

あるいは、エピスキュロス、エピコイノス、エペーピケーなどさまざまな名称で呼ばれた球技があった。二つに分けたフィールドで行なわれ、両端にベースラインが引かれ、センターラインはスキューロスと呼ばれた小さい白い石灰岩のかけらで引かれていた。エピスキュロスは国境の争いをわかりやすくドラマ化した球技だった[23]。「スキューロス」という言葉は、辺境の地や国境地帯によく付けられた名称「スキロン」を語源としていた。ボールはこのセンターラインに置かれ、両チームはまずそれを奪い合い、それから相手方のほうへボールを投げることで、敵側を後ろへ下がらせる。こうして、ボールは奪い合われながら行きつ戻りつし、最終的に一方のチームが他方をベースラインの後ろ、つまり相手方の境界の向こうまで追いやれば、全フィールドを所有したことになり、勝利を宣言する(24)。この球技に参加する人びとはたいがい軍事訓練を受ける若者であり、これも象徴的な通過儀礼を行なっていたのである。

この球技の別名の一つであるエペービケーは、思春期のエペーボスに因んだものだった。この球技に参加する人びとはたいがい軍事訓練を受ける若者であり、これも象徴的な通過儀礼を行なっていたのである。成人との境目にいる一〇代の若者たちが、境界をめぐる球技で競い合っていたのだ(25)。

とはいえ、これらの無血の儀式の合間には、まだやはり本物の戦争や、本物の紛争があった。エペーボスと市民兵はますます戦争に駆りだされるようになった。老いも若きも、男たちの行列が、国境線へと向かった。前五世紀から前四世紀にかけて、ギリシャはペロポネソス戦争とコリント戦争に蹂躙(じゅうりん)された。都市国家同士が戦い、隣国同士が争った。アテナイの政治家で雄弁家のデモステネスはこの新しい世界を嘆き、「戦争の技が何よりも大きな変化を遂げ、向上した」と述べた。かつての紛争は「昔ながらの、正々堂々としたもので、規則と原則によって管理され、季節が限られてすらいた」が、いまや恒久的につづき、無差別で残虐なものとなったと、彼は語った。もはや誰も規則を守らなかった。規則はなくなったのだ(26)。

何世紀ものちに、ギリシャの別の有名な雄弁家のディオン・クリュソストモスが、彼の出身地である都市国家プルサと隣国のアパメアのあいだで絶え間なくつづく国境紛争の仲裁を依頼された。「同じ国境に接している、それほど近い隣国の人びととの対立と憎悪は、ひとえに一つの都市内部の騒乱にほかならない」と、彼はプルサの人びとに向けた演説で語った。

国境は分断ではなく、統一のための手段であるべきだと、彼は言った。国境は血のつながりや、婚姻によるつながりのようなもので、親類関係を景観に描いて物理的に表明したものなのだった。「ほかでもない陸や海や山が、あらゆる方法で民を一緒に寄せ集めるのであり、たとえ望まなくとも、お互いに折り合いをつけなければならない」。だがそれでも、紛争を探し求めるのは人間の「愚かさと腐敗」なのだ。見るがよい、と彼は言った。「惑星は絶え間なく旋回舞踊しながら、決して互いの邪魔をすることがない」。大地も海も大気もいかに「力強く、壮大であり、相互の結びつきには従い、それでいて敵対することなく存在しつづける」かを考えよ、と。ならばなぜ、「ごく平凡な人間たちの取るに足らないちっぽけな町が、大地のほんの片隅に暮らす弱小の部族が、平和と平穏を維持して、騒動や騒乱を起こすことなく、互いに隣人でありつづけられないのか？」[27]

だが、国境を制定し、神聖化し、神話化するうえで、そのメッセージがつなぎ合わされることは決してなかった。広く一般に語られるのは、いつも対立や矛盾や、争いの場所としての境界線に関するものだった。それは未開の地を開拓するか、力試しで、戦いで他者から奪うことによって手に入れたものだ。国境地帯は比類のないものだった。それは自分たちのものであり、苦労して得たものなのだった。人はそこで育ち、そこで大人になったのだ。そこはおそらく死に場所でもあり、一部の人にとっては、それが最大の名誉なのだった。ディオスコリデスによるある詩が、まさしくこうした考えをたたえていた。スパルタの戦士、トラシュブロスの遺体がアルゴスとの国境紛争後に故郷に戻ってきたときのことだ。

楯の上に横たわって帰還するトラシュブロス、
アルゴス軍から七カ所に傷を負って。
全身を正面からさらしたがために。
老テューニコスは、
息子の血まみれの亡骸を薪の山の上に置いて言った。
「臆病者は泣くがいい。だが、息子よ、私は涙一滴見せずにおまえを埋葬しよう。
わが子であり、スパルタの子であるおまえを」[28]

若者たち、それどころかまだ少年の者たちが、何世代にもわたって戦争のために備えてきた。多くの者はエピスキュロスの球技場で、戦闘の優雅な模倣に夢中になった。ホメーロスですら『オデュッセイア』に初期の形態のこの球技について書いた。二人のスケリア島（ケルキラ島）の王子がオデュッセイアに自分たちの腕前を披露し、そのうちの一人が鞠（まり）を手にする。そして、

その鞠を黒雲めがけて投げると、
別の者が宙に高く跳び上がり、地面に足が着く前に、
それを素早く、器用につかむ。
鞠を真上に高く投げて争ったあとは、
手がぼやけるほど速くそれを放り投げては返し、
われらに糧を与える大地で踊り、
少年らは円陣のまわりで足で拍子を取った。(29)

そのような球技場として定められたポリス内の別のフィールドのことを考えてみよう。球技はフィールド内を行きつ戻りつしながら行なわれた。一方のチームが相手方をスキューロス、つまり境界線の後方のベースラインに向かって走らせ、まさに瀬戸際まで追いやるなかで、和気藹々（あいあい）として高揚した雰囲気となった。次の一投で鞠は空高く弧を描く。鞠はベースラインを越えて、相手方を完全にフィールドから追いだすのだろうか？　選手も観衆も、誰もが見守り、息を詰めた。

＊

北エーゲ海のスキロス島は夕暮れどきだった。南西岸沖に停泊した船から、一二人の男たちが遺体を岸まで運んできた。彼らは干上がった川床の道をたどって、狭い谷間に着いた。その場所のオリーブの木陰の埃っぽい地面に、一つの穴が掘られた。遺体の主は、戦地に船で赴いていた、弱冠二七歳の若者だった。かつて別の若者、アキレウスもこの島にやってきたことがあった。トロイア平原に向かう艦隊に息子が連れて行かれるのを阻止するため、母親が彼を女装させて、この島に隠れさせたのだ。息子はトロイアで死ぬ運命にあると、母は知っていたのだ。

死んだ若者も、アキレウスと同じ海岸に向かっていた。彼は旅のあいだずっとホメーロスを暗唱しながら、喜び、興奮し、この先は「歴史の風」によって運ばれるのだと確信していた。彼は詩人、それも戦争詩人であり、戦いの日が近づくにつれて、緊張が高まるのを感じ、「暗闇のなかで」アキレウスと並んで動きながら、その霊まで感じられるのだと書いた。だが、航海の途中で彼は病気になった。ただの虫刺されから高熱を出し、一日も経たずして死んでいった。

夕闇が増して夜になった。一二人の男たちは墓のまわりに集まった。そのうちの一人が後日、若者の母親にこう伝える。彼女の息子は「地上で最も美しい場所の一つに、灰緑色のオリーブに囲まれながら埋葬されており［……］地面は花の咲いたセージに覆われています」。

「思い浮かべてみてください」と、彼はその母親に言う。「雲間から覗く月明かりのもとで、周囲も後方も三つの山に囲まれ、神々しい香りが辺り一面に満ちているのです。彼の墓の周囲には、探せる限り多くの花を供えました[30]」

すでに真夜中を過ぎていた。男たちの一部は船に戻っていた。五人はあとに残り、墓の上に石のケルンを積み上げた。その五人のうち、戦争から生きて戻ったのは二人だけだった。何年かのちに、若者の母親が彫刻家に依頼して新しい墓標をつくらせ、ケルンの代わりに乳白色の大理石に彫られた小さな墓石を建てた。息子の詩の一編が墓石には彫られていた。「私が死んだら、私のことはただこう考えてくれ」と、その詩は始まる。「異国の地のどこかにとある片隅があって／そこは永遠にイングランドなのだと」

この若者はルパート・ブルックであり、死去したのは一九一五年四月二三日のことだった。ガリポリ上陸作戦の二日前のことだ。彼はその後に起こったことを生きて見届けることはなかった。

＊

ボールが淡い青空に飛んで行った。試合をしていた人びとはあとを追い、フィールドを横切り始めた。そこは地中海の空ではなかった。別の空の、別のフィールドだ。それでも朝もやが晴れたあとの天気は「天国のよう」だった[31]。暑い夏の日のことだった。ボールは投げられたのではなく、蹴られていた。見物人の一人は「ボールが上がって、遠くまで飛んだ」と語った[32]。ボールは高く上がり、その頂点でしばらくとどまってから、相手方のゴールラインに向かって孤を描きながら地面に落ちた。

その軌道を地面に着くまで追った別の人物はこう表現した。「立ち上がって前へ進んで行く人びとが見えた。私も一緒に行った」。彼らはみなボールを追いかけた。ところが、「何人かが頭をかがめて立ち止まり、慎重にひざまずき、ゆっくりと寝転がり、そのままじっとしている」。試合中に何か不都合なことが生じたのだ。選手たちに何かが起こっていた。「ほかの者たちもどんどん転がり、叫び、それから恐ろしい勢いで私の脚をつかんだので、その手を振り解こうともがかなければならず、そうするあいだに私の上着についていた埃や土が灰色から赤く変わった」。それでも、彼は進みつづけた。なぜなら、ボールを追いかけるよりほかに、何をすればよいのか？　相手方をゴールラインの向こうへ押しやって、フィールドから押しだそうと試みること以外に？　「それで私は巨大な蜂の巣状の地面をよじ登っては降りながら、痛む足を引きずって進んだ。私の波は徐々に消え、第二波が押し寄せては消え、三番目の波が第一波と第二波の残骸と合わさり、しばらくのちに第四波がその他の残りに入り込み、そうしてわれわれは前方へ走りだした[33]」

一九一六年七月一日のことだった。ソンムの戦いの初日だ。

ボールを蹴ったのは、イースト・サリー連隊の二一歳のウィルフレッド・ネヴィル大尉だった。二個目のボールもあった。そのうちの一つには、「大欧州優勝杯争奪戦決勝。イースト・サリー対バイエルン。ゼロ時にキックオフ」と書かれていた。もう一方のボールには、大文字の活字体で、「審判なし（ノー・レフリー）」と書かれていた。長靴でボールを蹴ってから数秒後には、ネヴィルは死亡した[34]。

二週間近くのちに、この話はイギリスの新聞に掲載された。『デイリー・テレグラフ』紙はこう書いた。「勇敢な大尉自身は突撃の最初の段階で倒れ、兵士たちは機関銃の砲火にさらされてばたばたと倒れ始めた。それでもボールは、励まし抵抗するしわがれた叫び声とともに、前へと蹴られつづけた」。『デイリー・メール』紙は、詩とともに追悼記事を書いた。

殺戮（さつりく）の雨あられをくぐり抜け、
勇敢な仲間たちが倒れる、
血が水のごとく注がれる場所で、
彼らは血の滴るボールを追いかける。

詩人のシーグフリード・サスーンはその進撃が繰り広げられるさまを見ていた。開始してから一五分後の午前七時四五分には、予備部隊がまだサッカーの試合の観客のように兵士たちに声援を送るのを見ている。一〇時五分には、すでに三万人以上が死んでおり、「太陽に照らされた地獄の光景を見ている。それでも、そよ風はまだ黄色いノハラガラシを揺らし、少し前に数発の炸裂弾（さくれつだん）が落ちたクローリー・リッジの下方ではヒナゲシが輝いている[35]」と描写した。初日の終わりには、死傷者は六万人に達していた。

ギリシャの山腹では六〇〇人近い兵士が死んだ。フランスの戦場では六万人以上だ。ソンムの戦いは、戦争のクライマックスになるはずだった。壮大な会戦で、一度の戦いでは史上最大のものとなったのだ。ソンムでは狭い戦場に結集した両軍を対峙させて、勝者を決めることになった。どちらが優勢となるのか？　サスーンの友人で詩人仲間であるエドマンド・ブランデンが書いたように、「その日の終わりには、破壊された大地と殺された兵士の悲しい走り書きのなかに、両軍ともその問いへの答えを見ていた。道はどこにもない。通行禁止だ。どちらの民族も戦争に勝ちはせず、勝つこともできなかった。勝ったのは戦争であり、これからも勝ちつづけるだろう」(36)。

前線の儀式

六四〇キロにわたって二本の線が景観を分断しながら延びていた。つまり、二本の前線である。その後方には、兵站(へいたん)線と予備線、後方連絡線、砲列線、それに「対壕(たいごう)」があった。曲がりくねった細い指のように、前線の向こうまで延びる線だ。これらの線は地面に掘られた穴、つまり塹壕(ざんごう)となっていた。

それらの線はベルギーの北海岸に始まり、フランドル地方を南下して、フランスとの国境を越え、その後アルトワとピカルディを通ってソンム川を渡り、パリのわずか六四キロ北にあるコンピエーニュで方向を変えた。そこから線は東に向かい、シャンパーニュを抜けてランスを通過し、ヴェルダンとサンミエル要塞の周囲を回って再び南へ方向転換し、最終的にスイスとの国境であるブルヌヴェザンが終着点となった。

これらはまっすぐな線ではない。塹壕はどれも曲線と急な曲がり角からなり、砲撃の爆風を食い止めるために、果てしなくジグザグを繰り返していた。どうにかしてそれらの線をすべてつかんで、まっすぐに伸ばし、端から端までつなぎ合わせれば、六四〇キロをはるかに超える距離になるだろう。実際には、三万八六〇〇キロに近く、地球を一周できるほどの長さの一つの巨大な塹壕となっていたのだ。

　これらの線は国境ではない。だが、それらは国境が生みだした産物であり、グロテスクな幻影でもあった。一九一四年の冬から一九一八年の秋にかけての四年間、これらは人類史で見られたなかで最も極端な形で景観を物理的に分断するものを人の手でつくりだしていた。塹壕はどちらの方向にも一〇〇メートルと動くことなく固定され、膠着(こうちゃく)状態にあった。これらはエスカティア、外縁であって、その先の、末端と末端のあいだは、無人地帯(エレモス・コーラ)なのだった。

　古代ギリシャのエスカティアと同様に、塹壕線は秩序と混沌のあいだの限界だった。そこは死者の国への入り口だったのだ。ただし、黄泉の国は地下から上がってきて、地上の世界にその姿を現わしていた。それは数メートル先に、それどころか数センチ先にあった。黄泉の国はリアルタイムで戦争の歴史を語っていた。黄泉の国がかき集めた戦利品の山は、ただ大きくなるばかりだった。「何百という頭骨や骨や屍が夥しく散乱するなかで、さまざまな戦場をたどるのは、陰鬱ながら非常に興味深い仕事だった」と、イギリスの少佐、P・H・ピルディッチは書いた。「われわれの継続的な攻撃が進展している様子が、骸(むくろ)の上の装備の種類から明らかに見てとれたのだ[37]」

　あらゆることが単純化され、簡略化された。対立のなかにどっぷり浸(つ)かってしまうのだ。境界線には善良な側があって、邪悪な側があった。「われわれの有刺鉄線のこちら側では、すべてのものに馴染(なじ)みがあって、誰もが味方だが、有刺鉄線の向こう側は未知の、不気味な世界だ[38]」と、チャールズ・キャリントンは書いた。兵士たちは個々の人びとに、名前も顔も家族もある人びとに囲まれており、それぞれに独自の語るべき話があった。しかし、わずか数百メートル先には敵がいた。姿はほとんど見えないが、いつもそこにいる。胸壁の下に待機する、顔のない集団だ。連合軍にとって、ドイツ軍は幽霊であり、生き霊であり、歩兵たちが「他者」と考える存在であった。そこは想像のおよばない場所で、「謎めいていて、空白の、それでいて入り込めない土地」なのだった[39]。そこには想像のおよばない場所で、「謎めいていて、空白の、それでいて入り込めない土地」なのだった。

「一定方向に、ドイツ側の前線があるという単なる事実が、景観の感覚を変えているようだ」と、別の戦争詩人であるT・E・ヒュームは述べた。その結果、「無意識のうちに物事をそれと関係づけるようになる。平和時には、道はどちらの方向に向かっても、いわば構わず、いずれも無限につづく。だがいまや、一部の道は、いわば奈落の底へとつづいていることを知っているのだ[40]」。

　無人地帯では、奈落の底の外れで執り行なうべき儀式があった。一日に二度、夜明けと夕暮れに、「警戒態勢」を取る時間があったのだ。塹壕沿いにいたすべての兵士たちは武器を取り、銃剣の狙いを定め、射撃台に登った。そして、そこで静かに待った。無人地帯の反対側でも同様だった。両軍とも身構えていたが、身動きもせず、さほど遠くない場所をただ凝視していた。警戒態勢は、「どんな状況下であれ、前線地帯ではどこでも厳密に守らなければならないもの」だったと、従軍していた画家のデイヴィッド・ジョーンズは書いた。それは「特殊な重要性」と「荘厳さ」のある一時間であり、「砂丘から山地まで、前線のいたるところで、対峙する二つの線は警戒しながら立ち、何らかの不測の事態を待つ」のだと彼は書いた[41]。

　それは要するに、塹壕戦の膠着状態の儀式だった。兵士たちは「何らかの不測の事態」に備えてはいたが、本当は何も変わらないのだと知っていた。彼らが陣取っていた前線は動かなかったが、ときおり彼らの目の前にある無人地帯の舞台で戦闘が繰り広げられた。そうなると、すべての参加者が殺されるか、負傷するのだった。そこには大昔の国境紛争、「戦士たちの戦い」の考えがあって、それがただ繰り返されているのだった。「三人のうちで優れた二人を。いや、五人のうちで優れた三人を。いや、七人のうちで優れた五人を」……。戦いそのものも儀式であり、「無人地帯で行なわれる運命を決する儀式的パレード」なのであった[42]。警戒態勢の時間は、無言の瞑想のなかで刻々と過ぎた。日は昇り、日は沈んだ。そして、日はまた昇った。「夜明けの痛烈な惨めさが増し始めた」と、ウィルフレッド・オーエンはまためぐってきた朝の警戒態勢について書いた。

わかっているのは、戦争がつづき、雨は染み込み、雲は黒く垂れ込めることだけ。
夜明けは東に憂鬱な軍を集結させ、
またもや集団で攻撃する、震える灰色の兵士集団をめがけて。
だが、何も起こらない。[43]

一般に考えられていたのは、これは新しい日常なのだというものだった。こうした状況がすべて永久につづくのだと。塹壕もまた果てしなくつづくのだと。古典学者および考古学者で、ギリシャを熱烈に愛好したスタンリー・キャッソンはそのあまりの広大さに畏怖の念を覚えた。「右にも左にも、目の届く限り、想像力がおよぶ限りに壮大な防衛線が延びていた」と、彼は書いた。「これだけの戦闘が、北海の浜辺からスイスの境界で興味深い終わりを遂げるところまで歩いたら、どれだけかかるのかとよく考えたものだ。その両端がどのように見えるのか、推測しようとした。伝言ゲームのように、右隣りにいる人にメッセージを口頭で伝え、それをアルプス山脈際にいる最後の人まで伝えたら、どうなるかと想像したのだ。少しでも理解できるメッセージが伝わるのだろうか?」[44]

西部戦線に到着して数日後には、エドマンド・ブランデンは「戦争に終わりがないという空気の蔓延」に圧倒されていた。「ここでは誰も、それがどう終わるのか考えていないようだった」[45]。ロバート・グレーヴズは、「戦争は決して終わらず、われわれが勝つのだ」という二つの相容れない考えを誰もが奉じていたと、皮肉を込めて淡々とそれを要約した。[46] ソンムの戦いのさなかに捕虜となったあるドイツ兵は、「終わりが見えない」と認めていた。これは「総国民の自殺」なのだと、彼は言った。[47]

アイザック・ローゼンバーグは「不死身のものたち」という詩のなかで、際限なく殺害がつづく様子を描いた。「私は彼らを殺した／それでも彼らは死なない［……］私が殺害するよりも早く／彼らはこれまで以上に残虐に立ち上がるからだ」[48]

無人地帯（エレモス・コーラ）は、恐怖と死の究極の地に様変わりしていた。そこから戻ることはできない場所だ。「胸壁、有刺鉄線、そして泥が人間の存在に常時付き物の特性」になったと、イギリス軍の公式特派員のヘンリー・トムリンソンは書いた[49]。これはおぞましさの極致となった境界の線引きであり、境界をつくる技術だった。有刺鉄線は、一九世紀の終わりに牛が逃げないようにする手段として、アメリカで最初に用いられた辺境（フロンティア）の発明品だった。いまでは有刺鉄線は、無人地帯の荒れ地一帯におそらく一〇〇万キロをゆうに超える距離に張り巡らされているだろう。これは大量生産された、現代の産業による分断の恰好の象徴となった。

有刺鉄線はおそらくつねづね、こうした事態へと通じてきたのだろう。一九一五年五月に前線から故郷へ手紙を書くなかで、アーガイル・アンド・サザーランド・ハイランダーズ連隊の二六歳の少尉、アレグザンダー・ダグラス・ギレスピーは、自然界のこの奇妙な破断について思索を巡らした。「照明弾」が北や南に上がっては落ちてくるなかで、「幽霊のようなサクラの木々のあいだ」を歩いたことを彼は語った。月が昇ってきて、ナイチンゲールが鳴きだした。

「そこに立って耳をすませるのは奇妙なものだった」と、彼は書いた。「砲弾が炸裂する合間の静かなひとときに、そのさえずりはいっそう美しく静かに思えたからだ」。それはまるで、「われわれがこれだけの騒音と混乱をかき立て、泥まみれで作業するただなかで、田舎が穏やかにみずからに歌を歌って聴かせている」ようだと彼は思った。彼の兄弟トマスはすでに戦死していた。そこに立って「そのさえずりに耳を傾けたすべての男たちや女たち」のことを彼は考えた。「トムが殺されたあとの数週間、戦いで殺されたすべての人びとのことを、自分が絶えず考えていることに気づいたように。へクトールやアキレウス、かつてあれほど勇ましく活躍していたのに、いまやすっかり静かになってしまったはるか昔の英雄たちのことを[50]」

このときはまだ戦争の初期の段階であり、ソンムの戦いの一年前のことだったので、終着点はまだ見られるのだとアレグザンダーは信じていた。昔の校長宛に書いた別の手紙では、平和が戻ったら、西部戦線の全域が聖なる道（ウィア・サクラ）に変貌を遂げて、「ヴォージュから海までつづく前線のあいだの一本の長い街道」になることを願った。彼の構想では、「前線のあいだの〈無人地帯〉を広い立派な道路にして、巡礼者が歩ける道もつくり、木陰をつくる木々や果樹を植える」つもりなのだと彼は書いた。「破壊された農場や家屋の一部は証拠として残し、各連隊は冬中もち堪（こた）えた塹壕の横に自分たちの記録を掲げるのもよいでしょう。そうなったら、私は西ヨーロッパ中の、男女を問わずすべての人や子どもを、ウィア・サクラの巡礼に送りだし、どちらの側にも残されたもの言わぬ証人から、戦争が何を意味するかを考え、学んでもらいたいのです。たぶん感傷的な考えなのでしょうが、私たちは世界で最も美しい道をつくることになるかもしれません[51]」

四カ月後、アレグザンダー・ギレスピーはロースの戦いで殺された。

墓所を探す

以前、私はパルノナス山脈を訪ねて、「戦士たちの戦い」の墓所を探したことがあった。海岸沿いのアストロスの町から車で登り、めまいのするようなスイッチバックを繰り返すペロポネソス高原へとつづく狭い道をたどった。道案内となったのは、もともとフレデリック・ウィンターというトロント大学の美術史教授が作成した地図の、しわくちゃのプリントアウトだけだった[52]。

彼の妻で、野外調査にいつも付き添っていたジョーンとともに、フレデリックは四〇年近く前にこの地を訪ねていた。当時、彼は六〇代なかばで、パウサニアスが記録した古代の地名を、現代の地形の実際の場所と結びつけることを目的としていた。この夫婦は長い学術論文のなかで自分たちの旅を要約しており、この戦場と墓所の場所を巡って五〇年間ほど対立してきた理論を批判していた（ときに困惑させられるものだったが）。パウサニアスの行程を描いた彼らの地図——手に入る証拠が断片的で限られていることを考えれば最も有力な仮説——は、パルノナス山の北にあるなだらかに起伏する高原のなかの地を特定していた。丘の上のアギオス・イオアニス村から西にわずか数キロ行った場所である。

私が通り過ぎたときは、この村はほとんど無人のように見えた。人もいなければ、車もない。ただ、道端に数匹の野良猫がこそこそと動き、車輪付きの大型ごみ箱の蓋の上から、私をにらみつけていた。白壁に赤い瓦屋根の家が北向きの丘の斜面に階段状に並んでいた。マツの木が周囲に植えられた村の広場を通り抜け、軽食堂を二軒ほど過ぎたところで、村外れに出た。数分後には、私は路肩に車を寄せて、伸び放題の草や低木に埋もれつつある石ころだらけの小道を歩いていた。

その日はどんよりした灰色の日で、ときおりエーゲ海上のどこか遠方から雷鳴が聞こえていた。私はこの小道を数百メートル徒歩でたどり、丘の頂周辺を、自分の車が見えない場所まで歩き回った。前方の道はその後まっすぐになり、なだらかな稜線沿いに進んで丸くなった広い頂上部に通じていた。頂上付近に、屋根のない、壁の崩れた建物があった。放置された避難所か羊飼い小屋だろう。それ以外には、何もなかった。私は黄土色の丘陵と山々がつづく荒涼とした光景のまっただなかに立っていた。斜面にはところどころ緑の木立があった。

私の足下には埋葬された五九八体の遺体があったのかもしれない。あるいは、ただ薄い表土があって、あとは何もなく蜂の巣状の石灰岩だけが何層もつづいていたのかもしれない。地図が正確ではなく、私が間違った場所に出ていた可能性も十分にある。それにもちろん、その戦いは実際には一度も起こらなかった可能性もある。ギリシャの国境地帯にまつわるもう一つの物語に過ぎなかった、というものだ。創作され、言い伝えられ、繰り返し語られることで美化され、洗練されていったものだ。民話から歴史に置き換えられて。パウサニアスは、一八世紀のちのフレデリックとジョーン・ウィンター夫妻のように、ただ亡霊を追っていたのだろうか？　神話と記憶から事実を選別するのは難しい、不可能ですらある作業だ。

追憶の石碑

一〇年後、私は別の墓所に向かって車を走らせていた。今回は、はるかに見つけやすいものだった。初めから標識が出ていたうえに、それは開けた平野が広がる平らな景観のなかに位置していた。墓所は数キロ先からも見えた。暗緑色の雑木林があり、その上に赤レンガの角張った頭頂部がそびえていた。遠くからだと、それは古い工場の時計塔の上部のように見えた。

私は車を停め、広い砂利敷きの道に沿って並木のあいだを歩いた。やがて、ごく緩やかな斜面を登ったところに、それはあった。啞然(あぜん)とするほどの大きさの記念碑が。レゴ・ブロックでつくったような単純な造りでその碑は立っていた。正面から見ると、二つの巨大な足に支えられた脚部が中央部分で出合い、頭上高くにアーチ道をつくっている。この記念碑はおそらくこれ見よがしに根を張っているのだろう。下半身が重たく、地面に固定され、しゃがみ込んでいるのだ。その二つの足は、実際には片側に八本ずつ、計一六本に分割されており、そのあいだを小さめのアーチ道が通っていて、いずれも表面は白い石で覆われていた。そのために、スケールが小さくなることは決してない。この墓所は見逃しようがない。この碑が追悼しているのは、遺体が見つからなかった人びとなのだ。

ここはフランス北部のピカルディにあるティエプヴァル記念碑だ。ソンムの戦いの「行方不明者」の記念碑である。その白い石に刻まれているのは、遺体が回収できなかった七万二三一五人の名前だ。周囲の戦場のどこかで命を落とした人びとである。一九三二年に記念碑が最初に完成したとき、その数は七万三三五七人だった。それ以来、地中からさらに多くの遺骨が見つかった。行方不明者のごく一部は見つかったのだ。残りはまだ不明で、おそらくこの先もずっとそうだろう。ティエプヴァルは彼らの集団の墓石なのだ。

私は芝生や木々、花、小道を見回した。どこもかしこも完全に手入れが行き届いている。切って、刈り込み、剪定(せんてい)され、整えられている。無秩序さはどこにもなく、手入れのされていない雑草が伸びたところもない。この土地はまっさらだった。まっさらで沈黙していた。一九一六年八月に一人の兵士がこの同じ光景を――掘られ、ひっくり返され、切り裂かれ、爆破された場所を――見渡し、故郷の姉妹に宛てた手紙に、確かに、もはや永久に変えられてしまったと書いた。「ここがもう一度、整地される日がくるなど、僕には想像がつかない」と、彼は書いた[53]。それでも、ここは整地されたのだ。平らになり、誰もいなくなった。目の届く限りつづく周囲の農地は午後遅くの太陽に金色に照らされ、均一であるがゆえに単調になっている。

私は第一次世界大戦について書かれた本のなかでも極めつきの作品の、くたびれた古本を持参していた。一九七〇年代に発行された『第一次世界大戦と現代の記憶』はアメリカの文学教授ポール・ファッセルの作品で、彼自身は第二次世界大戦に歩兵として服務した。同書はそれぞれの事件の歴史ではなく、日付や戦闘ばかりを書き連ねたものでもなく、むしろ紛争の影響とその余波が欧米のすべての文化にもたらしたことを研究したものだった。ある忘れ難い一節で、ファッセルはまさしくこの場所へきたときのことを書いている。

> 今日、ソンムは平和だが陰気な場所で、過去を忘れず、許しはしない。いま農地をさまよい歩くことは、一九一六年の七月の恒久的な残響を最も身近に感じることなのだ。湿気の多い日には、たとえ小麦と大麦しか目に入らなくとも、あたり一面に錆(さ)びた鉄のにおいが漂う。農家の人びと

は楽しむことなく畑仕事をしている。犂(プラウ)が不発弾や薬莢(やっきょう)、信管、古い有刺鉄線の断片を掘り返し、畑の片隅に積み上げるたびに、それらが溜まってゆく［……］。踏み固められた道から少し外れた下草の陰のあらゆる場所に、雄弁に物語るちょっとしたものが潜んでいる。錆びたバケツ、腐食した小火器の数発分の銃弾、弾薬箱の蓋、コンビーフの缶の断片、ボタンなどだ。(54)

積み上げられたこれらの戦利品の山はいずれも、知らず知らずのうちに、古い神々を称賛していた。ここでは木々をまっすぐ列をなして植えることはできないと言われている。その根は必然的に下へと伸びて、触れずにおくべきものを見つけてしまうからだ。不発のマスタード・ガスの弾筒や、有毒な薬莢などだ。不運な木は枯れてゆき、木々の列からは一本また一本と失われてゆくだろう。おそらくそれは、比喩としてはあまりにも痛烈かもしれない。そうなのだ、この土地は確かに結局のところ、再び整地されているのだ。しかし、その地面の下ではまだ、遺骨や残骸や破片が入り乱れていて、ときおり地上の世界に吐きだされている。消滅した前線の亡霊だ。

どうやってこんな事態にいたったのか？　塹壕はたどれないし、答えを探すこともできない。そうしたものはすべて失われている。その理由は単にあまりにも多いからかもしれない。ティエプヴァルの白い石に刻まれた名前くらいあまりにも多いのだろう。しかし、ここに一つの理由がある。皮肉なことに、何十年にもおよぶヨーロッパの紛争を終わらせた和平調停のなかに見いだせるものだ。

三世紀半前に、ティエプヴァルから四〇〇キロほど東にあるヴェストファーレン（ウェストファリア）地方のミュンスター市とオスナブリュック市である会議が開かれた。この会議には、二〇〇近い地方や国や帝国を代表した何千人もの外交官とスタッフがかかわっていた。最初の半年間は、誰がどこに座り、それぞれの会議場にさまざまな高官がどの順番で入場するかといった外交儀礼をめぐる議論で費やされた。交渉はさらに四年間つづいた。戦争は大陸ヨーロッパを引き裂いており、とりわけのちにドイツとなる土地を荒廃させていた。紛争にかかわった関係者は多数いたが、その原因は単純だった。宗教、権力、お金である。三〇年にわたってつづいた戦争は終わらせる必要があった。

一六四八年に、使節が何度も行き来し、無数の書簡が交わされたのちに、和平の枠組みが合意された。そこで提案されたのは実際には、まるで新しい政治秩序で、「その領域は、彼の宗教(クイウス・レギオ、エイウス・レリギオ)」という原則に従うものだった。これはごく基本的には、君主や国王が臣民にみずからの宗教を課す権利を認めるものであった。しかし、それだけでなく、この枠組みは君主の卓越した唯一の権威を定めるものでもあった。特定の地理的領域内における政府や税制、法律、軍隊にたいする権威を含めたものである。[55]

封建時代の中世ヨーロッパでは、領土の権利は流動的で、重なり合ったものでもあった。政治的支配は、空間的な意味ではほとんど地図に表わせないものだった。その最も基本的な次元では、一人の支配者が税金を徴収できる場所であればどこへでも領土は広がっていた。しかし、それはまた臣下と領主の複雑な序列や、忠義や忠誠の絆によっても定められており、それらはいずれも最終的には神自身にまで通じていて、地上ではローマ教皇とローマ・カトリック教会によって表わされていた。ただしもちろん、いまや神ですら、プロテスタント教会の誕生によって分割され、引き裂かれていたのである。[56]

ミュンスターとオスナブリュックの会議場で疲弊し、果てしなくつづく戦争と、独善的な分裂に苛(さいな)まれた何百人もの人びとは、こうしたもののすべてを終わらせようと決意した。物事をより単純に、明確にするのだ。その答えが「線」だった。定められた領域内における自治である。それぞれの君主や国王の臣下が、地図が製作されることで囲い込まれたのだ。まだ一時的で不完全なものとはいえ、これが近代の国民国家の始まりだった。[57]明確に定義され、測定され、別々の民と資源をもつ領土の形成である。国境を引く競争が始まったのだ。

歳月とともに、この「定義」には宗教に関する選択だけでなく、統一された言語や文化、民族意識までも含むようになった。共通の歴史とアイデンティティを語る物語が必要になった。「国民（ネイション）」は出生を意味するラテン語「ナシオ」からくる。国々が新たに「生まれ」ていたのだ。一九世紀ドイツの地理学者で理論家のフリードリヒ・ラッツェル――「地政学」という言葉の生みの親――は、国民国家は一種の生物学的な存在であって、生きているのだとすら主張した。だからこそ、生きるための空間が必要なのだった。そして、成長するための空間が。彼はそれを「生存圏（レーベンスラウム）」と呼んだ。ラッツェルの考えでは、国境は表皮なのだった。国境は有機的で、移動し拡大するだけでなく、ほかの土地を吸収することもできるのだった。それどころか、内部の存在物が生き残るためには、そうしなければならないのだと彼は言った。[58]

一九一四年には、この「皮膚」はフランスとベルギーの国土のなかほどにまで押しだされた。国同士が西部戦線で体当たりし、四年のあいだに――一〇〇〇回、六万回、一〇〇万回と切りつけられ――止めどなく大地に血を流すことになった。

それがどこにも増して悲惨であったのは、私が立っていた場所だった。ここソンムでは、国境の動脈が切断されたかのようだった。ただし、被害は致命的なものではなかった。大きな溜池からただ鮮血が塹壕のなかに注入されただけであり、したがって流れは衰えることなく、堰（せ）き止められることなくつづいたのである。

F・スコット・フィッツジェラルドはまさにこのイメージを、戦後の倦怠（けんたい）感の痛みと罪悪感に満ちた小説、『夜はやさし』のなかで捉えていた。主人公のディック・ダイヴァーは一九二五年に友人たちと第一ニューファンドランド連隊の復元された塹壕を訪ねる旅に出て、胸壁からボーモン゠アメルとティエプヴァルを眺めた。道中、空は「くすんで」いて、雨が降りだしそうだった。ここで、フィッツジェラルドはこう述べる。「天候そのものが、古い写真のように、過去の、色褪（あ）せた天候の性質を帯びて見える」

ディックは遠くを指差し、旅仲間のほうを向く。「あの小さい川が見えるかい」と、彼は言う。「あそこまで二分もあれば歩けるだろう。イギリス軍はあそこまで進むのに一カ月かかった。帝国全体がごくゆっくりと動いていて、前方では死んでゆき、後方では前へと押し進んでいたのさ。そして、もう一方の帝国はごくゆっくりと、日々数センチずつ退却していて、あとには死者が一〇〇万枚の血まみれの敷物のように残されたんだ[59]」

ディックはこの戦争の奇妙な親近感について触れ、文化と芸術は何世紀にもわたって変化しており、社会はみな塹壕の肌と肌が触れる不快な抱擁にまで、宿命的に向かっているのだと述べた。「そのためには宗教と何年にもわたる途方もなく多くの保証と、階級間に存在した明確な関係が必要だった」と、彼は言う。「この手の戦いはルイス・キャロルやジュール・ヴェルヌや、『水の精（ウンディーネ）』の作者や、田舎の助祭たちのボウリングや、マルセイユの名付け親や、ヴュルテンベルクやヴェストファーレンの裏小路で誘惑される娘たちによって生みだされたものなんだ。何しろ、これは愛の戦いだったから［……］僕の美しく、素敵で、安全な世界はこの地で、爆発的な愛の旋風とともに自爆した[60]」

私は記念碑に向かって歩いた。広い階段を上り、中央の高いアーチの下まで行くと、私は周囲を角張った面に囲まれた。壁も床も通路も、明るい色と暗い色の線と幾何学模様によって分けられていた。真正面には、「追憶の石碑」があった。これは一〇〇〇人以上の戦死者を記念する場所に建てられた何百もの石の一つに過ぎない。いずれも建築家のサー・エドウィン・ラチェンスによる統一された同じデザインになっている。

一九一七年に帝国戦争墓地委員会の創始者であるフェイビアン・ウェア宛に書いた手紙のなかで、ラチェンスは記念碑の当初の構想を説明した。「三段以上の階段のある基壇の上に、長さ三・六メートルほどの、均整の取れた大きな石を置き、丁寧に文字を刻みます。過度の装飾や、手の込んだ厄介な彫刻はなく、碑文は一つの考えだけを明確な文字で記し、どんな時代でも、すべての人に、これらの石が西に面して、いまも敵に向かって東向きに横たわる人びとに面して、フランス中に置かれた理由がわかるようにするのです[61]」

その「一つの考え」は、ラドヤード・キプリングがもたらしたものだった。背後の太陽からごく低い角度で照らされて、碑に刻まれた文字は灰白色のポートランド石に黒々とした影を落としていた。「彼らの名は未来永劫に生きる」と。

ラチェンスは古代ギリシャの建築からじかにひらめきを得ていた。「追憶の石碑」はアテナイのパルテノンで使われたのと同じエンタシスの原則に従って削られていた。完全な直線にしないことで、もっと奥行きがあり規模が大きいような目の錯覚を生みだすものだ。様式は意図的に簡素で装飾を省いたものになった。さらに宗教色もなくした。ラチェンスがロンドンの官庁街ホワイトホールのザ・セノタフ〔訳注：戦没者追悼碑〕――この名称そのものが「空の墓」を意味するギリシャ語「ケノース・ターフォス」に由来する――の設計を委任されたとき、彼は古代アナトリアの都市クサントスの墓標を参考にその形を考案した。一九二〇年にこの記念碑の除幕式が行なわれたとき、『カソリック・ヘラルド』紙はこれを「異教の記念碑にほかならず、キリスト教を侮辱するものだ」と評した[62]。

ティエプヴァルの巨大な構造物の残りの部分も、ラチェンスの手によるものだ。だが、ここでは古典様式は、一種の帝国産業的な威圧感に成り代わっている。まるで巨大な工場が、立ち並ぶ凱旋門を呑み込み、鮮やかな赤レンガの構造物のなかに吸収しているかのようだ。私はまっすぐ西へ歩いて記念碑の反対側まで出てみた。そこでは地面はやや傾斜しており、芝生の上に墓が整然と並んでいた。片側には平らで上部が丸みを帯びたイギリス兵のものが、もう一方にはフランス兵のための十字架があった。

私は感傷的な理由から、どうしてもこの場所を日暮れどきに、「警戒態勢」時に訪れてみたかった。

前線の儀式を、境界で瞑想するあの沈黙の時間を見たかったのだ。ファッセルは彼の本の序文に、「第一次世界大戦の力学と図像学がその後の暮らしを政治面でも芸術面でも言葉のうえでも左右する、きわめて重要な決定要因となった」と書いている。戦争は「受け継がれた神話に頼っていた」と同時に、「新たな神話を生みだしてもいて、その神話は私たち自身の暮らしを形づくる一部なのである」[63]。

ファッセルはある箇所で、アンソニー・バージェスの小説『見込みない種子』に言及する。一九六〇年代に書かれた作品だが、人口過剰と食糧難に苛まれた二一世紀のディストピア的なイギリスが舞台となっている。小説の主人公であるトリストラム・フォックスは、いつのまにか否応なしにイギリス軍に徴兵されており、まだ敵味方も漠然とした大戦争で戦うことになっていた。トリストラムと所属する大隊が海外に「送りだされ」、周囲のものすべてが第一次世界大戦の美学を採用したかのように見えるにつれて、現実離れした感覚が増す。軍服、武器、蓄音機、歌、陸軍大臣キッチナーが指を突きつける募兵ポスター、コンビーフ……それに塹壕。トリストラムは廃墟となった村を抜けて前線まで行軍する。小隊を戦闘へと率いているのはミスター・ドリモアというイデオローグだ。この人物は、きたる紛争を讃美し、何ら皮肉ではなく、ルパート・ブルックとシェイクスピアの『ヘンリー四世』の言葉を織り交ぜた決まり文句を語る。ドリモアは「三〇人の部下を率いて（異国の地のとある片隅で）、神には命を捧げるべく、勇敢に攻撃する覚悟ができていた（そこは永久にイングランドなのだ）」と、バージェスは書いた[64]。

ホイッスルが鳴ると、兵士たちは塹壕を飛びだして突撃し、トリストラムは声も出ずパニックに陥ってその様子を眺める。「それは殺戮だった。互いを虐殺し合っていたのだ」。彼はのちに塹壕のなかで死んだふりをして、どうにか戦場から逃げだすのだが、自分がアイルランド南西部に設置された広大な「セット」にいたことを発見して恐ろしくなる。その後、再び陸軍によって拾われ、彼だけが「E・S」――絶滅集会（エクスターミネーション・セッション）――の生き残りなのだと言われる。ある少佐が彼に、「新しい戦闘はそう呼ばれている」のだと教える。その戦争は本当の戦争ではない。人口過剰問題にたいする解決策であって、演出されたでっちあげなのだが、それでも人は殺され、人間を間引く手段として、第一次世界大戦の塹壕戦を繰り返し再現するのだ。グロテスクな事態の終幕では、戦死者の死体はコンビーフに加工されて、食糧不足を緩和する一助となる[65]。

『見込みない種子』は、「第一次世界大戦が現代の冷酷な組織的暴力の原型をつくったという核心を突いた評価に駆り立てられた」ものだと、ファッセルは書く。彼によれば、小説のなかで、バージェスは「戦争と劇場が手を組んでいたことに気づいていただけでなく、神話と決まり文句を手がかりに第一次世界大戦を解釈する必要性も感じていた。それはつまり彼が、戦争は現代の神話の主要な起源だと突き止めていたということだ。この本には、現代世界が一連の戦争全体によって必然的に生みだされたものだという理解が浸透している[66]」。

墓石のあいだを歩いて、記念碑の最西端にある「犠牲の十字架」を通り過ぎると、そこには地平線まで開けた農地が広がっていた。周囲には誰もいなかった。私は一人きりで、ファッセルの本と、繰り返し実演される戦争というバージェスの悪夢の将来について考えていた。まるで第一次世界大戦が紛争と苦難を生みだす究極的で完璧な鋳型を打ちだしたかのようだった。それでも、何かを完璧にするということは、それを訓練して洗練させ、最先端の状態にまで磨き上げることを意味する。起源を探しつづければ、戦争のさらに古い神話が表面まで浮上しつづける。

ソンム――および『見込みない種子』の「エクスターミネーション・セッション」――は、それが「戦士たちの戦い」の未来への転生でないとすれば、何だったというのか? ウィルフレッド・ネヴィルのサッカーの試合で、古代のポリスの国境における球技が鏡写しになっていたのはこの場所だ。私が立っている場所からわずか数メートル先で、ボールは蹴られたのだ。わずか一世紀前に、この同じ場所に自分がいたとすれば、私はボールが空高く上がるのを見ていたかもしれない。これらの人工的な国境地帯――いまは再びただの農地になっている――に何百万と送られ、「空の墓（ケノース・ターフォス）」に永久にとどめられることになった、若いエペーボスたちのことを考えてみてほしい。彼らはそこで「年老いることはない」と、ラチェンスの簡素な白い古典様式の碑は刻む。そしておそらく、年月を経るにつれて、また現実が霞み、神話が色濃くなるにつれて、こうしたことはいずれも、私たちが認めたくはないほどまで、スパルタのロマンチックな「美しい死」の理想に近くなるのだ。「テュレアの花冠」の代わりに、血のように赤いヒナゲシが、限りなく多くの記憶の石碑の周囲に供えられている〔訳注：戦場一面にヒナゲシが咲いたことから、寄付金を募るヒナゲシの造花が追悼記念に使用されるようになった〕。

現代の世界は、一連の戦争が必然的に生みだすものとして形成されたのだと、ファッセルは書いた……。もしくは、一連の国境が必然的に生みだすものだと、言うこともできるかもしれない。この戦争の実施・実演（パフォーマンス）、および最終的には国境の線引きは、じつに長きにわたって行なわれてきた。ここにはおそらく、実施されたあらゆる戦争のなかでも最大で、最も純粋、かつ最も破壊的なものがあるのだろう。しかし、これが最後ではない。決して最後にはならない。つねにアンコールがあるのだ。そして、より多くの年月が過ぎ、一世紀やそこらではなく、たとえば一千年紀が経っても、私たちはここで本当に起こったことをまだ信じているだろうか？ ソンムは、私たちの二〇世紀の「戦士たちの戦い」だ。あの相互の殺戮行為は、将来の世代にとっては、ほとんど信じられないものとなるのだろうか？

太陽はまたもや西部戦線に沈む。黄色からオレンジになり、紫に変わり、テクニカラーの幕が降りる。「警戒態勢」の時間は終わった。私は引き返し、ティエプヴァルの壮大な石のアーチ道を抜けて、暗くなりかけた青々とした芝を歩いて戻った。

3

無限

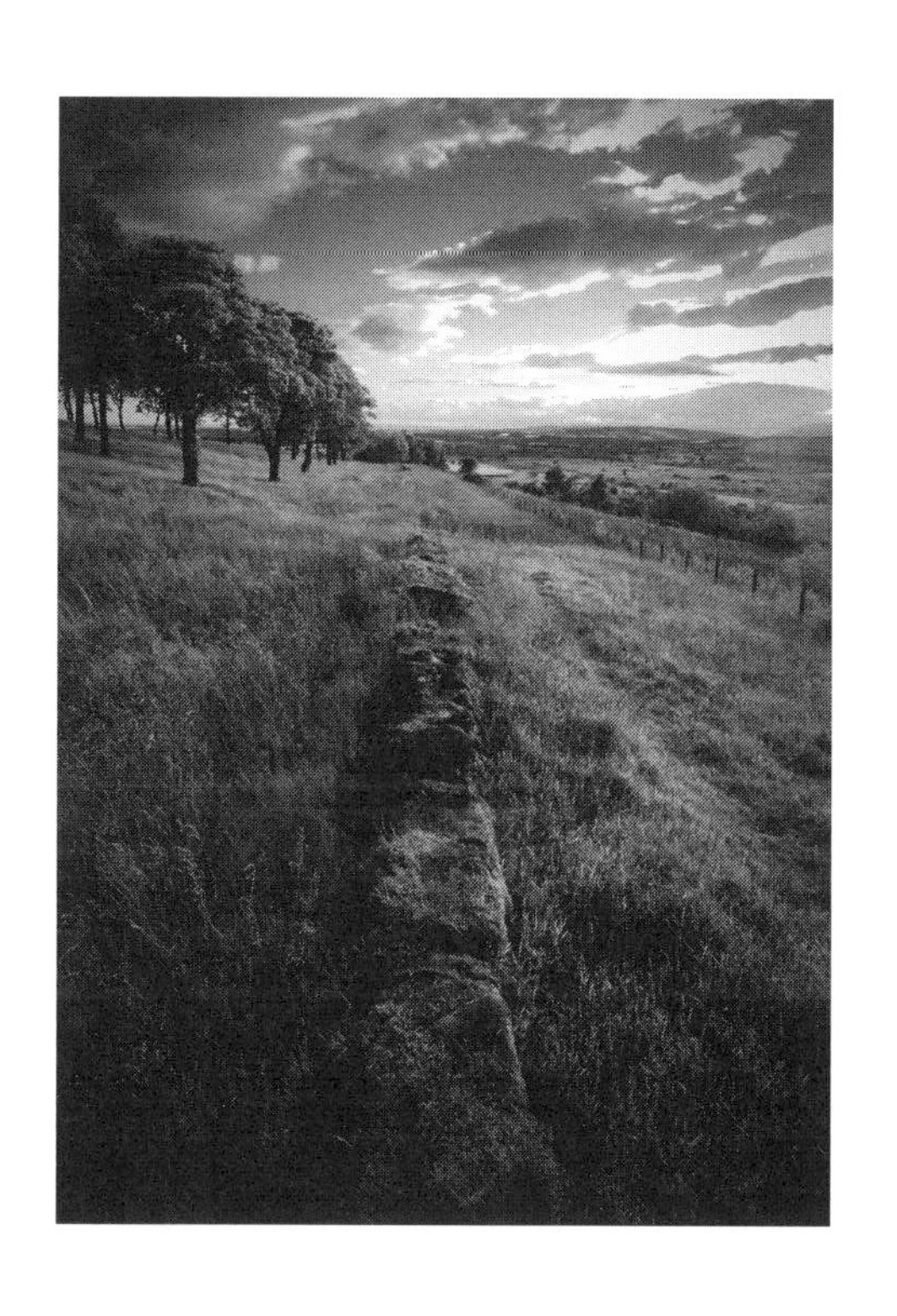

夏至からほんの数日後のある晩、私は少しばかりローマ帝国の最北端を記した線を歩いてみた。未知の世界と征服した世界の境界であり、世界の果てだ。この線の向こうは沼地や森や未開の地で、そこでは海が「海岸で食い止められず、内陸の奥まで入り込み、高原や山間部まで、そこがみずからの領分であるかのように曲がりくねる」と言われていた(1)。そしてその先で、陸地は終わっていた。オールカデスとトゥーレの小さな島々のほかには、何もない。ギリシャ人が「オーケアノス」、世界の大洋と呼んだものが、大地の周囲を囲む果てしない海があるだけなのだと言われていた。

紀元八二年の夏に、ローマの総督グナエウス・ユリウス・アグリコラが軍団を集めて、これらの辺境地へ赴いた。アグリコラの義理の息子で、著名な雄弁家であるとともに歴史家、伝記作家でもあったタキトゥスは、この遠征について細部まで、映画のように迫力満点に書いた。ブリタニアは、クロタ川からボドートリア川のあいだの「細い首状の土地」にいたるまで、全土が掌握された。「敵は事実上、別の島であるところまで追い込まれた(2)」と、タキトゥスは書いた。カレドニアである〔訳注・ほぼ現在のスコットランドに相当〕。

一年間、高地の奥深くまで侵入したのち、アグリコラはカレドニア人を山の麓の決戦で開けた場所におびきだした。タキトゥスがグラウピウス山と呼んだ場所である。軍勢が結集するなかで、両軍の指揮官たちは情感たっぷりに演説をした。

カレドニアの英雄的戦士のカルガクスという男は、自分の部隊を「地上最後の男たちで、最後の自由な人間」と呼んだ。彼らの先には、どんな民もおらず、ただ波と岩があるだけだと、彼は言った。彼らは世界の盗賊たちにたいし、最後の抵抗を試みるところだった。あらゆるものを取り込み、支配しようと飽くなき欲望に駆られた帝国にたいしてである。「強盗、虐殺、強奪、こうした行為を嘘つきどもは帝国と呼ぶのだ」と、カルガクスは叫んだ。「奴らは荒廃を生みだし、それを平和と呼ぶ」[3]

一方、アグリコラがローマの軍団に向けて行なった演説は、「彼らの勇気を最後に研ぎ澄ました」。軍団の兵たちは敵にも自然にも立ち向かったのであり、それは彼らの前にローマ人が成し遂げたどんな功績にも勝るのだと、彼は語った。「われわれはブリタニアを、その最も奥深くまで掌握している。それは報告や噂によるのではなく、ここに大挙して野営することによってである」と、彼は言った。いまや必要なことは、最後にもう一息努力して、厳しい行軍をつづけた全行程と、通り抜けたすべての森と、渡河したすべての河口域に意味をもたらすことだけなのだ。どの部隊も、どの将軍も決して引き返すまいと、はるか以前に決意を固めたのだと彼は語った。「恥じて生きるよりは、名誉の死を遂げるほうがよい［……］そして、死なねばならないのであれば、大地と自然が終わる場所で倒れよう。そうすれば死はつまらぬ栄誉ではなくなる」[4]

タキトゥスが書いたように、世界の果てのこの戦いはすぐに敵側の敗走となった。戦闘がグラウピウス山の斜面から開けた場所に移ると、「畏怖の念をかき立てる悲惨な」光景となった。カレドニア人の決意は打ち砕かれ、まだ走れる者は森や山中に逃げ込んだ。「どこもかしこも武器や死体があり、四肢は押しつぶされ、土には血が染み込んだ」。翌朝には、何もなかった。ただ恐ろしい沈黙が、人けのない丘陵があり、遠くでは人家から煙がくすぶっていた。ローマ軍の斥候たちはどこにも生命の兆候を見いだせなかった。これは平和だったのか？　それとも荒廃なのか？

勝利は夏が終わるとともにもたらされた。ドミティアヌス皇帝は、別の地域に部隊を送る必要があるとして、アグリコラの軍団の撤収を命じた。だが、タキトゥスに言わせれば、本当の理由は嫉妬なのだった。アグリコラのきわめて重要な功績によって、この総督の名前が皇帝よりも誉れ高くなることへの嫉妬だ。「ブリタニアは完全に征服され、すぐさま放棄された[5]」と、彼は嘆いた。世界の果ては到達され、掌握され、手放されたのだった。

四〇年後、この終着地点はグラウピウス山よりずっと南まで後退していた。帝国の末端を記念する物理的な象徴として考案された構造物が、構築されつつあった。土と石による長壁が、ほとんど人のいない景観に一二〇キロほどにわたって築かれたのだ。皇帝の命令によって築かれたその長壁には、その皇帝ハドリアヌスの名前が冠された。さらに二〇年が過ぎると、ハドリアヌスの次の後継者であるアントニヌス・ピウスが、この帝国の前線をもっと北方へ押し進めるよう命じた。第二、第六、第二〇の三つの軍団が、タキトゥスの言う「細い首状の土地」へ行軍した。カレドニアの二つの河川の河口域が東西両方向から内陸に入り込んだ場所で、彼らはそこを掘り始めた。

アントニヌスの長城

私はその掘削作業が行なわれた跡地を歩いていた。ボドートリア川とクロタ川——今日ではフォース川とクライド川としてより知られている——のおよそ中間地点の、バーヒルという場所で、境界線は最高地点に達する。小さなクロイ村のすぐ西にある、砂利だらけの静かな農道の先の景観には、見逃しようのない幅広の深いV字の溝がある。沈みつつある明るい太陽が、その溝に濃い影を投げかけていた。私はその暗い底まで降りてゆき、先端がピンク色の丈の高い野草をかき分けて、そのはっきりとした黒い線をたどった。溝は平坦な区間がつづいたあと、つかの間、下り坂になってから急に上り、一五〇メートル強の高さの頂上部まで上がった。

この土塁は、かつてローマ人が「ムルス・カエスピティクス」、芝土の壁と呼んだものだった。四つの部分からなる国境で、まずは石の土台の上に芝土と粘土を積みあげて、高さ三メートル以上の城壁にしたものから始まる。城壁のすぐ手前には、細い平坦な道である「犬走り」があり、そこから一気に下がって溝になっている。溝の深さは三メートル半ほど、幅は六メートルから一二メートルまで場所によってまちまちである。最後に、城壁の北側に二つ目の盛り土がある。掘削作業によって出た大量の土を積みあげて形成した「叩き土塁」である。城壁の上には木製の柵と通路があった。そして、その背後の南側には道路、「軍道」があって、おおむね等間隔に並ぶローマ軍の二〇カ所ほどの要塞を結びつけていた。要塞はほぼいずれも城壁の線にぴったり沿って建てられていた。これが北海に面したフォース湾から北大西洋側まで六〇キロ近く、遮るものなくつづいているところを、想像してみてほしい。陸地を文字どおり、二つに分断しているのだ。[6]

バーヒルの上からは、どの方角も一望できる。なだらかに起伏するこの地形にかつて東西に壁が走っていた線を、私はたどることができた。すでに夜の一〇時近くになっていたが、太陽はまだ地平線より少し上にとどまっていた。北を見ると、地面は下り坂になってから平坦になり、その後は再び上り坂になってキルシスヒルズとキャンプシーフェルズの低い尾根に通ずる。シルエットのなかで、丘陵は深い紫色に変わっていた。ちょうど、一年のうちで本当の暗闇になることがない時期だった。「世界のなかでわれわれが住む地域よりも、彼らの昼間は長い」と、タキトゥスはカレドニアについて書いた。「夜は明るい［……］あまりにも明るいため、夜明けと黄昏の区別がほとんどつかない」。これは辺境の暮らしの産物なのだ、と彼は断定した。「大地の平らな末端部は、低い影しかできないため、暗闇を頭上高くまで引き上げられず、それゆえに夜が空や星々にまで到達することがないのだ[7]」

この長壁を築き、要塞で任務についていた兵士たちも、同じように考えていたのかと疑問に思うだろう。あるいは、その家族はどうだったのか。何しろ、家族もやはりここで暮らしていたからだ。女性や子どもたちが履いていた洒落(しゃれ)た革のサンダルが、私の立っていた場所の近くに埋められていた井戸から発見された。一部の兵士は古代ブリトン人で、軍隊に徴兵されたのだろう。しかし、その他の人びとはヒスパニア、トラキア、ガリア、ガリア・ベルギカ（今日のスペイン、ブルガリア、フランス、ベルギー）からきた古参兵たちだった。ここバーヒルに駐屯していた歩兵隊は、シリア北部のハマ出身の弓兵だった。彼らはスコットランドの夏の暮れることのない薄闇について、どう感じていたのだろうか？　まさに「大地の平らな末端部」に接した国境を拠点とし、そこで暮らすことをどう感じていたのか？　誇りに思っていたのか？　恐れていたのか？　退屈しきっていたのか？　またカレドニア人はどうだったのか？　この広域にまたがる土木プロジェクトにたいして彼らはどんな反応を見せたのか？　帝国の力がこのように壮大な規模で展開されたことに？

　公式には、アントニヌス・ピウスが前任者のハドリアヌスと同様に、北方の非文明的な輩(やから)である「未開人」にたいする防塁として長壁を築いたと伝えられてきた。しかし、実際には何ら征服などなく、大規模な軍事遠征はなかったのではないかという疑惑が、それどころか現実になかった可能性さえあった。その代わりに、ハドリアヌスの長壁から先は、おおむね抵抗を受けることなく進軍することができたのだ。そして、何十年ものあいだローマ人と通商し、交流してきた現地民の畏怖の念を、そしておそらくは困惑もかき立てながら、軍団は着工した。この北方への領土拡大は、戦功のない皇帝にも楽々達成できるものだった。長壁は、はるか遠方の属州における権力のまたとない象徴となった。そして、その土木工事は兵士たちを手持ち無沙汰にせずに済むものとなった。

　その計画や調査、設計がどんなものであったかは、想像に難くない。この長壁が通る道筋にあった集落の立ち退きや、工事の行き詰まり、豪雨で中断を余儀なくされた日々、クロイ村のすぐ東側の難関部分などが思い浮かぶ。この地点では、硬い火山岩であるドレライトを突き抜けなければならなかった。これは単純な土木作業ではなく、複雑な工学プロジェクトだった。ハドリアヌスによる以前の国境建設の事業を洗練させ、何よりも高度な排水システムが含まれていた[8]。何と言っても、ここはスコットランドだったからだ〔訳注：スコットランドは雨の多いことで知られる〕。

それぞれのセクションが完成するたびに長壁の北側と南側に一基ずつ、彫刻された一対の砂岩が「距離標」として設置された。どの標識にも、「国父」であるアントニヌスにたいする献辞が、それを築造した軍団の名前と番号とともに記され、城壁の正確な距離がフィートかパッススで刻まれた（記録された距離は素晴らしく詳細な「三六六六と二分の一パッスス」というものから、「三〇〇〇フィート以上」という大雑把なものまでさまざまだった）。これらの石碑の多くには細かい彫刻が施されていた。勝利の女神ウィクトーリア、捕らえた敵を貪るワシ、軍団のマスコットの走るイノシシ、ペガサスに半ヤギ半魚のカプリコルヌスなどである。

なかでも丹念につくられていたのは、長壁の東端を記したもので、国境はそこでフォース湾に到達していた。その石碑には皇帝への献辞の両側に二つの場面が描かれていた。一方ではローマの騎兵が剣を掲げながら戦闘に加わり、未開人の敵を蹴散らしている。そのうちの一人は、すでに首を斬られている。もう一方の場面では、動物が生贄にされており、おそらく長壁の建設を神に捧げるための終わりの儀式なのだろう。どちらの場面も古典様式の建築の円柱で囲まれており、ローマ文明の優越性と高度さを強調していた。ずんぐりした砂岩のブロック一基分にしては、多くのものがそこに詰め込まれていた。権力、征服、支配、優位、信仰。それに距離もである。というのも、これほど力強い図像のあいだでも、最後の東端部分の四六五二パッススというこの距離は、やはりいちばん目立つように刻まれていたからだ[9]。

この地にある距離標のような石碑は、ローマ帝国内のどこでもつくられていたわけではなかった。建設の碑が残されることは一般的だったが、それらは装飾のない基本的なブロックで、工事にかかわった軍団の名前をただ記したものだった。ところが、アントニヌスの長壁では、その全長にわたってあらゆる地点が、パッススやフィートで測定され、記念されていた。国境を築くのに要した物理的労力の本当の度合いが、国境そのものに繰り返し刻まれたのである。これは壮大なパフォーマンスとしての国境建設だったのであり、自然のままの土地を――その土壌や粘土や岩や林を――ほとんど儀式的に、強い自意識をもって一つの巨大な彫刻に変貌させるものだった。未開の地と自然を人里につくり変えるローマの能力を表わす、全長六〇キロほどのシンボルである。

こうした事態全体には、何か大言壮語的なものがある。まるで国境の構造そのものに一種の深く根づいた、言外の不安が織り込まれているかのようだ。ローマほどの強大な帝国が、そもそもなぜ終着点を築かねばならなかったのか？　最初に一つの長壁がつくられ、その二〇年後、一六〇キロ北にまたもや長壁が築かれたのだ。壁はいつ壁ではなくなるのか？　それはいつ深刻な、存続の危機の兆候となるのか？

『アエネーイス』の読み方

ローマ帝国の初期に、ユリウス・カエサルの息子のオクタウィアヌスが共和国を廃止してプリンケプス（「第一市民」、別名皇帝）による支配にすることで、何十年もつづいた内戦を終わらせたとき、一つの文学作品がとりわけ話題になった。それは紀元前七〇年に北イタリアの小さな村に生まれた、ある農家の息子が書いたものだった。プーブリウス・ウェルギリウス・マローという名前で、通常はウェルギリウスと呼ばれている。

彼が若いころに書いた詩が、オクタウィアヌスの目に留まった。そのころにはみずからを「尊厳ある者」を意味する「アウグストゥス」というなかば宗教的な称号で呼ばせていた人物だ。このローマの新たな指導者は、まもなくウェルギリウスの全能のパトロンとなった（『この私、クラウディウス』の著者ロバート・グレーヴズは、芸術を政治的に腐敗させてきたのは独裁者のファン層であり、許し難いと考えた。「ウェルギリウスほど、詩人という聖なる天職の名を汚した人はまずいない」と、彼は書いた[10]。前一九年ごろ、おそらくアウグストゥスからの依頼を受けて、ウェルギリウスは叙事詩を書き始めた。ホメーロスの『イーリアス』と『オデュッセイア』から着想を得て、登場人物も借用して、ローマの壮大な創生神話に彼らをねじ込んだのである。

『アエネーイス』と名づけられたその叙事詩は、女神ウェヌスの息子であり、トロイアの王子であるアエネーアースについて語る。ギリシャ人に滅ぼされた自国の都市を、同胞たちと着の身着のまま逃げた王子は、女神ユーノーの怒りに追われながら、時化(しけ)の海に乗りだす。この物語の筋はごく冒頭で示される。息子の惨状に取り乱したウェヌスが、父であるユーピテルのもとへ行って、なぜアエネーアースだけがそのような罰を受けさせられているのかと尋ねる場面だ。

神々の王は苦悩する娘を宥(なだ)める。そうだ、おまえの息子にはこの先何年も苦難が待ち受けている、とユーピテルは言う。彼がついにイタリアの岸に上陸するときがきたら、「犠牲の多い長い戦いに乗りだす」ことになるだろう。だが、その終わりには偉大な運命が待ち受けている。彼は新たに祖国を築くことになり、その民「ローマ人」は、「地上の支配者」として頭角を現わすだろう、と。「私は空間、時間を問わず、彼らには限界を設けない」と、ユーピテルは言う。「彼らには権力を、インペリウム・シネ・フィーネを授けたのだ」。無限に広がる帝国(インペリウム・シネ・フィーネ)を。終わりのない支配を[11]。

これは逆境を最終的に克服する物語となった。ローマの偉大さはトロイアの荒廃から生まれたのだ。アエネーアースは叙事詩の全編を通じて、さまざまな英雄や悪漢に出会い、勝利と悲劇を繰り返しながら、心をそそるローマの未来(当時の読者にとってもすでに過去の歴史)を垣間見ることになる。そして、ついにはウェルギリウス自身の時代にまで到達し、アウグストゥスその人はトロイアの王子の直系の子孫として紹介される。ある時点で、アエネーアースは黄泉の国まで旅をして、亡くなった父に会う。父親は彼に、アウグストゥスは「帝国を［……］星々を越えた先まで、一年の車輪を越えた先まで、太陽の軌道そのものまで拡大する」だろうと予言する。[12]

『アエネーイス』がローマ社会に与えた影響は、どれほど誇張してもしきれない。ここでは世界規模の優越性――無限の帝国、無限の権力――が宣言されていた。ホメーロス風の輝かしくも暴力的で、胸に迫るドラマチックな叙事詩で飾り立てられた優越性だ。神話、歴史、現実の暮らしが究極的なローマの大ヒット作のなかで合体されたのだ。息もつかせないほど野心的でありながら、皮肉なほど大衆向けの最高傑作である。完成する以前からすでに、誇大宣伝は始まっていた。若い詩人のプロペルティウスが、過去と現在のあらゆる書き手に道を譲れと促したのだ。なぜなら、「『イーリアス』よりも偉大なものが生まれつつある」からだった。[13]『アエネーイス』はたちまち古典になった。写本が広まって、その冊数は増し、名家のおしゃべり階級専用から移行して、学校の教室で使用される傑出した指定教材となり、引用文は帝国中の城壁に大量に書きつけられた。

　時代とともに、その評判は高まるばかりとなった。この本はなかば宗教的な力を帯びていった。名声と影響力を求める者は、この本を神託のように扱い、未来を予言する力があるのだと信じた。この信仰はソルテス・ウィルギリアナエ、「ウェルギリウスのおみくじ」として実践されるようになった。本を適当に開いて、その一節をよく見ないままに選ぶ。すると、自分の指の下に書かれていたことが、何であれ運命を予言するものとなるのだ。この占いを最初に行なった一人が、元老院議員の野心的な息子で、トラヤヌス帝の従兄弟に当たる人物だった。彼が当てた文は、「彼がそのローマの王であることに私は気づく」であった。これはウェルギリウス版の当たりくじを選ぶようなものだったのである。そして、その読み手は誰だったのか？　ハドリアヌスである。[14]

　ハドリアヌスは紀元一一七年に皇帝になった。『アエネーイス』が最初に発表されてから、一世紀半近くのちのことだ。彼が帝国を受け継いだのは、その版図が最大規模になったときのことだった。トラヤヌスは征服と支配をつづけるローマの壮大なプロジェクトを推し進め、あらゆる方角で新しい広大な領土を獲得していた。しかし、ユーピテル（というよりは、ウェルギリウス）が予言した容赦なく拡大しつづける大波の停止を命じたのは、ハドリアヌスだった。彼は無限の帝国に「リーメス」——限界、物理的な実際の国境——を課し始めた。ブリタニアに彼が築いた長壁から、ライン川とドナウ川に沿って走る障壁、そして遠いサハラ砂漠とペルシャに建設した国境の道路と要塞までがローマである、としたのだ。彼はローマに、物理的に定義された境界を与えたのである。象徴的な終着点を。もしくは、少なくとも外縁上にある点を。ウェルギリウスを熱心に学んでいたハドリアヌスは、『アエネーイス』の中心をなす拡大主義的なメッセージから本当に背を向けつつあったのだろうか？新しい皇帝は怖気（おじけ）づいたのか？

　実際には、ウェルギリウスの読み方は一つではなかったのである。「楽観的」な解釈と「悲観的」な解釈として知られるようになったものだ。楽観主義者にしてみれば、詩人は心の底から帝国を正当化し、世界に平和をもたらすために必要な個々の人びとの闘争や犠牲を描いていた。そこでは「ピエタス」（忠義）が最大の徳とされ、征服と拡大の最終的な目的は「恐ろしい戦争の門にかんぬきがかけられる」のを見ることだった[15]。ここでウェルギリウスは臆面もなく、パトロンであるアウグストゥスに向かってうなずいてみせた。共和国時代の流血の内輪もめを終わらせ、家父長的な安定をもたらした人物である。現代の不評なスローガンをもじれば、彼はローマを再び偉大な国に（メイク・ローマ・グレート・アゲイン）することを運命づけられた皇帝だったのである。

　しかし、その他の人びとにしてみれば、ウェルギリウスは実際には、『アエネーイス』で帝国のあらゆるプロジェクトにたいする批判をそれとなく、一貫して加えていたのだった。彼は「自分の才能を社会保障と引き換えにする」（ロバート・グレーヴズの前掲書[16]）ような詩人ではまったくなかったのである。おそらく、彼はアエネーアースが苦労する様子を通じて、帝国のツケはあまりにも大きいだけでなく、リスクも同じくらい大きいことを示していたのだろうと、悲観主義者は述べた。インペリウム・シネ・フィーネは単に、抑制されない領土的野望だけでなく、抑制されない個人の野望でもあったからだ。皇帝として、一個人が振りかざす権力も、同様に時間または境界によって制限を受けることはなかった。一人の人間が際限のない権威をもったとき、その人物の忠義心（ピエタス）はどうすれば堕落するのを防げるだろうか？　最終的に、そこから読み取れるメッセージは、帝国はつねに建設されつづけ、暴力を通じて支配され、暴力によって倒されるだろうというものだった。

ハドリアヌスは悲観主義者だったのか？　皇帝の資質としては、ありえそうにない。それでも、ローマが不相応なまでに拡大していることを彼が案じていたのは疑いない。彼は自身で国境の地を見て、歩きたいと考え、二〇年近くをかけて帝国の周縁部まで旅をした。おそらく彼は帝国の外縁に本当に、身をもって対峙し、本当に限界のない存在になりうるものがあるのかと疑問をいだいた最初の皇帝だったのだろう(17)。

ウェルギリウスは、のちのローマ人たちを鼓舞すると同時に、苛むことになった。『アエネーイス』は現実と神話の境を曖昧にし、それと同時に帝国のきらびやかな偉大さの陰に内在した道徳的犯罪や生来の脆弱（ぜいじゃく）さという矛盾を強調させていた。アグリコラのカレドニア遠征の報告を書いたとき、タキトゥスもこうした同じ懸念を表明していた。グラウピウス山の戦いを前にしての演説を語る際に、彼はローマ文学の標準的な決まりごとを踏襲した。つまり、重大な出来事が起こる前に、中心人物たちが感情的なドラマを強調するセリフを発するのである。そこで、彼はカルガクスの演説を創作した。それどころか、カルガクスその人を創作した可能性すらある。アグリコラは少なくとも、実在の人物だった。しかし、彼が語った言葉は、ほぼ間違いなくつくりあげられたものだ。

むしろ、これはローマ帝国の二重人格のような、独裁制への熟慮とその不満のあいだの対話になっていたのである。タキトゥスは一方では、兵士たちの叩き込まれた忠義心に訴えるアグリコラが、アエネーアースさながら、やるべきことをやれと促すさまを描いた。良きローマ人は決して引き返さないからだ。それでも、タキトゥスはカルガクスの口から、帝国への激しい非難も発するようにした。彼はローマ人を傲慢で強欲で好色な、地上の災いとして描き、あらゆる土地に平和をもたらすのではなく、束縛と奴隷制と死をもたらしているとした。

これは驚くべき攻撃で、『アエネーイス』の根底にある疑念を導きだしていた。ローマ人は「さまざまな民族の雑多な寄せ集め」であって、「憂慮と恐怖」の弱い絆によって結びつけられていたのだ。それらの絆が崩れれば、「恐怖がなくなった場所では、憎しみが始まるだろう」と、カルガクス（というよりは、タキトゥス）は述べた。[18]

これはローマ人がかかえる強い不安に満ちた演説だった。帝国がこれまでになく拡大している折から、衰退の亡霊は忍び寄っていたのだ。想像がつかないと思えると同時に、避けられないものである崩壊の兆しが見えていたのである。

「未開人」を待ちながら

数年前、私はやはり夏の夕暮れに、アントニヌスの長城の上を第二次世界大戦期につくられた複葉機で飛んだことがあった。エディンバラ大学の地理学教授であるウィリアム・マッカネスが所有し、操縦する年代物のタイガー・モスである。開放式コックピットから乗りだすと、低い太陽に照らされて、長城の土塁が現代の景観にもいかにまだ濃い線を残しているかが見えた。その溝は黒々と刻まれ、城壁は突きだして下方の農地や荒れ地の張りのある皮膚に影を落としていた。ところどころ消えている場所もあるが、線は再び姿を現わし、テラスハウスが立ち並ぶ背後や、高層の団地の真ん中を走っていた。ときには、その線は高速道路やその隣りに走る線路と同じくらい明確で現実のものとなっていた。

カンバーノールドの小さな飛行場に着陸したときは、長壁は滑走路と完全に並行していた。境界の柵のすぐ向こうの、一〇〇メートルと離れていない先には、雑草の生い茂った深い窪(くぼ)みが、沈む夕日のなかで黒と金色に瞬いている様子がまだ見えた。二〇〇〇年近く前に、鋤によって掘られた境界、国境であり、それはまだそこに存在していたのだ。

これはおそらく、実際にその国境がいかに短期間しか使われなかったかを考えれば、さらに驚くべきことなのだろう。長壁は築造するのに一二年かかり、それから八年間、占有されたが、突如として放棄された。要塞は入念に解体された。木材は取り外されて、ときには燃やされ、石の構造物は地面に引き倒された。貴重品は荷造りされて、もち去られた。あとに残されたものは、金属や陶器の破片、釘、折れた鏃、それに履き潰されたサンダルの山などで、たいがいは井戸や溝に放り込まれていた[19]。

歳月を経るにつれて、人びとは誰がそれを築いたのかを忘れていった。六世紀にはすでに歴史家のギルダスが、これは石造りではなく、土を盛ったものなので、ローマ人ではなく、ブリトン人がつくったものだと言っていた。中世の後期には、ここは長城であったことすらもはや知られなくなった。地元ではここは「グリミスダイク」または「グリムズ・ダイク」と呼ばれ、悪魔による超自然の仕業か、古代の巨人が残した犂の痕だとすら言われていた[20]。

ローマ起源説が再浮上したのは、ずっと後世のことだった。一基の「距離標」が最初に発見されたのは一七世紀の終わりだった。クライド川のぬかるんだ岸から引っ張りだされた巨大なブロックに、女神ウィクトーリアの彫刻が見つかり、それとともに長壁をアントニヌス・ピウスへ捧げるラテン語の碑文（それにもちろん、四四一一フィートという工事の距離の記録）が刻まれていることがわかったのだ。まもなくほかの石碑も出土し始めた。角張った部分が畑から顔を出したり、牛小屋の石壁に組み込まれているのが発見されたりするようになった。

一八世紀末には、新たな境界線となったフォース・アンド・クライド運河が、長壁と並行して、しばしばその真上を通る形で、スコットランドを東西に分断するようになった。この運河はスコットランドにおける産業革命の大動脈の一本であり、その掘削工事からローマの国境の断片がさらに多く土壌から掘りだされた。グラスゴー・カレッジの自然哲学教授ジョン・アンダーソンは、この運河をたどって、できる限り多くの人工遺物を確保する任務を与えられた。彼が大学に申請した費用には、さまざまな宿での宿泊費や、「従者用の馬の借り賃」、「石をもちあげる手伝い」をした人びとへの支払い、それに「作業員たちの飲み代」などが含まれていた。[21]

彼が発掘したなかでもとくに重要なものは、カーキンティロックの町のすぐ北にあるアーケンデイヴィの農場で、運河の掘削人たちがローマ時代のごみ穴を掘り当てたあとで発見された。重い粘土質の土から五基の石製の祭壇が引っ張りだされたのだ。いずれもマルクス・コッケイウス・フィルムスという仰々しい名前のある百人隊長によって、一二もの神々に捧げられたものだった。ユーピテル、ウィクトーリア、マルス、ミネルワ、ディアーナ、ヘルクレースから、ケルトの馬の女神であるエポナ、「ブリテンの地」のゲニウス、つまり「守護霊」までさまざまな神々である。[22]これは信仰におけるスプレッドベッティング〔訳注：勝敗の程度を対象とした賭け〕の驚くべき事例だった。おそらく、国境地帯の暮らしに付き物の不確実性を示す兆候だろう。平凡な日常の儀式が、北の地平線のどこかに潜む未知の脅威にたいする絶え間ない不安に満ちていた場所だ。しかし、コッケイウス・フィルムスは神々に平和を願ったのだろうか。それとも単調さを打ち破る何らかの交戦状態が始まることを願ったのか。

私はその地平線上で育った。バーヒルとアントニヌスの長城から四〇キロほど北の場所にある、オウクテラルダーの小さな町のすぐ外だ。一〇代のころ、夏の夕べにはよく自転車で一車線の道路を通って、別のローマ時代の土塁遺構まで行ったものだ。一世紀末にアグリコラがカレドニアで進軍を容易にするために築いたアードック要塞と呼ばれる場所だ。

ここは彼が設営した前哨基地網の一つで、今日ではギャスク・リッジとして知られている。その見張り塔や野営地、要塞は、地質学的な亀裂にほぼ正確に沿って点在していた。スコットランド中部を南西から北東に向かって斜めに揺るぎなく横切るハイランド境界断層である。軟らかい低地の岩がたちはだかる火成岩の障壁にぶつかり、土地が急に丘陵と山の連なりとなって隆起している場所だ（この山脈はいまではグランピアンという名で知られる。タキトゥスのグラウピウス山が、とりわけ最も早期に手に入った彼の作品に見られた活字の間違いによって、転訛したものだった）。これはいろいろな面で、世界各地に見られる国境と同じくらい「本物」だった。そして、アグリコラはそれを国境の原型のようなものとして、ハドリアヌスとアントニヌスの長城に先駆けるものとして利用したのだった。

私はアードック要塞まで自転車で行き、その堀の一つの上部に座り、盛り土にもたれかかりながら、顔を北西の山並みと沈む夕日に向けていた。そこで本を読んだり、半ズボンのウエストバンドに付けたウォークマンのずんぐりしたカセットプレーヤーで音楽を聴いたりした。誰かほかの人を見かけることはめったになく、この場所の長い歴史にはほとんど無関心だった。そこはただ立ち寄るのによい場所だったのだ。

ローマ人たちは国境でどうやって時間を費やしていたのかと疑問が湧くだろう。彼らが何を食べていたかは、かなりわかっている。ブラックベリー、ラズベリー、イチゴなどの野生の果物。狩りの獲物に魚介類。豆類と粥。彼らはオリーブ油、デュラム小麦、イチジク、コリアンダー、ディル（イノンド）、それにケシを大陸からもち込んだ。ワインは南フランスから運ばれてきた[23]。

ハドリアヌスの長壁上にあるヴィンドーランダ要塞の廃墟のなかで、木製の書字板が見つかった。これは二世紀初めの国境地帯の暮らしを覗き見る、めったにない機会を与えてくれた。退屈な任務や義務が数多く記録されていたのだ。食糧の在庫リスト、兵士からの休暇申請、狩猟用の網を借りたいとするメモなどだ。だが、そこにはクラウディアという、兵士の妻である女性から、彼女の友人であり野営地の司令官の妻スリピキアに宛てた、心を打つ手紙もあった。彼女を誕生日パーティに招待する内容で、「アニマ・メア……カリッシマ」、「最も親愛なる人へ」と締めくくってあるものだ。[24]
いくつかの書字板には、ウェルギリウスの『アエネーイス』からの引用文が書かれていた。これらの多くは、子ども用か兵士用の筆記テストであったようだ（一枚には「いい加減」という辛辣なコメントすら記されていた）。それでも、百人隊長の誰か、または司令官の妻などが、夕べにワインの盃と『アエネーイス』の写本をもって、バーヒルの頂上に登る情景を思い浮かべてみたくなる。ときおり沈む太陽や、長城の向こうの土地を見上げて、自分たちの帝国の限界を眺めながら。丘陵を見つめ、思いをめぐらし、待ちながら。いつも待ちながら。
やはり偉大な帝国の年代記作家で、コンスタンディノス・P・カヴァフィスというアレクサンドリアにいたギリシャ人による詩がある。彼が書いたのはウェルギリウスから一九世紀ほどのちのことだったが、彼も地中海の古代世界とほころび始めたその周縁部にたいし、運命と損失と歴史の人的犠牲について、同じように懸念を抱いていた。彼の詩「未開人を待ちながら」は、ある大きな非武装の都市に暮らす人びとを描きながら始まる。普通の市民や、元老院議員、執政官、法務官、雄弁家、それに皇帝までもが、「未開人」が到来するのを、不安に怯え、凍りついたように待っている。都市は機能停止し、時間はゆっくりと苦痛を伴いながら進み、誰もが開け放たれたままの城門を眺め、彼方を見つめる。「なぜなら」と、この詩は繰り返し語る。「今日、未開人がやってくるからだ[25]」。ところが、夜になっても、彼らはまだやってこない。

そして国境地帯から何人かがやってきて、
未開人はもうどこにもいないと言った。

いまや未開人もいなくなってわれわれはどうなるのか。

あの連中が解決策みたいなものだったのに。

これこそがアントニヌスの長城の暮らしだったのではないか？　本当の脅威は断続的であるか、想像上のものですらあるような土地で、帝国の権力の発露として築かれた障壁に要員を配置しながらの暮らしでは？　軍団は自分たちの境界線を引いた。それを築き、強化した。それから彼らは待った。攻撃が起こって戦争に駆り立てられるのを、むしろ望みながら。自分たちの帝国の衰退しつつある勢いを、もう一度盛り返させる危機を。だが、その攻撃がくることはなかった。二〇年が経ち、ローマ人は長壁から撤収して、別のところに解決策を探した。

アレクサンドロスの障壁

ローマ人には別の終着点をめぐる物語があった。カレドニアとは正反対の帝国の末端にある別の壁だ。だがこのとき、壁をつくったのは彼らではなかった。一世紀の歴史家フラウィウス・ヨセフスが、それより四〇〇年ほど前に、アレクサンドロス大王が山の峠を巨大な鉄の障壁で閉鎖したと書いている。スキタイの「未開人」、つまりはるかシベリアから黒海の北岸まで広がって遊牧生活を送る騎馬民族の脅威を締めだすために建設したものである。この障壁は、黒海からカスピ海まで完璧に沿って連なる、カフカース（コーカサス）山脈の高い峰の尾根沿いのどこかにあるのだと、ヨセフスは言った。ローマ人にとっては、ここが北東部の既知の大地の末端であり、カスピ海は世界を取り巻く大洋に通じる巨大な湾なのだと考えられていた[26]。

キリスト紀元の初期の時代には、アレクサンドロスの偉業の（非常によく知られた）物語は、さまざまな聖典に書かれた文章と混同されていた。タルムードと旧約、新約聖書は、ゴグとマゴグという二人の浅黒い、人間以下の存在について語っている。彼らは北方にいる「災い」であり[27]、越えられない山々に囲まれて「乾いた荒廃の地」[28]に住んでいるのだと説明されていた。ゴグとマゴグは巨大な軍勢を率いており、「皆、馬に乗っている大集団」[29]だという。この世の終わりには、彼らはその牢(ろう)から「解放され」、「諸国の民を惑わそうとして出て」[30]くるのだと。

これらの物語の脈絡や断片はより合わされ、時代を経るとともに、アレクサンドロスの門の話は、山のなかに封じ込められたのは単なる普通の敵ではなく、ゴグとマゴグという、聖書の二人の悪鬼そのものなのだとほのめかすものに進化した。つまるところ、ヨセフスがその最初の記録に、スキタイ人はマゴグの子孫だと書いていたのだ。[31]その鉄製の大門の背後には、究極的な未開人の大群が、世界を滅ぼす勢力が待っているのだった。[32]

この空想的な解釈が「アレクサンドロス・ロマンス」として知られるものに発展した。これはヨーロッパと中東一帯に何世紀ものあいだ出回った、なかば神話的な伝記作品だった。中世初期のベストセラーのようなもので、アラビア語をはじめ数多くの言語に翻訳された障壁の物語は、やがてはクルアーンにも含められるものになった。クルアーンでは、「二本角の者」(アレクサンドロスのイスラームでの異名で、彼がその治世に鋳造された硬貨でかぶっていた雄羊の兜(かぶと)にちなんでつけられた)が鉄の塊と溶けた真鍮(しんちゅう)で「二つの山のあいだの谷を埋め」ることで、「ゴグとマゴグがそこを乗り越えることも、抜け穴を掘ることもできないようにした[33]」ことなどが記された。クルアーンは同時に、古い予言の一つも取り入れた。ゴグとマゴグはいずれこの牢から抜けだして、無敵の軍勢を引き連れてこの抜け穴から押し寄せてくるとしたのだ。巨人たちはその後に略奪と破壊の軍事作戦に乗りだし、世界の終わりを引き起こすのだと言われていた。

障壁への旅

ヨセフスがこの物語を最初に広めてから八世紀ほどのちに、アッバース朝の第九代カリフ、アルワーシク・ビッラーがサッマーラーの宮殿で、夢で見たことが忘れられず、悩まされながら目覚めた。眠りのなかで、彼はアレクサンドロスの障壁の幻影を見ていた。その門は大きく開いていたのだ。

アルワーシクはこの不吉な前兆にひどく動揺し、顧問たちを呼んで、障壁を見つけだし、その状況を調査するよう命じた。多言語を繰る博学者であり旅行家としても知られる通訳者サラームが率いる遠征隊が結成された。八四二年の夏に、サラームはサーマッラーを出発して、北へ向かった。一六カ月ほど旅をしたのちに、彼はついに障壁に通ずる小道をたどり始めた。廃墟の町や都市にたどり着いたことを彼は記録している。その数はあまりにも多く、すべてを通り抜けるのに二〇日間もかかった。地元の人びとに何があったのかと尋ねると、はるか昔にゴグとマゴグに侵略され、破壊されたのだと教えられた。

その後、彼は山の渓谷の上のほうに築かれた要塞にたどり着いた。そこにいた人びとはアラビア語とペルシャ語を話し、ムスリムだった（ずっと昔、ラクダに乗った一人の男がやってきて、クルアーンとその教えを伝えたのだと彼らは言った）。彼らが説明するには、その要塞はまさしくアレクサンドロスの障壁の土台までつづく防衛線の一部なのだという。あともう少しだと、ほんの三日ほどの行程だと彼らはサラームに言った。道は、見張り塔が見下ろす小さな村をいくつか通りながら、着実に上っており、ぐるりと囲む山並みに向かってつづいていた。三日目の終わりに、さらに二つの要塞が見えてきた。狭い峠の両側にある岩の露頭に、それぞれしがみつくように立っていた。そのあいだにアレクサンドロスの障壁があった。

サラームは壮大な構造物について説明を残した。高さは三〇メートル以上、横幅は五〇メートル以上あるだろうと彼は判断した。それは巨大な鉄の厚板でつくられているようだった。「門からも、山腹からも風が吹き込むことはできない」と、彼は述べた。「それはまるで一枚の延板でつくられているかのようだ(34)」。門全体に大きなかんぬきがかかっていて、同じくらい巨大な南京錠で開けられないようになっていた。門の表には、リベットで留められた鎖から、鍵がぶら下がっていた。

両側にある要塞の一方で、サラームは障壁を建設するために使用された道具の残骸を見つけた。鍛冶道具、巨大な真鍮の鍋と鉄製のひしゃく。それらがいまでは山積みになり錆びついて固まっていた。もう一方の要塞では、この門を守衛する任務を負った司令官とその部下に会った。毎週月曜と木曜に、司令官が夜明けに門まで馬で乗りつけ、梯子を登ってかんぬきを鉄棒で打つ。一瞬ののちに、「奴らが」——ゴグとマゴグが——「スズメバチの巣のような騒音を立てるのが聞こえ、その後は静かになる」のだった。[35]司令官はこれを正午と午後にもう二度行ない、毎回、門のそばに近づいて耳を澄まし、そのあと日没までその場に座り、闇に包まれてから、そこをあとにするのだった。

門が壊されたためしはあるのかサラームは知りたいと思ったが、そのようなことはないと言われた。この滑らかな表面にある唯一の破損箇所は、「細い糸ほどの幅」の小さな割れ目なのだという。司令官は門の素材について案じてはいなかった。鉄の厚みは二メートル以上あるからだと、彼は言った。

門に戻ると、サラームは髪の毛ほどの割れ目のそばにひざまずき、ブーツからナイフを取りだして、その場所の鉄をこすり、小さな破片を削り取ると、カリフのもとにもち帰るために布で包んだ。彼はそのとき、障壁の上方の鉄の表面に、予言が書かれていることに気づいた。終末の時がくれば、神がこの門を壊し、ゴグとマゴグが世の中に解き放たれることを告げるものだ。

サラームがサーマッラーに戻るには、さらに一年の月日がかかった。彼は自分が見たことすべてをアルワーシクに報告し、カリフの宮廷にいた若い士官イブン・フルダーズビフにも伝えたため、その報告は、一字一句、『諸道と諸国の書』という本に収録されたようだった。ところが一つだけ、やや重大な難点があった。サラームの報告は正確を期していたし、ときには空想的なほど詳細にわたっていたが、それでもアレクサンドロスの障壁が具体的にどこにあったのかは明らかではなかったのである。[36]

万里の長城と玉門関

サラームがこの門まで旅に出た時代には、カフカース山脈はヨセフスの時代とは違って、はるか遠くの僻地（へきち）ではなかった。そして、国境の先にある脅威ももはや襲撃してくるスキタイ人ではなかった。歴史と神話はどちらも混ざり合って進んでいたのである。

サラームは実際には、カリフによって伝説を探しだすために送りだされていた。となれば、彼が見知らぬ遠い地で、巨大な門にまつわる発見をしたという空想的な話をもち帰ってきたのは、驚くべきことだろうか？　忠実なムスリムが守衛を務める障壁があって、その建設に使われた当の道具——鍛冶道具や大鍋の山——に囲まれていたとクルアーンに書かれていたことは？

イブン・フルダーズビフは『諸道と諸国の書』にサラームの旅の記録をきちんと書き残したが、地理学者たちはそれを疑うか、完全に否定しており、サラームは何を見たのかと、そもそも彼は旅に出たのかとすら疑問を呈していた。それでも、フルダーズビフの書がのちの世代の主要な参考作品となるのが、それによって妨げられることはなかった。これはとりわけ、初期の地図製作者にとって欠くことのできない情報源となった。一一世紀に出現し始めた世界地図（マッパ・ムンディ）の作り手たちである[37]。

アラビアの地理学者ムハンマド・アル＝イドリーシーは一一五四年にシチリア王ルッジェーロ二世のためにつくった有名な地図をこの本を頼りに製作した。非常に影響力のあったこの地図は、アレクサンドロスの障壁を、門が一つだけある威圧的な長い壁として描いた。大地の周囲を囲む大洋が目の前に迫る東方の地の細長い一角が、その障壁によって分離されていた。一三世紀末にドイツで製作されたエプストルフ図やイングランドのヘレフォード図にも、この障壁は描かれた。エプストルフ図には、二方を山に囲まれ、残りの二方が壁となった半島があって、そこにはゴグとマゴグがいて、人体の一部を食べ、血を飲む様子が描かれていた。ヘレフォード図ではこうしたあからさまな描写は省略されたが、アレクサンドロスの障壁によって囲われた半島の内部に、「この場所の惨状は想像を超えている［……］住民は文化をもたず、人の血肉を食べるカインの末裔であり、神によってアレクサンドロス大王を通じて包囲されている」という説明が書かれている。いつの日にか彼らが解き放たれ、「世界を荒廃させる」ことは免れないと警告することで、その説明は終わっていた(38)。

実際、一部の人にしてみれば、時が経てば経つほど、終末の到来は間違いなく近づいていることは自明のことだった。非常に人気を博した一四世紀の書、ジョン・マンデヴィルの『東方旅行記』は、大変動はただキツネが餌をあさってももたらされるだろうと予言した。アレクサンドロスの門の下にキツネが穴を掘って、通路をつくれば、そこからゴグとマゴグが逃げだせるからだ。だが、ほかの人びとはこのような破滅論を流布されることにうんざりし始めていた。一四世紀のオックスフォード大学の総長ヘンリー・オヴ・ハークリーは、過去何百年にもわたって「アレクサンドロスの谷間が破られたという主張がたびたびなされてきた」のに、なぜまだ世界は「終わる気配がこれまでになくないのか」と問うた(39)。

世界地図がより大きく、より広域におよぶなかでも、ゴグとマゴグはまだ居座りつづけた。ただし、つねに僻地にいた。それはつまり、アレクサンドロスの門が移動しつづけていたことを意味する。地平線のはるか彼方にある蜃気楼で、決して近づいてはこなかったのである。カフカース山脈にあった門はカスピ海の先の地まで飛び、さらに北へ、東へと着実に移動して、モンゴルや中国、シベリアへと動いた。

場所は変わりつづけ、その顔もやはり変わった。一〇〇〇年以上の歳月のなかで、ゴグとマゴグはスキタイ人、フン人、テュルク人、マジャール人から、モンゴル人、ゴート人、ユダヤ人、ケルト人までさまざまな人びとであるとされた（北極圏に住むサモエード人のあいだにすら、北極の山の向こうには理解できない言葉を話し、氷の牢獄からつねに抜けだそうとしている人びとが閉じ込められているという言い伝えがあった[40]。

一六世紀初頭に、スペインの地図製作者で一四九三年にクリストファー・コロンブスとともに航海をしたファン・デ・ラ・コーサが、「新・旧」両世界を含む地図をつくったが、そのはるか北東の隅には、まだゴグとマゴグの国が描かれていた。一五九五年にルモルド・メルカトル〔訳注：メルカトル図法で知られる地理学者ゲラルドゥス・メルカトルの息子〕が作成したアジアの地図には、シベリアの末端に彼らの領土が描かれていたが、「ウンググ、われわれはゴグと呼ぶ」と、「モングル、別名マゴグ」の二つに分割されていた。一八世紀の初頭でも、ヴェネツィアの地図製作者ヴィンチェンツォ・コロネッリが自著『地球の書』(*Libro dei globi*) 内の地図のいちばん東端に、謎に包まれた存在としてゴグとマゴグを記載していた[41]。

一九世紀後半には、オランダの東洋学者のミヒール・ヤン・ド・フーイェがイブン・フルダーズビフの『諸道と諸国の書』の新たに発見された版を入手した。エジプトのアレクサンドリア市で発見されたこの版には、サラームによるアレクサンドロスの障壁までの旅がはるかに詳細に記されていた。ド・フーイェは翻訳作業に乗りだすなかで、「未知の地（テーラ・インコグニタ）」の描写を現実の場所を特定しながら結びつけ、旅程をつなぎ合わせ始めた。一つの行程が浮かびあがってきた。サラームはカフカース山脈を越えて旅をし、カスピ海の北岸あたりで東に方向転換し、古代のシルクロードの一本に合流したと考えるものだ。そこから、サラームはさらに東へ進んだに違いないと、ド・フーイェは推測した。タクラマカン砂漠の端にある広大なロプノールという塩湖の先まで行って、玉門関（ぎょくもんかん）にまで達したのだろうと考えたのだ。中国の万里の長城の最西端にある前哨地の「ジェイド・ゲイト〔訳注：翡翠（ひすい）門の意。英語圏では玉門関はこう呼ばれる〕」である[42]。

一八八八年に最初に発表されたこの説は、サラームの物語に関するフルダーズビフの最初の本と同様、千差万別に受け止められた。そこには興奮に満ちた称賛の声から、懐疑論や揶揄（やゆ）するものまであった。[43] ド・フーイェの解釈をめぐる厄介な対立は、今日もつづいている。おそらく、この説が示す展望があまりにも心をそそるもので、あまりにも完璧だからだろう。サラームは未開人の住む地上の果てを探しに出かけたのである。彼は山や砂漠を越え、何もない広大なステップを通って、ついに商人や旅人が行き交う道に出たところ、商人らははるか東には巨大な壁と門があると語るのだ。彼はさらに先へと進み、そうして玉門関で、自分が探していたと思われるものを見つける。要塞と見張り塔と巨大な構造物――「ジェイド・ゲイト」――が、中国と「西域」のあいだの出入りを規制している場所だ。これはアレクサンドロスの門ではないかもしれないが、理想的な代替物だ。そこで、サラームはカリフのもとへ戻って、大幅に脚色して神話とクルアーンの文言に合うように変えた話を伝えたが、それでも何らかの具体的な事実に根ざすものだったというわけだ。

　もちろん、皮肉であるのは、中国の万里の長城が、少なくとも象徴的には、未開の侵入者にたいする防御壁として構築されていたことだ。全長七二〇〇キロ以上におよぶ石積み〔訳注：当初は土塁や日干しレンガでつくられ、明代以降に焼成レンガや石積みになった〕の防壁は、外の世界からの破壊的脅威に備えたものだった。玉門関に到達したサラームは（もちろん、かりに彼がそこまで行き着いたとすれば）、「他者」を別の「他者」に対峙させることで、二つの視点を崩して一つにしていた。未開人をなかにとどめておくために建てられた門は、未開人を外にとどめておくために築かれたものでもあったのだ。これが同じ門の両面だったのであり、そこでは西からの地平線が東からの地平線とぶつかっていたのである。

　彼が発見したものは、地理上の特異点（シンギュラリティ）以外の何物でもない。誰もが未開人だったか、または未開人はもうどこにもいなかったのである。これがおそらく、サラームの大旅行のなかに隠されていた、本当の予言だったのだろう。そして、一〇〇〇年後にド・フーイェがそれを訳したことで発掘されたのだ。未開人は機会をうかがっていたわけではない。彼らは単に消滅していったのであり、存在から消えていったのだ。

防火長城

ある日、小さな集団が中国の国境を越えて入ってきた。その後、さらに多くがやってきた。一部はそこで立ち止まって戻ったが、その数は増えつづけた。何千もの人びとが流入していた。その数千人は数百万人になった。中国の当局者は流入者を食い止めようと必死に奔走した。彼らは国の内部の共犯者を探した。国境線を越える侵入の手助けをする反体制派たちだ。彼らは小商人である林海（リン・ハイ）という男を見つけた。彼は逮捕され、裁判にかけられ、国家転覆を試みたとして収監された。しかし、この時点ではもう流入者はあらゆる方面からやってきて、どこにでもいた。

そこで中国は新たな壁を築き始めた。何十万という守衛のいる巨大な新しい壁で、その周囲は昼夜の別なくパトロールが行なわれた。群衆はやってきつづけたが、彼らはいまや壁にぶつかり、行く手を塞がれたことに気づいた。確かにまだ抜け穴はあった。穴が出現すれば、塞がなければならなかった。それでも大きな脅威は撃退されたのだ。壁は強固に立っていた。

壁の主任設計技師は、方浜興（ファン・ビンシン）という人物だった。彼は中国の北東のはずれにある黒竜江省の「氷の都市」ハルビンの出身だった。しかし、彼は土や木や鉄どころか石で壁を築いたわけでもなかった。そうではなく、コンピューター・コードのブロックと、ドメイン・ネーム・システム（DNS）フィルターと光ファイバー・ゲートウェイから築き上げたのだ。

その建設は一九九八年に始まり、それ以来ずっとつづいている。この壁の構造はつねに動き、変わり、進化している。より複雑になり、多層化しているのだ。これは中国の「防火長城（グレート・ファイアウォール）」として知られ、インターネットの無限の広がりにたいする障壁として考案されていた。

方浜興がつくりだしたものは、壮大な国境だった。サイバースペースにおける国境だ。

サイバースペースの壁

中国の門に押し寄せていたのは人びとではなかった。いずれにせよ、正確には人ではなかった。それらはデータ・パッケージや情報の流れだった。方浜興がファイアウォールを構築する前は、それらのデータは何百万ものリンクやクリックやeメールを通じて外国のサーバーから中国に入り込んでいた。

侵入地点の一つが初期のインターネット企業家であった「商人」の林海だった。上海に住むソフトウェアのエンジニアだった彼は、顧客データベースとして相当な量の中国人のeメールアドレス・リストをつくりあげていた。一九九七年に、彼はこれらのアドレスのうち三万人分を、ワシントンDC在住の中国人亡命者で、「大参考（VIPレファレンス）」というメール配信のニュースレターを運営していた李洪寛（リー・ホンクワン）に送った。ニュースレターの名称は中国の文化大革命時に発行されていた機密報告書「大参考」にちなんで付けたものだった。報告書には検閲を受けた外国のニュース報道が順に並べられており、中国共産党の高官だけが見ることができた。

取引は相互のものだった。林が集めたeメールアドレスを渡すと、李も代わりに三万人分のリストを送り返してきた。林にとって、これは市場開拓ネットワークを広げるものとなった。李にとっては、ニュースレターの配布先を一気に増やすものとなった。「VIPレファレンス」は亡命生活を送る中国人によって——まだ国内で働いている匿名のジャーナリストたちの助けを借りて——編集されていた。そして、そこには汚職疑惑や党の指導者にたいする詳細な批判、民主主義、言論の自由に関する社説、それに世界各地のメディアからの記事の翻訳などが網羅されていた（李自身は一九八九年の天安門事件で抗議活動をした学生の一人で、戦車が乗り込んで銃撃が始まる数時間前に現場を離れていた）。一九九九年の終わりには、ワシントンにある彼のコンピューターから、中国全土の家庭やオフ

ィスに直接、一日に一〇〇万人近い人びとに向けて、「VIPレファレンス」を送っていたと彼は主張した。(44)

当局は国境を越えてくるデータのeメール「密売人」や「密輸業者」を探しだした。林海は一九九八年三月に上海警察に逮捕され、彼のコンピューター機器、モデム、フロッピー・ディスクはすべて押収された。彼は「国家権力の転覆と社会主義制度の打倒を扇動した」として、検察に告訴された。これは終身刑という最高刑も伴う罪だった。裁判は非公開で行なわれ、わずか四時間で法廷は二年間の実刑判決を下した。林海は、中国のインターネット取り締まりの囚人第一号となったのだ。(45)

ほかの人びともすぐにそれにつづくことになった。注目を集めた事件もあり、国家側からすれば、ウェブを「悪用」することで個人が払う可能性のあるツケを広く一般に示すものとなった。中国でインターネットにつながる人の数は急速に増えていた。一九九六年にはわずか八万人ほどだったのが、一九九九年にはその数は七〇〇〇万人に膨れあがった。個人が起訴されたことには抑止効果があったかもしれないが、政府はもっと実体を伴うものを望んでいた。このころには、方浜興は国家電脳網路応急技術処理協調中心の副所長になっていた。彼はデジタル版の壁の青写真を考案し、彼の指揮のもとでその広大な構造が具体化されていった。(46)

これはサイバースペースの障壁だったが、それでも現実の物理的な基礎があった。世界のその他の国々と中国をつなぐ主要な接続ポイントは三つしかなく、いずれも光ファイバーケーブルによるものだった。そのうち二本は日本から海底ケーブルを通って中国国内に入っており、一本は北部の通信用に北京へ、もう一本は中部沿岸地方で接続できるようにするために上海へ通じていた。三本目は香港から南部に通っていた。インターネット・トラフィック〔訳注：送受信されるすべてのデータ〕は国が管理するこれらのゲートウェイを通過せざるをえないので、方浜興のチームはこれら三本の線をパトロールする匿名のネットワーク「スニッファー」〔訳注：監視・解析ツール〕を設置した。すべてのデータの中身を到着時に検査して、阻止すべきか通過させるべきかを判断する国境警備隊である[47]。

要するに、この壁は「メガフィルター」のようなもので、歳月とともにその監視と検閲の方法はさらに洗練されていった。当初はドメイン・ネーム・システムとインターネット・プロトコル・アドレス（ＩＰアドレス）をブロックすることから始まった。具体的なウェブサイトやウェブページに付けられた固有の識別子である。多くのサイトがブラックリストに載せられ、国境を越えようとするその地点で拒絶された。そうしたサイトには、法輪功のような宗教運動――中国政府によって禁止され、実践者になるのは犯罪行為として扱われる――から、アムネスティ・インターナショナル、国境なき記者団、ヒューマン・ライツ・ウォッチなどの組織のサイトまで多岐にわたる。とりわけ、いわゆる「三箇T」――天安門事件、チベット独立、台湾の分離主義――は即座に入国を拒否された[48]。

ＢＢＣやＣＮＮ、ロイター、ブルームバーグ、『ニューヨーク・タイムズ』などの報道機関は随意に接続がオン、オフされ、政治的に過敏になっている時期や、政府が好ましくないと見なした記事を掲載したときはいつでも、中国への出入りが禁じられた（これもやはり、現実の世界にじわじわと影響していった。「有害な」メディア・グループは新たな報道ビザの申請が拒否されたり、既得のビザの更新を妨げる措置が講じられたりするかもしれない。中国国籍の一部の「報道助手」は電話による嫌がらせを受け、ときには拘禁されることもあった[49]）。二〇〇五年には、李洪寛の「ＶＩＰレファレンス」はもはや隙間から入り込むことも、壁を乗り越えることもできなくなった。かつては非常に功を奏した大量のスパム・メールも、その時分にはわずかな流れになっていた。国境を越える情報がほぼ皆無となったので、その年の五月三〇日に、李は最終号となるニュースレターを送った[50]。

今日、この壁のフィルタリングのシステムは、サイト全体をブロックする代わりに、個々のページを標的にしてブロックするか、「禁止」事項を含む画像ごとにすら対応できるまでになった。「よい」ニュース記事は門を通過することができる。拒否されるのは「悪い」情報だけなのだ。中国の一般の読者には、そもそも存在しなかったかのような印象を生みだすのである。

ところが、ソーシャルメディアに関しては、壁は通り抜けができない障壁のように設計されていた。フェイスブック、ユーチューブ、ツイッター、フリッカー、インスタグラム、ワッツアップなどは、すべてブロックされていたし、いまもされている。代わりに、中国政府は国産の代替物の開発を奨励するどころか、養成した。ソーシャルメディア・サイトの人人網（レンレンワン）、動画配信プラットフォームの優酷（ヨウク）・土豆（トウードウ）〔訳注：現在は土豆は優酷の傘下にある〕から、簡易ブログ・アプリの微博（ウェイボー）、モバイル用メッセンジャーのウィーチャット／微信（ウェイシン）までさまざまなものがある。民間企業によって開発され経営されているが、これらのサービスはそれでも政府の許認可に左右されているほか、中国の法律とメディア統制にも従わなければならない。企業は公開の宣誓書に「自主的」に署名して、インターネットを「倫理的な方法」で管理し、「国家の安全を危うくし、社会的安定を乱し、法律や規則に違反し、迷信や猥褻（わいせつ）なものを拡散」させかねないコンテンツは配信しないようにする旨を誓った(51)。

これらのガイドラインはきわめて大まかで曖昧であるため、営利企業はみずからシステム内部を慎重で保守的なものにするべく忖度（そんたく）を迫られる。たとえば、微博のユーザーは、許容できる言説の範囲を明確に告げられ、当初から各人の投稿はつねに監視されていることを意識させられる。国家による統制はまずは民間企業に外部委託されているが、その後はソーシャルメディアそのものの利用行為を通じて、個人へと及んでいる。検閲は、時とともに、自己検閲になるのだ。

こうした状況をやりくりすることは、「社会信用」システムを発展させることになる。オンライン倫理にたいする一種の会計メカニズムで、中国政府がウェブ上の振る舞いを肯定的と考えるか、否定的と解釈するかで価値を付与するものだ。個人レベルでも企業レベルでも影響をおよぼすので、信用のスコアが低ければ、サイバースペースから排除されることになり、現実の世界では中国市場で商売ができなくなり、個人の場合は、仕事を失うどころか、刑務所行きにすらなりかねない。

さらに、壁を警備する任務を与えられた人びとがいる。中国では最も急成長を遂げている職業の一つで、いまではサイバー・ガードは二〇〇万人を超えている。しかし、国境より先の外側の世界を見張る代わりに、彼らの目は内側に向かうよう訓練されている。網管員(ネットワークマネジャー)として知られる彼らは、デジタルで交わされる議論に目を光らせ、ユーザーから生みだされるコンテンツに禁止用語がないかつねに捜索し、危険思想を根絶している。[52]

二〇一八年に刊行されたエッセイのなかで、中国の国家インターネット情報弁公室の室長に新たに任命された荘栄文(チュアン・ロンウェン)は、「論議を呼ぶ社会問題や、慎重を要する出来事、突発的な事件に関する大衆の感情を制御する」ため、インターネットの「精神的な庭」を監視する必要があると説明していた。「オンライン上の誤った傾向の考え方には即座に反論をする。党の歴史や、国の歴史、軍の歴史を歪め、党の指導や社会主義制度を拒否する有害な政治情報は断固として規制する」とつづく。[53] この仕事を手伝っているのは、密告を奨励された人びとのネットワークだ。一般大衆がメンバーとなっていて、「有害」なものに関する詳細を、国営の中国インターネット違法・悪質情報通報センターに渡し、有効な手がかりであれば現金報酬を受けとることができる。[54]

中国の国家主席習近平は、これはインターネットの「浄化」をして「前向きなエネルギー」でそれを満たすものだと言う。習近平にとって、「インターネットの安全がなければ国家の安全保障はないことを意味する」[55]のだった。こうして、方浜興の壁は「未開」のデータや情報を拒絶するため、障壁よりもさらに壮大なものへと変貌を遂げた。その巨大な上部構造は、外部の国境線から内側へとみずからを織り込み、中国の日常生活のほぼすべての側面に浸透している(この原稿の執筆時点では、中国には八億人以上の「ネット民」がいる。本書をお読みになるころには、一〇億を超えているだろう。これは物理的に欧州連合の全人口の二倍に近い)。

壁に囲まれたこのインターネットは――ソーシャルメディアを使う当のプロセスの一環で試行錯誤

の末に学習され――独自につくられた行動と交流の規範とともに、広大な教育の場となった。これは個人的および政治的議論の限界を教える。どう振る舞い、どう振る舞うべきでないか、何を信じて、何を信じるべきでないかの指示を与えるのだ。それを後押しするのが、社会信用のスコアが減らされることから死刑まで、厳しさを増す罰則だった。ネット民は要するに、中国人であるとは何かを学ぶのだ。壁は単に外部の不健全な影響から国民としての自己認識（ナショナル・アイデンティティ）を守る手段であるだけではなかった。これはナショナル・アイデンティティそのものを形成するメカニズムでもあったのだ。この壁こそが、ある意味では、ナショナル・アイデンティティだったのである。(56)

　こうしたことすべての究極的な目的は、中国が「国家網路（インターネット）主権」と呼ぶものなのである。「情報の流布は国家の境界を知らないが、主権はサイバースペースのなかに存在する」と、荘栄文は言う。したがって、「外の世界にたいする中国の開放的な大門は閉じることはない」ものの、それらが門であることには変わりなく、それらは「法を遵守し、自由で、秩序正しい情報の流れ」だけを可能にし、「現実的に国家の安全と国民の利益を守るもの」だけを許可するだろう、と。それはちょうど、各国が国境を越える物と人の流れを管理できるのと同じであり、したがって中国政府はデータと通信の流れを管理できるべきなのだと、荘は言う。同時に、壁の向こうへ旅をすることは、「中国の人びとが夢に向かって努力する物語や、中国が平和的な開発や協力、相手とのウィン・ウィンの関係を貫き通す物語となり、世界の人びとに中国をよりよく理解させるものとなるだろう」。そのために、中国は――実際にはすべての国々が――インターネット上で定義された主権の存在をもたなければならない、と荘は主張する。彼が「現実の、三次元の、完全なる中国」と呼ぶものである。(57)ウェブの国は、物理的な国を映しだすものなのだ。

国境はサイバースペースまで躍進したのだ。さらに巨大な壁が、かつては無限に思われたインターネットの広がりを分割するために、そびえ始めている。二〇一九年一二月にはロシアがワールド・ワイド・ウェブとの接続を切る最初のライブ実験を行なった。ウラジーミル・プーチンの政府は何年間もこの目的を念頭に計画を練り、法案を可決させてきた。ロシア国民にデータを配信するあらゆる国際企業に、そのデータを物理的に同国内に保管して、サーバーをロシアの地理的国境内にもち込むようにと要請することも、その一つだった。ロシアはグレート・ファイアウォールの青写真を採用し、それを独自のシステムに合わせて改造し、ルネット（RuNet）として知られるハイブリッドのウェブの飛び地をつくっている。大雑把に言えば、これはインターネットの大規模なコピー版で、インターネットとは別の世界で独自に運用するために設計されている。そして、中国の場合と同様に、これは徹底的な監視と検閲を受けており、ロシアの法律によって管理され規制されている。[58]

この形態のデジタル・ナショナリズムは世界各地に急速に広まっている。中国は独自のインターネット・インフラのモデルを、一帯一路構想の一環として輸出してきた。アジアとアフリカ、ヨーロッパを陸上の回廊と航路、電気通信経路を通じて結びつけるという構想だ。中国発のインターネットの包括契約には、デジタルの国境を築く技術だけでなく、情報システム、検閲訓練、そのための人員配置と運営に必要なモデル法案まで含まれている。イラン、エジプト、モロッコ、ウガンダ、ジンバブエ、エクアドル、ベネズエラを含む六〇カ国ほどがすでに導入すれば自動的に使える（プラグ・アンド・プレイ）ようになる中国の解決策に投資している。その多くは「シリコンバレー発の企業に独占された欧米のインターネット」による植民地化を防ぐという考えにもとづいて売られている。[59]

ウェブの構造には、大きな亀裂が生じつつある。グーグルの元CEOエリック・シュミットが二〇一八年にサンフランシスコでの演説で述べたように、「現在、最も考えうるシナリオは細分化ではなく、むしろ二分化だろう[60]」。中国が主導する東側のインターネットと、アメリカによる西側のインターネットだ。二つの巨大なサイバー・ブロックである。双方のあいだには、一つの巨大な境界線が走っている。そうなると、これらのブロック内にさらに多くの壁が築かれるのだろうか？　壁のなかの壁のなかの壁が？　イギリスにはすでに一つある。イギリスは二〇一六年に独自のグレート・ファイアウォールの構築を始めた。当初はサイバー攻撃を撃退するために設計されたものだったが、いまは独自に定義した「有害」コンテンツを除外するものへと進化している(61)。

どうやら未開人はカムバックをはたしたようだ。少なくとも戻ってきたのだと、私たちはそう言われている。未開人はもう永久にいなくなったのだと考えられていた。しかし、いまや彼らはどこにでもいる。私たちのポケットのなかにもいるのだ。彼らを手のなかにもつこともできる。その絶え間ない怒りに満ちたざわめきや、デジタルの雑音を聞くことができる。鉄の門の後ろで解放されようと苛立つゴグとマゴグの興奮した音のように。

国単位のファイアウォールはそれらの情報を締めだし、自分たちを安全に保つために設置されている。サイバー区間の境界は、私たちが誰であり、自分たちの国で、国境線の自分たちの側で守られている価値観が何であるかを思いださせるために強化されている。インターネットは無限なのだと思ってきたが、それはうぬぼれであり、世間知らずだったのかもしれない。インターネットは自由で開かれているのだと、私たちは思っていた。だが、恐怖が広がり、不安定で敵対心を生み、危険ですらある情報の流れがそのデジタル平原を跋扈（ばっこ）している。

ゴグとマゴグの亡霊が、他者の亡霊が再び隅のほうに現われてきたのだ。ウェブの暗がりや、ソーシャルメディアの怒りの不快音に、サイバー空間の割れ目（クラック）に集まる顔のない無情なボットの軍団のなかに。デジタル国境の胸壁の向こうにある地平線を見るがいい。いまや再び――一説によれば――未開人が、「あの連中」が、解決策になったのだ。解決策みたいなものに。

第二部　動く

4

壁を築く（ウオールド・オフ）

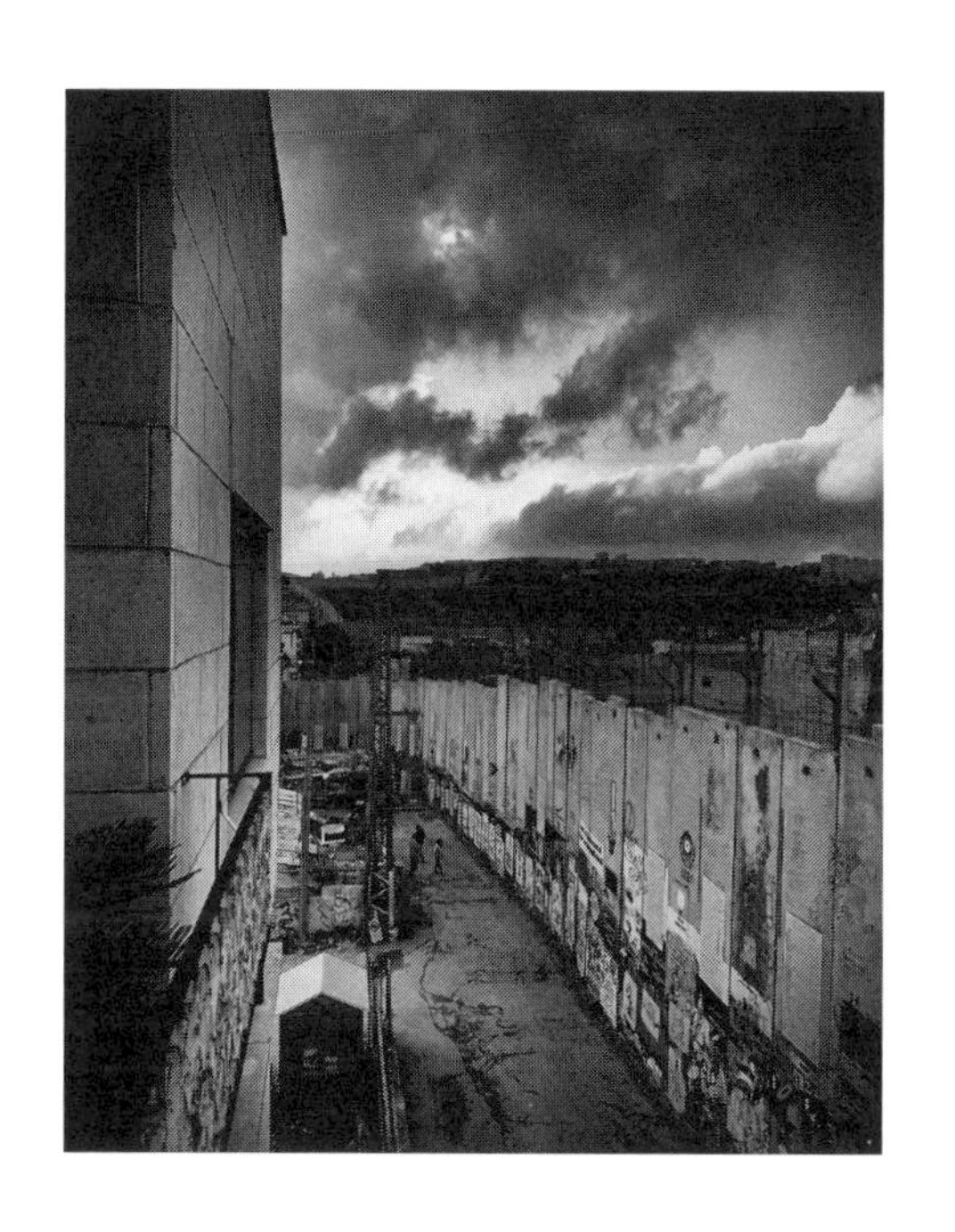

タクシーは低木地帯の端にそびえる壁のすぐ下まできて止まった。スレートのような灰色の巨大なコンクリート板の上部には、渦を巻くレイザーワイヤー〔訳注：カミソリ付き有刺鉄線〕を支える鉄のY字が並ぶ。タクシーから降りると、バハが民家のあいだにある通りを歩いて案内してくれた。タクシーの運転手は私たちを待っていてくれることになった。だが、彼がエンジンをかけっぱなしにしていることに私は気づいた。そこからさらに一〇〇メートルほど進むと、通りは開けた場所に出て、傾斜がきつくなり、やがて急に下って北方と西方が一望に見渡せるところに出た。頂上が丸みを帯びた一続きの丘陵がワディ・ア・サラール（ソレクの谷）とレファイムの谷の周囲を囲んでいた。ユダヤ砂漠から地中海に通ずる古代の道である。昼間のあいだずっと雲は厚みを増しており、いまでは空は厚く重くなっていた。遠くにあるそれらの丘陵は霞がかかってすでに見えなくなり始めていた。

私たちは道路を外れて、光る大理石が敷かれ、周囲に小さな岩が並ぶ一角を歩いた。岩はしだいに大きくなった。さらに先へ進んだ。数歩行ったところで、私たちは大きながれきの塊で鉄筋が巻きひげのようにねじ曲がっている上に登りついた。小雨がしとしと降り始めた。私たちは解体された家の廃墟の上に立っているのだと、バハは言った。彼はずっと向こうの丘の斜面にあるアパート群を指差した。いまはそこに、この家を建てた一家が住んでいるのだった。彼らの家――私たちがいま上に立っているところ――は違法と見なされ、ブルドーザーで引き倒されてしまったのだ。その家は線の反対側にあったからだ。この村のその他の家々と同様に。

バハは分離壁が景観のなかを通り抜けるルートを私に指し示した。壁は緩やかに下って、丘の斜面を回って東のほうへ向かう。谷の底近くまでくると、壁はコンクリート板から高さ八メートルのレイザーワイヤーに替わり、村の北端全体を囲い込んでいた。この障壁の反対側に一軒の家があり、そこに暮らしている一家は、衛兵が遠隔操作する電子ゲートのある地下トンネルを通らないと、家に入れない。彼の指は壁の線をたどって、壁の建設工事がつづいている場所まで追っていった。西から南へ、それからぐるりと回って私たちの背後の坂をもう一度登って、タクシーが待っているところまで。建設計画によると、この壁はいったん完成したら、閉じられた環状になる予定だ。この村全体を囲むことになる。

雨はいまや本降りになり、がれきの上に大きな雨粒を落としていた。私は地上で最も境界だらけの場所へきていた。

エルサレム旧市街のホテル

二〇一八年に開通した二階建ての高速列車は、〔訳注：地中海沿岸にある〕テルアヴィヴからベングリオン空港を通ってエルサレムまで走る。バスや車なら一時間半はかかる行程が、わずか二〇分余りに短縮された。一世紀以上、エルサレムと海岸地域を結ぶ鉄道は、オスマン帝国時代に建設されたヤッフォ（ジャッファ）から南へ向かう線だけだった。この路線はそこから丘陵や谷を曲がりくねりながらゆっくりと抜けて、エルサレム市の西側に出ていた。新しい路線はさほど曲がりくねりはしない。南東に向かって海岸平野から離れるにつれて、前方の丘陵地帯にぶつかり、基盤岩まで深く掘ったトンネルに潜る。行程の大半は地中で過ごすことになり、山と暗闇のあいだの隙間にまたがる高架橋を一、二度、列車が走り抜けるあいだ、つかの間だけ景色が見える。

この区間は私の向かい側に座っていた女性の携帯電話の電波と、興奮して大声で話す電話での会話に、混乱をきたした。客車の後部には若い男女がいて、それぞれが四席ずつ使っていた。どちらも紺色のTシャツを緑色のズボンのなかに入れて着ており、ズボンの裾は艶消しの黒の頑丈なブーツに足首のところでたくし込まれていた。二人は物憂げながら自信にあふれている。それは膝の上に突撃銃(アサルトライフル)をかかえていることからくるのだろうと、私は推測した。

列車はエルサレムの地下八〇メートルの岩をくり抜いてつくられた駅のプラットフォームに入っていった。市の地下をこのように掘削する工事は、この先もつづくことになっている。私が到着したちょうど前日に、イスラエルのベザレル・スモトリッチ運輸大臣が路線をさらに東にまで拡張し、旧市街から嘆きの壁までずっと延長する計画が公式に承認されたことを発表していた（スモトリッチの前任者のイスラエル・カッツが二〇一七年に最初にこの開発を提案し、旧市街の駅はドナルド・トランプ大統領にちなんで命名してはどうかと述べていた）。この最新の発表がなされてからものの数時間で、ヨルダンの外務省がその決断を「国際法のはなはだしい違反」であると非難した[1]〔訳注：エルサレムの旧市街は東エルサレムにあり、住民の大半はパレスチナ人だが、第三次中東戦争以降、イスラエルが実効支配する〕。

地上に出ると、テルアヴィヴでは暖かかった日差しは、低く垂れ込めた黒雲と執拗な風に変わっており、それとともに雨が近づいてくる強いにおいが運ばれてきた。すでに夕暮れどきで、あたりはどんどん暗くなっていた。私はタクシーを拾い、混み合った道路を縫ってホテルまでたどり着いた。期せずして、私は一五年にわたる法廷闘争の的となった物件に予約を入れていた。

ニュー・インペリアル・ホテルは、エルサレムの旧市街にあるヤッフォ門のすぐ内側に立っている。二〇〇四年に、ホテルの所有者であるギリシャ正教会がアテレト・コハニムというユダヤ人入植団体のダミー会社と九九年の賃貸契約を結んでいた〔訳注：延長可能なオプション付きで、実質上の売却〕。この団体の公式目標は、「壁に囲まれた旧市街の内部および周囲の土地を取り戻し［……］エルサレムのまっただ中でユダヤ人の暮らしの炎をもう一度灯す」ことなのである。[2] ギリシャ正教会はそれ以来、この契約に異議を唱えており、賄賂をもらって書類を偽造した性悪な元従業員によって違法に交わされたものだと主張している。[3] その間ずっとアテレト・コハニムは、このホテルを一九四九年から経営してきた一家で、パレスチナ人経営者のアブ・ワリド・ダジャーニが一五年間分の家賃――合計で二〇〇万ポンド以上――を滞納しているとして、支払いを要求していた。

ホテル自体はさらに古いものだった。最初に建てられたのは一八八四年で、土台の基礎工事からは貯水槽の遺構が出土した。地元の人びとは、これこそがバテシバが水浴びをした場所なのだと言った。古代イスラエル人の最初の王ダヴィデが覗き見をして、彼女に見つかったときのことだ。近くの丘にエルサレム最初の神殿を建てたのは、二人のあいだに生まれた息子ソロモンだった。その丘は、地元の農民から父親が銀五〇シェケルで買ったものだった。その神殿の破壊と再建、そしてその後にまたもや破壊されたことが、この都市を苛んでいる。

使用権、所有権、存在、不在、帰属感。旧市街の混み合った窮屈な通りで、ユダヤ教、キリスト教、イスラーム教が互いに隣り合わせになって、絶えず、野放図に場所争いを繰り広げている。それゆえに、アテレト・コハニムのような団体が、海外にいる離散民から――とりわけアメリカから――の献金を集めて土地を買ったり、買受契約の特約付きの賃借をしたりして、「ユダヤのエルサレムを確保し再建する」使命をはたすために、「足場」と彼らが呼ぶものを築くようになった。「旧市街を再び若返らせる」のだと、彼らはそれを表現する。ダヴィデ王の活気あふれる時代に、この都市を戻すのである。

二〇一九年の夏には、イスラエルの最高裁判所がホテルの売却を支持し、立ち退き通知がダジャーニに出された。「キリスト教徒の財産は七〇年にわたって標的にされてきたが、これはいままでで最も危険なものだ」と、正教会の広報担当者は判決にたいして述べた。「これは旧市街におけるパレスチナの影響力をなくし、キリスト教徒の存在を弱体化させることを意図したものだ［……］エルサレムは三つの一神教にとっての聖地であり、こうした動きの目的はこの市を憎しみと争いの場所に変えることだ」(4)

ニュー・インペリアル・ホテルを予約したとき、私はほとんど何も考えていなかった。このホテルがただインターネット検索で上位のほうに出てきて、便利で手頃な値段のようであり、長い歴史を経てきた空気をいくらか吸うチャンスもありそうだったからだ。ドイツのヴィルヘルム二世が一八九八年にここに滞在していたし、その二〇年後にはこのホテルはイギリスのエドマンド・アレンビー将軍の宿にもなった。彼はエルサレムの降伏を公式に受け入れたあと、このホテルのバルコニーから市内の人びとに演説をして、四世紀にわたるオスマン帝国の支配に幕を下ろした。今日、ここの宿泊客はバックパッカーや団体旅行者だ。顧客層は変わったかもしれないが、そこで繰り広げられていることは同じだ。この土地を誰が所有し、支配しているのか。誰にその権利があるのか。その主張の正当性はどのくらいさかのぼれるものなのか。ダヴィデ王が銀五〇シェケルでエルサレムの不動産を買い上げた時代までなのか。それよりさらに先までなのか。

ダジャーニの一族はこの都市に少なくとも一〇〇〇年以上にわたって住み、土地を所有してきた。彼らは預言者ムハンマドの孫にまでさかのぼれる一族で、八〇〇年にわたってシオンの山にあるダヴィデ王の墓の鍵の管理人となってきた。いまダジャーニはインターネットを通じて入ってくる疑わしい予約に気をもみ、アテレト・コハニムに関係する宿泊客がブッキングドットコムを通じて、この建物を強制的に占領する手段として部屋を取っているのだと考えている。(5)足場のなかの足場を確保するために。最高裁の判決が下って以来、この入植者団体はダジャーニを「不法占拠者」と呼んできた。彼の訴訟のニュースは、ウラジーミル・プーチンという思いもよらない人物にまで届き、ロシア正教会から圧力を受けたプーチンはこの売却の取り消しを求めた。

すべての客室が、そのように不穏で、かつ大昔から絶え間なくつづく裏話を一夜に提供してくれるわけではない。このホテルの命運が揺れ動くなかで、新たな境界線が引かれては消えている。線の上に線が、そのまた上にさらに線が重なる。ロビーを抜け、廊下沿いに、それどころか私の客室の床の上にすらその線は引かれているかもしれない。ここではそれらの線をまたがずには動くこともできない。

緑の線と赤の線

翌朝早く、六時を回った直後に、礼拝の物音によって私は目が覚めた。窓のすぐ下の中庭に、旅行者の一団が集まっていた。アメリカ中西部訛り(なま)のよく通る大声が、美しい一日を与える神をたたえ、その聖なる都市で待ち受ける光景にあらかじめ感謝していた。

「私たちは主イエス・キリストの足跡をたどろうとしています」と、その声は言った。「歴史のなかに入ってゆくのです」

興奮したざわめきがつづいた。「アーメン」の合唱が敷石に反響した。

二時間後、私はニュー・インペリアル・ホテルをチェックアウトし、旧市街の周囲を歩いてダマスカス門に向かい、そこからナブルス・ロード沿いにアラブバスの停留所まで歩いた。そこで２３４系統のバスを見つけて乗車した。

運転手は私の後ろにある別のバスを指差した。「ベツレヘム行きはあっちのバスだ」と、彼は言った。

「でも、これは検問所３００行きですよね?」

「そうだ」

「なら大丈夫。私はそこへ行きたいので」

運転手は肩をすくめて顔をそむけた。「五シェケル」

私は料金を支払い、切符をもらって席を見つけた。バスは半分ほど埋まっていた。ほかの乗客はいずれも東エルサレム在住の若いパレスチナ人学生で、ベツレヘム大学に通学する途中だった。壁の向こう側へ。

バス路線は国境に沿っていた。もしくは国境のようなものに。まあ、実際には国境などではまったくない。ここは「停戦ライン」、「休戦境界線」と呼ばれてきた。そして、もっと単純に、地図上に最初に記したときに使われた色鉛筆の色から、「グリーンライン」とも。

グリーンラインは一九四八年一一月三〇日に、モシェ・ダヤンとアブドラ・アル゠タルのあいだで引かれた。ダヤンは新国家イスラエル――その半年前に建国が宣言されたばかりの国――の軍の司令官で、かたやアル゠タルはヨルダン軍の士官でエルサレムのアラブ軍団の指揮官だった。対峙する双方を代表する人物が二人いたということは、二本の線が引かれたことを意味した。ダヤンは自分の線を緑色で描き、アル゠タルは赤を使い、どちらもそれぞれの軍が支配する地域を記した。[6]彼らの線は死海の中央からさらに内陸へ向かい、ヘブロン山の裾野を回って北東へ曲がり、エルサレムの中心部をまっすぐに突き抜けていた。市を出ると、二本の線は高地を離れて西へ向かい、さらに北へ曲がって海岸平野の周囲沿いをワディ・アラの山麓と並行に走り、そこからまた東へ曲がってヨルダン渓谷の北部と合流した[7]〔訳注：グリーンラインで囲まれた地域のうち、ヨルダン川西岸はヨルダン領に、ガザ地区はエジプト領になったが、一九六七年の第三次中東戦争以降、イスラエル軍に占領されている〕。

大半のところでは、二本の線は互いの真上に重なり合っていたが、一部では分岐して、人のいない非武装地帯、「無人地帯」を生みだしていた。これら二本の線は、極端に異なる二つの物語を伴っていた。相争い、すぐさま袂を分かつようになる二つの現実だ。それらの線を引いたことが、この土地に究極的な分裂を記すことになった。二つのパラレル・ワールドがつくりだされた瞬間だ。実際、それらをどうやって地図に落とし込めばよいのだろうか?

「血と火で描かれた線」

それより三〇年前、アレンビー将軍がエルサレムに入り、イギリスがパレスチナの行政管理を担うようになったとき、この国には何ら明白に定義された形状がなかった。その境界線は捉えどころがなかったのだ。それらはすでに議論の的となっていた。一九一九年のイギリス外務省の覚書は、無頓着にも正確さを欠いた言い方で、この領土は「旧約聖書のパレスチナと呼ぶのがおそらく最も妥当で、ダンからベエルシェバにまたがっている。その境界についてはは疑問があり、こうした問題は委員会によって決着をつけなければならないだろう(8)」。この決着には何年も要することになった。そしてその間ずっと、この旧約聖書の土地を占領するだけでなく、所有するために、争奪戦がつづいていた。実際には、それは数十年にわたってつづいていた。

一九世紀後半には、とりわけ一八八〇年代のロシア帝国におけるポグロム〔訳注：ユダヤ人迫害〕のあと、港湾都市ハイファとヤッフォを通じて、小規模ながら途絶えることなく、ユダヤ人移民が流入し始めた。それぞれの共同体は地元のアラブ人やオスマンの行政機関から、たいていは石ころだらけの更地の区画を買い上げた。各地に点々と農業集落が形成され、パレスチナの海岸平野沿いのいたるところで拡大していった。ユダヤ人入植地、モシャヴァである(9)。

入植者たちは通商と収入を増やす新たな機会をもたらしたが、必然的に領地と境界をめぐる争いにも発展した。不在地主たちは、何世紀にもわたって小作人が耕してきた農地を売却した。入植者はそれらの土地の所有権を求めるようになり、そこに暮らしていたあらゆる人びとを立ち退かせた。あるベドウィン集団〔訳注：砂漠の遊牧民〕がオスマン当局に抗議をしたように、「父や祖父の時代からわれわれのものだった農地は、土を耕す者のあいだで受け入れられてきた規範に従って、また人間の基本的な規範や慈悲心に従ってわれわれを扱うことを望まないよそ者によって、強制的に取りあげられた[10]」。

緊張が高まっていた。最初の重大な武力衝突が、当初のモシャヴァの一つ、ペタフ・ティクヴァ（ヘブライ語で「希望の門」の意）で生じたのは一八八六年のことだった。これは場当たり的な土地の売却と放牧権をめぐる対立から始まった。アラブのヤフディーヤ村の小作人たちは、自分たちがまだ所有していると信じていた農地を明け渡すことを求められた。小作人たちはこれらの係争地の畑の一つを耕しだし、ユダヤ人入植者の馬を一頭、押収した。それに対抗して、ペタフ・ティクヴァの入植者たちは九頭のロバを捕獲した。双方の共同体は会合を開いて問題の解決を試みたが、交渉は決裂した。腹を立てた大勢の村人は自分たちのロバを取り返すためにペタフ・ティクヴァに向かった。その後、正確には何が起こったかについては記録が異なるが、ロバがそこにいないことを知ったヤフディーヤの男たちは、入植者の民家に押し入って窓を割り、その過程で五人の入植者を負傷させた。そのうちの一人レイヒェル・ハレヴィは数日後に亡くなった。おそらくはすでに深刻だった健康状態がショックで悪化したためだろう[11]。

その日の出来事は語り継がれ、とりわけパレスチナと海外にあるユダヤ人社会のあいだで広まった。一部の人は地所とお金をめぐるただの争いだとして顧みなかった。そこにポグロムを彷彿（ほうふつ）させる悪意を感じた人びともいた。物語や伝承にあふれたこの土地では、どこでも神話と現実が絡み合っており、入植者の寓話のようなものを生みだしていた。それは実際の出来事そのものと同じくらい、語り手のアイデンティティの変容に関する物語なのだった。そこで提供されるのは単純な筋書きだ。腹を立てた攻撃的なアラブの男たちが暴徒と化し、数で勝るユダヤの若い入植者の男たちと対峙する、というものだ。この筋書きは変更され、美化され、最終的につくり変えられた。被害者の物語として、恐ろしく馴染みのある抑圧の教訓話として始まったものが、建国のフロンティア神話に、三流雑誌の西部劇小説から抜けだしたような強さと苦境からの回復力の物語に変容したのである[12]。

時代とともに、不遇のレイヒェル・ハレヴィの息子、センデル・ハダッドが、逞しく英雄的な二枚目アイドルとして新たに物語に登場するようになり、こう描写された。「見上げるような大男で［……］鞭縄のような筋肉と巨大な拳の持ち主であり［……］見事なアラブ馬にまたがった猛者は、あらゆる争いのまっただなかに乗り込み、ひとえに猛攻撃の激しさゆえに、数で勝る相手を蹴散らした[13]」。もともとの記録では、ハダッドは村人たちがペタフ・ティクヴァにやってきたとき、その場に居合わせもしなかった。彼は具合の悪い母親を治療のためにエルサレムに連れて行っており、旅の途上で母親は亡くなり、のちに集落に戻ってきていた。ところが、彼はますますこの物語に報復の天使として登場するようになり、殺意をもった村人の集団をほぼ一手に撃退したと言われるほど、腕っぷしの強い人物に祭りあげられていった。彼は新しいタイプのユダヤ人——「すべての者に重い拳を振りおろす怪力男だ。アラブ人は彼を恐れていた[14]」——だったのである。自分の国をつくり、守ることのできるような人物だ。

一八九七年にスイスのバーゼルで世界シオニスト機構の結成を促したのは、まさしくこうした考えだった。「シオニズム」は、その創始者たちによれば、「ユダヤ人のためにパレスチナに合法的に保証された故郷をつくることを目的とする」。それは、これら個々の話——ペタフ・ティクヴァのようなフロンティアの入植地や、センデル・ハダッドのような英雄——を寄せ集めて語られる壮大な物語だったのだ。いったん人びとが定住して、土地が確保されたら、そこは統合することができた。入植地を一緒にまとめれば、もっと意味のあるものが、もっと大きなものが生みだせたのだ。定義された空間を。それどころか、おそらくは真新しい国家すらつくれるだろう。

二〇年後、このシオニストの大義は世論からも、政界からも大いに支持されるようになった。一九一七年一一月二日に、イギリスの外務大臣アーサー・バルフォア卿(きょう)が、イギリス・シオニスト連盟の会長に宛てて、「国王陛下の政府はユダヤ人のための民族的郷土(ナショナル・ホーム)をパレスチナに創設することを好意的に見ている」と書き送った。バルフォア宣言に関しておそらく何よりも驚くべきことは、そのわずか二年前に、エジプト駐在のイギリスの高等弁務官サー・ヘンリー・マクマホンが、パレスチナにおけるアラブ人の独立を支援する同様の誓約を立てていたことだろう。冗談に言われたように、この古代の国は、この約束の地は、突如として二度の約束の地になったのである。

その後の三〇年間、折り合いがつく気配もなく相反するこれら二つの将来は、まずパレスチナを引っ張り合い、最終的には引き裂いた。新たに到着する移民はこの国の人口動態を変化させつづけた。二〇世紀初めには、ユダヤ人は人口の一〇%に満たなかった。一九三〇年代の初めには二〇%近くになり、それからずっと増えつづけた[15]。

一九三六年に、移民にたいするアラブ人の不満があふれ返って攻撃性を帯び、暴動や組織的なゼネストへと発展した。元インド担当大臣のウィリアム・ピール卿が、政治不安を調査するよう任命された。彼の下した評価は厳しいものだった。「一つの小国の狭い国土のなかで、二つの民族集団間に制御不能な紛争が生じている」と、彼は書いた。「両者間には共通の基盤がない。双方の民族の願望は相容れないのだ。アラブ人はアラブの黄金時代の伝統を復活させたがっている。ユダヤ人は、ユダヤ民族が生まれた土地に再び戻れたら、自分たちにできることを示したがっている[16]［……］紛争は先行きが見えないことで悪化している。最終的に誰がパレスチナを統治するのだろうか？」

その一〇年後、国連特別委員会報告は、社会も政治も崩壊して、さらに殺伐とした状況を描きだした。一九四七年に発行されたこの報告書は、アラブ人とシオニスト双方による「テロリズム」の行為について言及し、ユダヤ人によって組織された「無法行為、殺人、妨害工作」運動を概説していた。「ユダヤ人国家の前途に何物も立ちはだからせてはならない」として、企図されたものだ[17]。それまでの一〇年間にはナチス・ドイツの台頭と崩壊、およびホロコーストの恐怖を目の当たりにしていた。パレスチナでは、新たに大規模な移民の波を経験しており、この当時はこの地に六〇万人を超えるユダヤ人が住んでいた。一方、アラブ人の人口は一二〇万人に膨れ上がっていた。国連の報告書によれば、「二つのかなり大きな集団がナショナリスト的な強い願望をもち、国内各地に分散しているが、そこは乾燥した土地で、面積は限られており、暮らすのに欠かせないあらゆる資源が乏しい(18)」。分割するのが、唯一の選択肢である、と報告書は述べた。

一九四七年一一月二九日に、国連総会はパレスチナをアラブの国とユダヤの国に分割して、エルサレム市は国際管理のもとに置くことを投票によって決めた。一つの世界が生まれる一方で、もう一つは崩壊した。ユダヤ人にとっては、心のなかに抱きつづけた祖国がついに手の届くものになった。だが、アラブ人にとっては、考えられないことが起こりつつあった。彼らには何ら妥協点は見いだせず、ただ不正義と裏切りだけを感じていた。国連が提案した境界線は、「血と火で描かれた線(19)」なのだと彼らは言い、パレスチナの地を、自分たちの国を分断したのだと主張した。その境界線には、あらゆる犠牲を払ってでも反対する、と。

イギリス軍が撤収すると、この国では内戦が勃発した。その翌年に生じたことは、敵意に満ち、大混乱を引き起こすものだった。集団虐殺や残虐行為が各地で起こり、村は破壊され、人びとは自分たちの土地や財産を強制的に手放させられた。長い列をなした難民が国を縦横に移動した。七〇万人ほどのアラブ人が逃げだすか、追放されるかした。パレスチナのアラブ人口の半数にもおよぶ数だ。センデル・ハダッドの英雄的なフロンティア神話と最初の入植者たちに勇気づけられ、集団殺害(ジェノサイド)されかけた記憶に苛まれたユダヤ人の民兵と軍は、妥協するつもりはなく、残虐だった。アラブ人は共同体も家族も引き裂かれ、離散させられた。

こうした諸々の出来事の最後に、二人の男性が地図の上に身をかがめて、赤と緑の色鉛筆を手に、それに取って代わる現実を描きだしたのである。パレスチナはなくなった。その八〇％近くがいまでは新たな名称に、イスラエルになった。ヨルダン川西岸地区と東エルサレムとガザ地区にある残りの部分は、ヨルダンとエジプトによって統治されることになった。多くのパレスチナ人はいまや自分たちの土地で、難民となったのだ。名前のない土地だが、そこには彼らが越えることのできない線が走っていた。撃ち合いが終わったいまとなっては、彼らは自分たちの家や村に戻ることも、荷物をまとめることすらできなかった。それを試みた者たちは、「侵入者」と呼ばれ、逮捕されるか撃ち殺された。アラブ人はそれを「ナクバ」、大惨事と呼んだ。

目に見えない無人地帯

自由と独立の線。国外追放と屈辱の線。それはなかなかのバス路線だった。ロード・ワンとして知られる公道60号線は、現在グリーンラインの上を走る。私のバスはこの公道に入って、朝の渋滞のなかをゆっくりと進み、旧市街とシオンの山沿いの谷間へ降りてゆき、南のベツレヘム方面に向かうヘブロン・ロードと合流した。一九四八年のあと、ここは無人地帯となった。コンクリート壁と有刺鉄線が曲がりくねりながら延々とつづき、地雷原と要塞化された監視所が、エルサレム全体を貫いている。ジグザグと林立した現実としての、グリーンラインである。

パレスチナの作家で哲学者のサリー・ヌサイバは、この都市が二つに分割されたころはまだ子どもだった。彼の寝室の窓からは、東エルサレムにある自宅とメーアー・シェアーリームのあいだを隔てる「射殺ゾーン」が見渡せた。メーアー・シェアーリームは、宗教の戒律を厳格に守る超正統派（ハレーディーム）——「神を畏れる者たち」——が住むユダヤ人地区である。「うちの庭の塀の向こうから、イスラエル国のあいだには、なかば破壊され、銃痕だらけのセメントの構造物がぽつんとあった」と、彼は書いた。「それに国連の監視所と境界線の検問所。あとは岩が点在し、残った地雷のあいだにアザミが茂っていた。あれだけの戦闘をどうにか逃れたブドウの木もあった。春になると、私はブドウの若葉を何時間も眺めたものだった。そして秋にはみずみずしいブドウが大きくなるのを見ていた[20]」

無人地帯の向こう側には、ヌサイバの自宅から一キロ半ほど西に、もう一人の将来の作家がいた。当時一〇歳のアモス・オズだ。リトアニアとウクライナからの移民の両親のもとにエルサレムで生まれたオズは、自分自身を「小さなシオニスト・ナショナリストの狂信者」で、「本来のインティファーダ――イギリスの占領に反対するユダヤ人によって引き起こされたもの――の時代」に、近所の子どもたち全員と一緒に、通りを巡回するイギリス軍の車両に石を投げていた。子ども時代の彼のお気に入りの遊びの一つは、戦争ごっこだった。「部隊を移動させ、城や都市を包囲して略奪し、急襲し、山間部で抵抗運動を始める」。自宅の居間の床で、占有面積がつねに変わる様子を監視し、「マッチ棒で境界線の拡張や収縮を記していた」。いまや、本物の境界線が彼の目の前にあった。「ときには、早朝に休戦ラインの方向から、機関銃の一斉射撃音が聞こえて目が覚めることもあった［……］あるいは新しい国境の向こう側から礼拝時刻を知らせる嘆きの声が。髪を逆立てる哀歌のように、この祈りのうめき声は私たちの眠りに入り込んできた[21]」

どちらの少年も、この線のほうに容赦なく引き寄せられるのを感じた。ここには、彼らが知っていた唯一の都市エルサレムの骨組みに走る精神的な亀裂があった。ヌサイバにとっては、「禁断の地」は自分の庭の端から始まっていたので、無人地帯の向こう側にある通りを覗いて、「奇妙な」バスや車、人びとが動き回る様子を観察しない日は、まず一日としてなかった。「ときには顎鬚（あごひげ）の生き物がこちらを見返すこともあった」と、彼は書いた。「まるで夢のなかにいるようだった[22]」。オズもまた、「目を見開いて別のエルサレムを眺めていた。その隠されたあらゆる魅力は、恐ろしいながら興味をそそられ、私たちには禁じられたその入り組んだ狭い通りは、暗闇から威嚇し、秘密主義の悪意ある街は、厄災に満ちていた[23]」。

そこは決して国境だと見なされたことはなかった。国連休戦協定の地図——これはダヤンとアル＝タルの地図の単なる写しだった——は明確に、「この地図を国際的な境界を設定する根拠として見なしてはならない」と述べていた。休戦協定そのものは一九四九年に署名されており、「境界線（ディマーケーションライン）」は「将来における領土問題の解決や境界の線を侵害することなく」設定されたものだと強調されていた[24]。グリーンラインは色鉛筆で急いで引かれ、条件付きで、一時的なものとしてずっと意図されていたのだ。停戦を、敵対関係の一時停止を、地理的空間に記す一つの方法だったのだ。それでも、その一時停止はどんどん長引いた。数カ月が過ぎた。やがて数年が過ぎた。さらに数十年が過ぎた。

二人の少年は大人になるにつれて、この分割線をますます探求するようになった。都市の景観を断ち切り、その傷口を急いで塞ぐことで生じた奇妙な締め付けと外傷を探ったのだ。「私は榴散弾（りゅうさんだん）を浴びたダマスカス門まで歩いた」と、ヌサイバは書いた。「それから迷路のような通りや路地に入り、そこから戦争後は閉鎖されていたヤッフォ門までずっと歩いた。この門はどこにも通じていないのか、それともどこにでも通じていたのか？　おそらくその両方だったのだろう[25]」

そのころには恋に悩む一〇代となっていたオズは、毎晩こっそり家を抜けだして、周辺部をうろつくことで、虚無的な衝動を追い払っていた。「私は市を分断する有刺鉄線の柵と地雷原に惹（ひ）かれるのを感じた」と、彼は述べた。「あるとき、暗闇のなかで、無人地帯の一つにおそらく入り込んでしまったのだろう。間違って空き缶につまずいたところ、地滑りほどの騒音を立ててしまうと、すぐさま暗闇のなかのかなり近い場所で二発の銃声が鳴り響いた。私は逃げだした。それでも、次の晩も私は戻ってゆき、そのまた次の晩も、無人地帯の端まで通った[26]」

徐々にこの分断が、このコンクリートと波型鉄板の連続が、ほとんど日常のごとく感じられるようになった。「無人地帯は背後の砂漠と同じくらい、不変のものに思われた」と、ヌサイバは書いた。「それは無害な存在となっていた[27]」。無害で、見たところ永遠にあるかのようだった。だが、エルサレム市郊外や田舎では、グリーンラインは物理的には存在しないも同然だった。一九五〇年代には、イスラエル人は景観にこの境界線を引こうと、コンクリート・ブロックに鉄柱を立てたり、樽（たる）やドラム缶を並べて線を引いたりするなどの初歩的な試みをした。しかし、このプロセスですら困難を伴った。ダヤンとアル＝タルの線はイギリスの二枚別々の二五万分の一の測量図に引かれていた（のちにそれをテープで貼り合わせなければならなかった）。この縮尺では、色鉛筆の線そのものが一〇〇メートルに近い幅になることを意味した。グリーンラインは全長三一〇キロにわたっていたため、これはそもそも不正確な係争地に、蛇行する一本の長い回廊を生みだすことになった。これは元来の不正確さによって定義された、影の国境であり、イスラエルと非イスラエルの二つのパラレル・ワールドのあいだの亀裂をぼやかすものだった。

その後、この線が最初に引かれてから一九年後の一九六七年に、グリーンラインを完全に消滅させる試みがなされた。六日間戦争（第三次中東戦争）は、もともと水源をめぐるイスラエルとシリアの衝突に端を発したもので、それが悪化して一九四八年と同じパターンを踏襲することになった。エジプト、シリア、ヨルダンからなるアラブ諸国軍が、ユダヤの祖国建設に対抗して編成された。これはペタフ・ティクヴァにまでさかのぼる物語だった。今回、イスラエルの防衛大臣に就任していたモシエ・ダヤンがセンデル・ハダッドの役割を担った。この戦争はアラブ側にとって散々な結果となり、イスラエル国防軍にとっては大勝利となった。イスラエルはエジプト軍をガザ地区から追いだし、スエズ運河まで撤退させた。シリアからはゴラン高原を獲得した。そして、イスラエルと西岸地区からはヨルダン軍を完全に排除した。かつてはイギリスの委任統治領パレスチナだった全土が、いまやイスラエルの支配下となった。

その年の一二月に、イスラエル政府は発行されているすべての地図、地図帳、教科書からグリーンラインを削除する決断を下した[28]。それでも、エルサレム周辺の一帯を別として、戦争中に獲得した土地をイスラエルは公式には併合しなかった。国際法のもとでは、ガザ地区と西岸地区は「占領地」と見なされていた。どちらにせよ、それまでも大雑把で場当たり的な方法でしか記されていなかったが、イスラエル政府ではなく、イスラエル軍が立法、行政、司法の統制権を掌握している場所だ。グリーンラインが事実上、消滅したいまとなっては、イスラエルの境界を定めていた影の国境ですら消滅したことを意味していた。曖昧になった領土はいまでは数百キロにおよび、死海やヨルダン川にまで達していた。国境はどこにもなくなり、いまも存在しない。どうしてそんなことがありえようか？　戦争は公式には終わっていないため、この土地は今日でも「占領地」でありつづけるのだ。単刀直入に言えば、実際には誰もどこでイスラエルが終わり、どこで「占領地」が始まるのか、正確には知らないのである。

　エルサレムでは、無人地帯は消滅した。市の中心部に存在した細長い荒廃地は、所有者も住んでいる人もなく、新しい道路建設のための恰好の空間を提供していた。ということは、公道60号線――いま私が通っている道――のようなルートは、市内を南北に走っていたかつてのグリーンラインを完璧にたどれることを意味していた。まだエルサレムに住んでいるパレスチナ人にとって、障壁の撤去は一種の放心状態を引き起こした。当時、オックスフォードの学生だったヌサイバは、帰国した折に驚愕(きょうがく)した。

「有刺鉄線や射殺ゾーンなど、私が子どものころから身近に暮らしてきたものが消えてなくなっているのを見るのは、奇跡のようだった」と、彼は書いた。「そのときようやく、戦争がいかに私の国の分断を終わらせたかに気が付いた。敗北によって祖国が取り返されたのだ」

　しかし、彼の楽観主義に影が差すのに時間はかからなかった。郷里に戻った翌朝、彼は家の裏庭の塀を飛び越え、かつては立入禁止だった場所に降り立ってみた。ブドウの木はまだそこにあったので、彼ははやる思いでブドウを摘み、口に入れた。「その味は長いこと想像したように、豊かな風味のほとばしるものではなかった。ブドウは苦く、私は吐きだした[29]」

忘却の淵(ふち)に追いやられる新たな時代が始まったのだ。占領は何カ月も、何年間もつづいた。撤兵する兆しもその意思もなさそうだった。一九六八年に作成されたエルサレム市当局の新しい基本計画は、「この都市が再び分割される可能性を防ぐ形で建設する」意図を、その「主要な原則」としていた[30]。市の境界線は、周辺にあるユダヤ人共同体を、村や畑を含めて、できる限り多く取り込む形で引き直された。一方、アラブとパレスチナの指導者たちは、突如として一九四九年の協定の復活、つまりグリーンラインへの復帰を主張するようになった。

「彼らは壁を戻したいのだ」と、ヌサイバは書いた。「無人地帯は、恥ずべきものを隠すように、コンクリートのベールの向こうにユダヤ人国家の現実を隠してくれていた[31]」。年月とともに、エルサレムがイスラエルの大規模な建設工事やインフラ事業で変貌を遂げるのに、アラブ人が建設許可を得ることは「不可能に近い」状況を彼は見守った。どこもかしこも、パレスチナ人を隅に追いやって差別し、「人口統計的なバランス」と呼ぶものを維持しようとする試みがなされていた。市内にユダヤ人住民のほうがアラブ系の住民よりも、大幅に多くなるようにしていたのだ。

「目に見えない無人地帯がつくりだされていた」と、ヌサイバは述べた。「これはコンクリートと有刺鉄線によってではなく、イデオロギーと心理学によって生みだされたものだ」。彼は自分が、祖国の分断ではなく、むしろ生体解剖を目撃しているようにますます感じるようになった。「ゆっくりとした殺人行為であり、私の家族と私の民族の魂を形づくる都市を殺しているのである[32]」

灰色の蛇行線

私のバスはエルサレムをあとにした。公道が市内から抜けだし、開けた郊外に向かうにつれて、交通量は少なくなった。石がごろごろしている緑の斜面は、まだ前の晩の雨で濡れており、朝の太陽を浴びて輝いていた。バスの一方の側には、遠方に茶色い砂地の山々が見え、その先はユダヤ砂漠が広がっていた。反対側には、建設途中の家や道路が見え、エルサレムの足跡はまだ着実に南へと延びていた。

バスは右手の段丘を通り過ぎ、やがてその先で、地形は緩やかに開けた平野となり、オリーブの木立がはるか遠くまで広がっていた。オリーブの木々を下へ下へと目で追うと、やがて木立は唐突に終わっていた。斜面に沿ってぐねぐねと巨大なコンクリートの壁が立ちはだかっていた。円形の見張り塔をところどころに備えた壁は、曲がってはくねり、丘陵地のはるか向こうの、目の届かない場所まで、切れ目のない灰色の蛇行線となって延びていた。この土地では、境界線は波となってやってくる。上っては下り、消えてゆく。やがて、嵐が必然的に訪れれば、地上から高々とそびえるだろう。

道路はつづき、壁のすぐ土台部分にまで近づいた。私たち乗客はバスをぞろぞろと降りて、金属製ゲートを徒歩で通過した。検問所300だ。頭上にある大きな青い看板には、「よい旅を(ボン・ヴォヤージュ)」とあり、同様の意味のアラビア語の別れの言葉が書かれていた。私は学生たちの短い行列につづいて狭い回転式ゲートを通り抜け、それから灰色と赤の縞(しま)模様が塗られた、天井高のある長く狭いコンクリート製トンネルを歩いた。坂を下ってイスラエルを出て、西岸地区の占領地に入る道筋を案内をする縞模様のパターンだ。

目に見える壁と見えない壁

「人びとを物理的に押しだすわけだが、手始めにやることはそれではない。まずは人間を精神的に押しだすことだ、違うかい?　人から人間性を奪い、それからクズのように扱う。その日の終わりには、こう言うようになる。『まあ、やつらはそもそも人じゃないんだ』」

私はベイト・サホールという小さい町の「シンガー・カフェ」という店に、ババ・ヒロと座っていた。検問所300から南西にわずか一キロ半ほどの距離にある町だ。社会学者で活動家のバハは、地元パレスチナ人の草の根共同体、「トゥ・ビー・ゼア」の共同創始者で、その研究活動の範囲は人権問題から難民支援、若者の指導や政治的観光まで多岐にわたる。彼は黒く長い巻き毛を大きなニット帽のなかにたくし込んだ、がっしりした体格の人物で、悲壮感を漂わせて語りつつ、自分でタバコを巻くのを好んでいた。

「彼らはわれわれが出ていくのが悪いと責めるだろう？　パレスチナ人は追放されたわけではないと、イスラエル国は言うんだ。われわれがただ散歩をしたくなって、出て行ったんだと。われわれがみんな集団として、歩み去る決心をしたんだと。もちろん、そうしたさ！　多くの民族だって、ハイキングに出かける衝動に駆られることはあるだろう？」

バハはテーブルの上に地図を広げていた。地図にはいろいろな色で線や範囲が描き込まれ、地域やゾーンが示されていた。イスラエルの道路とパレスチナの道路、それに軍用道路。イスラエルの入植地とパレスチナの町、軍事基地に検問所。それはまるで馴染み深いと同時に、まったく得体の知れない骨組織の断面図を顕微鏡で見ているかのようだった。

無料Ｗｉ－Ｆｉが使えるカフェは、国連やＮＧＯの職員に人気のスポットになっており、混み合っていた。この店は午前中ずっと満席状態だった。ここはアメリカの有名なミシン製造業者にちなんで「シンガー」と呼ばれていた。そして、何台もの美しい昔のミシンが壁の窪みに置かれたり、バーカウンターの上に吊るされたり、テーブルのなかにはめ込まれたりしていた（私はバハにどういう意味があるのか聞いてみた。「実際にはとくに意味はない」と、彼は言った。「ここの所有者はアーティストで、裕福な男でね。彼はただミシンの見た目が好きで、何台か購入したんだ」）。シンガー・カフェは、ベイト・サホールで芸術主導で進められる再開発の最初の波の一つだった。過去数年間に、旧市街で放置された分厚い石の壁と、装飾の多い丸天井の建物が何軒も、ギャラリーや職人の作業場に変貌を遂げた。そして、もちろんカフェにも。シンガーのバーカウンターの後ろにあるクロムめっきを施したイタリア式の巨大なコーヒー・マシンは、いわば趣意書だった。コーヒーはとてもおいしかった。

私はバハと、占領が始まった一九六七年当時の土地と、その後の出来事について話をしていた。当時起こったことは、一九世紀から生じてきたことと同じものだと、彼は語った。立ち退きと入れ替えの連続プロセスなのだと。

「イスラエル国に関することはすべて、初日から、パレスチナ人の土地を奪うことなのさ」と、彼はあけすけに言った。「政府は土地の横領を合法化する法案を可決しようとしている。軍も同じことをやっている。民間部門も同じことをしている。神ですら、イスラエル国では、不動産業者として働く神なんだ。彼はこの土地に、この特定の地に、署名をした。それをユダヤ人用に署名したんだ。一インチたりとも大きくなく、一インチたりとも小さくなく、ごくわずかに右側でもなくね。ちょうど同じ土地を」

ならば、これらの境界線を引いたのは神だったのかと、私は質問した。

「人種主義的な思考の持ち主にとって、神は、過ちを犯す神なんだ」と、バハは答えた。「だから、神の過ちを正す仕事は彼らに課せられている。つまり神はこの土地をユダヤ人に与えたが、そこにパレスチナ人をつくるという過ちを犯した。だから、イスラエル国が誕生して神の過ちを正すことになったというわけだ」

バハは一息ついて、タバコを巻いた紙を指先で前後に転がした。

「ユダヤのナショナリストはつねづねパレスチナを、人の住まない土地だと見なしてきた。『国のない民のための、人の住まない国』だと。でも、パレスチナが人の住まない土地だと言うことは、一万年にわたる人類の歴史を消すことだ」

バハにしてみれば、ヨーロッパとヨーロッパ人の考え方こそ非難すべきものだった。
「ここで生じていることは、ヨーロッパに発するものだ。これは入植植民地主義(セトラー・コロニアリズム)だ。パレスチナを支配するイデオロギーはヨーロッパのイデオロギーなんだ。だからこそ、テルアヴィヴに着陸したとき、ヨーロッパにいるような気分になったのさ。自分が中東にいるような気がしなかっただろう？　あそこは中東のなかのヨーロッパなんだ。『中東のスイス』と呼ばれていたよ。何がスイスとの共通点かって？」　彼は口をつぐんで、私をじっと見つめた。「マツの木だよ」

　ここでは、木々ですら政治化され、土地を定義し、その所有権を主張するうえで役割を与えられてきたのだ。エルサレムの応用調査研究所によると、イスラエル当局と入植者によって一九六七年以降、もともとあった八〇万本以上のオリーブの木が引き抜かれてきた[33]。同時に、ユダヤ民族基金（ＪＮＦ）のような機関が二億五〇〇〇万本以上のマツの木を植えてきた。同基金は、一九〇一年にユダヤ人だけのために土地を買って、開発する目的で設立されていた[34]。
「マツの木は在来種ではない」と、バハは言った。「マツの葉は酸性なんだ。土壌を悪くする。イスラエルの環境保護主義者や一般のイスラエル人が、マツの木の破壊的影響力について気にしているかどうかは知らない。彼らは、ただ生長が早くて景観を変えるものが欲しかっただけなんだ」

　私はパレスチナの作家で法律家のラージャ・シハーダのことを考えた。この土地が、全生涯にわたって彼が知ってきた土地が、物理的に変貌を遂げた過程を嘆きながら克明に記録した人だ。著書『パレスチナを歩く』（*Palestinian Walks*）のなかで、彼は一九七八年から二〇〇七年にかけて、丘陵や涸れ川(ワディ)を歩いて回った七回の旅について書く。「二五年間に、世界の宝の一つであり、キリストと同時代の人びとにとって馴染み深いものだったと思われるこの聖書の景観が、場所によっては見分けがつかないほどに変えられていった」と、彼は書く。マツの木の問題では、シハーダのある特定の一節が強く印象に残った。

「必要なのは、一本の木が根を張ることだけだった。実が生（な）れば、松笠が開いて種を段丘から段丘へと拡散し、そこにずっと昔からあった木々を犠牲にして、マツを増やすことになった［……］マツは高く伸び、枝を四方に伸ばし、根を下ろした土地を強制的にわがものとした。オリーブの木と同様に、マツの根は地表近くにとどまり、関節のようにこぶと滑らかな部分があり、同じ地面の一角を奪い合い、互いに共存するのを難しくしている[35]」

同じ地面の一角を奪い合う。共存するのは難しい。

「木は何かの隠喩（メタファー）ですか？」と、私はババに聞いてみた。

彼はしばらく黙ってから、もう一度、私をじっと見つめた。

「いや」と、彼は言った。「木々は現実の木々さ。何かのたとえではないと思う」

二〇〇一年から、ババはオリーブの木キャンペーンのコーディネーターを務めてきた。これはオリーブの収穫時にパレスチナの農家に手伝いにくるよう呼びかけるもので、この二〇年間に世界各地の個人や組織からの寄付を財源にして、新たに九万本ほどのオリーブの木を植えてきた。それでも、これは同じ期間にＪＮＦが行なってきた活動とは比べ物にならない。

二〇一〇年に、ネゲヴ砂漠を「緑化」する数百万ポンドの運動が始まった。一〇〇万本のマツの木を植え、スポンサーである福音派キリスト教テレビ・チャンネルにちなんで「ＧＯＤ－ＴＶの森」と名付けられた森をつくる試みもその一つだ。この森の所有者であるローリーとウェンディ・アレックは、イエスが戻ってくる日に備えて、木々を植えて土地を準備するよう神自身が彼らに告げたのだと述べていた。その過程で、ベドウィンの砂漠の村アル＝アラキブは完全に更地化された。家は取り壊され、村人は追放された[36]。ところがＪＮＦは、自分たちは「死んだ」土地を再生しているのであって、過酷な環境での植林技術を世界に先駆けて実施しているのだと主張した。この技術は後日、「農業によって飢餓を防げる国」に輸出できるのだという。

バハがなぜメタファーに抵抗したのかが、私にはわかった。

木々は物理的な当事者であり、実際の人間の代理を務めて、領地をめぐってつづく紛争で重要な役割を与えられていたのだ。近年の調査からは、一九四八年に立ち退かされた八六前後の村が現在、JNFの森となっていることが判明した。[37] これはイスラエルの歴史家イラン・パペが「記憶の抹殺（メモリサイド）」と呼ぶプロセスだ。[38] 人びとが暮らしていた土地を手付かずの「自然」や「未開の地」に変え、人工的に創生されたアダムとイヴの堕落前時代の森林が生い茂る下に、パレスチナの歴史の物理的な痕跡を隠すか、消し去ることだ。

イスラエルはいまも、一八五八年来のオスマンの土地法を執行しているのだと、バハは私に語った。三年間、耕作されずに放置された土地は、国有地にするというものだ。そのため、「オリーブの木キャンペーン」の主要目的の一つは、パレスチナの農民が自分たちの地所を維持できるように手助けすることとなっている。オリーブの木はいったん植えれば、土地が耕作されていることの証拠となるからだ。


こうして田舎のいたるところでマツの森とオリーブの木立が地位争いをするようになり、イスラエルとパレスチナの空間のあいだの物理的および象徴的なフロンティアが生みだされてきた。これら二種の樹木は利用されて、重複した「国境線」をつくりあげていたのである。それらを植林して管理することが生態学的な権力闘争を生みだし、生物による国境警備となっているのだ。しばらくのあいだ、マツの森は一九四八年のイスラエルの境界線の内側にとどまっていた。しかし、一九六七年からは、西岸地区の丘陵や山岳地帯にまで広がり始めた。そして、それとともに人間もやってきた。

グリーンラインの抹消が新たなフロンティアを生みだしたのだ。占領地は、理想主義に燃えた若いユダヤのナショナリストたちにとって、開拓民の先人たちの伝説化した荒々しい暮らしを体現できる「未開の」空間を提供していた。それはごく基本的な形で始まった。キャンピングカーやトレーラーハウスの小さな集団が丘の上まで登って、ジョン・フォードの西部劇で幌馬車が円陣を描いたように、そこに並んで駐車した。入植者にとっては、そこは「神が与えた」領地なのだった。西岸地区ではなく、聖書の「ユダヤ・サマリア地区」なのであって、「エレツ・イスラエル」(大イスラエル)の一部なのだ。国家にとっては、これらの風の吹き荒れる岩だらけの頂上は耕作されていないので、古いオスマン時代の法律のもとでは所有権を主張できたのである。ジェネーヴ条約の条項では、こうした行為は不法と見なされていたのだが。入植地は拡大するにつれて、パレスチナの土地までさらに入り込むようになり、しばしば地元の農民や村人との衝突へと発展した。これはペタフ・ティクヴァの再現となった。ただし、今回、センデル・ハダッドはイスラエル国防軍という形で登場した。

長引く法廷闘争がイスラエルの法廷で繰り広げられたが、入植地はさらに出現しつづけた。行政の混乱を利用して、政府や民間企業の支援をそれとなく受け、しだいにあからさまに受けるようにもなり、自分たちの権利を主張するいわゆる「丘の若者たち」によってである。時とともに、こうしたその場しのぎの共同体は様変わりした。トレーラーハウスは姿を消し、代わりに石灰岩を使った頑丈な赤屋根の豪邸が建ち始め、基本計画にもとづいた数百万ドルの広大な郊外住宅地が西岸地区の丘の頂上に次々と出現するようになった。

法律家かつ人権活動家として、ラージャ・シハーダは長年のあいだこうした開発と闘ってきた。それでも、勝利はなかなか勝ち取れず、勝ちとってもつかの間に終わった。「子どものころ、私はいつも西岸地区とイスラエルのあいだの、つかみどころのない境界線を眺めていた」と、シハーダは書いた。「町はこちら側にあって、地平線の向こうには奪われたヤッフォがあった。そして、そのあいだには何もなかった[……]イスラエルが定住地をつくり始め、丘陵地帯に道路を建設し、頂上部分は平らに均し、遠く離れた場所にも水道や電気を送るようになると、私は畏敬の念でいっぱいになった。それに不安でも」[39]

今日、五〇万人以上のユダヤ人が占領地に定住して、二〇〇近い集落をつくっている。道路網——その多くはパレスチナ人には使用が禁じられている——が谷間の上部を走るか、山間部を突き抜けて定住地を海岸平野と都市に結びつけている。かつては、イスラエルとパレスチナのあいだを分断するものは、単純な色鉛筆の線だったが、いまや境界は完全に伸び縮みするものになった。境界線は集落の拡大や、道路やインフラの建設、それに「治安」から「保全」まで多岐にわたる目的のためにつづいてきた「不耕作地」の差し押さえによって、意のままに拡大する（占領地の四分の一ほどの場所が、いまでは「国有地」に指定されている）[40]。実際には、境界を一本の連続した線として考えても役には立たない。むしろ西岸地区の五六五五平方キロは、国境列島のようなものになっている。縮小しては拡大する、一連の島々だ。引いては満ち、決してとどまることはない。そしてこの動的で分断された景観に、不動と永続の究極的な象徴がもたらされた。分離壁である。

分離壁は二〇〇〇年代初めに容赦なくつづいた暴力沙汰から出現した。第二次インティファーダ——パレスチナ人にとっては「蜂起」だが、イスラエル人にとっては「テロ・キャンペーン」——は、何年にもわたる抗議運動、暴動、殺人、ロケット弾攻撃、自爆攻撃、包囲攻撃、制限のない市街戦へと発展した。何千人もの死者が出た。国境線が流動的で重複するということは、戦線がどこにでもあることを意味した。

イスラエル政府の対応は、国土全体のいたるところで分離の線を完全に明確にすることだった。彼らは要塞化した広大な障壁を建設するつもりだった。この国の歴史のなかで、一つのプロジェクトとしては最も費用のかかるものだ。二〇〇二年六月に、ジェニン地区のセリム村でオリーブの果樹園を切り開く形で、最初のセクションができあがった。ほぼ二〇年間に七〇〇キロの距離が埋まり三〇億ドルが費やされたが、工事はまだつづいている。おそらく止まることはないだろう。

「でも、イスラエルには別の壁もあるのは知っているだろう？」と、ババは言った。「目に見える壁と、見えない壁があるんだ。見えない壁というのは、パレスチナ人社会が都市として自然な形では拡大しない理由があるという意味だ。イスラエルには一九四九年以来、一インチも拡大を許されていないパレスチナ人の共同体がある。彼らには自分の土地に建設する許可が与えられていないからだ。イスラエル国が一家の地所を、確かにその一家の地所だと認めることもある。それはつまり、『われわれはまだ、お前たち一家の土地を奪う方法を見つけていないから、それはお前たちのものだ。ただし、お前たちの地所を奪う方法をこちらが見つけるまでは、そこに何かを建ててはならない』ということなんだ」

　バハは携帯電話を取りだし、番号を打ち込み、アラビア語で話を始めた。「タクシーがくる」と、彼は言った。

　私たちは外に出て待ち、バハは手巻きタバコを吸った。太陽は見えなくなり、一面灰色の空が広がっていた。ベイト・サホールの狭い通りには冷たい風が吹き抜けていた。

「ここからさほど遠くないところに、アル＝ワラジャという村がある」と、彼は私に言った。「そこはあるとき突然、あらゆることが生じた場所になったんだ」

シームゾーン

　私たちはアル＝ワラジャでブルドーザーに押し潰された一軒の家のがれきに登って、谷間を越えた先のアル＝ワラジャの方角を眺めた。谷底にはグリーンラインが通っていた。向かいの丘の斜面のアル＝ワラジャが、昔のアル＝ワラジャだった。私たちは新しいアル＝ワラジャにいたのだ。古い町で残っているのは、数棟の廃墟となった石造りの建物だけだ。だが、こちらのアル＝ワラジャでは、廃墟は真新しい。

　一九四八年の夏に、イスラエル軍が古い村を攻撃し、人びとはワディを越えて南東へ逃げた。戦争が終わって停戦ラインが引かれたとき、当初のアル＝ワラジャ村の土地の大部分はイスラエルに併合されていた。しかし、オリーブ、イチジク、アンズなどの果樹がある段丘は、停戦ラインの向こう側の西岸地区の丘陵地となって残されていた。一〇〇人ばかりの村人はここに定住することにして、かつての自宅が見える場所に、新たな暮らしと集落を再建した(41)。

だが、国境はアル＝ワラジャをただそのまま放っておいてはくれなかった。一九六七年の占領後、イスラエルがエルサレム市の境界線を引き直すと、その線は残された村の中心部を通ることになった。突如として、アル＝ワラジャの半分はエルサレム市内となり、もう半分はまだ西岸地区に〔訳注：パレスチナ自治区として〕残されることになった。ところが、いまやエルサレムの境界内に居住すると見なされるようになった人びとにも、居住権は与えられていなかった。彼らはいわばどこでもない地帯に、地理上の忘却の地に存在していたのだ。長年のあいだに、それらの住民の多くはエルサレムに不法侵入したとして拘束されたり、逮捕されたりした。しかも、自宅を離れてすらいないのに。

その後は、土地を差し押さえられ、家屋は解体された。アル＝ワラジャの丘陵地のかなりの土地が押収されて、ユダヤ人のために入植地のギロとハル・ギロが建設された。そこにあった民家は、建設許可を得ずに建てられたとして、ブルドーザーで地面になぎ倒された。村人には建設の認可は下りないのだ。エルサレム市内に住んでいる場合は、申請することすら許されていない(42)。なぜなら、存在しない場所に何かを建設することはできないからだ。そうではないか？

私たちが立っているがれきは、わずか二年前に解体された家のものだった。この三〇年間にアル＝ワラジャで解体された八〇戸以上の一軒だった。バハは解体命令書が下げられている家を、一軒、また一軒と指差していった。余命幾許(いくばく)もない建物だ。

しかし、それだけではない。分離壁の建設計画が最初に明らかになると、エルサレムの境界線沿いに壁を張り巡らせるつもりであることがわかった。アル＝ワラジャは二つに分断されることになる。

村の人びとはイスラエル高等裁判所に上告することに成功し、分離壁のルートは変更になった。代わりに村全体が囲まれてしまったのである。そして、いまでは壁はその建物密集地域にぴったり沿って立ち、農業用地の大半は「継ぎ目（シーム）ゾーン」として知られる壁の向こう側に取り残された。西岸地区のなかで、分離壁と一九四八年のグリーンラインのあいだに挟まれた部分である。農家の人びとは、分離壁にあるゲートを通って畑で耕作したり、作物を収穫したりしなければならない。やがて二〇一三年になると、エルサレム市は国立公園の創設を認可した。公園はアル＝ワラジャの農地と重なる、このシームゾーンのなかにまで入り込んでいた[43]。

これは分離というよりは、むしろ窒息だった。村は壁と柵によって取り巻かれ、締め付けられ、囲まれていた。外側に残された土地は着実に選びだされ、土地の造成、建設、再建の用地となっていった。

「この分離壁は、できる限り大勢のパレスチナ人を一方に集め、できる限り多くの土地を他方に確保するものなんだ。イスラエルが欲しいのは土地だ。イスラエルが欲しくないのは人だ」

それでもまだ、アル＝ワラジャは粘りつづけている。村外れで、その北の端を示すレイザーワイヤーが通る場所からわずか数メートルの場所には、パレスチナ全土で最古と言われるオリーブの木が立っている。この木は圧倒的な存在感があって、樹高は一二メートルあり、周囲が二五メートルあって、節くれだった枝は絡まり合っており、いまなお毎年、オリーブの実がなる。豊作の年には六〇〇キロものオリーブが採れる。樹齢は四〇〇〇年か、ことによると五〇〇〇年にもなると、バハは言った。奇跡であり、「神に祝福された木」なのである。この地で繰り広げられた人間の歴史のじつに多くを目撃してきた木だ。この木は旧約聖書と新約聖書の時代も生きてきたし、さまざまな帝国の盛衰も見てきた。いまや分離壁はこの木にあまりにも近いため、壁はその木陰の下にある。そして地下では、その根が張りだして四方八方に広がり、地中深く潜っている。おそらく、根はフェンスやレイザーワイヤーの下を這（は）い進み、壁の向こうの地まで入り込んでいるだろう。

　雨が急に本降りになった。冷たい大粒の雨ががれきのなかで炸裂する。私たちは丘を駆けあがって、タクシーまで戻った。前方には壁があった。その向こうの、アル＝ワラジャのすぐ背後の丘の石だらけの「不耕作地」の頂上に、入植地ハル・ギロがある。有刺鉄線越しに、一軒の住宅の二階のバルコニーの窓が見えた。ガラスの向こうではっきりと姿はわからない人物が、私たちをずっと眺めているらしく、こちらが壁の灰色のコンクリートの陰に入って視界から消えるまで見つづけていた。

「この壁は、実際にはパレスチナ人とイスラエル人を区別してはいない。おわかりだろうが」と、ババは言った。「パレスチナ人とイスラエル人はこちら側にいて、もう一方にもパレスチナ人とイスラエル人がいるからだ。でも、この壁は障害物にはなっている。これはユダヤ系イスラエル人にとっては障害物なのか？　いや。ユダヤ系イスラエル人は検問所で調べられたりはしない。出迎えられて、愛想よく手を振られる。あれは彼らのためのものなんだ。パレスチナ人にしてみれば、検問所は別のものだ。分離壁は、パレスチナ人とパレスチナ人のあいだの障害物なんだ。検問所は、パレスチナ人とパレスチナ人のあいだの障害物だし、分離壁はパレスチナ人とその地所のあいだの障害物なんだ」

　午後も遅くなっていた。東のベツレヘムに戻ろうとする道中、道路は混み合っていた。次の谷間に差し掛かる道は、すいすいと流れる片側二車線の真新しい高速道路となり、その両側は巨大なコンクリートの障壁に囲まれていた。高速道路は前も後ろも丘陵部分を突き抜けるトンネルに入って消えていた。西岸地区に暮らすパレスチナ人にとって、ここは立入禁止の道路だった。西岸地区に暮らすユダヤ人にとっては、自宅へ通じる高速道路だったのだ。この道路のコンクリートの障壁のちょうど真ん中に、「壁より高く堂々と」と読める巨大な落書きが見えた。

　ババが突然、振り向いて私にこう言った。「私は四〇歳だが、まだ一度も自由を知らない。二〇年後に六〇歳になっても、まだ自由を知らないだろう。私が自由を知ることはないんだ」

こうした言葉を彼が以前にも語っているような気がした。おそらくは何度も。ジャーナリストや訪問者、政治的な団体旅行客に。その言葉には練習したような響きがあり、その言葉遣いに演劇的とすら感じられるところがあった。だからと言って、その言葉が心からのものでないわけではない。しかし、そこには確かに、私が彼のなかに感じた倦怠感をにおわせるものがあった。アラビア語には、占領にたいするパレスチナの抵抗運動のイデオロギーとなった「スムド」（不動）という言葉がある。これは土地に根を下ろした、どんなことがあろうと、つねにもち堪える感覚に関するものだ。我慢強さの感覚だ。存在を通じての抵抗である。だが、それは精神的に重いツケを残しているに違いない。その日、ババが私に語ったことを思いだした。

「七〇年にわたって抑圧されれば、人びとには一種の無感覚が蓄積する。これは正常ではない。でも、それが当たり前となる。それはわれわれが慣れてしまったものとなるんだ」。戦うべきもう一つのものがある。怒りと無感覚のあいだに空間を、シームゾーンを見つけることだ。これは正常ではない。

ベツレヘムの道路は車で渋滞していた。私たちは検問所の近くまできていた。長い車の列ができており、周囲には排ガスとクラクションの音が充満していた。私たちは隙間に入り込み、ゆっくりと市内を抜けて進んだ。道中ずっと分離壁が見え隠れしていた。いまや私たちは再びその壁に沿って市街地を突き抜ける道をたどっていたが、やがて車は直角に曲がって狭い路地を走りだした。

私の目的地に着いたのだ。世界一眺めの悪いホテルである。

四メートル

パレスチナにユダヤ人の祖国を建設するためのイギリスの支援を約束する宣言に、アーサー・バルフォアが署名をしてから一世紀後の二〇一七年、廃業したベツレヘムの窯業の作業所跡にホテルが開業した。西岸の分離壁からわずか四メートルの距離にある建物だ。建設工事と内装の仕上げには一四カ月かかり、これは完全に秘密裏に行なわれた。四五人いる地元のパレスチナ人従業員ですら、自分たちの新しいボスが誰なのかは知らなかった。すべてが変わったのは、その所有者が世界のメディアに声明を発表したときだった。

「イギリスがパレスチナの支配権を握ってその模様替えを始め、大混乱を招いてから、ちょうど一〇〇年が経った」と、声明には書かれていた。「なぜかはわからないが、イギリスが十分に後先を考えずに途方もない政治的判断を下すと何が起こるのかを熟考する、よい時期であるように思われた」

この声明には、正体不明のイギリスの謎のグラフィティ・アーティスト、バンクシーの署名があった。これはおそらく彼がこれまでに試みたなかで、最も野心的な作品だろう。西岸地区のホテルであり、完全に機能している現役の、そして恒久的なアート・インスタレーションとして構想されたものだ。ここには、予約可能な客室が九部屋と、ラウンジ・バー、博物館、ギャラリー、書店がある。ホテルの名前は、正面玄関の上に文字どおり、ライトで刻まれていた。ウォールド・オフ・ホテルと〔訳注：「壁を築かれたホテル」の意味で、一九世紀末創業のニューヨークの高級ホテル「ウォルドーフ・ホテル」をもじったもの〕。

その結果、生まれたものは、バンクシーの巨大なマトリョーシカ人形だった。芸術作品のなかに芸術作品があり、そのなかにさらに芸術作品があって、さらにまたあるのだ。私はラウンジ・バーの蠟燭を灯したテーブル席に着いて、塩味のザアタルの料理を食べ、地元パレスチナのビールを飲んでいた。向かい側には、自動演奏をする小型グランドピアノがあった。そのメーカー名は、白いスプレーペンキで隠されていた。演奏される曲目は特注でプログラムされていたが、遠隔操作することも可能だ。このピアノは、ハンス・ジマーやトレント・レズナー、マッシヴ・アタック、エルトン・ジョンまで、さまざまな音楽家によって「ライブ」演奏もされてきた。ラウンジの内装は、イギリスの古ぼけたコロニアル・スタイルだった。なかばジェントルメンズ・クラブ的で、なかばティールームのようだ。革製の大型ソファがあったし、クリスタルカットグラスも使われていた。ヤシの木からは、ボロボロで埃だらけの英国国旗が突きだしていた。

バンクシーの作品がすべての壁面を覆っていた。ピアノの後ろには、塞がれてグラフィティが描かれた窓の輪郭が、点滅するネオンの明かりに照らされていた。その手前には三人の天使が吊るされていたが、そのうち二人は間に合わせのガスマスクを着け、三人目はマスクに手を伸ばそうとするが取れず、地面に向かって永久に落下するポーズのまま捉えられている。もう一方の壁では、十字架が巨大な引っ掛けフックにつくり変えられていたし、監視カメラがさながらハンティング・トロフィー〔訳注：壁に飾られる獲物の頭部〕のように木製の盾に取りつけられている。ロビーの入り口近くにある暖炉には、「可燃物」と表示された擬似炎が、がれきや鉄筋の山を下から照らしだしていた。私の部屋の鍵ですら、高さ一五センチほどの逆T字形をした分離壁のコンクリート板のレプリカとしてデザインされていた。チェーンをつけるための穴は、本物のコンクリート板の上部にかならずある穴だった。分離壁のコンクリート板を立てるために、クレーンでもち上げたり降ろしたりした際に使われたものだ。

私の席からは、催涙ガスの煙の輪に囲まれた白い大理石の胸像の先の、短い廊下を行ったところに、実物大のアーサー・バルフォアの人形が見えた。彼はペンを手にしてデスクに座っており、背後の壁にはサイクス・ピコ協定の地図が貼られていた。案内板は「歴史を再現するにはボタンを押してください」と、誘いかけていた。私はそこまで歩いて行ってボタンを押し、バルフォアの手が自分の宣書のレプリカの上をやたらに動き回るのを眺めた。彼は自分の名前を狂ったようにサインしており、しばらくのちに、その自動の腕は激しく震えて止まった。

バハとの別れ際に、私はバンクシー・ホテルのことをどう思うか尋ねてみた。

「何とも思っていない」と、彼は言った。「あれこれ考える人間ではないからね」

この答えには満足できなかったので、もう少しだけ探りを入れてみた。バハは明らかにいろいろ考えている人だ。

「いいかい、ダヴィデ王はベツレヘムに生まれた。イエス・キリストもベツレヘムで生まれた。いまではバンクシーがベツレヘムの市内で事業を経営している」と、彼は皮肉な笑い声を上げた。「あなたはベツレヘムで起こった重要な出来事について語らなければならない、そうだろう？ ダヴィデ王、イエス・キリスト、バンクシー……」

このホテルは開業して以来、宿泊客にも日帰り観光客にも大人気の場所となっている。一部の報道によれば、ここはベツレヘムで最も人気のある観光地として、キリストの生誕地である降誕教会にも匹敵する場所になっている。ここは明らかに抵抗の芸術作品として意図されており、バンクシー特有のユーモアと価値転覆を伝えている。しかし、ベツレヘムに生まれ育ったバハのような人は、この抵抗運動に連帯感を抱いているのだろうか？

「あれは関係がない」と、彼は言った。「バンクシー・ホテルで議論されていることはごく単純だ。あれはいいと言う人もいる。あれはダメだと言う人もいる。それだけさ。私が思っているのは、関係がない、ということだ」

彼はもうしばらく黙ってから、こうつづけた。「いいかい、バンクシー・ホテルの議論がやっていることは、四メートルに関する話し合いを意図的にずらすことなんだ。イスラエルの壁がある場所から引き離してね。壁はいまホテルがある場所にあった建物を破壊しただけでなく、ベツレヘムの北部全体を破壊したんだ。かつてベツレヘム、エルサレム、ヘブロンを結んでいた幹線道路による商売も台無しにした。ここはパレスチナ最古の道の一つだ。ヨセフとマリアはこうした道の一つを歩いたんだ。アブラハムはこうした道を歩いた。だから、何千年ものあいだ機能してきたものについて、イスラエル国がやってきて破壊したものについて語れば、ブリストル出身のアーティストがここに何をしにきたにしろ、それよりいくらか面白いものになる、わかるだろう？　だから、あのホテルが前向きのものか、後ろ向きのものか言うつもりはない。あれはただ、物なのさ、わかるかい？」

私はビールを飲んで、窓の外を眺めた。私はイスラエルと西岸地区とのあいだの事実上の国境から数メートルしか離れていないところに座っていた。そこは確かに私の関心を捉えていた。その落ち着かなさを感じることができた。分離壁はベツレヘムの奥深くまで押し入る、長いコンクリートの指だった。だが、それは恒久さを象徴するものではなかった。むしろ、それは動きの一部だったのだ。壁がさらに奥深くまで入り込み、自己複製して、進みつづけたがっていることが、私にはわかった。ロビーのガラスを突き抜けて、ホテルを突き抜け、その先の通りも越えて、市内のさらに奥深くまでも到達するために。一瞬、壁から目を逸らすと、それが前進してくる様子が想像できた。さらに一メートル、二メートルと奪い、ガラスにぴったりと押し寄せ、室内にいる人を覗き込めるほど近くまでやってくる光景が。外はもう暗くなっていた。暗闇のなかで落書きはぼやけ、区別がつかなくなっている。バーのなかでは、ピアノが演奏しつづけていた。

緑色のペンキ

私の寝室は、ウェス・アンダーソンの映画のセットのようだった。真っ青な壁に大きな赤いペルシャ絨毯。デスクとサイドテーブルの上は、趣向を凝らしたあらゆるものが揃っていた。本の山、陶磁器、燭台、カクテル・シェーカー、アイスバケットが二つ、古風なラジオ、黒と金のティーポット、五本の赤い羽根入りのガラス瓶。最初に部屋に入った際には、室内で見られるすべてのものが箇条書きされた螺旋閉じの冊子を手渡された。小さな磁器のジャグに挿してある造花の本数にいたるまでそこには書かれていた（興味をもたれた方のために言うと、一三本だ）。写真からは、そのすべてが正確にどう配置されるべきかが示されていた。私はすべての品目をチェックして、何かが不足しているか、違う場所にあれば、フロントに通知しなければならなかった。ホテルが説明するように、ここは「貴重な芸術作品」にあふれた場所であり、宿泊客は「その一部を夜通し独り占めすることが許可されている」のだった。ベッドの上のほうには、非常に大きなバンクシーのオリジナル作品があり、グラフィティアートの先駆者であるジャン＝ミシェル・バスキア風に磔（はりつけ）の絵が描かれていた。そのそばに、水の入ったコップをもって近づいたりはしまいと私は決めた。

その晩遅く、私は緑色のペンキの缶をもった男がエルサレム市内を歩いている動画を、スマホで観た。缶の底に穴が空いているので、男が歩くと、ペンキが一定の量で細く流れでて、地面に線が描かれていた。動画はわずか一七分間のもので、市内を二四キロにわたって歩き回った状況がつなぎ合わされていた。ヤッフォ門から旧市街を通り、パレスチナ人界隈（かいわい）、ユダヤ人界隈を抜け、廃墟と化した一帯から軍の検問所にいたるまで、道路沿いを歩いたものだ。

その男は、ベルギーのコンセプチュアル・アーティストのフランシス・アリスだった。彼が可能な限り近くを通ってたどったのは、グリーンラインの通り道だった。亡霊となった国境を緑のペンキで再び描いたのである（五八リットル分のペンキが必要になった）[44]。アリスはその後、この動画を何人かの人びとに見せ、その反応を録画して、動画の冒頭に収めた。そうした人びとの一人がヤエル・ダヤン、つまりグリーンラインを最初に引いたモシェの娘だった。私が観ていたのは、編集されたこの動画だった[45]〔訳注：現在はこの反応の部分は削除されている〕。

ヤエルの声は深く、厳かで、タバコを吸う人の声だった。「それほど単純なことであればいいんですが。ただこの缶をもって歩くだけなら」と、彼女はアリスがエルサレム市内を移動する様子を観ながら言った。「グリーンラインは現実ですらなかったんです。あれは象徴です。別々の民族には、別々のものをという意味で。大多数の人びとにとっては、あれは紛争の終わりを意味します。そこへ戻れるのであれば。あれはより小さな、安全なイスラエルを意味するものです。線は虚構のものでも、それによって正常化がもたらされるわけです。でも、一部の人は、グリーンラインは最悪の事態だと言います。自滅の線なのだと」

背後で、アリスがかすかに聞こえる程度の声で、ヤエルの父はこの線を引いたことについて話していたことがあるのかと質問していた。

「あれは子どもの枕元で語る話などではなかったし、父は重要と見なしてはいませんでした」と、彼女は素っ気なく答えた。「問題ではないんです。あれは最終的な線を意図したわけではありません……。父には、その他の人びとと同様に、国境は戦争によって決められないことが非常に明白でしたから」

それでも、かつては紛争の決定的な印だったグリーンラインが、いまでは「平和の線」になれたのだと、彼女は言った。ちょうどアリスのペンキの細々とした流れのように、それは「開かれた国境」という展望を提供していた。「労働者が行き来するところです。学生たちもいるだろうし、人口の流動もあるでしょう。密閉された国境など考えられません」

彼女の父親が最初に引いてから七〇年後に、線は景観一帯に屹立(きつりつ)している。いまでは、最初に始まった場所から数キロ離れたここベツレヘムの、私のホテルの窓のすぐ外にも壁は立っている。壁が近い将来に後退したがっているようには見えなかった。

どこにでも増えて延びる壁

翌日、私は分離壁沿いを歩いた。前の晩はずっと雨が降っていたけれども、朝は明るく晴れ渡っていた。まだ濡れている通りに太陽が降り注ぎ、アスファルトと石灰岩とコンクリートに反射して、すべてのものを淡い黄色の光で包んでいた。ベツレヘムを抜ける壁沿いの通り道はあちこちに向きを変え、一貫性がなかった。壁が直線的に建てられることはめったになかった。むしろ、何度も急激に曲がりながら市内を切り進んだあと、開けた場所では長い放物線を描くようになった。壁は、凡庸なものから美しいものまで、さまざまな落書きだらけになった。愛と平和のメッセージは無数にあり、壁を引き倒すことを訴える、「壁をぶちのめせ！」や、「壁ではなく、フムスをつくれ」〔訳注：フムスはひよこ豆のペースト〕というものもあった。

ある見張り塔のすぐ下には、一〇代の活動家アヘド・タミミの巨大な、驚くほど生き生きとした肖像画が描かれていた。この一六歳の少女は、自分の一五歳のいとこがゴム弾で頭を撃たれた〔訳注：鋼鉄入りの弾丸で重傷を負った〕仕返しに、イスラエル兵の顔を平手打ちする動画が撮影されたのち、象徴的な人物となった。この壁画はナポリのストリート・アーティスト、ジョリットの作品で、タミミが八カ月間の実刑判決から釈放されたのと同時期に制作された。ジョリット自身もイスラエル軍に壁に絵を描いた罪で逮捕され三日間拘束されたのち、イタリアに強制送還になった。

分離壁の多くのセクションでは、落書きは何層にも重なり合い、古いものの上に新しい壁画とメッセージが何度も書き足されてきた。数十年にわたる抗議の地層の層序学である。もちろん、バンクシーの作品は手付かずのまま残されていた。二人の天使が壁の二枚のセクションをバールでこじあけようとするもの。風船の束をもった少女が地面から飛び上がって、壁のてっぺんまで到達しているもの。防弾チョッキを着た白い平和のハトが、赤外線の照準器に捉えられているものなどだ。

見ていてすぐさま明らかになったのは、ほぼどのメッセージも、スプレーされようが、殴り書きされようが、ステンシルされようが、英語だということだった。これらは欧米の世界に向けて語っていた。多くは欧米から訪れた人びとの作品でもあった。バンクシーのホテルに併設された店――ウォール・マート〔訳注：「壁の市場」を意味し、世界最大の小売業ウォルマートをもじったもの〕――は分離壁に絵を描くためのスプレー缶を貸しだしている。多くのパレスチナ人は、この障壁に絵を描くという考えそのものを拒絶していた。壁は美しいものであってはならず、ただ引き倒すべきものだと主張していた。

バンクシー自身は制作中に一人のパレスチナ人の老人が近づいてきたときの話を回想していた。「あんたは壁に絵を描き、壁を美しく見せている」と、老人は彼に言った。バンクシーは老人に礼を言った。だが、老人はこう答えた。「われわれは壁を美しくしてもらいたくはない。この壁が憎いんだ。家へ帰ってくれ」[46]

私は分離壁を西へとたどり、アイダ難民キャンプの明確な末端部をなしているところへ向かった。かつては一九四八年に自宅を追われた人びとのテントや仮設住宅が点在する場所だったが、今日では一平方キロ未満の敷地に、コンクリートとレンガ造りの建物が無計画に寄せ集められた一画となっている。建物のなかには四階、五階建てのものもあり、難民登録された五〇〇〇人に近い人びとが暮らす。ここは七〇年の歴史があり、何世代にもわたって境界線の反対側で、昔の村に戻れる日をまだ待っている人びとの仮設住宅となっている。かつては何キロも先にあった境界線が、いまではコンクリートと兵士と見張り塔となって彼らに迫っている。難民キャンプに入った場所の壁に掲げられていた看板は、「世界で最も催涙ガスを浴びた場所」にようこそと私を迎え入れていた。

私はそこで二〇代初めの若者サイードに会った。彼は全生涯をアイダで暮らしてきた。「壁が立ち上がったとき、僕は六歳でした」と、彼は言った。「それ以来、僕が知っているのはそれだけです」

私たちは、黒ずんで崩壊しかけて見える見張り塔の反対側に立っていた。この塔が二〇〇五年にキャンプの隣りに最後に追加された経緯と、地元の少年たちがその日、この塔を攻撃目標として、土台に積まれたタイヤに火を付け、そのコンクリート壁面と、片側にしか開いておらずキャンプを見下ろしている窓を煤(すす)だらけにした顚末を語ってくれた。それから、サイードは私に、アリ・ジダール(「ジダール」は「壁」を意味する)について話した。自分用の木製の梯子をつくり、分離壁に立てかけててっぺんまで登り、パレスチナの旗を振った一六歳の少年のことだ。彼はその晩遅くに軍による急襲を受け、八年間の禁錮(きんこ)刑(けい)に処せられた。アイダの若者が示した反応は、アリの仮設の記念碑をつくることだった。彼らは分離壁の二枚の部分の隙間に折れた木材の破片を押し込んで、梯子を思わせる造形作品をこしらえた。この壁は乗り越えられないものではなく、それを乗り越えるのに必要なのは意志の力と板切れだけであることを示す象徴だ。

サイードは私に、キャンプ内の人びとはあまり壁に落書きをすることはないのだと言った。アラビア語のメッセージは私もほとんど見かけていなかった。一時期、焼かれた見張り塔から少し行った先の角部分に、誰かがチュニジアの詩人アブー・アル゠カーシム・アル゠シャアッビの「生きる意欲」から「夜にはかならず終わりがきて鎖は切れるだろう」という有名な一説をスプレーで書いていたことがあった。いまではその詩句は、岩のドームの精巧な壁画とバスクの旗の絵の下に埋もれている。もはや見えなくなったが、そんなことは問題ではないと、サイードは言った。分離壁の建設中に、コンクリート板が組み立てられるのを待つあいだに、その基部にメッセージがスプレーで書かれていた。抵抗運動の考えそのものを隠れた場所に種まきし、障壁が倒されて、その言葉が予言のごとく再び現われるのを待つのである。

そこの見張り塔の下に立つと、分離壁は何ら恒久的なものには見えないと私は思った。むしろ、これは脆(もろ)く、安っぽく、すでに崩れかけているように見えた。それでも、おそらくそこが肝心なのだろう。壁をつくるコンクリート板はクローンのようにどれもそっくりで、際限なく再生可能なのだ。イスラエルの建築家エヤル・ヴァイツマンはこの壁を、「輪切りにされ、いくつもに分割された蠕虫(ぜんちゅう)のようで、それぞれが再生された生命を帯びて」[47]、どこにでも増え、伸びて、西岸地区のなかに押し寄せ、丘の上のユダヤ人入植地と、それらを結ぶ私設道路網を囲んでいると表現する。もしくは、アル゠ワラジャ、ビル・ナバラ、カルキリヤ、ハブレ、そしてなかでも最大のガザのような場所で、パレスチナ人の共同体をあらゆる方角から取り囲んでいるのである。壁を築いて、それらの場所を、世界から遮断しているのだ。

ヴァイツマンは自著『何よりも悪にはなりえないもの』（*The Least of All Possible Evils*）のなかで、カフカの小説に出てきそうな超現実的な話を語る。分離壁のルートがイスラエルの最高裁判所でいかにつくられ、つくり直されてきたかを語るものだ。この壁がいかにグリーンラインの経路をたどることを意図しながら、たびたびそこから離れて、西岸地区の奥深くまで入り込んだかを。最初に分離壁を設計したイスラエル国防省は、起伏のある地形の性質を考えて、治安および構造上の便宜の原則からこのような分断を主張した。それでも、提案されたルートは、グリーンラインのイスラエル側にはほぼ一度もはみだすことはなかった。いつも反対側に押しだされていたのだ。

分離壁の建設のある試みでは、パレスチナのベイト・スリック村の土地を通り抜ける一区間で、最高裁は一連の複雑な議論と反論に遭遇した。村の配置から、建設地に選ばれた斜面の傾斜度や、畑や果樹園の位置、見通し線、それに多様な形態の攻撃兵器の相対的な射程距離にいたるまで、さまざまな空間的現実に関するものである。提出された地図、計画、航空写真にもとづいて判断を下すことはできなかったため、裁判官は中立人が物理的な縮尺模型をもってくることを要求した。

「それは高密度フォームを使用してコンピューター制御のフライス加工でつくりだしたものだった」と、ヴァイツマンは説明した。そして、その模型は関連する畑と果樹園の位置を示すために着色されていた。「したがって、分離壁の最初の模型は、壁を建設する側ではなく、それに反対する側によってつくられたのだった」。模型が裁判所で披露されたとき、裁判官や弁護士たちはベンチや椅子から立って、その周囲に集まらなければならなかった。「模型は玩具のようなものだ」と、ヴァイツマンは述べた。「制御され縮小された世界だ［……］」。法的プロセスは、デザインセッションに似たものになり、それぞれの当事者が模型について主張を通し、ときにはそのミニチュアの地形模型の上にペンを置いて釣り合いを取って代案を試したりもした[48]」

そこには難題もあった。そうした代案の一つではないものに、壁はまったく不要という主張があり、それが法的な課題の背後にある究極の大原則であった。そのため、国際司法裁判所が分離壁の概念全体が違法であると裁定するわずか一週間前に、イスラエルの最高裁もまたベイト・スリック村の「分離障壁」に不利な判決を下したのだ。裁判官は国防省の当初のルートは、村の生活にあまりにも深刻な影響を与えるだろうと判断し、縮尺模型に示されていた妥協案のルートの一つを建設することを推奨した。裁判官たちにとって、分離壁をつくることは既定路線であったようだった。唯一の問題は、正確にはどこに建てるかなのだった。

これはイスラエルの法廷でたびたび繰り返されてきた疑問だった。分離壁は、コンクリート板の一枚ごとに異議を唱えられ、押されては引き、形成されては変更された。人権派弁護士で、こうした裁判の多くを手がけたマイケル・スファードは、自分が「じつは、現実において、その他の勢力とともに壁の最終ルートを決める一つの勢力」となっていることに、少なからず戦慄を覚えながら気づいたと語った。「われわれは当局がよりよい壁を設計するのに自分たちが手を貸していることに気づいたのです。より持続可能なルートを通る壁です〔……〕」。こう言うのは非常に辛いものがありますが、壁の実際のルートで私が設計した場所が何カ所かあります。実際には、自分がその設計士の一人であることが、私には明らかになったのです[49]」

別の設計士――言ってみれば、その主任設計士である国防省の立案者のダニー・ティルザ――は際限なく変更される壁の経路を、「狂ってしまった政治の地震計」であると表現した[50]。イスラエルとパレスチナのあらゆる緊張は、全長七〇〇キロで、まだ延びつづけている障壁に刻まれ、反映されていた。コンクリート板とレイザーワイヤー、電気柵、監視装置、道路、溝、見張り塔からなる伸縮する国境線は、それを生みだした紛争のように、終わりがないように見える。

過去と未来の光景

その晩のバンクシーのホテルのラウンジ・バーに話を戻すと、分離壁のコンクリート板のように形成された（一枚一枚の上部に穴まで開けられたもの）フラットブレッドと一緒に出てきたフムスを食べながら、私は『パレスチナ＋１００』（*Palestine +100*）と題された短編集を読んでいた。この短編集は一二人のパレスチナ人作家に、二〇四八年に自分たちの国がどんな状況になっているかを想像してもらったものだ。一九四八年に七〇万人のパレスチナ系アラブ人が自宅を立ち退かされた「大惨事（ナクバ）」から一世紀後、という設定だ。

その一編であるサリーム・ハダードの「鳥のさえずり」は、理想的で平和的に見える未来のパレスチナを舞台にしているが、語り手のアヤの兄であるジアードをはじめとする一〇代の若者は自殺の波に襲われていた。ジアードはまもなく夢のなかでアヤを訪ねてくる。兄は幾晩もかけて、自死したのは死ぬためではなく、生きるためなのだと妹に説明した。「おまえが暮らしているのは、単なる仮の世界（シミュレーション）なんだ。やつらは俺たちの集団記憶を操作して、パレスチナのデジタルイメージをつくりだした。おまえはそこに暮らしているんだ」。自分を殺すことでしか、本物の世界には到達できない。「俺たちは仮の世界で生涯を送っている最初の世代なんだ。俺たちは新しい形の植民地主義の前線にいる。だから、新しい形の抵抗運動（レジスタンス）を生みだせるかどうかは、俺たちにかかっている」。兄はアヤに鳥のさえずりを聞いてみろと言った。あらかじめ決められ、何度も繰り返すループだ。こうして、アヤはじりじりとみずからの命を絶つ状況に近づき、「デジタル帰還（リターン）」する権利を行使するようになる〔訳注：デジタル帰還は人びとの集団的記憶をデジタル保存して奪われた文化を取り返すこと〕。これは背筋の寒くなる物語で、亡命生活を送るパレスチナ人としての著者自身の体験に一部もとづくものだ。世界のほかの地に、紛争のない場所に祖国をつくるのか？　それとも帰還して争って苦しみ、その過程で抵抗の過酷な現実に直面するのか[51]？

マジュド・カヤルの「N」という別の短編作品は、さらにSFの世界へと入り込む。彼が描く二〇四八年のパレスチナでは、イスラエルとの紛争は終わっていた。だが、それはただ技術の発展によって量子力学的ポータルが開かれ、二つのパラレル・ワールドが存在できるようになったからなのだ。イスラエル人のための世界と、パレスチナ人のための世界だ。この次元間の境界線は「協約」によって設置されており、そこには最も重要な注意事項として、第七条が含まれていた。協約以前に生まれた者は双方の世界を行き来することはできない、と。これらの者たちはまだ、「克服できないトラウマ」を負っており、どちらかの世界を選んでそこにとどまるが、紛争の記憶に苛まれない若い世代は行き来が許されるのだった。語り手の父親は、家族ぐるみの友人のパレスチナ人活動家で、イスラエルの次元にとどまることを決心した人物について語る。「彼は拒絶した［……］」。この勝利は要するに、ハイテクの科学的なアパルトヘイトなのだと、彼は考えた[52]。次元間のものであろうとなかろうと、分断は分断なのだ。

過去と未来の光景は、この地ではつねに一緒に滲(にじ)みだしてきた。一世紀さかのぼれば、修正主義シオニストのゼエヴ・ジャボティンスキーが、彼なりの未来を思い描いていた。一九二三年の「鉄の壁」と題された論考のなかで、ユダヤ人は「入植の取り組みを中止するか、現地民の感情など気にせずにつづけなければならないか」だろうと、彼は予言していた。「そうすれば、地元住民に頼ることのない武力に保護されながら、地元住民には打ち砕く力のない鉄の壁の背後で、入植を進めることができる」[53]。ジャボティンスキーの「鉄の壁」は、難攻不落の軍事的優位のメタファーを意味するものだった。今日それは、ほぼ文字どおりの現実となった。バハなら何と言うだろうかと、私は考えた。ここにはメタファーなどない。あるのは実際の壁だ、と言うだろうか。

あるいは、イスラエルの著名な学者のイェシャヤフ・レイボヴィッツならどうだろうか？　一九六八年の論考、「領土」のなかで、彼は占領がつづけばこの国に確実に訪れる、暗い将来について警告を発した。「アラブ人は労働者となり、ユダヤ人は行政官、検査官、役人、警察、それもおもに秘密警察になるだろう。敵意に満ちた一五〇〇万人から二〇〇〇万人の外国人を支配する国家は、必然的に秘密警察国家となり、そこには教育、言論の自由、民主制度に関して示唆されるあらゆることが含まれる。植民地政権には付き物の汚職も、イスラエル国では顕著に見られるだろう」。占領の方針とその論理は、一方向にしか進むことができないとして、彼はこうつづけた。「イスラエルの支配者によって、強制収容所が建てられるだろう[54]」

仮想現実（ヴァーチャル・リアリティ）のシミュレーションとパラレル・ワールドは、つまるところさほど突飛な話でもないのだろう。イスラエルとパレスチナでは、どこでもディストピアの亡霊を見ずにいるのは難しい。分離壁は輪切りにされた蠕虫で、各部分が容赦無く再生されるものだとヴァイツマンが表現したことを、私は考えつづけた。それは何よりも、昔のノキアの携帯電話ゲーム「スネーク」のイメージを彷彿させた。このゲームでは、点からスタートして、それが刻々と長い線、つまり蛇になってゆく。そして、プレイヤーは携帯の画面の決められたスペース内で、どんどん長くなる線を移動させなければならない。やがて蛇は画面いっぱいを占めるようになって、必然的に終わりがくる。西岸地区は携帯の画面であり、分離壁は蛇だったのだ。どこまでも延びつづける境界線だ。空間を分割しようとするあまり、あとに残るのはその分割だけに、つまり分離の道具だけになるのだ。ラージャ・シハーダが『パレスチナを歩く』の終わり近くで書いたように、「ここをイスラエルと呼ぼうが、パレスチナと呼ぼうが、この土地は一つの大きなコンクリート迷路となるだろう[55]」。

その晩遅くに部屋にいたとき、外のどこか近くから叫び声か、デモのかけ声のようなものが聞こえてきた。私は起きあがってバルコニーに出た。SF小説を読み過ぎたのかもしれないが、その光景は私にはほとんど終末的なものに思われた。分離壁とホテルのあいだの人工的なコンクリートの峡谷を、激しい風がヒューヒューと吹き荒れていた。私の部屋は二階だったので、壁越しに向こう側が見えた。

そこには何があったか？　駐車場だ。車が一台もない巨大な駐車場が、翌日、再びラケルの墓に詣でる車やバスで埋まるのを待っていたのだ。ラケルはヤコブのお気に入りの妻で、ヨセフとベニヤミンの母である。

三〇〇〇年ほど前、身重のラケルはベテルからエフラタ（ベツレヘム）へ旅に出て、その途中で産気づき、お産で命を落とした。彼女の遺体はこの駐車場からわずか数メートルの場所に埋められたのだと言われている。そのため、分離壁はこれほどベツレヘム市のなかまで押しだされているのだった。ラケルの永眠の地をコンクリートと監視カメラで包み込む壁は、見張り塔に見下ろされながら、この駐車場から細い通路に向けて狭まり、彼女の墓のすぐ脇まで迫っている。

遠くの西側の丘の上には、ギロのまばゆい街明かりが見えた。西岸地区のアル＝ワラジャだった土地に建設されたイスラエルの入植地だ。低く棚引く雲を反射して、ギロの明るい光は空を燃えるようなナトリウム・オレンジに染めていた。騒音はつづき、荒れ狂う風と入り混じって、夜を埋め尽くしていた。しかし、それが何で、どこから聞こえるのかはわからなかった。祝賀の声なのか、口論なのか、パーティやデモなのか、はたまたそうしたあらゆるものが一度に生じているのか、私には見当が付かなかった。

壁は人間の身に返ってくる

私は分離壁に落書きをしようとしていた。そう考えてみたものの、本当にやるつもりではなかった。前の晩には、そんなことは絶対にするまいと決心していた。私は物書きであり、現地には観察するために、人びとと話をするためにきているのだ。この「紛争ツーリズム」という考えを私は危惧していた。分離壁が欧米からの訪問客の、いわば美徳のキャンバスとなりつつあることを憂慮していたのだ。ここが連帯を示すことよりも、覗き見と「インスタ映え」の冒険の対象となることを案じていた。私が壁に何かを描いて後に残し、壁を越えて反対側に戻って、飛行機に乗って帰国することは可能だった（実際、それがその日の午後に私がまさにやろうとしていたことだった）。だが、自分がもしパレスチナ人であれば、人生のなかで日々、その壁を見る以外に選択肢はない。壁は自分の存在そのものと境を接しているのだ。その視点から見れば、壁を漫画と走り書きと、善意とはいえ結局は空虚な説教が混在した落書きで覆うことは、やや子どもじみた行為に思えた。

ウォールド・オフ・ホテルに隣接する店、ウォール・マートを覗きに行って、店主からスプレー缶を借りにきたのかと聞かれて、私はこうした考えをすべて彼に説明した。

「そんなのはくだらん戯言だ」と、店主は私に言った。「ただ、壁に描けばいいんだ」

「いいかい」と、彼はつづけた。「大半の人はここにきて、何かを描きたくてうずうずしているが、何を描けばいいかわからない。ただ、描きたいんだ」

実際には、自分が何を描きたいかはわかっているのだと、私は店主に伝えてあった。本当にそうしたいかどうか確信はなかったのだが。私はノートを取りだして、古代シュメール文字で「無人地帯」と自分で写しとったものを彼に見せた。四五〇〇年前にラガシュの国境の石柱に初めて刻まれたものだ。*それから私は店主に、大英博物館の研究室にいたとき、スマホで撮影した当の石柱の写真を見せた。店の隅で絵を描いていた別の男性がそれを見にやってきた。彼はマリオと名乗った。実際には彼は、Cake$のハンドルネームで知られるポーランドのグラフィティ・アーティストだった。知られるなかで世界最初の国境紛争のさなかに刻まれたこの語句を使おうと考えているのだと、私は彼らに言った。二人はともにうなずいた。

「それはいい」と、マリオは言った。「これはやらなければダメだ」

このシュメール文字を自分のノートからコンクリートに転写するまでには、何やら楽しい複雑な工程があった。最初のステップは、それを写真に撮ることだった。それからそれを店のコンピューターにeメールで送らなければならない。画像ファイルはコンピューターに取り込まれると、奥の壁に貼りつけてある黒い厚紙の上に拡大されて投影される。シュメール文字の輪郭を私は鉛筆でなぞり、その作業が終わると、厚紙のカードをカッター板に載せた。それから外科用メスを使って線に沿って切り、ステンシルの型をつくった。マリオはまた絵を描く仕事に戻っており、私も作業をしながら国境について話をした。マリオは自分の祖母がシレジア（シロンスク）〔訳注：現在のポーランド南西部とチェコ北東部に当たる〕出身で、一九二一年の国民投票で祖母の一家は実際にはドイツの一部になるほうに投票したのに、この地域をポーランドに含める形で国境は引き直されたのだと私に語った。それから二〇年も経たないうちに、シレジアは第二次世界大戦の勃発とともにナチスが最初に侵略した場所の一つとなった。

ステンシルの型ができあがると、私は黒いペンキ缶を手渡され、壁のどこか隙間を探すように言われた。コンクリートの何もない部分に厚紙を貼りつけ、左右をこそこそと眺め、とりわけ一〇〇メートル先の見張り塔の方向を見てから、私はノズルのボタンを押した。その文字はわずか三〇センチほどの長さだったので、数秒しかかからなかった。しばらく乾かしてから、ステンシル型をはずすと、そこに現われた。「無人地帯」と。紀元前二四〇〇年ごろに最初に石灰岩に彫られた語句が、いま歴史の層を経て浮上してきたのだ。写しをつくり、写真に撮って、eメールし、外側をなぞり、切って、ペンキをスプレーすることで。

それを読める人は、ほとんど誰もいないことに私は気づいた。何週間か、何カ月かのちには、これはほかの落書きによって覆われてしまうだろうことも。それで構わなかった。むしろ、この文字がペンキの層の下のどこかに埋もれて、この壁に書かれたその他の隠されたメッセージとともに一緒にな

*プロローグ参照。

ることを、私は望んでいた。これは一種の国境のバーコードのようなもので、私は壁にその原産国と製造地を刻印していたのだ。現実となったもう一つの線に。平原一帯に広がり、大地を細かく分割したラガシュとウンマの紛争の、もう一つの派生物に。

こうした作業はいずれも予定した以上に長くかかったため、私はベツレヘム市内を北へ向かい、急いで検問所300までたどり着いた。境界線を越えて戻るのは、境界線から出るのとはまるで異なる体験だった。私は二〇人ばかりのパレスチナ人の男女や子どもからなる小集団に加わった。私たちは長いトンネルを次々に歩いて通らなければならず、やがて狭苦しい金属製の回転ゲートまでやってきた。そこで所持品を無人のX線検査装置に通し、それから並んで身分証明書かパスポートをプレキシガラスのブースに入っているパレスチナ当局の係員に見せた。機関銃をもったイスラエル兵が向こう側で待っていた。係員が誰かを通過させた際に、兵士が何度か書類を見せるように要求し、彼らをいまきた道へと戻していた。一人の高齢の女性にこれをやると、彼女はアラビア語で兵士に抗議した。兵士は首を振り、片手を銃から離して、老女に向かって払い除けるような仕草をした。「ヤラ、ヤラ」と、兵士は彼女に怒鳴った。急げ。線の向こうの自分たちの側に行くんだ。彼女は回転ゲートを抜けて戻ってきて、どうすればよいのか途方に暮れてそこに立ち尽くした。

私の番がくると、係員はパスポートを一瞥し、兵士は私を無視した。私は分離壁の向こう側へ抜け、そこで待機しているバスの一台に乗ると、まもなく丘陵地を越えてエルサレムに戻っていった。その日は暖かく晴れていて、雲もほとんどなく、バスのなかは暑かった。ちょうど金曜日で、安息日は日没とともに始まるので、帰宅する人びとで午後早くの道路は渋滞していた。アラブバスの停留所に戻ると、市街地は閑散としていた。私は空港行きのバスに乗り遅れ、金曜日には列車の便はなかったため、タクシーを拾う以外にすべがなかった。

タクシー乗り場は満車状態だったが、どのタクシーも空だった。運転手たちは昼食に行ってしまったのだろうと、私は推測した。しばらくすると、一台の車が近づいてきて、空港までの料金交渉で合意に達した。タクシーの運転手は六〇代前半のパレスチナ人だった。私たちは公道を順調に進み、窓を開けて走行したので、涼しい風が日中の暑さを和らげてくれた。ある地点で、彼は谷側にある、廃村の崩れた廃墟を指差したが、村の名前は聞き取れなかった。私たちは心地よく沈黙していたが、しばらくのちに彼はタバコに火を付け、アラビア語で静かに歌を口ずさみ始めた。

私は検問所にいたあの高齢女性のことを考えていた。自分がろくに知りもしない土地を私はあれほど楽々と通り抜けたのに、彼女はこれまで知っていた唯一の場所に入ることを妨げられたのだ。「今日はダメだ。また今度試すんだな」と言われて。ときには、メタファーをあれこれ思い浮かべずにはいられない。だが、私にはバハがなぜメタファーにあれほど懐疑的だったかがわかった。たとえば、私は分離壁を何かしらの存在だと、手に負えない有機物のように思い描いていた。それ自体の意欲に動かされて可能な限り長く大きくなる貪欲で執念深いものだ。いわば、生きているため、決して動くのをやめない一時的な境界線だ。だが、もちろん、そんなものではない。壁はいつでも、人間の身に返ってくるものだった。線を考案し、それを引いて、設計し、形成して、その経路や目的について議論するのは人間なのだ。そのために戦う人間だ。そのために死ぬ人間だ。鉄の壁。コンクリートの迷路。

ラージャ・シハーダは著書『戦争の言語、平和の言語』（*Language of War, Language of Peace*）のなかで、自分がつくる靴の底に、微量のパレスチナの土を仕込むヘブロンの靴職人について語る。そうすれば難民や、追放者や故郷を離れた人びとなど、帰還を拒まれている人びとが、いつでも自分たちの国のわずかな土の上に立てるからだ。パレスチナの物理的な一部は、彼らが世界のどこへ行こうと一緒に旅することができる。おそらく私たちはみな、境界線を携えているのかもしれない。私たちは線なのかもしれない。

イスラエルでも、パレスチナでも、そのような境界線や、それにまつわる物語は、一つの巨大なとぐろのようになっている。その絡まりはあまりに固く、あまりに複雑で、時代をあまりにもさかのぼるため、解くことはできない。一つの土地に属するということは何を意味するのか、その望郷の念（ロンギング）をどれだけ長く（ロング）もちつづけられるのか？　故郷を離れ、追放され、あるいは帰還することに時効はあるのだろうか？　その感情が失効したりするものだろうか？　だからこそ私たちは自分の民や自分の過去について語るのか？　積み上げたほとんどの石が廃墟と化したときに、自分たちの文化を真に守る唯一のすべとして？　しかし、いまから一〇〇〇年後、二〇〇〇年後に分離壁はイスラエルについてどんな物語を語るのか？　イスラエルはみずからについて何を語るというのか？
シハーダにとって、この土地で生じたあらゆることは「唯一の国境は人びとの心のなかにある」ことの証左なのだ。「われわれ、つまりここに暮らす人びとが認識し、認知するようになった人工的な創造物だ。われわれにはほかに選択肢がないからだ。過剰に境界線をつくることで、イスラエルはそれらを嘲笑ってきた。そうしてついに、本物の境界線はわれわれが受け入れるようになったものだけであることを痛感させている[56]」

二〇一八年に他界する少し前にアモス・オズは、別の方法ではあったが、シハーダと同じ結論に達していた。「イスラエル国は遠大な国境線をもつ怪物か戯画となりかねない。ちょうどこの国が狭い境界のなかで、自国の伝統を充実させ、みずからと平和共存する公平で道徳的で、創造的な社会にもなれるように」と、彼は『親愛なる狂信者たちへ』と題したエッセイのなかで書いた。「国境問題のために、その他すべての問題を犠牲にし歪めさせるのは狂気の沙汰だ。ユダヤ民族のあらゆる歴史のなかで、この問題は一度たりとも唯一の問題どころか、最優先事項であったためしもない」[57]。いまはイスラエルが「地図の催眠状態からついに目覚める」時期が確かにきているのだと、彼は述べた。

5

失われた国境

七月一日、太平洋を望む浜辺。二人の男が、赤みの強い粘土色の長い砂浜に生えるテンキグサのなかで作業をしている。まだ朝の時間で、あたり一帯はすっかり霞に包まれている。海岸線はぼやけて、少し遠くで消えている。波が突如として、何もない沖合から壁のようになって押し寄せる。流木が満潮線沿いのいたるところにある。折れて曲がり、崩れて、漂白され、白っぽく脆い灰色の骨だ。

男たちはある物体を動かして砂丘の前に設置している。高さ二メートル弱の物体で、亜鉛めっきを施した鋼鉄で方尖柱（オベリスク）をこしらえ、四角い木製の土台の上に据えつけたものだ。てっぺんの小ピラミッドのすぐ下には、黒く太字で01と数が書かれている。彼らは位置がぴったり北緯四二度かどうか確認する。カリフォルニアの州境を数メートル越えて、オレゴン州に入った地点だ。目的は達成された。これが出発点だ。ここから、彼らは三八〇〇キロ以上の道のりを進むことになる。

二人の男は、マルコス・ラミレスとデイヴィッド・テイラーだ。もう一人の男、ホセ・イナジアがこの場面を撮影していた。彼のカメラは人けのない浜辺をぐるりとパン撮影し、岸に打ち寄せて砕ける波を追ってから、今度は砂の上に背中合わせに立っているマルコスとデイヴィッドに向けられた。二人は緯度線の両側に位置している。マルコスは南を向いて、デイヴィッドは北を向いて。デイヴィッドはアメリカ領に立っている。マルコスはかつてメキシコ領だったところに立っている。

「第一号のオベリスクは、太平洋からの海風を吸い込み、その波音を聞き、そこに腐るか盗まれるまでとどまるだろう」と、マルコスは日誌に書いた。「第一号を設置したあと、われわれは東へ向かって、歴史を発見し、失われた景観を、メキシコであったのに、突如として失われた景観を見つけることにする」[1]

マルコスとデイヴィッド、ホゼは、海岸をあとにして、ベンツのスプリンター・バンに乗り込んだ。車にはさらに何基ものオベリスクを組み立てるのに必要な、平らに畳まれたパーツが満載されている。その日の午前遅くには、北緯四二度線沿いに東へ四〇キロ進んだところに、彼らはセコイアの森の木々のあいだで記念碑02を組み立て、設置した。午後には、さらに九〇キロほど東へ進んだところの草原の静かな脇道と鉄道のあいだに、記念碑03を立てた。

彼らのバンの側面には、黒い太字で、「歴史的・地理的境界線の二国間委員会」と書かれている。その横には、黒と金の丸いロゴマークがあり、境界線で二分割された北アメリカが描かれている。線は北西部から南東部へ、斜め方向に段階的に下がってゆく。これはメキシコとアメリカ合衆国の国境の経路を示すために引かれている。しかし、現在の国境ではなく、二世紀前に制定された国境だ。一八二一年から一八四八年まで、三〇年ばかりつづいたものである。これは言葉と条約の条項によって定義され、紙の上に存在した国境だった。だが、その後に引かれた国境とは異なり、これは実際の土地には一度も表示されなかった。

「われわれは古い分割線を縫っている」と、マルコスは書く。「連邦道路、州道、近隣の道路のあいだを抜けてわれわれは進む。そうすればしまいにかならず、これらの標識を設置するための歴史と郷愁に満ちた理想的な場所が見つかる」[2]

これはオレゴン州の太平洋岸からモンタナ、ネヴァダ、アイダホ、ユタ、ワイオミング、コロラド、カンザス、オクラホマを通って、テキサスとルイジアナまで行き着く旅なのである。終着点は、サビーン川が広大なメキシコ湾に注ぐ地の最南端にある、古い砲床だった円形のコンクリート台だ。

「忘れないようにしよう。[3] 国境は生命そのもののように、幸か不幸か（それをどう見たいかしだいで）有効期限が決まっていることを」

一八二一年のメキシコ・アメリカ国境

「私はリオグランデ川沿いのヴァンホーンにいたことがあってね。エルパソの西の国境線を調べに行ってみる必要があると考えたんだ」と、デイヴィッド・テイラーは私に語った。

「それで、国境まで連絡道路を通って車で行ってみた。右手を見ると、そこにオベリスクが立っていた。高さは二メートルほどのもので、それはちょうどこんな具合に堂々とした存在感のあるものだった。これは何だ？と私は思った。それが何であるかわかるまでに長くはかからなかった。一方の面にはアメリカ合衆国の境界線（バウンダリー・オヴ・ザ・ユナイテッド・ステーツ）と書かれていて、もう一方はメキシコ共和国の限界（リミテ・デ・ラ・レプブリカ・メヒカーナ）となっていた。そして、そこには七という番号が振られていた。ということは、もっとあるわけだろう？　ならば、こうしたものはいくつあるのか？　そこから始まったんだ」

デイヴィッドはアリゾナ州トゥーソンの自宅から、私と話をしていた。背後の壁は朝の太陽に照らされて、暖かい黄色に染まっていた。彼は灰色の癖毛をクイッフ〔訳注：頭頂部は長めでオールバックにし、左右と後ろは刈り込む髪型〕にして、黒縁の眼鏡をかけた、顎の角張っている人物だった。デイヴィッドは芸術家で、アリゾナ大学の美術の教授だ。サウスカロライナ州で生まれたが、子どものころにマサチューセッツ州に引っ越し、ボストンとケープコッドのあいだのアメリカ北東部の海岸線に住んでいた。一九九九年に彼はニューメキシコ州立大学で教えるようになった。

「私は南側の国境から六五キロ弱のところに住んでいた」と、彼は言った。「それでも、実際には何らそのことを深く理解していなかったし、体験してもいなかった」

そのため、二〇〇六年にテキサス州ヴァンホーンの町に建設中の新しい国境監視員の詰め所から、公共空間に設置するパブリックアートの募集があった際に応じることにした。デイヴィッドのアイデアは、監視員に同行してその日常生活と、彼らが住む辺境地の双方を写真に収めるというものだった。彼は監視員とともに七〇〇時間以上を一緒に過ごし、監視活動に加わった。

「私はそのうち監視員たちに魅せられてしまった」と、彼は言った。「彼らはつまるところ複雑な性格の人びとだ。国境そのものと同じくらい、複雑なのかもしれない。たとえば、ラティーノ〔訳注：中南米系〕やメキシコ系の監視員がいる。事態もあまりにも大きく変化している。国境が変化していたんだ。国境は過去二〇〇年間に、それまでの一〇〇年間よりもずっと変化してきた」

彼はこのプロジェクトを「線の解読」と呼んだ。[4] これは一五年にわたって国境に取りつかれる始まりとなり、彼はまだそこから抜けだせていない。「数年前のあるとき、何か別のテーマに移る必要があると考えるようになった。でも、気づくと戻ってしまうんだ。それがこの途方もなく複雑で微妙な差異のある空間のせいであることが、私には非常に明らかになっていた。だから、それをやり通すことが差し迫った課題と思われた」

デイヴィッドがオベリスク七番に最初に遭遇したのは、国境監視員たちと過ごしていた時期だった。彼はすぐさま、自分がほかの標識も探したいのだと悟った。「少なくとも六番や八番はあるだろう？」と。巡回道路や車両障害物、歩道の柵などが急速に出現していた新しい国境地帯の景観のなかで、彼はそれらの標識を探し始めた。

最古の標識は一八五〇年代にさかのぼるもので、一八四八年のグアダルーペ・イダルゴ条約の条件のもとに立てられた鋳鉄製のものだった。二年にわたる凄惨な米墨戦争の終わりを告げたこの条約は、「国境線委員会」が「定評ある地図に十分な精密さで国境線」を引く作業を監督し、「地面に境界標を設置して、双方の共和国の限界を示すものとする」と、明文化した。国境線はリオグランデ川の「最深部川筋」の河口に始まり、川をさかのぼる道筋をたどって「峠（パソ）と呼ばれる町」――今日ではエルパソとシウダッド・フアレスに二分された都市――に達してから、陸地を横切って太平洋に到達する。そこで国境線はカリフォルニアを二分割することになる。北部のアルタはアメリカ合衆国に、南部のバハはメキシコに残ることになった[5]。

三二〇〇キロ以上におよぶ国境のうち、一一一〇キロほどに相当するこの西側部分では、東部におけるリオグランデ川のように国境の代わりを務める自然の地物がない。そこで、オベリスクが国境線を物理的に具体化するものとなった。当初、オベリスクは七基しかなかった。国境線委員会が説明したように、「ここは不毛の地で、いずれの側もここでは決して耕作できない」からだった。七基だったオベリスクは、一八五〇年代末には五二基に増え、「馬上の人の視線で見える」ように設計されていた。一つの境界標から次の境界標までは、砂漠や山地を何百キロも越えなければならない景観だ[6]。

だが、この国境は争いごとに苛まれていた。標識の多くは解体され、建築資材に再利用された。牧場主や採鉱者は、より多くの牧草地や採掘場を手に入れるために標識を移動させた。アメリカ先住民は、先祖代々の土地が切り刻まれつづけることに抗議して標識を破壊した。ある標識――二六番――は、酒場の敷地内に取り込まれてしまった。その周囲に建物を建て、黒塗りの壁を背景にした装飾品に変えられてしまったのである[7]。

曖昧で不確かになった国境線は、一八九〇年代に再調査された。五二基の碑は二五八基まで増えることになった。壊れたものや、行方不明のものは交換され、残りは景観のなかの境界がより顕著にわかるように追加された。オベリスク同士の間隔は、いまやわずか三、四キロごとになり、なかにはもっと近接しているものもあった。アルバカーキ出身の写真家ダニエル・ロバート・ペインがアメリカ側の国境線委員会と契約をし、すべての標識を記録し、設置状況をカメラに収めることになった。この遠征隊は全行程を馬で移動し、荷車をラバに引かせた。ペインは八×一〇インチの重いガラス板ネガを使ってオベリスクを撮影し、荷車の一台で運んだ暗室用テントで現像した[8]。この写真調査記録を発見したことが、デイヴィッドが行動を起こすきっかけとなった。

「若干の境界標を探しだしたあと、私が気づいたのは、これは一つの作品をまとめるうえでの素晴らしい大原則だということだ」と、デイヴィッドは言った。「こうした新しい国境インフラが始まっているのだと、だからこれらを再び写真に収める時がきたんだと。だから、これは一種の突発的で、反射的な行動だったわけだ。私はそれをやらねばならなかった」

　デイヴィッドが最初の一枚から最後の一枚を撮り終えるまでに、一〇年の歳月がかかった。彼は合計で二七六基の碑を探して、記録しなければならなかった。二五八基のほかに、二〇世紀の初めにさらに一八基が追加されていたからだ。

「一度に一週間、ときには二週間は出かけた。そこでたとえば四〇枚ほど撮影してのけると、また戻ってきて教えるなりしなければならなかった」

　デイヴィッドはリオグランデ川の西岸で、メキシコのチワワ州と、テキサス州およびニューメキシコ州が出合う場所にある一番から始め、西へ移動して太平洋岸のプラヤス・デ・ティフアナの砂浜沿いにある最終地点まで、おおむね連続した行程で国境線をたどった。彼はしばしば国境地帯でキャンプをしながら、一つのオベリスクから次のオベリスクまで歩いた。国境線沿いに移動するなかで、彼は密入国斡旋(あっせん)業者や移民(マイグラント)、国境監視員、メキシコ軍、麻薬カルテルの支配地域、有史以前の考古学遺構、仮設の祭壇などに出くわした。祭壇には、国境を無事に越えられるように神(デイオス)に願う祈りのメモが入っていた。

「国境が見えるところにキャンプ・コットを広げるのは楽しかった。山中にいたときは、真夜中にキャンプ内を人が通り、そのあとから国境警備のヘリコプターがやってきたこともあった」

　こうした出会いは「通常は人目を避けるもの」だったと、デイヴィッドは私に語った。「姿を見かけて声をかけても、彼らはただ叢(くさむら)に入り込み、丘を越えて姿が見えなくなった」

もっと人里離れた場所では、オベリスクはほとんど変わることなく残っていた。人けのない景観のなかの歩哨(ほしょう)として。デイヴィッドの写真はそれらを、年代物でありながら、どこかまるで時代を超越した奇妙な物体として見せている。もしくは、作家のコーマック・マッカーシーが述べたように、「行方不明になった遠征隊の記念碑のような趣」を醸しだしていた。だが、それ以外の場所では、オベリスクは柵や壁、レイザーワイヤー、監視カメラに囲まれて、矮小化(わいしょう)され見下ろされるか、拡大する都市景観に呑み込まれている。

「だから、オベリスクは地形断面図に過ぎなくなるが、そこはつかの間の断面図でもあるんだ」と、彼は言った。「西へ移動するにつれて、境界をつくる構造物は増える一方だからだ。一連の画像をたどって西へ進むにつれて、柵や障壁がそこかしこに見られるようになるのがわかるわけだ」

デイヴィッドはティフアナ〔訳注：メキシコのバハ・カリフォルニア州最北部〕に着いたときに、マルコス・ラミレスに初めて紹介された。マルコスは彼に泊まる場所を提供し、現代の都市の面食らうような配置のなかに隠された数基のオベリスクを突き止めるのを手伝ってくれた。こうした場所では、国境はマキラドーラ（輸出商品の加工・製造所）や、税関施設、国際空港などがひしめく工業地帯から、スラム街、闘牛場、野生生物保護区まで、あらゆるものを通り抜けている。

この時期に二人は新しいアイデアを描き始めたのだと、マルコスはティフアナの作業場から私に語った。マルコスは背の低いずんぐりした、顎鬚のふさふさした人物だった。いまではその鬚もほとんど灰色になっているが、まだところどころ焦茶色の部分がある。彼の目は生き生きとしており、笑い皺が深く刻まれている。

「われわれは何杯かのビールと、少々のテキーラも飲みながら、古い国境がどうなっていたかについて語りあった。いまここにある国境よりも以前のものだ。だから、オベリスクを写真に撮るデイヴィッドのプロジェクトと、アメリカとの戦争で失われた土地をメキシコに取り戻す考えを、どうにか合体させられればいいとね」

　マルコスはアダムズ＝オニス条約で合意された領土の分割に言及していた。アメリカとスペイン王国のあいだでまず一八一九年に調印され、メキシコがスペインから独立を勝ち取ったのちの一八二一年に再批准されたものだ。条約の文言に従えば、境界線は「サビーン川の河口のメキシコ湾の海中に始まり、その川の西岸沿いに北に進んで、緯度三二度まで達する」。そこから、境界線は方向を変えてレッド川の川筋をたどって西経一〇〇度まで行き、そこで北へ向かって、いまのドッジ・シティでアーカンソー川に合流する。「その後、アーカンソー川の南岸の川筋をたどって、北緯四二度の水源まで行き、そこから緯度に平行に南の海〔訳注：太平洋〕まで向かう」[9]

　線として描かれると、この境界線は大陸の真ん中を二段階に分けて上っているように見えた。左上がりに北東方向へ進んだのち平坦な部分に出て、それがそのまま太平洋までつづいているのだ。現代の言葉で言えば、今日のテキサス、ニューメキシコ、アリゾナ、ユタ、ネヴァダ、カリフォルニアの各州が、コロラドの半分と、カンザス、オクラホマ、ワイオミングの一部とともにメキシコ領であったことを意味した。一三〇万平方キロに近い面積だ。これは当時のメキシコ全土の五五％に相当する。この条約にはアメリカが新しい領土の線の「西と南にある領域にたいするあらゆる権利、要求、主張を永久に放棄する」約束も含まれていた[10]。

　永久は二七年間しかつづかなかった。

「だから、われわれは自問したんだ。どうすればそれを示せるか、と」と、マルコスは私に語った。

　この失われた国境を、いまやなかば消滅したメキシコのこの北の国境（フロンテラ）を表わす方法を、どうすれば見いだせるのか？　紙面には描き込まれたものの、大地には決して刻まれなかった線を？

「そのとき思い当たったんだ。国境の標識のレプリカを作ろうと。でも、あれほど頑丈ではなく、軽量のものをね。それを実際の景観のなかに設置して、写真に撮る。これまで一度も標識を付けられたことのなかったものに、付けるんだ。それは実験のようなものでもあった。歴史がやり忘れていたことをする実験だ。それから、それについてはただ忘れるつもりでもあった。その感情を捨てるんだ」

デイヴィッドにとっては、それは国境の短命さを捉えるまたとない方法でもあった。

「われわれのオベリスクはおそらく盗まれ、倒され、吹き飛ばされるだろうという想定だった。この作業は一時的なものだというのが、考えていたことのすべてだったんだ。時とともに消失していくものだ。だから結果的に、この国境がさほど長期にわたって実際には存在しなかったという事実の象徴になるわけだ。われわれは大地が、その存在を認めて、歴史にたいする主張をしたという意思表示をさせたかったんだ。ただし、その先は、それ自体の成り行き任せにした」

双頭の馬

マルコスは一九六一年にティフアナで生まれ、生涯の大半をそこで暮らしてきた。自宅は一六番通りにあると彼は言った。

「通りの番号は国境からゼロで始まって、そこから増えていく」と、彼は言った。「私は市の最も古い界隈に住んでいて、そこはメキシコとアメリカを分断する柵のすぐ隣りなんだ」

彼の父親はメキシコ中部からやってきて、一四歳から二〇歳になるまでは映写技師として働いていた。二〇歳で国境を越えてアメリカに渡り、ハリウッドで仕事を探そうと試みた。だが、映画産業で働くという父親の夢は潰(つい)え、国外追放になって国境線の向こうに送り返された。その後、彼はティフアナに家を構えて、そこで家族を養った。

「うちでは子どものころから決して不足しないものが二つあった」と、マルコスは言った。「食べるものはいつでもあったし、本もいつでもあった」

彼は父親が二冊の大型の百科事典をもって帰ってきた日のことをよく覚えていた。一冊は世界史で、もう一冊は美術史の本だった。

「だから、私はいつも二つの歴史があるのだと思っていた。一つは戦争に勝った側の、権力をもつ人間が書いたものだ。それからもう一つの歴史があって、それは芸術家たちの歴史なんだ。美術史では、勝者も敗者もいないという考えに、私はいつも魅了されていた」

自分は「いわば革命の申し子」だったと、マルコスは言った。資本主義と大企業に抵抗する「左翼の若造」だ。彼はバハ・カリフォルニア自治大学で法学の学位を取り、卒業後は弁護士として働きだした。

「でも、社会システムは腐敗しきっていて、そこで仕事をするには、そのシステムの一部に自分がなる必要があった。私はそれに抵抗したんだ」

彼は弁護士の仕事を辞め、国境の向こうのサンディエゴに行って、大工の棟梁だったいとこを通じて働き口を見つけた。

「結局、一七年間は大工として働くことになった。でも、その仕事を始めて八年ほど経ったころ、副業で創作活動を始めた。そのうちにフルタイムの芸術家になりたいと思うようになった。二〇年以上前にはそれで食べていたからね。ボスの下で働く最後の仕事を辞めてからは、一度もそこに戻ってはいない。それでやりくりしてこられたんだ」。彼は腹の底からしわがれた笑い声をあげた。「苦労人の芸術家だ。でも、四苦八苦しているわけではない」

創作活動で彼が追求してきたテーマが、国境へのこだわりから逸脱したことは一度もない。一九九七年に、彼はアメリカへの主要な国境検問所となるサン・イーサイドロに巨大な彫像を建造し、設置した。世界で最も混み合う陸続きの国境の一つに吸い込まれてゆく、何レーンものアスファルト道路と車の波を見下ろすところに位置するものだ。《トイ＝アン・ホース》と題されたこの作品は、高さ一〇メートルの木造の馬で、神話のトロイの馬（トロウジャン・ホース）を表現したものだが、胴体からは二つの頭が出ており、別々の方向を向いている。一方は北のアメリカ合衆国を向き、もう一方は南のメキシコを向くものだ。
馬の構造そのものは、意図的に未完成になっているため、空洞の体内を覗き込むことができる。ギリシャの兵士たちがかつてやったように、内部に身を隠すことはできないだろう。この彫像は、巨大な、特大サイズの玩具(トイ)のようだった。それでも、その内部には戦争の残響がとどめられていた。これは終わりのない占領の象徴だったのであり、一方の国がもう一方の壁際に陣取り、あらゆる手段を講じてなかへ入ろうとする状況を表わすものだった。

「こうしたものはいずれも自分史とかかわるものだ。それは父の歴史でもあり、私が弁護士だった時代や、建設業で働いていた年月とも関連している。その年月の一部を私はサンディエゴで暮らしたが、ティフアナで過ごしてきた年月のほうがずっと長い。それに、アメリカ国内でこの作業をするために、日々国境を越えなければならなかった。朝起きると、出かける。そうした諸々のことが、その馬には込められていた。だからそこに、サン・イーサイドロに設置したんだ。『なぜこれは未完成なんだ?』、『なぜ双頭なんだ?』と、人びとは聞く。その人がどれだけメキシコ人であるかを、この彫像が問いかけていたからだ。あるいは、どれだけメキシコ系アメリカ人であるかをね」

マルコスはしばらく言葉を切り、もみ手をした。

「あれは、私の作品のなかで最も単純で、直截(ちょくせつ)的な作品の一つだ。あの作品はこの二項対立に関するものだった。お互い離れ離れになれない二つの国に」

国境という傷跡

マルコス、デイヴィッド、ホゼが、オレゴン州の太平洋岸から四二度の緯線を東に向かうにつれて、標高は着実に上がっていった。二〇一四年の夏のことだった。三人はウェスタン・カスケーズ山脈を抜けてカリフォルニアをあとにし、州道１４０号線を進んだ。この道はオレゴンとネヴァダの州境を行き来しながらつづく。やがてアイダホの乾燥した高原に出た。

「セージのにおいのする景観」と、マルコスはそこを呼んだ。「何百万本ものセージの灌木(かんぼく)だ。独特な光景と強い香りがどこまでもつづいていた」。夜間には、彼らはバンを道路脇に停めて、外にキャンプ・コットを出し、「コヨーテの歌」に耳を澄まし、マルコスが「これまで見たなかで最も星だらけの空」と呼んだものを見上げた。(11)

マルコスが運転し、デイヴィッドは道案内をした。彼らは自分たちの旅と、その旅が生みだしている芸術作品を、DeLIMITations〔訳注：字義どおりには「限界の設定」を意味する〕と呼んだ。

「自分の目を見開いて道路を眺め、土地を眺められるのは、私には素晴らしい経験だった」と、マルコスは語ってくれた。「旅をしているあいだずっと、景観を眺めていたよ。いまではアメリカの景観になっているが、メキシコの景観でもあったはずのところを。わかるだろう？」

次の標識を立てる場所に到達するたびに、マルコスはバンの横に折りたたみ式の作業台を広げて、鋼鉄製の部品を組み立てるのだった。それぞれのパーツにドリルで穴を開けてつなぎ合わせ、木製の土台にそれを取りつける。最後に、オベリスクを長さ四〇センチのテント用のペグを使って地面に据えつけ、デイヴィッドが写真を撮影した。

「それから、たぶん逃げだす準備をしたかな」と、マルコスは笑った。

ゴーストタウンのような町や集落を通りながら彼らは旅をつづけ、広大な草原を突き進んだ。かつては野生の大型バイソンの群れの生息地だった草原は、いまは何千頭もの牛の放牧地になっている。

「郷愁を覚えたよ」と、マルコスは私に言った。「過去にたいする郷愁だ。私の過去だが、私的な過去ではない。自分たち民族の過去だ」

彼は再び大笑いしてから頭を振った。

「一度も自分のものであった試しのないものを思いだすことほど、ろくでもない郷愁はないね」と、彼は言った。「私はその郷愁の念とともに旅をしていた。これらの土地が自分のものだったことは一度もない。かつてそこはメキシコが所有していて、メキシコの領土だった。でも、本当の土地の所有者はアメリカ先住民だった。まずスペイン人が彼らから土地を奪い、その後アメリカ人がメキシコから奪ったんだ」

　アイダホとネヴァダのあいだの境界線をたどるうちに、彼らはショショーニ＝パイユート族のものである居留地に出くわした。ちょうど毎年のパウワウの祭りが開催されており、歌や太鼓のほか、花火まで上がっていた。三人は部族の長老たちに会い、月明かりのもと、標高一六〇〇メートルほどのマウント・ヴュー湖の岸でキャンプをした。翌朝、彼らは08番の記念碑を置く場所を探していた。理想的な地点は、道路を外れてすぐの一角で、木々で囲まれた家の脇だった。

「そこにはアメリカ先住民の二人の男がいて話をしていた。でも、われわれのことは気に留めていなかった」と、マルコスは言った。「そこで説明を始めたんだ。自分たちは古い国境を表示するプロジェクトをやっているんだとね。聞いてみると、二人は別々の部族の出身だった。一人はショショーニで、もう一人はナヴァホだった。彼らはロデオに行くところだった。そのために荷物を車の屋根に縛りつけていた。そのうちの一人がこう言った。私の土地にそれを立てるのは構わんよ。あの角の杭まではうちの所有地だからね。どこでも好きなところに立てていい。でも、ロデオに遅刻していてね。もう本当に行かなくちゃならない、と」

　二人のアメリカ先住民たちは、車に荷物を積みつづけながら互いに話を始めた。マルコスは一人がもう一人にこう言うのを聞いた。「ここの境界線をめぐって、かつてわれわれの部族間で多くの争いがあったのを覚えているか？」その後二人は、それぞれの部族の辺境地の長いリストを、すらすらと誦(そらん)じ始めた。

「もうわれわれのことなど眼中になかったが、彼らは境界をめぐって話しだしていた。われわれの国境よりもずっと古い国境についてね。白人が自分たちの土地にやってくる以前は、どんな状態だったかについて話をしていた。彼らの敷地に標識を置かせてくれたことを、われわれはありがたく思ったよ。でも、彼らが国境をめぐる自分たちの考えについて、民族や権力や帝国について話をするのを聞くのは、興味をそそられることだった」と、マルコスは言った。

二人のアメリカ先住民の車は走り去り、マルコスとデイヴィッドは記念碑08を組み立てた。彼らはそれを敷地のいちばん隅に運び、ちょうど北緯四二度の地点に立てた。周囲には開けた平原が広がり、さらに広い空が広がっていた。

「自分たちが脱植民地化よりも、再植民地化の行為にかかわっていることがわれわれにはわかっていた」と、デイヴィッドは語った。「だから、共同作業でなければならなかった。その空間にいる人びとに、われわれに協力して、人工物をあとに残すことを許可してもらうことを求めるべきものだ」

四二度の緯線沿いに東に向かう国境線ルートの終わりまで到達したとき、彼らは問題にぶつかった。アダムズ＝オニス条約は、国境線の一部の区間を決して完全には定義していなかったのだ。今日のコロラド州レッドヴィルの町から「アーカンソー川の水源」まで北から南に走る区間だ。本当の国境はその水源を地図上で特定できるかどうかに左右されていた。

一八四五年六月に、アメリカの探検家で「先導者（パスファインダー）」として知られていたジョン・C・フリモントが、アメリカ陸軍地形測量工兵隊から水源を見つけるために派遣された。だが、フリモントは代わりに、自分の任務を放棄して先へと進みメキシコ領に入った。彼はサクラメント・ヴァリーで国境線の先にいるアメリカ人入植者に出会い、戦争を扇動するようになった。

一八四六年二月に、六〇人の武装した測量技師からなる彼の一行は、カリフォルニアのモンテレー湾が見渡せるガヴィラン・ピーク——現在はフリモント・ピークの名で知られる——の頂上に到達し、そこにアメリカの国旗を掲げた。このあからさまな挑発行為にメキシコ軍が出動し、四日間の膠着状行き着いた。

態がつづいたのち、フリモントの遠征隊はオレゴン州のほうへ退却した。彼らはサクラメント川の川筋を北へとたどった。四月五日に、一行はアメリカ先住民のウィントゥ族のものである一大野営地に行き着いた。

測量技師の一人であるトマス・ブレッケンリッジが書いたように、そこで「西部では例を見ない殺戮の場面が始まった」。男も女も子どもも虐殺された。殺された人びとの数は二〇〇人とも七〇〇人以上とも推定される。フリモントの一行の犠牲者は報告されていない[12]。

その月の終わりには、メキシコとアメリカは公式に交戦状態に入っていた。この年の終わりには現代のカリフォルニア全域がアメリカ合衆国の支配下に置かれていた。派遣されたフリモントが地図に記すはずだった国境はなくなっていた。

「そのため、われわれは条約を書いた人びとと奇妙な対話をすることになった」と、デイヴィッドは言った。「それによって、この日和見主義的なフリモントに抵抗できるようになった」

こうして、デイヴィッドとマルコスはアーカンソー川の水源を自分たちで探しに出かけた。川の主流部分からさかのぼって分岐する支流をたどることで、彼らはワイオミング州メディスン・ボウという小さな町にやってきた。

「この町の真ん中を通る形で国境線を走らせてみることにした」と、デイヴィッドは言った。「メイプル通りをまっすぐに進んで」

彼らはローリーという女性の家の前庭に、記念碑16を設置した。

「そしてメディスン・ボウの人びととこれが意味することについて話をして大いに盛り上がった。つまり、歴史的な国境が自分たちの町のあいだを通っていて、その一部はメキシコで、一部はアメリカだったかもしれないということを。そのことは彼らに、場所について別の見方をさせるようになった」

今日、メディスン・ボウはアメリカのちょうど中心に位置している。だが、かつてそこは国境の町だったかもしれない。

「それが歴史を甦らせたんだ」と、デイヴィッドは言った。「いまの時代においては、そのことは現実には明らかに何のかかわりももたないが、アーカンソー川の源流がどこにあるか実際に言及したのはわれわれなんだ。アダムズ＝オニス境界線を完全走破したのはわれわれなんだ。それについては公式に発表しなければならない。われわれ独自のやり方でね」

彼らはスプリンター・バンに乗り込んで旅をつづけた。ロッキー山脈を抜け、アーカンソー川を何百キロもたどりながら彼らは南へ向かい、道中さらに多くのオベリスクを設置した。山岳地帯の高所や、州道21号線脇の待避所や、コロラド州スメルタータウンのすぐ外の橋の下などに。その後、彼らは東へ曲がり、カンザス州の平らな大草原に入り、今度はレッド川――リオロクソ――をたどってオクラホマ州に入り、その後、テキサス州へと。

「ここではメキシコはより力強くその姿を現わし始め、どこにでも染み込み、滲みだしているようだ」と、マルコスは当時、日誌に書いた。[13]「それとも化膿しているのだろうか？　どうにも塞がらない古傷のように」

国境を傷として捉えるこの考えについて、私は彼に聞いてみた。彼はそう見ているのか、そう感じているのかと。

「傷はそこに、景観のなかにある。でも、傷跡はない。それくらい単純なことだ。武器で撃たれても、傷跡がなければ、誰もそのことを信じない。だから、このプロジェクトでわれわれがやっているのは、そこに存在しなかった傷跡の場所を探しだすことだった。それが存在したと証明することだ。われわれが傷跡を付けていたわけだ」

テキサスでは夏の盛りだった。オーブンのような暑さに湿気、それに蚊の大群。彼らは最後の区間を大急ぎで走り抜け、公共の土地で見つかったあらゆる場所にオベリスクを設置した。アーカンソーとの州境の真上にあるテクサーカナにあるメソジスト派教会の横のさびれた空き地、テキサス州の最東端を流れるサビーン川沿いにある錬鉄製のバーズ・フェリー橋の下、それにポート・オレンジにあるかつての海軍の大造船所の産業廃墟などだ。

そうして、記念碑01を立ててからちょうど一カ月後に、彼らはこの線の終着点に到達した。七月三一日に、最後の日の光が消えてゆくなかで、彼らは狭い未舗装の道沿いに進み、巨大な石油精製所と掘削装置の建設現場を通り過ぎ、広大な塩性湿地のなかを走りつづけた。道路がおしまいになり、陸地が海に変わるその一帯では、かつて沿岸の砲台だった場所に円形のコンクリート製の台が残されていた。記念碑47を設置するには打ってつけの場所だ。

「デイヴィッドにこう言ったんだ。最後のこの写真は私が撮影したいとね」と、マルコスは言った。「これらの記念碑はすべて自分が組み立て、設置していたことに気づいたからだ。それをデイヴィッドがすべて写真に撮っていた。でも、この一枚だけは私が撮影したかった。最も面白い写真を撮るなら、後ろ側から撮ることだ。ポート・アーサーが見えて、精製所が背景に見えるものだ。でも、私はこれまで旅をしてきたのと同じ方向で撮影することを主張した。メキシコ湾に向かって撮影したんだ」

私はマルコスとデイヴィッドに、まだオベリスクが現場に残っているかどうか知っているのかと尋ねてみた。国境は、傷跡は、まだ残されているのか。

「誰かが現場へ行って盗んだだろうと思うよ」と、マルコスは言った。「それはそれで構わない。そのことはいわば織り込み済みなんだ。誰かが盗みに行ってしまうことはね。それに一部のものは地元の自治体に引き取られているだろう。そして、おそらく最も僻地に立てたものは、まだそこに残っているはずだ」

デイヴィッドは、レッド川の土手に設置したものは探しに行って見つけたことがあると教えてくれた。「銃弾で完全に穴だらけになって、倒されていたがね。それは国境をめぐる現在の議論の一種のメタファーなのだと私は考えている。わかるかい、横倒しになって、撃たれて蜂の巣状態なんだ」だが、二人のどちらにとっても、これは芸術作品の一部に過ぎないのであって、変化と崩壊の必然的なプロセスなのだった。

「それらに生じたことは、興味深いことだけど、私にとって絶対に重要というわけではない」と、マルコスは言った。「むしろ、それらに生じたことは何であれ、同じくらい重要なんだ。これは意思表示だった。われわれは傷跡を残した。でも、それはかならずしもその場に永久に残るもの、または残るべきものではないんだ」

どんな傷跡も、いずれは薄れるだろう。

「だから、やってみよう、印を付けるんだ。これは壮大なインスタレーション・アートなんだ。でも、その後は忘れることにしよう。社会の健全さのために」

西と刻まれた杭

季節は一月で、フィラデルフィア市の最南端から西に五〇キロほど先にあるブランディワイン・クリークの分岐点より上流の、農家の敷地内だった。直径四メートルほどで、壁の高さは一七〇センチ弱という木造の小さな円形の建物内部で、二人の男たちが働いていた。この建物には回転できるように建てられた円錐形の屋根があり、折りたたみ式の開口部からは大型の望遠鏡が覗いていた。夜間なので、気温は氷点下にまで下がっていた。空は澄み渡っていた。

二人の男たちは毛皮と毛布にくるまっていた。そのうちの一人は床に寝そべっている。それが望遠鏡の小さい接眼レンズを覗ける唯一の体勢なのだった。望遠鏡そのものは天頂分割儀（ゼニス・セクター）と呼ばれる装置によって直接上向きに支えられていた〔訳注：この装置全体は天頂望遠鏡とも呼ばれる〕。この装置の片側には、紐の先から錘がぶら下がっている。望遠鏡がきっかり垂直になるように設計された下げ振りである。もう一人の男は望遠鏡の脇で蠟燭を掲げており、四本のごく細いワイヤー――三本は垂直、一本は水平に張られたもの――を照らすために、小さな穴に光を当てている。これらのワイヤーは、垂直の針金の真ん中の一本が水平のワイヤーとぶつかるところが完全に中心となるように、ファインダーのなかに取りつけられている。

星々の白い点がファインダーのなかで動いた。地球が自転しているため、星は弧を描いて動くように見えた。それぞれの星は左右の垂直のワイヤーの脇から昇って沈む際に、水平のワイヤーを二回通過する。一晩中、男たちはまるで連禱〔訳注：司祭と会衆が交互に唱える祈禱の形式〕のように、互いに星の名前を言い合った。ペルセウス座デルタ星、カペラ、カストル、はくちょう座アルファ星と。そして、彼らは数字も読みあげた。それぞれの星が左右のワイヤーを通過するたびに、その時刻を記録していたのである。彼らはこの作業を幾晩も繰り返し、望遠鏡の視野角を調整して、星が軌道上に昇って沈む位置が、左右の垂直線でちょうど同じになるように調整をつづけた。それが終わったとき、彼らは「中天」、つまり天の子午線を見いだしていた。子午線を通過するとき、星は地球の表面にたいしてちょうど南北の線上にくる。

こうした作業はいずれも、ひとえに天頂分割儀を正確に設置するためのものだった。次に、彼らはさらに多くの星を追跡し、空を移動するその動きを追って、日誌に計算やメモをびっしりと書きつけた。赤経と赤緯。地球と天の半球および遠くの恒星の光線のあいだの角度を割りだしたのだ。最終的に、観測をつづけて二カ月近くを経た二月二八日に、彼らは地球の表面上で自分たちの正確な緯度を定めることができた。北緯三九度五六分一八・九秒と。

彼らはすでにこの同じプロセスを、三〇マイル（約四八キロ）東の、フィラデルフィア市の最南端を示すとされる家の裏庭で実施していた。彼らの観測所はその後、解体されてこの農場まで運ばれてきた。壊れやすい望遠鏡と天頂分割儀は羽根布団の上に積んで、荷馬車でできる限り慎重に引いて運んだ。ブランディワイン・クリークの観測所の新しい設置場所は、市内で彼らがあとにした家と比べると、一〇・五秒だけ南の緯度に位置していた。地上では、三三四メートル分だった。これなら彼らの最終的な計算では容易に相殺できる距離だった。

まもなく彼らは再び移動を始めた。この一帯を覆う深い森を抜けて観測所から南へ向かうための通り道——見通し線（ヴィスト）——をつくるために雇われた五人の労働者のあとを彼らは追った。二人の男たちはきっかり一五マイル（約二四キロ）を測ろうとしており、一方の地点からもう一方まで鎖を延ばしていた。およその目的地に着くまでに二週間半を要した。そこまで到達すると、観測所を再び移動させた。星を眺める作業が再び始まった。

もう四月下旬になっていた。豪雨のために空は一週間雲で覆われていた。五月になると空は晴れ渡り、一一夜連続して、観測所の床に横になって過ごし、目を細めて望遠鏡のレンズを覗くことができた。さらに一カ月間が計算と調整のために費やされた。そうして六月一二日に、結果がはじきだされた。北緯三九度四三分一八・二秒だった。

「フィラデルフィア市の最南端から一五マイル南の地点は、ニューキャッスル郡ミル・クリーク・ハンドレッドに位置し、アレグザンダー・ブライアン氏の所有する大農園内である」と、彼らは日誌に書き込んだ。太いブナ材の杭が地面のこの正確な場所に打ち込まれ、白く塗られて、西側の面に「西」という字が彫られた。

これはペンシルヴェニアとメリーランドの州境をなす緯度の線だった。こうして、「西と刻まれた杭」——分岐点——から景観一帯にさらに多くの線が引かれ始めることになった。南側は、チェサピーク湾とポトマック川と大西洋という水域に囲まれた半島を二つに分けるものだ。東側は、ニューキャッスルの町の裁判所の鐘楼を中心に、半径一二マイル（約一九キロ）で描いた円周の一部をたどったあと、デラウェア川にぶつかり、その流域を上流にさかのぼっていた。そして西側だ。西側は、ほぼ完全に地図のない一帯だった。その八〇年前のイギリス国王からの勅許状では、「経度五度分」と定められていた。それらの五度分がどれほどの距離になるのか、あるいは新大陸のどれほど奥地まで行き着くかを誰かが理解する以前のことだった。

南側と東側の線が最初に引かれ、木製のマイル杭によって印がつけられた。これらはのちにイギリスから大西洋を渡って運ばれたポートランド石を削ってつくった大きなブロック〔訳注：クラウンストーンと呼ばれる〕に置き換えられた。二人の男たちは天体観測と測定、測量にさらに一年を費やしたのちに、「西と刻まれた杭」まで戻り、今度は西へと目を向けた。国境線の最終区間へと。

この二人組はチャールズ・メイソンとジェレマイア・ディクソンだった。これは一七六五年四月のことで、彼らはその視線を、鎖を、望遠鏡を、天文観測器具を未踏査の地域にまで向ける心づもりができていた。自分たちの線を延ばし、どこまで行き着くかを見届けるのだ。[14]

正確な緯度線を刻む

マルコスとデイヴィッドが一八二一年の国境を描くために車の旅に出る二世紀半前に、メイソンとディクソンは北アメリカに精密に測定した最初の境界線を引いていた。それだけでなく、これは歴史上初めて地球の表面に正確な緯度線が刻まれた出来事だった。西へ進み、大陸の未開の地に入り込むもので、まだ誕生していない国を定義し、それと同時に分断する線だ。

チャールズ・メイソンは一七二八年にイギリスのグロスターシャーで、製粉業を営むパン屋の息子として生まれた。二〇代初めに彼は、当時、グリニッジ天文台長という輝かしい地位にいたジェイムズ・ブラッドリー師の軌道に彷徨い込んだ。メイソンの数学の才能に惚れ込んだブラッドリーは、彼を弟子として受け入れ、グリニッジの王立天文台に勤務させることにした[15]。

ジェレマイア・ディクソンはメイソンより五歳年下で、イギリスのカウンティ・ダラムで炭鉱を所有するクエーカー教徒の大家族の出身だった。彼はビショップ・オークランドの町で育ち、測量技師としての訓練を受け、天文学者のトマス・ライトに感化されて、アマチュアとして星の研究に強い関心をもっていた。ライトは近くのウェスタトンの村に大きな石造りの観測所を建設していた。ディクソンはやはりビショップ・オークランドの住民で、王立天文台の科学機器の製作者として名を馳せていたジョン・バードとも親交を結んだ。

メイソンとディクソンは一七六〇年に初めて顔を合わせた。王立協会のある委員会が、インドネシアのスマトラ島遠征のために二人を組ませ、翌年六月六日に「太陽円盤を金星が通過するのを観測」することになったのである。こうした観測は、地球規模の類のない実験の一環に過ぎないものだった。多数の国からの天文学者が共同して、この「太陽面通過（トランジット）」の時刻の測定を試みており、世界各地の別々の場所からこの現象を観測して、結果を共有することで、太陽までの距離を正確に計算しようとしていたのだ。さらにその延長線上で、地球の大きさ、重さ、形状も割りだそうとする試みだった[16]。

二人は一七六一年一月九日に出航した。ポーツマスを出てから四八時間が経ったとき、彼らの乗ったシーホース号はフランスのフリゲート艦から攻撃された。一一人の乗組員が殺され、三七人が負傷し、船体、マスト、索具の損傷も甚大であったため、一行は港までどうにか引き返すしかすべがなくなった。シーホース号の修理が終わったころには、スマトラ島まで行き着くには遅過ぎる時期になっていた。その代わりに、一七六一年四月の末に、彼らはアフリカのケープタウンに上陸した。そこのテーブルマウンテンの山麓の下にある平地に、彼らは木材とキャンバス地でこしらえた観測所を建て、機材を確認し、調整して、再確認してから待った。

六月六日の夜明けに、メイソンはこう書いた。「太陽は厚いもやのなかで昇り、すぐさま黒雲のなかに入った」。二三分後、彼らは金星を初めて目にした。太陽の外周にある極小の窪みが、棚引く雲のあいだからちょうど見えたのだ。「惑星を最初に見たとき、その周辺部と太陽の周辺部は大きく揺らいでいた[17]」

　二人の男たちはディクソンの長年の友人であるジョン・バードが考案した遮光フィルターを据えつけた望遠鏡を見つめていた。窪みは、大きな空白の円上で流動的に明滅するインクの染みのようになった。これらは決定的な瞬間だった。金星が最初に太陽に触れた時刻を記録し、それから内周を出て、自由に浮遊し始める時刻が記されたのだ。その後数時間、彼らは経過を追いつづけた。雲が現われ、しばらく金星は完全に見えなくなった。だが、その後、金星が反対側に近づいたときに空が晴れた。そのタイミングはまたもや決定的なものとなった。彼らは金星が太陽の内縁にキスしたように見えた時刻と、その「黒い滴」が最終的になくなった瞬間を、できる限り正確に書き留めなければならなかった。惑星の黒い影が真っ白な太陽の表面から完全に追いだされた時刻である。

　メイソンとディクソンによる太陽面通過の観測は、その日、南半球で実施されたなかで唯一成功した試みだった。この事象は一世紀間に二度しか起こらず、それも数時間しか継続しない。彼らの記録は太陽までの距離を計算するのに必要な測定値の情報を与えるうえできわめて重要なものとなった。そして、それと同時に二人の名前は世界の科学界に知れ渡り、新たな線形（リニア）の世界の主要な担い手として彼らを位置づけることになった。技術革新によって、線はどこでも引いて測定できるようになったのだ。線は地球から発して空まで行き、また戻ってきた。距離を表わす線。線と線のあいだの角度。角度、時間、分、秒によって定義された線。機器と天文学の知識を使えば、彼らは地球を丸ごと分割することができた。合理性と近代化が芽生えた時代において、これは大いに求められた技能だった。未来への道だったのである。

　メイソンとディクソンがケープタウンで観測していたのと同時期に、当時ペンシルヴェニアの領主だったトマス・ペンが、ロンドンの「科学的好奇心のある人びと」のなかに「天文観測に長けた非常に有能な測量技師」はいないかと問い合わせていた。ペンと、メリーランドの領主で同様の立場にあったフレデリック・カルヴァートはどちらも、双方の植民地のあいだの曖昧で不確かな境界線をめぐって代々苛まれてきた論争と暴力沙汰を終わらせる方法を必死に求めていた[18]。

問題は二代の国王にまでさかのぼるものだった。チャールズ一世が一六三二年にカルヴァート家にメリーランドの勅許を与えたとき、その植民地の北側の境界は「北緯四〇度より下に位置する」ものとすると命じていた。ペンシルヴェニアはチャールズ二世によってその半世紀後にペン家に与えられ、南側の境界は「ニューキャッスルから一二マイルの距離に描いた円によって」定められたのち、デラウェア川から「経度五度分」は「四〇度」線沿いに「西へと進む直線による」ものとなっていた。おそらくそれで十分に明快だったのかもしれない。メリーランドとペンシルヴェニアの主要な州境線は、北緯四〇度線沿いに引かれることになっていたのである。ただし、どちらの国王も実際にこの線がどこにあるかは知らず、それをどう特定するかもわかっていなかった。そして、ペンシルヴェニアの植民地がつくられると、今度はニューキャッスルの町を中心に描いた円とぴったり合わせなければならないのだった。これら二つの勅許はおそらく、科学的正確さをもつ言語と、地理的現実にたいするまったくの無知との折り合いを付けることなく組み合わせたものだったのだろう[19]。

トマスの父親であるウィリアム・ペンは、自分の植民地が創設されるとほぼ間髪をいれず、フレデリックの父親であるチャールズ・カルヴァートに「境界の問題」と、「公正な限界を遵守する」ことの必要性について書き送った[20]。地図が作成されたが、両家がその結果について合意にいたることはなかった。その間ずっと、係争地のいたるところで、入植者に土地が与えられていた。法律は線の両側で異なっていたし、宗教上の慣習も違っていた。税金をどこで、誰に支払うかをめぐって、混乱が生じていた。競合する土地所有者間の論争は、武力紛争や殺人事件にまで発展した。

境界線を調査するための共同の境界線委員会が発足したのは、一七三二年になってからだった。委員たちはほぼたちまち、当初の勅許状の条項をめぐる厄介な議論から抜けだせなくなり、調査は何も実施されなかった。一七五〇年には、当初の委員が入れ替わり、調査がついに始まった。ジョージ三世の商務・拓殖庁による新しい指示のもとで、境界線はもはや四〇度の緯線をたどるのではなく、代わりにペンシルヴェニアの州都であるフィラデルフィアの最南端よりも、きっかり一五マイル南の地点から西へ引かれることになった。とりわけ、四〇度線が実際には同市の北を通っていることが判明したためだった[21]。

その後一〇年間に、歴代の測量チームがこの複雑な幾何学的問題をうまく収めようと試みては失敗を繰り返した。線を引くたびに、角度がずれ、目的地点を通過できなくなった。一七六二年六月にフィラデルフィアの測量技師は雇い主に、歯がゆい敗北感を滲ませながら、「もはや不可能と考えられる試みから解放されること」を願いでた[22]。

一年後に、ペンとカルヴァートは初めてメイソンとディクソンを紹介された。後者は、王立協会の遠征から戻ってきてまもない二人組だった。一七六三年八月にペンは植民地長官宛に、合意に達したため、二人の人物がまもなく大西洋を渡ってくることになり、「精密な［天頂］分割儀に、二台のトランジット機器、および二台の反射望遠鏡」を携えてくる予定だと伝えた[23]。カルヴァートはメリーランドの役人に、この問題が円満に解決するよう神に願い、この最新の境界線調査が最後となることを祈る手紙を書いた。厄介な境界線もついに、啓蒙的革新によって制御できるようになったとまで、彼は言ってのけた。気まぐれな線も「数学者によって筋を通される」のだと[24]。

線の終点

一七六六年六月の土曜日の朝。チャールズ・メイソンは測量キャンプをあとにして、標高八〇〇メートルのサヴェージ山に登った。背後には二六五キロにおよぶ見通し線が見えた。二・五メートルほどの幅で植生を切り倒して景観に付けられた線だ。この線は森林を抜けてまっすぐに進み、丘陵や山を登っては下り、ところどころで小川を越え、ポトマック川とサスケハナ川を渡るために途切れながらも、アレグザンダー・ブライアンの農地と「西と刻まれた杭」まで到達するものだった。

「これらの山の孤高の頂上から、喜びとともに周囲を見渡す。あまねく広がり、それらの景観をつくった精神への崇敬の念で心を満たしながら」と、メイソンは書いた。

彼らはまだデラウェア川から経度五度分の全行程を旅したわけではなかった。だが、別の、ちょっとした境界線に出くわしていた。サヴェージ山はアレゲーニー山脈の頂の一部をなしていた。メイソンが述べたように、彼はちょうど「先住民とよそ者のあいだの境界線」に立っていた[25]。

これはまたもや、国王によってつくられた境界線だった。その三年前に、ジョージ三世はアレゲーニー山脈の西に入植地をつくることを禁じる宣言を出していた。入植はこの山脈まで許可されていたのだ。メイソン＝ディクソン線は植民地アメリカの終点に達していたのである。

この勅令は、七年戦争でイギリス軍とともにフランス軍と戦ったアメリカ先住民の部族をなだめることを願ったものだった。土地の棲み分けを明確にするものだ。商務・拓殖庁の委員が述べたように、拡大するのをやめて、「野蛮人たちにみずからの砂漠を静かに堪能させる」時期がきていたのだ[26]。

ただし、それらの土地は砂漠ではなかった。メイソンはそれを自分の目で見ていた。むしろ、それらの土地はほとんど桁外れの豊かさを約束しているように見えた。日誌のなかで、彼は計算のリストを中断して、驚きを込めながら、縦四三センチ、幅三〇センチもある巨大なヒッコリーの葉や、直径四センチ近い雹や、恐ろしい勢力を振るう夏の雷雨が「その下にいるすべてのものを瞬時に抹殺しかねないようだった」ことを記録した。この地では小さいものは何一つなかった。メイソンは「非常に大型のサンザシ、ホップ、ブラックチェリーの木」や、「非常に豊かな土地や丘陵からなるじつに良好な地域」や「太陽光が一度も貫通したことがないと思われるマツの暗い谷」について描写した。[27]

彼は決してこの場所に立って、その先にあるものについて思いを巡らした最初の人間ではない。彼の前にも大勢の人がやってきて、ここからその先の大陸を眺めた。なかにはすでにそこを越えて、神の意志のとおりに、景観のなかに独自の空間を築きあげた人もいた。そして、神の言葉と比べたら、国王の言葉など何になるのか、と彼らは言った。

この分割線は、当初から抜け穴だらけだったのだ。その向こうの領域は、個々の投資家に約束されていた。何十万エーカーもの土地が売られていたのだ。七年戦争の従軍経験者で、のちに初代アメリカ大統領となるジョージ・ワシントンは私信のなかで、「あの宣言はインディアンたちの心を静めるための一時的方策として以外の観点からは、決して考えられない(ただし、これは私たちのあいだだけの話だ)」と認めていた。分割はすでに細切れになっていると、ワシントンは言った。遅かれ早かれ必然的に、分割線は「崩れる」だろうと。[28]

アメリカ先住民と入植者のあいだの緊張は高まっていた。関係はどんどん悪化して暴力沙汰に陥った。アレゲーニー山脈の東の共同体との統合を試みていた先住民にしてみれば、自分たちの新世界には先住民が占める場所はないという、多くの入植者がいだく確信から、あからさまな敵意が生みだされているのだった。

メイソンには何が起こりうるのか、一部の入植者がどこまで突き進むかはわかっていた。彼がアメリカに到着した翌月の一七六三年一二月に、スコットランドとアイルランドの長老派教会の武装集団で、「パクストン・ボーイズ」と名乗る一団が、フィラデルフィアの西一三〇キロほどの地点にあったコネストーガ族の村を襲撃した。彼らは六人を殺し、頭皮を剝いでその遺体を切り刻んだ。残りの村人は仕事に出かけていた。殺人が起きた知らせが広まると、村人たちは近くのランカスターの町にできたばかりの監獄に連れてこられ、自分たちの身を守るためにそこを避難所とした。

だが、二週間後にパクストン・ボーイズは五〇人以上というさらに大人数になって町にやってきた。彼らは牢獄に押し入り、残っていたコネストーガ族を男も女も子どもも一人残らず虐殺した。翌日、ギャングがフィラデルフィアに向かっているという知らせが広まった。[29]そこで見つけたアメリカ先住民やクエーカー派支持者を残らず殺す使命を帯びているのだという。市の民兵は備えていたが、街の人びとのあいだには声高に糾弾し合う明白な分断が見られた。パクストン・ボーイズを支持する暴徒が総督の館に集結して、殺害をたたえた。ギャングたちは最終的に市内に入る前に離散したが、この一件はメイソンにアメリカの熱に浮かされた空気を即座に理解させた。極端な憎悪と偏狭さが周囲に渦を巻き、一部の人びとを殺意のある狂信的な熱情に駆り立てていたのだ。[30]

メイソンは自分が、すでに幾重にも分割された景観に境界線を引いていることを承知していた。入植者同士のあいだの線に、「先住民とよそ者」のあいだの線。人種の純血性を主張する線であり、文明といわゆる野蛮さのあいだの線だ。神を恐れる者と無信心者との線であり、アダムとイヴの堕落以前の無知な者と科学を習得した者を隔てる線である。

彼は西側から目を逸らし、東側を振り返った。この先三カ月間、彼とディクソンはこの見通し線沿いのルートを引き返して、その線の状況と正確さを調査することになっていた。それは五つの恒星を追うことで描かれてきた。ベガ、デネブ、はくちょう座ガンマ星（サドル）、はくちょう座デルタ星、それにカペラだ。自分たちがつねに同じ緯度の角度上にいるかどうか確かめるために、彼らは一〇マイルごとに止まっては、移動可能な観測所で測定を行なってきた。復路の旅ではさまざまな場所で、丘の上から前後の道を眺めて、「じつに美しく、球体の法則に見合った小さめの円の弧として」その線を見ることができた。[31]これはまさしくそうあるべき姿だった。本当の緯線はつねに、地球上の長い距離で眺めれば、ほとんど感知できないほどわずかに湾曲して見えなければならないのだった。

一行は弧を描くこの線沿いに「西と刻まれた杭」まで戻った。それから、そのさらに東のデラウェア川まで。境界線委員はこの線をたどりつづけ、ジョージ三世の勅令の線を越えた先まで延ばす所存だと宣言していた。だが、まずは測量に入らねばならない地であるイロコイ連邦（シックス・ネーションズ）に説明をする必要があった。こうした交渉を待つあいだ、メイソンとディクソンはデラウェア川の西岸の経度を確定し、それによって両植民地の境界線を正確にどれだけ西まで延ばさなければならないかを見極めに出かけた。その答えは八六・七マイル（約一三九キロ）だった。[32]

彼らの最後の遠征は、翌年六月まで始まらなかった。測量隊は六五人ほどの大所帯になっていた。そのうちの半数は見通し線をつくるために斧を振るう部隊で、そのあとには五五頭の羊の群れがつづいた〔訳注：草刈り用〕。この先も線を引けるようにするための条件として、イロコイ連邦の首長たちは一四人のモホーク族とオノンダガ族のガイドを、通訳となるヒュー・クロフォードとともに同行させた。クロフォードは若いころにアレゲーニー山脈を越えて数十年にわたって先住民とともに暮らした古参兵であり、探検家だった。

夏のあいだずっと彼らは西へ進みつづけ、以前の終着点だったサヴェージ山まで到達してそこを越えた。山の向こう側には、「放置された庭［……］未開の荒れ地」があると、メイソンは書いた。一九九マイル六三チェーン六八リンク〔訳注：チェーンは約二〇メートル、リンクは約二〇センチ、全体でおよそ三二一キロ〕西へ行った地点で、彼らは川の反対側の岸の林間の空き地に望遠鏡と天頂分割儀を設置し、六夜にわたって星を観測し、自分たちの正確な位置を確かめた。木々のあいだから一三人のデラウェア族の戦士の一団が現われ、先住民たちは数日間その場にとどまって、測量技師たちが代わる代わる空を眺める様子を、黙って眺めていた。そのうちの一人は「これまで見たなかで最も背の高い男」だったと、メイソンは述べた。計算から、本来の緯線から九〇メートルほど北に寄り過ぎていることがわかったため、彼らは調整して線を南へずらし、正しい道に戻した。

彼らの日誌は、進展を語るリズミカルな詩のようになった。「空き地に入って［……］川を越え

［……］空き地を出発し［……］線を引きつづけ、線をつづけ、線をつづけた」。九月の初めに、二一一マイルまできたところで、彼らはローレル山脈に突き当たった。「未開のなかの未開の地」で、森と石灰岩からなる景観だ。さらに三マイル進んで、彼らは山の尾根の頂まで登った。そこからは「目に映るなかで最も喜ばしく心地よい光景がある」。そして遠く彼方のどこかに、「われわれの線の終点が見えるかもしれない」のだった。(33)

二一九マイル進むと、彼らの線はチート川の東岸にぶつかった。一行内のモホーク族のガイドたちはその川を渡ることに反対し、これが限界だと言った。ここだ、この先はダメだ、と。クロフォードがガイドたちと話し合い、長い議論をつづけた結果、彼らは折れて、測量をつづけることに同意した。二週間後、彼らは別の川が流れる広い谷に出た。大きく蛇行するモノンガヒラ川の流域だった。またもや、望遠鏡と天頂分割儀が荷解き（にほど）され、一〇夜にわたって星の観測がつづいた。メイソンとディクソンは本当の線から五チェーン分南にいることに気づき、もう一度訂正しなければならなかった。だが、川を渡って西へ進む準備をするあいだに、一行のなかの二六人が同行を拒んだ。前方の土地で命に危険がおよぶことを恐れ、木々のあいだや野営地の周囲を先住民が行き来する様子に狼狽（ろうばい）していたのだ。

わずか一五人だけが彼らとともに進んだ。モノンガヒラ川を越えると、メイソンは「体長が三〇センチ近いトカゲ」を捕まえ、地表面に炭層が豊富にある土地に入ったことを記録した。石炭は「ここでは非常に豊富に見つかる」ようだった。そのころには一〇月になっていた。二三一マイル二〇チェーン西に行ったところで、メイソンは自分たちが「征路（ウォーパス）を越えた」と報告した。その日、さらに一マイル半進みつづけたところで、リーダー格のガイドがもう限界を越えていると伝えた。ここはイロコイ連邦が許可した最終の「範囲」であり、「この先はもう一歩も西へは進まない」つもりだと言った。(34)

メイソンとディクソンの線は「大インディアン征路」にぶつかったのだった。南北に大陸を縦断する主要路で、すでに数百年どころか、おそらく数千年もの歳月によって大地の表面に描かれてきた道だった。この征路を越えて見通し線を延ばすことは、川にダムを築くことに等しいのだと彼らは言われた。二本の線は触れるかもしれないが、交差することはないのだ。測量技師たちには緯線が前方につづいているのがわかっていた。その目に見えない存在は西部のはるか奥地までつづいているのだ。デラウェア川から経度五度分の地点に行き着くには、まだ五〇キロほど足りなかった。しかし、今回は調査を継続できるような妥協案を見いだすことはできなかった。

彼らは大征路の東の端まで引き返し、天文観測機器を最後にもう一度、組み立てた。野営地にいるとき、デラウェア族の首長の兄が訪ねてきた。「プリスクウィートム公」と呼ばれる人物だ。彼の顔には「歳月とともに深い皺が刻まれていた」と、メイソンは書いた。八六歳だったが、彼は「非常に上手な英語」を話した。若いころ、彼は弟とともに、「海の向こうの大王に会いに行き、恒久的な平和を結ぶ」ことを考えていたのだと語った。だが、いずれにせよ、自分は決して故郷には戻れないのだろうと彼は考えた。

征路の境界であるその場所に一行がとどまっているあいだ、老人は彼らにこの先にある土地の美しさを語った。「リッチウィード〔訳注：シソ科の植物〕とマメ類が掻き分けて通れないほどびっしり生えて」いて、「緑の平原」と「何マイル四方にもわたって自然の草原」が広がっているのだという。翌朝、老人は西部へとまた戻って行った(35)。

八夜にわたる観測の結果、メイソンとディクソンは自分たちの終着点を北へ二二三フィート（約六八メートル）ずらさなければならないことを知った。そこで一〇月一八日に、「西と刻まれた杭」から二三三マイル一七チェーン四八リンク（約三七五キロ）の地点に、彼らは新たな杭を立てた。その西側の面には、「W」の文字が刻まれた。その周囲に土と石を積んで高さ一メートル半の円錐形の塚にした。ここが絶対的な限界だった。だが、まだなすべき仕事があった。この地点にいたるまでの木々を伐採して見通し線をつくり、仮設の木製杭を頑丈な石の境界標に置き換え、境界線沿いにある山の頂上にケルンを築く作業だ。だが、線の末端はついに定められたのだ。

さらに一年が過ぎた。メイソンとディクソンは自分たちの測定値を再確認し、ペンシルヴェニアとメリーランド両植民地間の境界線全線を書き込んだ地図を作成して、境界線委員に詳細な報告書を提出した。一七六八年九月一一日の朝にようやく、メイソンはニューヨーク市の港に向かった。午前一一時三〇分に、彼はコーンウォール州ファルマス行きのハリファックス・パケット号に乗船した。岸から船が離れるなか、彼は日誌に最後の一行を書き込んだ。

「こうしてアメリカにおける私の止むことのない前進は終わる[36]」

ターナーのフロンティア

止むことのない。

おそらくアメリカ合衆国の国境を言い表わすのに、これほど適した言葉はないだろう。ジョージ・ワシントンの予言は正しかった。宣言された分割線は確かに崩れた。入植者はアレゲーニー山脈の西へ流れ込んでいった。

一七七五年にイギリスからの独立戦争が始まると、これは境界線をめぐる戦いとなり、課された境界線内に制限されるのを拒むものとなった。その後一七七六年に発せられた独立宣言は、何にも増して、限界に反対する声明だった。そのわずか八年前に完成したメイソンとディクソンの見通し線は、すでに大陸の奥地まで矢を突き刺し、旅をする方向を示していた。西へ、西へ、つねに西へと。その最後の区間はメリーランドの西端を越えており、実際にはもはや何かの境界を示すものではなくなっていた。その線は、底なしの可能性によって前へ前へと引っ張られる釣り糸のように、どんどん引き延ばされていったのだ。

一七八三年のパリ条約で、イギリスとの戦争には終止符が打たれた。これはまたアメリカ合衆国の西側の国境を突然アレゲーニー山脈からミシシッピ川まで延長し、一筆で新しい国の面積を実質的に二倍にするものだった[37]。ミシシッピ川そのものは、境界線としては当てにならないことでよく知られている。現在は全長三八〇〇キロ近いこの川は北アメリカ全土を南北におおむね二分しており、その川筋をつねに動かし、変形させている。はてしなくつづくコイルばねのような蛇行は、季節ごとに周囲の土地を形成しては変形させている。その土手は崩れて、何キロ四方にもおよぶ沖積氾濫原に水をあふれさせる。

「ミシシッピ川を知る者は［……］その統制不能な流れを手なずけられないことを」知っていると、マーク・トウェインは書いた。「それを抑制したり、制限したりできないことを、こっちへ行け、あっちへ行けとは言えず、従わせられないことを、川に宣告を受けた岸を救えないことも、障害物ではその行く手を塞げず、そうしたところで障害物を崩しもせず、その上で踊って笑われることを」知っていると[38]。

トウェインは、同じくらい容易に、アメリカそのものを描写できただろう。

この川による境界線は二〇年間しか継続しなかった。一八〇三年に、アメリカ合衆国は当時ルイジアナと呼ばれていた土地をフランス人から購入した。ニューオーリンズからロッキー山脈の北の稜線まで広がる二〇〇万平方キロの土地だ。広大な面積の土地が、この国の面積を再び倍増し、その西端を地平線の彼方に押しやったため、それが終わる地点を何かしら考えることに価値がないかのようですらあった。

新しい共和国には、反対の声も一部にはあった。この購入は憲法に則しておらず、際限なく広がることが、自分たち新興国の安定を脅かすと主張する声だ。だが、そのような意見は少数派だった。それに応えて、ヴァージニア州選出の下院議員のジョン・ランドルフは、「アメリカ合衆国には、これ以上拡大できない特定の境界など存在しない」と述べた[39]。アメリカは世界に新しいものを提供しているのだと、ランドルフはほのめかした。絶えず成長することでその自由を表現し、つねに動いている国というものを。限界のない国を。

これはつまり、アメリカがいずれかの時期に、何らかの国境を定めたとしても、それはつねに一時的で条件付きのものになることを意味していた。国境は考案されるや否や、即座に乗り越えられてしまうのだった。一八一九年にアダムズ＝オニス条約でヌエバ・エスパーニャ〔訳注：北アメリカなどのスペイン副王領〕との国境線を詳細に定め、その後、一八二一年にメキシコ共和国と定めたころには、入植者はすでにその線を越えていた。彼らは辺境（フロンティア）もろとも進み、先住民の土地を自分たちのものだと主張し、絶えず争いながら、つねに外へと押しだしていたのだ。神と文明と進歩の名のもとに先住民を皆殺しにしたのである。同様に、メキシコとの戦争も避けられないようだった。かつての入植者たちは、共和制主義者になった途端、自分たちの国は帝国であると宣言するのだった。一九世紀の終わりには、アメリカが神から与えられた権利によって、北アメリカの東海岸から西海岸までのすべての土地を所有できるということが、政府の政策の主要な側面になっていた。それを表わす名称すらあった。「明白な運命（マニフェスト・デスティニー）」である。

この文言は、一八四五年の夏に、ジャーナリストのジョン・L・オサリヴァンが考えだしたものだった。彼はテキサスの併合を扇動しながら、領土拡張に反対する人びとを抑え込む運動を起こし、反対者らは「われわれの政策を頓挫させ、われわれの力を殺ぎ（そ）、この国が偉大になるのを押しとどめ、毎年、数百万単位で増加する人びとが自由に発展するために、神意によって与えられた大陸一面に広がるわれわれの明白な運命の実現を妨げている」として非難した。オサリヴァンにとって、その運命とは単にアメリカの土地だけではなく、「限界のない」未来全体すら意味するものだった[40]。

アメリカ人の心理にこの「限界のなさ」の概念がいかに深く根づくようになったかは、誇張してもしきれない。一九世紀末に、ウィスコンシン州出身の三二歳の歴史家フレデリック・ジャクソン・ターナーが、「アメリカ史において、一著作物として最も影響力のあった作品」[41]と、のちに呼ばれることになった論文にこの概念を要約している。ターナーが提示していたのは、彼が「フロンティア理論」と呼んだものだった。彼の言葉を借りれば、「空いている土地（フリーランド）の存在と、その領域の絶えまない後退、およびアメリカ人の入植地の西部への前進が、アメリカの発展を説明する」ものだ[42]。この休みない移動のプロセスを通じて、アメリカのアイデンティティそのものが形成されたと、彼は書いた。

国境は大西洋岸一帯として始まったと、ターナーは述べた。「そこはきわめて現実的な意味で、ヨーロッパのフロンティアだった」。だが、「西へと移動することで、フロンティアはどんどんアメリカの領土になった。連続する末端堆石（ターミナル・モレーン）が連続する氷河作用の結果生じるように、各時代のフロンティアはその痕跡をあとに残す。その一帯が定住地になっても、まだフロンティア時代の名残は見られる。このようにフロンティアが前進したことは、ヨーロッパの影響から着実に離脱していったことを意味した。アメリカの境界線上では独立心が着実に培われていったのである」。そのため、移動すればするほど人びとはさらに拡散し、さらにアメリカ人らしくなるのだった。民主主義そのものは、「アメリカの森から生まれた」のだと、彼は主張した。「そして、新しいフロンティアに接するたびに、民主主義は力を得たのだ[43]」。ということは、つねに移動する国境線は、本来的に善であることを意味していた。それだけでなく、そのことがアメリカを偉大にしていたのだ。

ターナーにとって、フロンティアは政治史の流れにおいて、ほとんど神秘的なものであり、間違いなく比類ないものだった。国としての成功を後押しするうえで、いまだかつて見いだされたことのない原動力なのである。それは「若さの魔法の泉であり、アメリカは絶えずそこで水浴びをし、若返っていたのだ」と、彼は書いた。「機会を与えてくれる場」であり、「最も急速かつ効果的にアメリカ化を推し進める線」であり、「波の外縁」、「動物以外の自然界にたいする支配」、「地域というよりは社会の一形態」であり、「過去の束縛から逃れる門戸」なのだった。その間ずっとフロンティアは「野蛮と文明が出合う場所」でもあった。そして、この緊張のなかで、フロンティアは「アメリカの知性」の「驚異的な特性」を生みだしたのだと、彼は主張した。「粗野さと力を、鋭敏さと探究心を掛け合わせたもので、実際的で創造力に富む気質であり［……］あの止むことのない、神経質なエネルギーが、あの圧倒的な個人主義が［……］自由とともにもたらされるあの快活さと活力[44]」が生みだされたのだと。

ターナーの論文は、アメリカ人がいろいろな意味で新しい社会を築くための闘争と見なしたものを高らかに称賛していた。国境線は一歩ごとに苦労して勝ち取ったものだったが、いまなお西へと進みつづけており、それとともにあらゆるものを変えていった。曲げてはうねり、躍進して、あとには「よりよい」世界が残されるのだった。この理論は人びとを信服させ、親しみやすく、非エリート主義に徹した国の神話を提供していた。これはもちろん、その過程で踏みにじられ、除外され、抹殺された人びとのことは無視していた。それでも、その結論において、ターナーは知らず知らずとはいえ、忠告を発していた。このフロンティアの過去がアメリカの未来に告げる可能性のあるものに、懸念を滲ませた見解を述べているのだ。

アメリカにおいて、「移動はこの国の中心をなす現実であり、移動という訓練が人びとに何ら影響をおよぼさないわけでない限り、アメリカのエネルギーはつねにその鍛錬のためにより広い場を求めるだろう[45]」。だが、土地は無尽蔵にあるわけではない。もはや土地がなくなる日は、必然的にくる。そうなったときに、それだけのエネルギーはみな、どこへ行くのだろうか？　「より広い場」をどこに見いだせばよいのか？　移動する国境の力によってつくりだされてきた国の輪郭を、最終的に描き終えたとき、何が起こるのか？

皮肉なことに、ターナーがこの論文を発表したのは、一八九〇年の国勢調査の最高責任者が次のように報告したわずか三年後のことだった。「現在［……］フロンティア線と呼べるものはほとんどない。それゆえに、その範囲や、西方への移動に関する議論において、国勢調査の報告書でフロンティア線が占められる場所はもはやない[46]」。公式見解では、フロンティアは、つねに移動しつづけるアメリカそのものだったあの線は、消滅していたのだ。

その五〇年前に、ほかでもないハーマン・メルヴィルがこの移動する国境がもはやどこにも行き場がなくなったときの結果を警告していた。土地は「ついに制圧され［……］そうなれば、退却しなければならない[47]」。

アンチ・ターナー

ターナーの論文からほぼまる一世紀を経たころ、別のアメリカ人著述家が合衆国の起源と発展に関する独自の理論を唱え始めた。彼もやはり答えを線に、そしてフロンティアや国境に求めた。そして、とりわけ、彼はその最初の線に立ち戻った。チャールズ・メイソンとジェレマイア・ディクソンによって大陸に刻まれたあの緯度の弧である。この限界を自分で探索しに出かけすらした。ペンシルヴェニアとメリーランドのあいだの州境を、森を抜け、幹線道路を横切りながら西へ向かって歩く彼の姿が目撃されていたという[48]。

これは噂であったかもしれない。つまるところ、彼は有名な世捨て人で、アメリカ文学界の謎の人物であり、「闇の政府（ディープ・ステート）の桂冠詩人」、「ポストモダンのウェルギリウス」など、さまざまに形容されてきた人物なのだ[49]。その著述家はトマス・ピンチョンであり、一九九七年に七七四ページにおよぶ『メイスン&ディクスン』を上梓（じょうし）している。二人のイギリスの天文学者兼測量技師が景観に境界線を刻もうと試みた話を、ヘンリー・フィールディング〔訳注：一八世紀のイギリスの劇作家〕風に書いた物語である。ただし、ピンチョンの手にかかると、彼らの物語はアメリカという国のプロジェクト全体を拡大調査し、批判する手段を提供するものになった。その結果は、いわば「アンチ・ターナー」となった。それはもう一つの「フロンティア理論」となり、境界線を引き、境界をつねに拡大することが、本来的に善ではなく、むしろその正反対ではないかということを検討した暗い鏡になったのだ。

この小説のなかで、ピンチョンは二代のイギリス国王によって手渡された、「幾何学的に不可能な領土」を嘲笑う。「さながらアメリカが、いかなる方法でも、本格的な国になると認めるのを、からかいながら拒むかのようだ」。この本の主要な語り手であるウィックス・チェリーコーク師が述べるように、「〈メリーランド〉などというものは抽象概念以外の何物でもない。それは想像もつかないほど肥沃で広大な湾を囲みながら、四角く切り取るために引かれた直線の枠組みなのであり、その海岸線は無限の長さになりがちで、最終的に地図には収まりきれない。公正を期すれば、〈ペンシルヴェニア〉も同じくらい存在はしない。あるのはそこに住むインディアンたちに度々働いてきた詐欺行為の年代記だけで、それを妨げるものと言えば、北と東にあるその他の植民地の野心しかない[50]」。

大陸内部までどんどん見通し線〔訳注：『メイスン&ディクスン』の邦訳では「測帯」〕を切り進むにつれて、ディクソンはその線が独自の生命をもち始めたのではないかと不安になる。それは、「木を殺す動物であり、目的と言えば、陸地に完璧な回廊地帯を永遠に築きつづけることしかない」と、彼は言う。「その鋼鉄の歯は、その顎は、斧を振るう部隊で、その生き血は、公金からの支出だ。そして、そこから西にあるすべてのものを殺す以外に、それは何を意図するのか？　君にはわかるのか？　私にもわからない[51]」

この「目に見えないものが自分たちの土地へとまっすぐに這い進んできて、行く手にあるすべてのものを食い尽くす」様子を眺めながら、アメリカ先住民は何を考えているのかと、彼はいぶかしむ。これまで景観のなかをつねに切り進んできたことすべてが、一つの明確なメッセージを送ってきたのではないかと、彼はメイソンに〔訳注：自分たちの過去の言葉を以下のように思い起こさせながら〕ほのめかす。「われわれが木々に何をしたかは、そしてそのことを意にも介していないのはご覧のとおりだ。君らインディアンのことなど歯牙にもかけず、君らに何をする腹づもりであるかを想像するんだ。われわれの線に沿って君らが感じてきたその影響力を、その川のように強い流れを、われわれは意のままにしている(52)」

小説の終わり近くで、メイソンとディクソンはどちらも、自分たちが引いてきた境界線は「悪の導管」でしかないという結論に、悲しみに沈みながら達する。それは、測量隊員の一人で、中国の風水の専門家でもある張大尉が警告したとおりのことだった。「地表に直線を引くこと」は、「悪い運気」を招くと張は彼らに言った。そして、昼のあとに夜が訪れるように「悪い運気」のあとに「悪い歴史」が訪れるのだと。

「線を引くこと以上に直接、容赦なく、悪い歴史を生みだすものはないだろう」と、彼は言った。「なかでも直線を、侮辱の形そのものを人びとのまっただ中に引けば、それによって彼らのあいだに区別を生む。それが最初の一撃となる。その他すべてが、運命づけられていたように、戦争と荒廃へとつづくだろう(53)」

ピンチョンにとって、大陸のいたるところに線が蔓延することは、アメリカの悲劇なのだった。アメリカ人特有の気質が、移り変わる境界線に見いだせるとする点では、彼はターナーに同意する。しかし、問題はこの気質――それが何に値するにせよ――が、敵味方に分けずにはいられない悪質な二項対立に根ざしていることなのだと、彼は示唆する。境界線やフロンティアや国境にたいするこの熱狂は、旧世界の束縛からの離脱と自由を約束するものだった。だが、それは白人で、キリスト教徒で、アングロ＝サクソンであればの話なのだ。そして、ついに大陸「一面に広が(54)」ってしまえば、同じ線がアメリカ人を互いに分断するようになるのは避けられないことなのだった。

張大尉の言う「悪い歴史」のなかで、ピンチョンはこのあと訪れることになる究極的かつ決定的な紛争の前兆を示している。メイソン゠ディクソンの線は、二つの州の境界線だけではなかったからだ。これはアメリカを二つに分ける線でもあったのである。一方は奴隷制を支持し、もう一方はそれに反対するものだった。この線をたどることで「運命づけられて」いたのは、南北戦争(シヴィル・ウォー)による「荒廃」だったのだ〔訳注：シヴィル・ウォーは内戦の意味だが、文明人間の戦いとも解釈できる〕。

ペンシルヴェニアは奴隷制廃止を唱えて産業化した北部の南のフロンティアになった。メリーランドは奴隷を所有し農業主体の南部の北のフロンティアとなった。理性と秩序の名のもとに引かれたメイソン゠ディクソン線は、それと同時に、この地からアメリカ先住民を強制移住させ、植民地主義の大農園で奴隷となっているアフリカ人を強制労働させることを原動力とし、資金源としていた。これはまさしく、その見通し線沿いを通る「川のように強い流れ」だった。アメリカの建国を語る物語としての、暴力的な服従と、敵か味方かの分裂である。

一九世紀の前半を通じて、緊張は高まった。一八五八年の夏には、奴隷制の将来をめぐって国民的な議論が繰り広げられた。奴隷を所有するイリノイ州選出の上院議員スティーヴン・A・ダグラスに対抗して、奴隷制廃止を支持していたのはエイブラハム・リンカンだった。リンカンはアメリカを、存亡をかけたような対立がいまもつづく、新たな戦場に変えたのだ。「これは世界のどこにでもある二つの原則である正邪をめぐる、永久の闘争なのである」と、リンカンは言った。メイソンとディクソンの境界線が両者間の蝶番(ちょうつがい)だったのだ。線の両側に、「時の始まりから対立してきた二つの原則」があるのだった。反対の立場のダグラスは、奴隷を解放して、彼らの好きなように境界線を越えさせれば、最終的に大草原は「夜のように暗く」なるだろうと主張した[55]。太陽の白い表面に金星がつけたインクの染みが、止まらない勢いで広がって皆既日蝕(かいきにっしょく)になるというわけだ。

これほど歴然とした違いは、政治家がどう言い繕おうが解決できるものではなかった。理性が失われた場所では、ただ力の行使がつづいた。三年後、南北戦争が勃発した。そのさらに四年後に、リンカンはワシントンDCのフォード劇場で暗殺された。アメリカの半分にとっては、これは前代未聞の悲劇だった。もう一方にとっては、暗殺犯のジョン・ウィルクス・ブースは「アメリカの偉大なブルータス」であり、「自由を愛する人」で「自国の敵」を殺した人物なのだった。[56]

そのような根深い分裂は、一方が優勢になったとしても消えない。逃亡奴隷のハリエット・タブマンが一八四九年にメリーランドからメイソン゠ディクソン線を越えてペンシルヴェニアに逃げたとき、彼女は自分の両手を見下ろして、「自分が同じ人間かどうかを確かめた」のだと語った。「あらゆるものが、それほど輝かしいものとなった。太陽は木々のあいだからも大地にも金色に降り注ぎ、天国にいるような気がした」[57]。当然のことながら、その瞬間、境界線は彼女が述べたように、「自由か死か」の違いとなった。見通し線を越えて一歩北側に入れば、「約束の地」にいたのだ。この線の威力はそれほどのものだった。

村の大通りを測量技師たちの緯線が弧を描いて走る様子を想像しながらピンチョンが書くように、「片側ではつづいている法律──奴隷、タバコ、〔訳注：イギリス本国への〕納税義務──が、もう一方では存在しなくなるかもしれない」。ここでは、線には人の存在そのものも変える力があった。「昨日まで奴隷だったのに、今日は自由な男女の方々！　あなた方は自分たちの〔訳注：奴隷用の〕鎖(チェーン)で、チェーン自体〔訳注：距離そのもの〕を調査したのだ！」[58]

だが、タブマンの喜びは、この「解放」につづいて生じる闘争を予期してはいなかったし、できもしなかった。一八五〇年の逃亡奴隷法は、奴隷所有者に境界線を越えて、自分たちの「所有物」を再捕獲する権利を与えるものだった。混沌とした南北戦争は、一部の州では人びとを解放したが、別の州では囚われの身のままに据え置いた。今日までの一世紀半のあいだに出現した法的、政治的、社会的なさまざまな線は、囚われの身のアフリカ人からアメリカ人になったすべての人びとにとって、統合と平等を阻む障壁となった。

　最終的に、ピンチョンが主張したことは、これらの分断はいずれも、何らかの形で残るということなのである。一九九七年に彼が小説を発表したときもそこにあったし、二〇年後の今日もまだ、おそらくは、南北戦争以来、最も顕著なものとなってここにあるだろう。今日の二極化したアメリカの起源を探し求めれば、その大陸が最初に征服され、分割され、ピンチョンの語り手であるチェリーコーク師が述べるように、「口論」のあげくに「断片」と化したときのやり方そのものに見いだせるだろう。アメリカ合衆国は、境界線の考えそのものにもとづき、包含と排除の線上に築かれたのだ。「われわれが国を築くべきではなかった」その場所に[59]。

　これが、本来のアメリカン・ドリームの失敗なのだと、ピンチョンは断言する。かつては新世界が旧世界の偏見と不正義と序列から抜けだせる可能性があったのだが、その代わりに、アメリカン・ドリームはそうした諸々のものを携え、進化させ、新世界の景観そのもののなかに流し込んだのだ。最初はメイソン＝ディクソン線を通じて、その後はそれにつづく無数の境界線を通じて。

　アメリカは短期間、「仮定法で希望を表わすごくちっぽけな存在で、いつかは実現するかもしれないあらゆるもの、すなわち地上の楽園、若さの泉、プレスター・ジョンの国〔訳注：伝説上のキリスト教国〕、神の王国を表わしていた」。このアメリカは「つねに日の沈む場所の向こうにあって、西にある次の領土が目撃され、記録され、測定され、結びつけられ、すでに知られている地点のネットワークに取り込まれるまでは安全なのだ。そのネットワークは大陸の奥地までゆっくりと三角測量を進め、すべてのものを仮定法から平叙文に変更し、可能性を政府の目的に見合った単純さに変えてしまう。神聖なるものの領域、その国境地帯から少しずつ奪い取り、われわれの住む殺伐とした現世に、われわれの絶望のなかにそれらを取り込んでしまうのだ[60]」。

　つねに前進するターナーのフロンティアは、アメリカがもっていた可能性を消したのである。領土拡大の華々しい時代は、同じくらい収縮のプロセスでもあったと、ピンチョンは主張する。視野は狭まり、見解は硬直化し、不平等は揺るぎないものになった。そこにあったすべての土地を縦横に分割する線を引こうとする、飽くなき欲求を通じて潜在力を枯渇させるレースである。

今日のアメリカは、「外縁に取りつかれている」のだと、この失われた境界線に囚われているのだとピンチョンは言う。そして、メイソンとディクソンが調査した境界線がまだその全線に引かれていなかったつかの間を、彼は懐かしんでいる。「西と刻まれた杭〔訳注：邦訳書では「西起点」〕からの距離がまだ測定されておらず、事実としてまだ記録されないうちは、この境界線をフィクションとしてのその生涯の最後の数ページのあいだで、輝きとして、残らせたまえ[61]」

測量の最後の日々にも、ピンチョンはまだアメリカを希望の大地として見ていた。見通し線がそこを通り、不都合な真実が入り込む以前は。アメリカは線なのだ。そしてその線がアメリカなのだ。波の外縁。悪い歴史の導管。機会を与えてくれる場。侮辱の形そのもの。正邪をめぐる永久の闘争。そのいずれもが、川のように強い、その荒々しい流れにさらわれたのだ。

今日のアメリカを理解するには、いまもまだそこへ行かなければならない。境界線に。国境に。

われわれの新しい日常

「われわれは国境の物語を語り直す必要がある」と、デイヴィッドは私に語った。

「それを別のものとしてつくり直さない限り、国境は永久に危険な空間として描かれつづける。いまではそれがわれわれの国の神話の一部となっている。だから、国境のもっとよい物語を語って、それを変えようとしなければだめなんだ」

私はコロラド州のロッキー山脈を州道91号線でイーストフォーク・アーカンソー川の川筋をたどりながら、南に向かってドライブしていた。春の終わりのことで、暖かい光が山々に降り注ぎ、傾斜地の森の深い緑と岩肌の赤錆色を引き立てていた。太陽は名残雪のなかでも輝いていた。

（実際には、私は運転していたわけではない。より正確に言えば、運転はしていたのだが、仮想空間においてだった。私は、コロラド州中心部のその場所にいるはずで、デンヴァー空港でレンタカーを借りて、山のなかをドライブする予定だった。だが、その旅行の一カ月前に、ヨーロッパからのすべての旅行客にたいしてアメリカが国境を閉鎖してしまった。私自身の出身国を含め、世界中の国々が、ロックダウンに入った。そのため、この先に綴ることは、予定していた車での旅にたいする私のリアクションだ。グーグルアースを使って州道をどんどんクリックしながらたどったのだ。進みながら、私はデイヴィッドとマルコスとの会話の録音を聴き返していた。）

州道がフリモント・パスを通ったところで、谷間が開けて、モリブデンを採鉱するために山が丸ごと削り取られた跡地となった。ジェットエンジンのタービン用の合金をつくるのに使用される鉱石である。道路は再び大きくカーブした。アーカンソー川の細い支流の帯が左手にあり、州道は右手にあった。低い丘の上方から覗くだけで、私にはそれが見えた。鮮やかな緑色の藪の茂みに囲まれた記念碑20が。

「場所にたいするわれわれの理解は、国境が恒久的なものだという考えに大きくもとづいている」と、デイヴィッドは言った。「われわれは均衡状態という現実の概念を国境にも投影するが、歴史的にはそれはあまり裏づけられていない。アメリカの国境が、たとえば一〇〇年後、二〇〇年、五〇〇年後にも現在のような状況であるか、と考えることだ。それは歴史から何かしら証明されるものというより、われわれの願望を語るものだ」

レッドヴィルの町を抜けてさらに二五キロほど進むと、州道の周囲から山はなくなり、だだっ広い草原が開けた。そのあいだをアーカンソー川の本流が流れていた。州道が川を越える手前に、小さな駐車場がある。その一端に、川の土手と草原と遠くの山脈に囲まれて、記念碑21があった。私は亜鉛めっきした鋼鉄の、まだぴかぴかに輝いて変色していない表面をズームインしてみた。その横には、写真を撮るために立っている一組のカップルが、凍りついたように映り込んでいた。

「最初から内在しているものなんだ」と、マルコスは私に言った。「アメリカ人のためのアメリカというこの考えは。マニフェスト・デスティニーというこの考えは。つまり、神が大統領に語りかけて、『この国の運命は拡大し征服することだ』と言ったというものだ。これは単に人種主義なんだと、私は思うよ。移動すればするほど、彼らはその他の人びとを消していった。ただ自分たちと似たような人間を、代わりに住まわせるためにね。そして今日の国境にもこうした考えは内在している」

マルコスとデイヴィッドはどちらも、英語の「フロンティア」という言葉と、スペイン語の「フロンテラ」の違いについて私に話していた。

「アメリカ人にとっての〈フロンティア〉は、無制限の約束を与えるこの広大な平原なんだ」と、デイヴィッドは言った。「自由と独立と自立というわれわれの神話を実現する場所だ、そうだろう？スペイン語では、〈フロンテラ〉は限界で、境界なんだ。だから、そこにこれら二つの異なる考えによって具体化した、認知的不協和があるわけだ」

マルコスはこうつづけた。「アメリカではフロンティアという考えは、境界にあって、かつその先にもあって、征服されるのを待っているものだ。メキシコにはそんなものはない。メキシコは征服された国だからね。われわれにとっては、フロンテラはただの線であって、標識だ。それは越えるべきではないものだ。わかるだろう？」

彼はそれから深々とした声で笑った。「限界が拡張できるものだなどと、われわれは考えてもみなかったよ！」

さらに三〇キロ強南下したところにある町ブエナ・ヴィスタの、野球場とサッカー場の裏手で、とうとう流れるアーカンソー川が眺められる場所に、私は記念碑22を見つけた。そのころにはデイヴィッドはメキシコとの現在の国境で起こっていることについて話していた。

「こうなると、われわれは立ち退きを商売のネタにするところまできた」と、彼は言った。「無尽蔵に資源があると思われた地域が尽きてしまう段階にまで達したわけだ。だから、移民の肉体が資源になるところまできたんだ。それが搾取できる最後のものだ。侵略的な産業が利益をあげるうえで消費できるものだ。自分たちの国境にやってくる〈他者〉にたいするこの排外主義のイメージを、われわれがつくりあげてきた事実を利用する産業だ」

デイヴィッドが説明したように、いまでは境界線によって新たな利益が生みだされている。その軌道に容赦なく吸い込まれてくる人びとを処理するのだ。立ち退かされた人びとや、正式書類なしに密入国してきた人びとは、まだ当分は尽きる気配のない資源なのである。デイヴィッドは二〇一八年一一月、中米から八〇〇〇人近い移民のキャラバンがティファアナに到着し始めた時期に、この都市から旅をしたときのことを話してくれた。移民は国境検問所となるサン・イーサイドロに集まり始めていた。国境から一ブロック先の市のスポーツセンターの運動場に、即席のテント村が出現していた。その月の下旬、一一月二五日には、何千もの移民がサン・イーサイドロまで行進し、アメリカ当局に出頭して亡命を願いでた。

次に生じたことは、おそらく避け難い事態だったのだろう。サン・イーサイドロにつづくエル・チャパラル橋で、一部の移民が強引に通り抜けようとして、メキシコ警察とのにらみ合いになった。その他の人びとは国境検問所までの残り数百メートルを越えようとして、ティファアナ川のコンクリート護岸をよじ登ろうと試みていた。突如として、平和な行進は暴力的なものに変わり、群衆に向けて催涙ガスが発射されていた。まもなくメキシコの警察は、あらゆる移民を見つけしだい検挙してバンやトラックに乗せ込もうと、市街地に繰りだした。デイヴィッドはその現場に、大混乱したティファアナの市内にいたのだ。そして、このときホンジュラスの若者が駆け寄ってきて、切迫した様子で彼にこう聞いた。「どうすれば国境を越えられるんだ？」

この若者にデイヴィッドが伝えられたのは、それは不可能だということだけだった。「ここはダメだ」と、彼は若者に言った。「国境はあまりにも厳重だ」。すると、若者は姿を消した。[62]「この瞬間だった」と、デイヴィッドは私に言った。「この流れは決して止まらないだろう」と、彼が悟った瞬間だ。

「われわれの国境を要塞化することが、この問題に対処するうえでの決定的な対策のように考えられている」と、デイヴィッドは言った。「でも、そうではない。これはわれわれの新しい日常となるものの始まりにおける、無駄な試みなんだ」

どうすれば国境を越えられるんだ？　今日では、これとまったく同じ質問を世界のどこかで誰かが発していない瞬間などまずない。われわれの新しい日常だ。

コロラド州スメルタータウンで、私はアーカンソー川を州道２９１号線が越える小さな橋の鉄とコンクリートの上部構造の下で、記念碑23を探してみた。だが、それはどこにも見当たらなかった。

デイヴィッドとマルコスが標識を立ててきた一八二一年の古い国境線は、ここで東へ曲がり、カンザス州までつづく人けのない平らな土地を流れる川沿いをたどる。だが、私はその方向へ行くつもりはなかった。代わりに、数百キロ南まで進みつづけた。アルバカーキを通り過ぎて、ニューメキシコ州の真ん中を突き抜け、その後は西に方向を変えて州道10号をたどり、砂漠と岩だらけの乾燥した土地へとクリックをつづけて進んだ。私の前には、アリゾナ州トゥーソンがあった。そして、メキシコとの国境が。

第三部　越える

6

過酷な地

二〇一七年一〇月に、メキシコのティファナ市の向かいにある砂漠の低木地に、八基のモノリス〔訳注：一枚岩のようにそびえるもの〕が出現した。そのうちの四基は鉄筋コンクリート製だった。残りの四基はその他の素材、すなわち棒鋼、金属管、積みレンガ、有刺鉄線でできていた。コンクリート板の一枚は、目立つ紺色に塗られてすらいた。夜の帷が降りたときの空を思わせる、冷たい厳粛な色合いだ。いずれも九メートル強の高さにそびえていた。

これらのモノリスはアメリカ合衆国税関・国境警備局によって発注されたもので、国境の壁となる八種類の試作品だった。いずれ完全に築かれるようになれば、アメリカの南の国境に沿って、全長約三一五〇キロにわたって途切れなくつづくはずのものである。その建設概要によれば、その壁は「見た目に美しく」、「周囲の環境に溶け込む」もの（これら二つはアメリカ側のみの必要条件）で、より具体的には、「大ハンマー、車のジャッキ、つるはし、鑿、電動衝撃工具、電動切削工具、酸素アセチレントーチなどの手持ち工具」で力を加えられても、少なくとも三〇分はもち堪えられるものだった(1)。

八基の試作品は大衆の目に触れないように隠されているわけではなかった。これらの設計や有効性も、ひそかに評価され、検査されていたのではない。むしろ、これらは互いに数メートル間隔で一列をなすように建てられ、高さ四・五メートルの錆びついた金属製の国境フェンスを見下ろしていた。

試作品はこの柵を補強するか、それを建て替えるものとなる予定で、柵の上にそびえ、市内を覗き込み、他国を覗き、その先まで見通していた。これらの壁の断片には何も書かれていなかったが、その必要はなかった。そのメッセージは明らかだったからだ。

国境の壁の試作品八基が建てられてから二カ月後に、MAGAという新しい非営利団体が、これらの試作品を国定記念物に指定するよう、オンライン嘆願書によるキャンペーンを始めた。一九〇六年の遺跡保存法のもとで、大統領が宣言するか、議会が法案を通すかすれば、アメリカ連邦政府の土地にある重要な自然・文化・科学的地物を恒久的に保護することができる。「メイク・アート・グレート・アゲイン」の頭字語であるMAGAは、八基の試作品には特別な「文化的価値」があり、「歴史的なランドアート」であると主張した[2]。

この嘆願と同時に、MAGAは「主要なランドアート展示」として、「プロトタイプス」と名づけた現地を訪れるツアーを企画した。バスはサンディエゴの現代美術館の外から出発して、サン・イーサイドロのメキシコとの国境検問所を通り抜ける。アメリカ側からは近づけないので、「プロトタイプス」をすぐ近くで見学する唯一の方法は、国境の南側からなのだった。ツアーバスはティフアナ市内を抜けて、市の最東端にあるエスコンディード界隈の未舗装道路までやってくる。そこでは、大型トラック用の小休憩所とくず鉄置き場のあいだの現在の国境フェンス沿いに脚立が設置されており、訪問客は脚立に登って、八基の壁の厚板をその場で眺めることができた。

MAGAとその挑発的なキャンペーンは、スイスのコンセプチュアル・アーティストのクリストフ・ビュッヒェルが考案したものだった。試作品の写真を初めて見たとき、すぐさまストーンヘンジを思い浮かべたのだとビュッヒェルは言った。「視覚的にそれはじつに印象的だった」と、彼は『ニューヨーク・タイムズ』紙に語った。古代との類似点のほかにも、これらの屹立する厚板がアメリカ文化とSFの奇妙に入り混じったものを提供していることにも、彼は衝撃を受けた。世界の大破局でドライブイン・シアターの大型スクリーンが取り残されたのか、スタンリー・キューブリックの『2001年宇宙の旅』の冒頭場面に出てきた象徴的なモノリスのようなものに思えたのだ。脚立の上から北を眺めると、「あらゆるものが見える。これは概念としてかなり強烈なインパクトがある」と、彼は言った。したがって、これらの試作品は意図したわけではないものの、比類のない「彫刻的な価値」をもつのだった[3]。試作品を保護する理由は、「その意味するものが、時代とともに変わりうるからだ。それらは人びとに、かつてここに国境を築こうとする考えがあったことを思いださせることができる」。

MAGAと「プロトタイプス」は芸術家の社会を、とりわけアメリカの西海岸の社会を二極化させた。二〇一八年二月に、数百人の芸術家とキュレーターが、この壁へのツアーを非難する公開状に署名し、そのようなツアーは「いちばんの弱者の暮らしを脅かす抑圧的な構造物を批判して解体することよりも、見せ物(スペクタクル)とアイロニーに関心をもつ」ものだとして非難した。『ニューヨーク・タイムズ』がこのプロジェクトを、「ドナルド・トランプは壁の建設主任か、コンセプチュアル・アーティストか?」という見出しで報道したことを彼らは批判した。八枚の厚板を「ランドアート」として扱うことは、「国家暴力を美化し、その暴力の影響を最もこうむる人びとの現実の体験を嘲笑うもの」にしかならないと、彼らは主張した[4]。

ビュッヒェルには、論争を巻き起こしてきた前歴がある。二〇一五年のヴェネツィア・ビエンナーレで、以前は教会だった建物をモスクに改造したほか、モハヴェ砂漠にジャンボ・ジェット機を丸ごと一機埋めようと試みたこともあった。そして、所属するギャラリーのハウザー&ヴィルトから発表した声明を通じて、試作品は「アメリカの文化における頑迷さと不安の証拠として立ちつづけ、政治論議を変えるためのきっかけとして役立たせる」べきだと彼は応じた。『ニューヨーク・タイムズ』のインタビュー記事のなかでビュッヒェルは、自分がこの「作品」をつくったアーティストではないことを強調した。むしろそのつくり手は大統領やその政権、そして拡大解釈をすれば、アメリカ国民自身だったのである。

「これは共同制作された彫像だ」と、彼は言った。「人びとがこの芸術家を選出したんだ」[5]『ニューヨーク』誌の芸術批評家ジェリー・サルツも、その見解に傾いていた。ビュッヒェルの提案に彼は、「絶望のなかに見えるわずかな希望の光」を感じていた。それをきっかけに彼は、これらの試作品を、距離を置いて眺めているのだと想像するようになった。「これらの試作品は、アメリカ合衆国が人種主義や排外主義、移民排斥主義、白人ナショナリズム、凡庸さ、他者にたいする底なしの恐怖などの亡霊に屈する寸前にまでなったことを思い起こす、またとない記念碑になるだろう」[6]

最終的に、ビュッヒェルとMAGAの嘆願書には九八四人分の署名しか集まらず、彼らが必要としていた目標数の一六〇〇〇人をはるかに下回っていた。二〇一九年一月には、いずれの試作品も基本的な「貫通性」テストに合格しなかったことが明らかになった。翌月、試作品は解体された。八基のモノリスは、重機の金属の粉砕歯と空気ドリルによって破壊され、粉砕された。

だが、「国定記念物」というビュッヒェルの概念は完全に消滅してはいなかった。二年後の二〇二一年四月に、共和党下院議員のマディソン・コーソーンが、「南部国境の壁国定記念物」の設立を呼びかける法案を提出した。「ドニュメント条例」(「ドナルド・トランプ」と「モニュメント」を合成したもの)と呼ばれたこの法案は、カリフォルニア、アリゾナ、ニューメキシコ、テキサスの各州にまたがる六五〇キロほどの国境の壁を、国境周辺の一二万ヘクタール近い土地とともに、「変更されないよう恒久的に保護」すべき記念碑として指定することを提案したものだ。

「南部の国境を守り、安全なものにして、アメリカ・ファーストの課題を推進するために私はあらゆる努力をします」と、コーソーンは法案を告知する声明のなかで言った。もしバイデン大統領が「壁を完成させるのを拒むのであれば、アメリカの愛国者がそれを守るために全力を尽くすことは間違いありません」[7]と、彼はつづけた。

　コーソーンが法案を発表するわずか数日前に、アリゾナ州検事総長のマーク・ブルノヴィッチがバイデン政権にたいし、国境壁の建設を中止することは、国家環境政策法に違反しており、「環境にたいし壊滅的な影響がある」として訴訟を起こした。壁を完成させないがために、「国境を違法に越えてこの国にやってくる人の数を大幅に増加」させたと、ブルノヴィッチは述べた。北部へ移動する際に、移民（マイグラント）はそのあとに衣服、バックパック、プラスチックボトルなどの「ごみ」を残していると、彼はつづけた。「それが野生生物や自然環境に影響を与えるのだ」と、彼は言った。そして、「ごみは林野火災の燃料にもなりかねない」[8]。テネシー州選出の共和党上院議員のマーシャ・ブラックバーンも、その二週間前に行なわれたインタビューで同じ懸念を表明していた。「環境を心配するすべての人にとって、これは環境危機なのです。移住者は国境を越えてやってきて、生態系を踏みにじっているからです」と、彼女は言った。

　この一連の議論によれば、壁を建設しないことが景観を損なっているのだった。実際には、障壁は大地を結び合わせて、傷口を閉じている縫合線なのだと。雨が降ったとき、壁がなければどうなるのかと、ブラックバーンは疑問の声をあげた。「私たちには壁を設置するために切り開いた道路がある［……］未補装のそれらの道路は押し流されてしまうでしょう[9]」

　民主党が多数を占める議会をコーソーンの法案が通過するチャンスはなかったが、これは「国定記念物」の危うい性質を強調していた。つまり、文化的な重要性は、いかようにでも解釈が可能なのである。孤立主義の政策や「アメリカ・ファースト」、そこからの論理的な結論にこれ見よがしの安全対策を取るならば、国境の壁以上に国にとって適切なシンボルがあるだろうか？　アメリカ合衆国とその国民のアイデンティティを大地に刻み、コンクリートの土台に注いだのち、丘陵や山地へと広げ、砂漠の平原をうねりながらはるか彼方まで進むものだ。果てしなく錆びてゆく鋼鉄の暗いオレンジ色の線となって、永久に保存された形で。

ソノラ砂漠の考古学

「われわれが見つけたバックパックは、なかに写真立てが入っていて、そこには〈ナンバーワン父さん〉と書かれていた」と、ジェイソン・デ・レオンは私に語った。「そして誰かがガラスを割って写真を取りだし、その他すべてのものは置いて行っていた。〈ナンバーワン父さん〉と書かれた写真立てをもっていた人物のことを、私はよく考える。〈ナンバーワン父さん〉は誰なのかと、いつも思うんだ。自分の子どもを置いて国をあとにし、砂漠までやってこなければならなかった人なのか？　それとも残って子どもたちが飢えるのを見守る父親か。少なくとも家族が一緒にいられるように？」

アメリカとメキシコの国境をアリゾナ州のソノラ砂漠を通って越えようと試みるなかで、人びとが落としたり、捨てたり、なくしたりしたものを、ジェイソンは一〇年以上収集してきた。彼はいままでは八〇〇〇点以上のものを集め、すべて目録をつくって、GPS位置情報を入れて、カリフォルニア大学ロサンゼルス校の研究所にある記録保管用の箱に保管している。彼は学部生時代にそこで考古学を学び、いまは人類学教授として勤務している。

ジェイソンは二〇〇九年一月にこの砂漠を初めて旅した。そのころ、「移民のごみについて、あれこれ言われていた。そもそも私が関心をもった理由の一つはそれだった。というのも、みんながネット上に写真を投稿して、『メキシコ人が砂漠に置いて行ったこれだけのごみを見てくれ』と言っていたからね。でも、考古学というのは実際にはそういうものだ。ごみの研究なんだよ」

彼はアリゾナの地元民のボブ・キーと連絡を取った。退職した歯科技工士で、人道支援団体「トゥーソン・サマリタンズ」のボランティアをしている人物だ。ボブは何年も前からソノラ砂漠まで足を踏み入れており、移民のために食料、水、医療援助物資を現地に、しばしば週に何度も運んできた。

彼はジェイソンを、国境の北約一六キロの地点にある小さな町アリヴァカのすぐ先から始まる未舗装の小道へ案内した。二時間ほどハイキングしたのち、彼らは広大な砂漠が広がる光景が見える稜線まで登った。

「すると、そこにこうした物がいろいろ落ちていたんだ」と、ジェイソンは私に語った。「何千というバックパックや、類似のものが。水のボトルはそこらじゅうにあった。だから、最初に出かけたその日から、うん、ここには何かがある、と思っていた。でも、それはバーでナプキンに描いた絵のようなものだった。これは本当に何かになるのか？ それは誰にもわからない」

古代の移住の痕跡を探しに出かけたとしても、それを見分けるのはほとんど不可能だと、彼は私に言った。

「痕跡はごくうっすらとしかない。過去には痕跡の研究は難しいことでよく知られていた。実際、まさにそうなんだ」

今日の移民によって残された物質が「考古学」に値するくらい古くなるころには、それらはすでに消失しているだろう。清掃され、捨てられるか、劣化し、溶けて、太陽と熱とソノラ砂漠の極端な気象条件によって粉々になり、塵と化すだろう。彼が思いついたのは、現在の、この瞬間の考古学的記録をつくることだった。一部の人にとってはただのごみだが、それはジェイソンが「進行中のアメリカ移民史」と表現するものだったのである[10]。

移民の残した品々

ジェイソンは、自分でもあっさりと私に認めたように、典型的な考古学者ではなかった。彼がこの分野に関心をもったきっかけは、八歳のときメキシコのテオティワカンのピラミッドを訪ねる旅行をしたことだった。それに、インディ・ジョーンズの映画が大好きだったのだ。

「長いあいだずっと、考古学者になるんだと、ただ周囲の人たちに言ってきた。それが実際に何を意味するのか、皆目見当は付いていなかったんだが。それで大学に行くと、こう言われた。じつは、考古学は人類学に分類されるんだ、と。わかった、別に問題はない、と私は言った。でも、子どものころからの夢があったからね。自分がほかに何をすればいいのかわからなかった」

ジェイソンはわずか二カ月で大学を退学した。彼は学生ローンの小切手を使ってバンを購入し、「アジアの若者（ユース・イン・エイジア）（早口で言うと……〔訳注：「安楽死（ユーサネイジア）」という英単語に聞こえる〕）」という名のガレージパンク＝レゲエのバンドとともに三カ月間アメリカ国内を回る旅に出た。

「これが自分の人生になるんだと、私は思った」と、ジェイソンは私に語った。ただし、そうなれば「一生金欠で、健康保険もない」ことも意味するのだと悟るまでのことだった。

彼は大学に戻って、学部を卒業し、博士課程まで進んで修了し、メソアメリカ〔訳注：メキシコから中米北西部までの地域〕、オルメカ文明における黒曜石の石刃石器の交易を専門にした。この時点でほぼ一〇年が過ぎていたが、まだ以前の幻滅感を完全に克服してはいなかった。

「こんな気分だったね。われわれは考古学をやっているが、世界は燃えている。自分たちはこれを研究しているが、それに関心をもっているのは六人くらいだ、とね。だから私には、メキシコで研究をして、遠い過去の不平等の問題について、三〇〇〇年前からの地層と社会組織について考えることは非常に辛いものになった。リアルタイムで不平等が繰り広げられるのを見ているのだから」

ジェイソンは学位論文のために何カ月もメキシコで発掘調査をしながら過ごした。その間ずっと、彼は地元の人びとからアメリカとの国境を越えるために準備していることを、あるいはすでに越えようと試みた話などを聞いていた。

「私と同じくらいの年齢で、アリゾナから戻ってきたばかりの男に会ってね。すると彼が国境についての話を聞かせてくれた。ソノラ砂漠でいかに死にかけたかを。そこで私は心のなかで思った。アメリカとメキシコの国境なら、何度も行っているので、多くのことを知っていると思っていた、と。テキサス南部の小学校にも三年間通ったので、これまでずっとこの国境の周囲に暮らしてきたわけだ。でも、自分がそれについて何も知らないことに気づいた。だから、これらの話によって、人生をどう生きるべきかについての自分の考えは、根底から変わったんだ」

ジェイソンの両親はどちらもアメリカ陸軍で兵役に就いており、実際にはどちらもアメリカへの移民だった。彼の母親はフィリピン出身で、父親はメキシコ出身だった。

「父の出生証明書には、テキサス生まれと書かれている」と、彼は私に語った。「父はメキシコで生まれて、赤ん坊のころに連れてこられた可能性が高いんだがね。それに私には正式な書類のない無登録（アンドキュメンテイッド）の親戚がほかにも山ほどいる。だから、私は移民社会の周辺で育ったんだ」

少年のころ、ジェイソンは年中メキシコ側へ渡っていた。

「向こうでは、じつに多くの時間を過ごした。行ったりきたり、食料品などを買いだしに行ったり。今日はレイノーサ〔訳注：メキシコの国境都市〕に行くぞ、といった具合に。いまではレイノーサは『ウォーキング・デッド』〔訳注：ゾンビに支配された終末世界を描いたテレビドラマ〕のようなものだ。あまりにも危険で、もうとても行けない。でも、私はそんなことは大したことではないと考えて育ったようなものだ」

国境線の本質も、それをどう越えるかも様変わりしてしまったのだ。

「だから、メキシコのことや、国境や家族など、自分がそれまで考えていた諸々のことと、私が出会う人びとが一緒に連動しだしたわけだ。国境を越えてきたばかりだったり、これから国境を越える準備していたりする人びとだ」

博士課程を終えるころには、彼はもはや考古学には関心がなくなった。代わりに、生きている人びとと話がしたかった。

「しかし、その時点では、本当に考古学と移民を結びつけることは考えていなかった。アリゾナに旅をするまではね」

当初、地元のNGOや人道主義団体の人びとは誰も、彼を砂漠に連れだすことは望んでいなかった。

「私がやろうとしていることは、ばかげていると彼らはみんな思っていた」と、ジェイソンは言った。それもボブがガイド役を買って出るまでのことだった。

「そして、いったんそこへ行って、あの場所の現状を調べたあとでは、ともかくなすべきことはいくらでもあることに気づいた」

その最初の旅のすぐあとで、ジェイソンは「無登録移民（アンドキュメンテイツド・マイグレーション）プロジェクト」と彼が呼ぶものを創始した[11]。学生や院生をチームに募った彼の目的は、考古学と人類学と科学捜査のそれぞれの側面を合わせて、非合法の越境について長期にわたる研究を行なうことだった。とりわけ、彼がそれに関連した「進化する物質文化」と呼ぶものを理解するための研究だ。これは実際には、砂漠に何度も出かけて、移民がたどる道を追い、あとに残されたものを何であれ収集することを意味していた。

最初にジェイソンが最も興味を惹かれたのは、私的な品々だった。なかに個人的な書き込みがあるポケット版聖書。ラブレター。家族の写真。彼は自分が収集した三歳児用の靴のことを話してくれた。愛している、行かないで、といった手書きの文字があちこちに書かれた靴だ。なかに悪ふざけ用の運転免許証〔訳注：宇宙人の顔写真入り〕が入っている財布もあった。財布の持ち主は、以前にニューメキシコ州ロズウェルのUFO博物館を訪ねて、「不法宇宙人（イリーガル・エイリアン）」の運転免許証を買ったに違いない〔訳注：「イリーガル・エイリアン」は通常、不法在留外国人を指す用語だが、近年は避けられる傾向にあり、「アンドキュメンティッド・ノンシティズン」（無登録非市民）などと言い換えられる〕。

「人間は面白い」と、ジェイソンは言った。「彼らは面白いものを携えてくる。そのことについてよく考えるんだ」

こんなバックパックもあった。なかにはまだシャツが入っていて、そのシャツの背中には、自由の女神が刺繍してあった。

「私にしてみればそのシャツは、ソノラ砂漠が実際にはこの二〇年のあいだ移民にとってのエリス島〔訳注：本書一三ページ参照〕だということ、またはそうなってきた事実を語っている」と、彼は言った。「われわれの世代はソノラ砂漠について、そんな夢物語的な意味で考えてはこなかった。それにこうした意味では、もう二度と考えなくなることを願っている。でも、この種の大規模な入国港（ポート・オヴ・エントリー）／国境検問所には類似点がある」

時とともに、ジェイソンの関心はごく私的で独特なものから、より日常的な物質、とくに水のボトルへと移っていった。

「みんな水がなくなって死んでいる。これらのボトルを拾うたびに、そのことを考える。水のボトルはいろんな意味で、最も心を打つ、そして最も扱いづらいものだ。それが生死のあいだのインターフェイスだとわかるからね」

このプロジェクトを始めてすぐに、ジェイソンはボトル自体の性質にも重大な変化が見られることに気づいた。二〇〇九年までは、ボトルはほぼどれも〔訳注：半透明の〕白いものだった。ところがその年に突然、黒いボトルが方々で見つかるようになった。

「バーッとね。一夜にして現われた」と、彼は言った。「いまでは七〇％以上のボトルが黒だと言えるよ」

この変化の理由は身を隠すことにあるようだった。白いボトルは光を捉え、太陽や投光照明や懐中電灯の明かりを反射する。

「ここで考古学がじつに役立つようになる」と、彼は言った。「大半の人は頭のいかれた連中ではなく、水のボトルのことを考えるような人びとだからだ」。ジェイソンが移民たちに、水のボトルについて質問すると、「私の頭がおかしいんじゃないかという顔で、彼らはこちらを見る。もっている水のボトルが何色かなどと、なぜ私が知りたいのか、とね。彼らにも、事態がどのように変化したかはよくわかっていない。でも、考古学は人びとがこの先に体験することについて、彼ら自身のものの見方がどう変わってきたかを実感させてくれる。そこから利益を上げている連中とともにね」。

国境のメキシコ側沿いの町では、黒い水のボトルの製造と販売に関連した経済が成長してきた。迷彩服や、靴底に長方形に切った絨毯を貼りつけた靴なども同様だ。靴は、砂地に足跡が残るのを防ぐためとされている。

プロジェクトを始めたころは、ジェイソンは荷物がぎっしり詰まったバックパックを見つけていた。そこにはカクテルドレスからドライヤーまで、あらゆるものが入っていた。「ごく短い旅になると思われた道中で必要となると彼らが考えたものだ。二時間歩いて、アメリカに着いたときにはいちばん見栄えよくしたいからね」

一〇年後のいまでは、誰も必需品以外はもってこなくなったと、彼は言った。本も、聖書も、家族の写真もない。食料、救急用品、水、バックパックばかりだ。それに迷彩服のシャツやズボン。「しかし、大半の人が見過ごすような品々によく注意を払わなければ、こうした変化は本当にはつかめない」

だが、それ以外にもジェイソンのチームが見つけだしているものがあった。骨だ。歯のかけらや、日にさらされた遺骨の破片など、わずかな骨片の場合が多い。ときには肋骨(ろっこつ)全体や腕の骨がまるごと一本分見つかることもある。砂漠から出られなかった人びとの断片である。

過去二〇年間に、七〇〇〇人以上がアメリカとメキシコの国境を越える際に死亡したと記録されてきた。これらの死亡件数のうち半数近くが、ニューメキシコ州とアリゾナ州ユマ郡のあいだの、トゥーソン区間で生じたものだった。二〇〇九年の初めにジェイソンが最初に訪ねたあの同じ土地である。

ここ、ソノラ砂漠は、巨大サボテンのベンケイチュウに、キンセキリュウ、有刺低木林、匍匐性の草や、岩だらけの涸れた小峡谷と山々を特徴とする土地だ。夏の気温は例年四〇℃を超え、近年では五〇℃にも達している。二〇二〇年はこの地域の記録史上で最も暑い年となり、死者の数も最多となった。この国境地帯では、二二七人の移民の遺骸が見つかっている[12]。

すでに二〇年にわたって、ヒュメイン・ボーダーズという団体がアリゾナ州ピーマ郡検視官事務所とともに調査を行ない、このプロセスの一環として、これらの死者を記録し、認定して「移民の死の地図」と呼ばれるものを作成している。アリゾナ州南部の地図には、多数の赤い点が重ねられている。メキシコとの国境線沿いに密集した塊が見られる散乱パターンだが、赤い点はこの一帯の隅々にまで広がり、なかにはフェニックス市ほどの北部にまで達している孤立した点もある[13]。

赤い点はそれぞれが一人を表わす。アメリカに到達しようと試みて死亡した男や女や子どもたちだ。オンライン版のこの地図では、どの点でもクリックすると、状況を語るわずかばかりのヒントが得られる。氏名、と言っても、彼らの身元が実際に判明した場合には（ただし、一〇〇〇以上の点について、氏名はまだ不詳だ）。発見日と遺体の状況（大半の場合、これは単に「白骨死体」と書かれている）。死因（発見時にまだ特定が可能であれば）。驚くべきことではないが、過酷な環境にさらされたこと、日射病、熱中症が最も多く見られる。彼らの年齢（生後わずか数カ月の乳児から、九九歳の男性の一例まで幅広い）。

「死の地図」は、希望が人間の悲劇と化した陰惨な地図である。国境がもつ、尽きることのない誘因と、そこに元来備わっている脅威の双方をリアルタイムで空間的に表現したようなものだ。自分たちの愛する者の身に起こったことを知りたいと思う一部の家族にとっては、遺体の発見と、具体的な死に場所と死因がわかることは、わずかばかりの慰めをもたらす。だが、多くの人びとには、何の答えにもならない。彼らの息子や娘、父や母、おじやおば、いとこたちは、ただ姿を消してしまったのだ。

北（エル・ノルテ）の玄関口（ポータル）に入って、その向こう側へ出て行くことはなかったのである。これらの公式記録が、砂漠での実際の死者数のほんの一部でしかないことは、誰もが認識している。二〇〇六年に、アメリカ政府の報告書がすでに認めていたように、「未発見の遺体の総数は最終的には不明である」。これは暗に、その数は決してわからないし、知ることはできないと認めるということだ。

プロジェクトが軌道に乗るにつれてますます、ジェイソンの心中にはこの不確かさが渦を巻くようになった。砂漠の遺体に、実際には何が生じたのだろうか？　ただ消滅してしまったのか。肉体から白骨になり、それから骨片となって、無に帰するのか？　それは恐ろしい調査であるのと同時に、不可欠なものでもあると彼は思った。

「関連文献を調べてみて、まったく何もないことを知ったときはひどくショックを受けた」と、彼は私に語った。砂漠の環境が人体の分解におよぼす影響に関する研究は、存在しなかったのだ。この土地が人体を保存するのか、存在を抹消してしまうのかを知る方法はないのだ。

「それに法医学者に聞いても、まともな答えは返ってこなかった。法医学者たちはこう言うんだ。まあ、ミイラ化する死体もあれば、そうでないのもあると考えている。それがなぜか本当のところはわからない。彼らが着ているもののせいなのか、季節によるのか、あなたが推測することと、われわれの推測と大差はない、と」

推測する代わりに、ジェイソンは自分で調査を実施することにした。彼はアリゾナ大学の「肉研究所」から、成獣と幼獣のブタを入手して砂漠へ運んだ。体の大きさや脂肪の分布、生体構造などさまざまな理由から、法医学ではブタは一般的にヒトの代用となっている。砂漠の環境の本来の場所で、人が死ぬ状況を最もよく再現するために、ジェイソンはブタを現場で殺さなければならなかった。それから彼は、移民が着ている典型的な服装――ジーンズ、下着、Tシャツ、靴――を着用させて、直射日光の下から、部分的に日陰の場所や、完全に日陰のところまで、さまざまな状況下に置いた。

私はあるインタビューのなかで、これらのブタを砂漠まで送り届けた人が見せたいぶかしげな反応についてジェイソンが語るのを聞いていた。「この仕事では、ずいぶん奇妙なものを見てきた」と、その配達人は彼に言った。「でも、あんたらがどんな突拍子もないことをやらかそうとしているのかは、わからないよ」。ジェイソンは彼に、砂漠で死骸に何が起こるかを、誰も本当には把握していないことを説明していた。だから、遠隔操作できるトレイルカメラでブタを監視して、どれだけ早く分解し、どんな種類の野生の腐食動物がやってくるかを調べることにしたのだと話した。配達人はしばらく考えてから言った。「じつは、国境を越えて行方不明になったいとこがいる。彼の身に何が起こったかは、まるでわからないんだ」[14]

「映っている動画は生々しい」と、ジェイソンは私に言った。「しかもどんどん悪くなる」

最初の数日間はさほど多くの変化はなかった。ハエが大量に止まり、ブタの体の上を一面、アリが這い回った。太陽の下で死骸は黒ずみ、膨れあがった。それから死骸がちょうどよい腐敗状態になるとかならず、ハゲワシがやってきた。正確には、ヒメコンドルという黒い大型の鳥で、頭部は禿げていて赤く、皺が寄っている。一羽、二羽と飛んできて、それが六羽となり、やがて十数羽になった。ある動画では、ジェイソンは一度に二二羽のヒメコンドルが死骸をついばんでいて、さらに八羽が見守りながら、自分たちの番を待っているのを確認した。服は引き裂かれ、靴は食いちぎられ、鳥たちが腐りかけた肉にありつける状態になっていた。このプロセスは数週間にわたって、来る日も来る日もつづいた。彼らが実施したどの実験でも、服を着せられたブタの死骸は、最終的にきれいについばまれ、骨だけが広い範囲に散らばった。大半の場合、ブタの骨は一部しか見つけることはできず、ときには三分の一以上がもち去られていた。

グロテスクかつ皮肉なことに、最も早く劣化が進むのは、太陽や腐食動物から「守る」ために死骸を覆い隠そうとした場合だった。ジェイソンは何人もの移民からこうした慣習について聞いていた。

途中で仲間が死ぬと、砂漠の石を積んで間に合わせのケルンの下に埋葬するのだという。実際には、これらの石はその後、太陽の高熱を吸収してミニ・オーブンと化し、それが遺骸をいくらか「調理」して、ほぼ即座に腐食動物を引き寄せるものに変えるのだった。これをブタで実験すると、ブタは肉がしっかり付いている状態から、わずか一日でヒメコンドルによって完全に白骨化した。

「これらのカメラでわれわれが見ていたものは、おぞましいものだった」と、ジェイソンは言った。「このシナリオを人に当てはめて想像してみてくれ。そこで人間の遺体に起こることを考えるんだ。思い浮かべるのも恐ろしい」

ブタを使った最初の実験を行なってから二週間後に、ジェイソンは学生たちを連れて、二〇〇九年にボブ・キーとともに彼が歩いた最初の道に戻った。これは二〇一二年の夏のことで、それ以前の三年間、このルートを歩きつづけるなかで、ここが着実に利用されなくなっていく過程を彼は日の当たりにしていた。新しい落とし物が見つかることはごく稀になり、かつてこの一帯に散乱していた物の多くは、その間の年月で劣化し消滅していた。ジェイソンが考えていたのは、学生とのハイキングを通じて、移民の痕跡がいかに急速に消えうるかを示すことだった。

学生の一行は、涸れた峡谷を進み、丈の高い淡い黄色の草が茂る斜面を登って、メスキートの木がまばらに生える木立に向かった。ジェイソンはこれまでもたびたび、その木陰に座って昼食を取ってきた。そのとき、一本の木からわずか数メートルの距離のところで、彼らは遺体に遭遇した。うつ伏せに倒れた女性で、腕の下に経口補水液のボトルをかかえていた。ジェイソンはのちにこの場面を、彼の著書『野ざらしの墓の土地』(*The Land of Open Graves*)で書いている。「無登録移民プロジェクト」から出版された一冊である。

「人目を惹く彼女の漆黒の髪と、右手首に巻いたポニーテールを留める髪飾りが、かつてはどんな人であったかを窺わせる」と、彼は書いた。「私は彼女の髪をじっと見つめる。滑らかな髪で、黒曜石の色をしている。これまで見たなかで、おそらく最も黒々とした髪だろう。その質感は、彼女がまだ生きているかのようだ[15]」

ジェイソンは警察に連絡し、それから学生たちと一緒に遺体のもとで待った。暑い微風のなかで、彼らはほとんど無言で一本のメスキートの木陰に座っていたが、やがてグループの一人が泣きだし、ほかの仲間に慰められていた。ジェイソンは遺体を眺めながら、この女性の生涯について思いを馳せた。

「彼女はどんな人だったのか？　その笑い声はどんな響きがしたのか？　何に駆られてこの砂漠へ足を踏み入れたのか？[16]」

しばらくのちに、誰かが道中、捨てられていた毛布を拾ってきたことを思いだし、それを使って遺体を覆った。四羽のヒメコンドルが頭上を旋回していた。保安官が到着したのは五時間後のことだった。到着した際には遺体袋とストレッチャーを持参し、三人の国境警備隊員を伴っていた。袋に入れるために、彼らは遺体をひっくり返さなければならず、ジェイソンはそこから目を逸らすことができなかった。

「彼女の顔で残っていたものを私は見る」と、彼は書いた。「口は紫と黒のいびつな穴になっており、それが彼女の顔立ちの残りの部分を覆い隠していた。彼女の目は見えない。その口からとうてい目を離せないからだ［……］。彼女の顔にかつて存在したどんな美しさも人間性も、叫ぶ途中で固まった石色の悪霊に置き換わっていた。それは頭にこびりついて離れない表情だった[17]」

この女性はピーマ郡検視官事務所の冷凍倉庫に運ばれて行った。彼女は身分証明書をもっておらず、液体入りのあのプラスチックボトル以外に持ち物は何もなかった。だが、ジェイソンは彼女が誰なのかを調べてみようと意を決していた。彼は検視官事務所で働いている人類学者の友人ロビン・ライナキーに連絡を取った。彼の仕事は、親族が砂漠を越えようと試みて死亡したか、行方不明になっている家族から聞き取り調査をすることだった。数週間、調査した結果、ロビンは手がかりを見つけた。遺体が発見された前日に、地元のサマリタンズ・グループが出会ったある若い移民が、ジェイソンのチームが歩いたのと同じルートを二人の仲間とともに歩いてきたと語っていたのだ。一人は年配の男性だったが、もう一人は三〇代の女性だと語っていた。若者の旅の道連れはどちらも、一緒に旅をするあいだにひどく体調を崩してしまい、そのため、二人を置いていく以外に彼にはすべがなかった。女性のほうは、グアテマラかエクアドルからやってきており、マリセラという名前だった。

ロビンは両国に問い合わせをし、行方不明者の報告を調べ、すぐに完全な身元を突き止めることができた。遺体の主はカルミータ・マリセラ・ツァギ・プヤスで、三一歳の既婚女性で三児の母だった。彼女は二〇一二年五月に夫と子どもたちをエクアドルに残して、アメリカへの旅を試みた[18]。

マリセラの遺族に連絡したいという衝動を抑えきれなかったと、ジェイソンは私に語った。「彼女が誰であったか知る必要があると私は感じた。そして、何らかの形で遺族の役に立てたらと願ったんだ」と、彼は言った。「つまり、私が大切に思う人が砂漠で死んでいったら、彼らの身に何が起こったのかをできる限り知りたいと思うからね。だから、もし誰かが私に電話をくれて、『私がこの遺体を発見した者ですが、何が起こったか知りたいですか?』と聞いたら、自分も知りたいと答えるだろうと思うんだ」

マリセラが死亡してから八カ月後に、ジェイソンは彼女の義理の兄弟に会うことにした。彼はニューヨーク市のクイーンズ区に住んでいた。まだ一七歳だった一〇年前の二〇〇一年に、彼はエクアドルからアメリカまで旅をしてきた。マリセラが電話をかけてきて、ニューヨークに移住する計画を立てていると伝えたとき、旅に出ないでくれと彼は懇願した。自分自身の経験から、その旅がいかに過酷で危険かを知っていたからだ。しかし、彼女を思いとどまらせることはできなかった。ほかに選択肢はないのだとマリセラは彼に言った。自分の子どもたちに何らかの将来を与えるには、それが唯一の方法なのだった。二〇一二年六月の初めに、メキシコ北部まで到達して、ソノラ砂漠を歩いて渡る準備をしていたとき、マリセラは義理の姉妹にフェイスブックでメッセージを送った。「どうやってそこまで行くかわからないけど、家族のために行きます。神の思し召しがあれば、そちらにたどり着くでしょう」[19]

マリセラの遺体は、南アメリカに送り返される前に、ニューヨークまで輸送してもらうよう義理の兄弟が手配をした。たとえ死後であっても、彼女の旅をやり遂げさせてあげたかったのだ。彼らはクイーンズ区の地元の教会で彼女の通夜を行ない、翌日、遺体は再び南へと、アメリカ、メキシコ、グアテマラ、ホンジュラス、ニカラグア、コスタリカ、パナマ、コロンビアの国境の上空を越えて、エクアドルまで飛んだ。

ジェイソンは、チームの仲間とともに、マリセラを発見した道の傍らのメスキートの木陰に、小さく簡素な彼女の記念碑を建てたのだと私に語った。彼らは溝を掘って、穴に金属製の丸いたらいを縦に置き、下半分をセメントに埋めた。

「大量のセメントだ。そこが恒久的なものであって欲しいからだ。ということは、砂漠を越えて七〇キロ近い袋を担がなければならなかったということだ」

たらいのなかに、彼らはガラスと陶器のタイルで青、白、黄色の模様を描いた繊細なモザイクをつくった。これらのタイルの後ろには、聖人たちの姿がぼんやりと描かれたガラス製の燭台を置いた。中央には大きな銀色の十字架があり、ジェイソンはそこにマリセラの家族から託された彼女のネックレスの一本を掛けた。

「われわれは何度も記念碑のところに戻って、状態を確認している。一部は壊されてしまったので、また戻ってつくり直した。まだ現場に残っているよ」

これはただ一人のための、妻であり母であった人のための記念碑だ。彼女より前にきたその他何千もの人びとと同様に、国境によって命を奪われた人だ。だが、それはもっと大きなものについても語っている。たとえば、彼女はそもそもなぜそこにいたのか。彼女はアメリカに渡って、ニューヨークへ行こうとしていた。だが、なぜ砂漠を抜けて行ったのか、よりによってなぜ国境線沿いで、ほかのどこにも増して過酷で人を寄せつけない土地を通って越えたのか。

抑止を通じた防止

一九九三年に、テキサス州エルパソの地元の国境警備隊が新しい戦略を採用しだした。同市のダウンタウン地区にある国境フェンスに沿って、警備隊員を大幅に目立たせ、存在感を高めることなどだ。このプロセスは、公式には「封鎖作戦」として知られたものに発展した。ある段階でこの戦略は、リオグランデ川を挟んでエルパソ市と、対岸のメキシコ側の市であるシウダッド・フアレスのあいだにまたがる、全長三二キロにおよぶ分割線の全線に沿って、四〇〇〇人ほどの国境警備隊員と緑と白のパトロール車両をずらりと並ばせるものになった。一種の視覚的かつ事実上の人間の壁だ。その結果、以前は移民の多くはただ両市を二分するフェンスを飛び越えていたが、かつては市街地にあった国境の横断箇所は、しだいに市の周辺部へと離れて行くようになった。あるいは、さらに遠方の荒れ地にまで移動して行った。

国境警備隊は、エルパソでの成果に大いに満足したため、一九九四年にはこの地域の戦略が新しい「国家計画」の中心をなすようになった。「〈抑止を通じた防止〉戦術を実践することで、国境の管理を向上」させ、「それぞれの主要な入国ルートに決定的な数の法的執行手段を講じる」のだと彼らは言った。そこには、新たに一〇〇〇人の警備隊員を雇って、南西部の国境線に配備することも含まれていた。国境警備隊は、「従来の入国ルート(ホスタイル・テレイン)と密入国斡旋ルートが遮断されることで、不法な往来は抑制されるか、より過酷な地に追いやられるかするだろう。横断するには不向きで、取り締まりにはより適した土地である」と、予測した。[20]

その構想は単純なものだった。移民の動きを人口密集地から遠ざけ、土地そのものを、つまり過酷な地を入国の障壁に利用するというものだ。エルパソに入る難易度を上げ、何百キロにもわたる南西部の国境線全域で同じ方針を適用するのである。この国家計画は、移民の「流入」は国境警備隊の変化する戦術に適応するだろうし、「その戦術の効果が感じられれば、暴力沙汰は増えるだろう」と認めていた。それだけでなく、これらの同じ要因を計画の「成功指数」に含めてもいた。米国会計検査院が作成した別の文書はさらに一歩踏み込み、「入国を試みる外国人(エイリアン)の死」は、「この戦術の効果を測る」うえで利用できるとさえほのめかしていた。[21] 死亡する人数が多ければ多いほど、実際にはこの計画が功を奏していることを示しているのだった。

二〇〇一年には会計検査院の別の報告書が、「不法な往来を市街地から引き離す」計画の目的は達成されたが、これは移民の「犠牲」のうえでのことだったと結論を下していた。「不法な入国を試みるのを思いとどまらせる代わりに、多くの外国人(エイリアン)は山地や砂漠、川を越えようとして、死ぬ危険を冒していた」と、その報告書はつづけた。[22] ということは、抑止力というよりは、むしろ盛大なルート変更の実施だったのである。二〇〇〇年以降、ソノラ砂漠だけでも、六〇〇〇万人以上が移民しようと試みてきた。この戦略は、最初に考案されてから二五年を経た今日もなおつづいている。

最初にこれらの書類に出くわして、白黒明確につづられたその政策と結果を目にしたとき、ジェイソンは唖然とした。

「抑止を通じた防止、という形で想定されているのは、こうした手法が兵器化して、人間を殺すこともできるということだ」と、彼は私に言った。「それでも、その事実を無視することも可能だ。日々、目にするわけではないからね。遺体は消滅する。そうしたら、『それをやっているのは自然環境だ。それをやっているのは密入国の斡旋業者だ』とただ言えるわけだ。人びとは砂漠のせいにするか、密入国を手助けする業者のせいにする。これら諸々のことがすべてつながっていることは認めたがらないし、自分たちの手が汚れているとは認めたがらない」

二〇一九年にジェイソンと「無登録移民プロジェクト」は、この実態をより広く一般に伝えるにはどうすべきかを考え始めた。彼らのアイデアは、まっさらな壁から始まった。この壁を各地に運んで、そこに太い黒い線を描くのだ。その壁は幅が六メートルほどあれば、どんな壁でも、どこにあるものでも構わない。描かれる線は「Z」の形から始まって、左から右へ下がりながら非常に長い尾を引き、それが壁の三分の二の長さまで斜めに下がったのち、壁の最後の三分の一は真横にまっすぐに進む。その線が表現するものは、アリゾナ州とメキシコの六四〇キロ以上にまたがってソノラ砂漠を分断し、乗り越えなければならない国境線だった。壁の上部には四角い紙が並べられて巨大な碁盤目をなしている。紙は全部で三五〇〇枚ほどあり、いずれも整理番号が振られている。整理番号は壁上の正確な場所に赤いプッシュピンを刺せるようにするための座標として使われる。その過程で、それぞれの紙は取り外されてゆく。ピンからは長方形の色紙でできた小さいカードが下げられる。正確に言えば遺体の足指に取りつけられる札で、それぞれに二〇〇〇年以降にソノラ砂漠で発見された移民の遺体の詳細が手書きで記されている。黄褐色のマニラ紙の札は、身元が判明した遺体を、オレンジ色の札は一〇〇〇人のまだ身元が不明の人びとを表わす。

ジェイソンたちの目的は「移民の死の地図」の壁サイズ版を制作することだった。場所があって、自分たちで展示のための準備をするボランティアさえいれば、どこでも再現できるものだ。このボランティアという要素はきわめて重要だった。ジェイソンのチームは、準備の作業が最も影響をもつ部分だと考えていたからだ。三五〇〇枚の札にそれぞれの人の名前、性別、死因、遺体の状況を書き込み、壁のスペース上で彼らの死に場所を特定するために要する膨大な時間が、大勢の人による共同の立ち合い行為となりうるのだ。

これらの地図は二〇二〇年の秋にアメリカ各地のさまざまな場所に初めて出現した。大統領選挙の準備期間に合わせ、二六年前のクリントン政権時代にまでさかのぼる国境地帯の「抑止を通じた防止」の影響力をとくに強調するためのものだった。プロジェクトの名称、「過酷な地（ホスタイル・テレイン）94」はここから付けられた。一九九四年の「国境警備国家戦略」を名指しするものだ。[23]

二〇二二年の暮れには、「過酷な地」の地図は六大陸にまたがる一四〇ほどの地域で展示される途上にあると、ジェイソンは私に語った。ロサンゼルスからメキシコシティ、ホンジュラスのサン・ペドロ・スーラ、マニラ、ロンドン、ダブリン、マドリッド、アテネ、モロッコのタンジェ、メルボルンまで多岐にわたり、それとともに移民ととりわけ密接に関連する場所、たとえばメキシコのノガレスやイタリアのランペドゥーサ島なども含まれていた。そのほかにもジェイソンは、この地図を恒久的な記念碑として、メキシコとアリゾナ間の国境の真上に設置する計画も立てているのだと私に語った。

「それは巨大な金属製の地図になる」と、彼は言った。「横幅が六メートルほど、高さが三メートルほどのものだ。手書きされていた三五〇〇枚の足指の札は、一枚ずつ複製され、金属で鋳造される。そうして鎖で取りつけて、それ全体が鳴るようにするんだ。その場に行って札に触れて、一枚一枚を読むことができるものだ」

「アメリカとメキシコの国境沿いには、すでに記念碑が存在する」と、彼はつづけた。「昔の境界標はいずれもそうだし、それにもちろん、新しい国境の壁の相当な部分がある。でも、この人間の悲劇にたいする記念碑は一つもない。これはわれわれがいかに愚かであったかということであり、それを記憶することは重要だと私は思う。自分たちが人間にやってきて、いまもつづけていることを、覚えている必要があるんだ」

手付かずの自然が残る土地

「これはどんな環境保全や生態環境の授業でも習う最も基本的なことの一つだ」と、レイケン・ジョーダールは私に語った。「景観は大規模に保護しなければならない。ただ孤立した小さい島として保護しようとすると、野生生物を守ることにはならない。遺伝的多様性を求めるのであれば、野生生物の個体数を安定して保ちたいのであれば、それを大規模に考えなければならない。国境の壁は、そのまっただ中を貫く冷たい刃なんだ」

レイケンはアリゾナ州トゥーソンの自宅から私と話をしていた。彼はトゥーソンの生物多様性センターで働いている。ここはアメリカの法制度を利用して、連邦政府機関と政府にたいして環境を脅かす政策への説明責任を求めることを専門とする組織だ。なかでも、魚類野生生物法と絶滅危惧種保護法への違反を問題視している。レイケンが説明してくれたところによると、「僕らは政府を告訴して、自分たちがつくった法律を実際に守らせるようにしている」のだった。

同センターの発足は、一九八九年にまでさかのぼる。この年、キーラン・サックリング、ピーター・ギャルヴィン、トッド・シャルクという三人の男性が、アメリカ合衆国森林局から委託された仕事で初めて顔を合わせた。彼らの任務はニューメキシコ州南部の森で希少種のニシアメリカフクロウを探すことだった。昼間は睡眠を取り、夜間に歩き回って何週間も探したあげくに、彼らは木材会社の伐採地に予定されている一角で、フクロウの巣を見つけた。絶滅の恐れがある種を保護する法的な義務が森林局にはあるので、木材の切り出しは取りやめになるだろうと三人は考えた。ところが、巣が発見されたにもかかわらず伐採も木材の搬出もつづいたため、彼らはこの実態をメディアに訴え、森林局はみずからの規則に違反して、危機に瀕している生息地を利益追求のために破壊していると主張した（森林局とはまだ係争中である）[24]。いずれにしろ、伐採は中止となり、巣は放棄されることなく済んだ。驚くべきことではないが、森林局からの業務委託契約は更新されなかった。彼らも進んで任務を離れた。その年の後半に、四人目の仲間ジョン・シルヴァーを迎えて、彼らは生物多様性センターを設立する構想を温めた。訴訟を専門とする活動家の集団だ。

レイケン自身の経歴には、一連の問題と驚くべき類似点がある。彼は、グランドキャニオンまで、文字どおり石を投げれば届くような距離に位置するアリゾナ州フラッグスタッフで育った。

「子どものころから、自然のなかに自分だけでいることに多くの自由を感じていた」と、彼は私に言った。「それにフラッグスタッフ自体も、ナヴァホ・ネーションとの国境の町のようなものだと考えられている。実際には、三つの民族の地のようなものでね。僕の高校では、生徒の三分の一が先住民で、さらに三分の一がラテンアメリカ系だったので、本当に統合された社会のような感じだった」

トゥーソンのアリゾナ大学で国際開発と野生生物の生息地管理を勉強したのち、彼は環境政策の仕事に乗りだした。まずはワシントンDCに移って、アリゾナ州選出の民主党下院議員ラウル・グリハルヴァのもとでインターンをし、天然資源政策に関する報告資料を書く仕事をした。その後、アメリカ合衆国国立公園局で「ウィルダネス・フェロー」〔訳注：手付かずの自然を保護する特別研究員〕として働くようになった。

「要するに、何も意味しないものだ」と、レイケンは私に言った。「基本的には、各地の国立公園が直面している最大の脅威についての膨大な報告書を認可することが仕事だった。その一部は、これらの土地の美しさを、それぞれの資源の雄大さを捉えようとする試みなんだ。解釈的な著作物（インタープリティティヴ・ライティング）のようなものだが、役人の視点から見ている。行政が詩人になろうとしているわけだ」

彼が最初に派遣されたのは、ワイオミング州の山中のグランドティートン国立公園で、二〇一五年夏のことだった。彼はそこに数カ月間滞在して、地形を調べ、評価を下す仕事をしたのち、次の任地へと移動した。グランドティートンから、ユタ州南部の「赤い岩」砂漠であるキャピトルリーフへ移った。その後は、大草原とポンデロサマツがあるアリゾナ州北部のウパキへ、さらにテキサス州南西部のチワワ砂漠ビッグベンドにある石灰岩の峡谷に移動した。これは「まさしく夢の仕事」だったと、レイケンは言った。公園局で働き始めたときは、オバマ政権二期目のまっただ中だったと、彼は私に語った。

「自分たちが気候問題を考え、正義問題に取り組み、非常に大きな仕事をしているんだと僕らは感じていた。この巨大な官僚機構の内部にも、僕が本当に情熱を注いでいる問題を深く調査し始めた部分がある、という感じがしていた」

各地に派遣されたあと、次の任務が始まるまでに数カ月間の休暇がもらえたので、メキシコやグアテマラ、エクアドルなどの国々を旅して回った。サーフィンとスケートボードが大好きなのだと、彼は私に語った。

「旅をするときはいつも、どちらかを楽しんでいる。友達をつくるには最高の方法なんでね。このやり方には、何かしら非常に純粋で自然なものがある。ちょうど、サーフィンとスケボーの、束縛されない喜びのようなものかな」

レイケンは、サーファーの環境保護主義者と聞いて、誰もが思い浮かべるような人物だ。野球帽にダボダボのTシャツ、さりげない無精髭、日焼けした肌。彼は二〇代後半で、話し方には心がこもっている。雄弁で、すぐに調子づくが、経験から自重しているかのようで、もっと年長のような印象を与える対応の仕方だ。

こうした旅の一環で、「パレスチナ各地をスケボーで回った」のだと、彼は私に語った。これは一つには、彼自身が受け継いだものと折り合いをつけるためだった。レイケンは「かなりユダヤ人的に育った。バル・ミツワー〔訳注：ユダヤ教徒の成人式〕とか、いろいろとね」。祖父母はイスラエル国を強固に、声高に支持していたのだと、彼は言った。一方、彼の父親は「パレスチナの正義をかなり大っぴらに主張していたため、相当な確執が起きた」。

西岸地区を訪ねた経験は、境界に関する彼の考え方に大きな影響を与えた。「こうした境界がある場所はどこでも、そこに不正義が最も凝縮して見られるという感覚を、とにかくひしひしと味わわされたよ」

二〇一六年一二月に、公園局は彼をアリゾナ州南部のオーガンパイプカクタス国定記念物（ナショナル・モニュメント）〔訳注：ここでの国定記念物は自然公園を指す。オーガンパイプは柱サボテン類で、和名はダイオウカク〕に派遣した。レイケンが報告書に（あの「お役所詩人的」な様式で）描写したように、オーガンパイプの公園は「侵食の進んだ火山群がこの一帯の中央を貫いているが、やがて広大な沖積扇状地や小峡谷、そして砂地の低地に取って代わる［……］。ここは究極の環境であり、自然の猛威はすさまじく、自然のみが生存条件を指示している」[25]。この公園はソノラ砂漠の中心部で一三〇〇平方キロ近くを占めている。ここはまた、きわめて重要なことに、アメリカとメキシコの国境にぴったりと沿って、全長四八キロの南の境界線をなしている。

彼がそこに着任したのは、政治的に大混乱している時期だった。ドナルド・トランプ大統領は、一つには「巨大な美しい国境の壁」を建設することを売りにして、選出されたばかりだったが、まだ就任宣言は行なわれていなかった。

「それにこの公園を守ることに人生を捧げている科学者と行政官のチームと仕事をするのは、ともかく現実離れした経験だった。彼らの多くは三〇年以上をそこで過ごしていて、誰よりもあの砂漠を知り尽くしていた。そしてそこに突然、この暗雲が立ち込めたんだ。何が起こるのか、誰にもわからなかった」

しばらくのあいだ、公園局は国境警備隊と一緒に仕事をして、警備隊員に手付かずの自然（ウィルダネス）の管理に関する知識を伝授し、野生生物を目撃したらどんどん報告をあげるように奨励していた。

「要するに、公園内で何でも好き勝手にできるこの巨大な法執行機関と、鼻を突き合わせなければならない状況に陥ったんだ。一緒に仕事をしなければならないので、彼らにすべてを破壊させないよう、願わなければならなかった」

隊員たちはそうした環境保護の手解きコースをどのくらい受け入れたのだろうかと、私は疑問を声に出してみた。

レイケンは大声で笑った。「ちっともだね！」と、彼は言いながら頭を振った。「実際には、あまり一般化はできないが。国境警備隊員はそれこそピンからキリまでいてね。彼らのうち半数は、移民家庭出身の有色人（ピープル・オヴ・カラー）だ。隊員の大半はトランプに投票する。彼らの多くは軍隊上がりで、世界全体を脅威と見なし、銃を撃ちたがる性急な若者たちだ。でも、彼らの一部はただ本当に落ち着いた古株の連中で、誰よりも長く砂漠で過ごし、砂漠を愛している」

実際には、公園局と国境警備隊は競合するだけでなく、しばしば完全に相反する任務を帯びていた。つまるところ、一方は景観を守るために現地にいて、もう一方はその景観に誰かが入り込むのを防ぐためにそこに赴いている。

「そして、トランプが登場するや否や、『まあ、国境警備隊と一緒にウィルダネスを保護するとかいうあの話し合いは終わったんだろう』という具合になっていた」

二〇一七年三月末には、彼は報告書を書き終えていた。一〇〇ページ以上にわたって、彼は自分の評価の各段階でいかに同じ問題が発生しつづけたかを詳述した。オーガンパイプの十全さ、特色、将来にたいする最も差し迫った重大な脅威は、国境そのものからやってきたと、彼は断じた。[26]

「アメリカ国内でウィルダネスが残る土地――これは土地の指定において、可能な限り最も厳しく規制されているものだ。こうした場所では車は運転できないし、チェーンソーは使えないし、火を燃やすことも、自然のプロセスや生態系に干渉すると想定されることは何もできない。ところが、オーガンパイプでは、砂漠を歩いて通ってみると、オフロード車の轍（わだち）がともかく何千もあった。土地が台無しになっていたんだ。それは、この土壌基盤の再建ですら、何世紀もかかることを意味する。ここはクリプトビオシス〔訳注：乾燥期などを休眠して乗り越えること〕の土壌と呼ばれている。つまり土壌そのものが生きているという意味だ」

彼は国境警備隊の車両出動記録のデータを見つけた。わずか一年間で隊員が公園内のオフロードを二万七三〇〇キロ以上走行していたことがそこから判明した。オーガンパイプはソノラ・プロングホーンの生息地でもある。絶滅寸前のウシ亜目の動物で、二〇〇〇年代の始まりには、個体数がわずか二〇頭にまで激減していた。「しかも科学者たちは、プロングホーンが種としての回復を試みる希少な生息地が、平均して四時間に一度は国境警備隊の活動によって苛まれていたことを発見した」

報告書の一節で彼は、ウィルダネスであるはずの場所に「不気味な雰囲気」が漂っていたと表現していた。「自然歩道や低地には、ぼろぼろの衣服や食品容器のごみやガロンサイズの黒い水のボトルがよく散乱していた」。レイケンはソノラ砂漠でジェイソン・デ・レオンを最初に呼び寄せたのと同じ物に、まるで異なる立場とはいえ、出くわしていたのだった。

公園内の最も奥深くの一帯ですら、「誰かに見られているという被害妄想的な直感がして、それが正しいことも多い」のだった[27]。オーガンパイプ内の山地では、密入国斡旋業者のグループが活発に動いており、監視係を使って国境警備隊の活動を中継していた。この公園にはモーションセンサー、ドローン、長距離が見通せる防犯カメラ塔のネットワークが広く張り巡らされていた。センサーを一つでも作動させれば、ハイカーは全地形対応車に乗った隊員に追いかけられるか、頭上をヘリコプターが「ぶんぶん飛び回る」はめになりかねず、国籍を明らかにするよう求められる。

「簡単な解決策はない」と、レイケンは私に語った。「でも、既存の国境政策が、国境上のどこにも増して影響を受けやすく脆弱で希少かつ美しい景観にこれらの人びとを追い込んでいることが、僕には非常に明らかになっていた。これらの政策がこの騒動全体を引き起こしている原因でもあり、国境警備隊によってこのウィルダネスはずたずたにされているんだ」

　過去二〇年間に、オーガンパイプ経由だけでも何十万人もの移民が国境を越えようと試みた。少なくとも二三〇人がその過程で、この公園内で死亡した[28]。

「ここは意図的に移民のための墓場に変えられた国定記念物だ」と、レイケンは述べた。「野山のハイキングに出かけると、赤ん坊の靴や玩具、毛布に遭遇する。この人たちが追い散らされたのか、逮捕されたのか、姿を消したのかはわからない。そんな究極の暴力が振るわれる場所だ。そして、その暴力は、公衆の目から隠されたこれらの人里離れた場所で生じている。こうした非常に行きづらい場所ですべてが生じていることには、理由がある」

　報告書を提出したのち、公園局では誰一人として、この問題を議論したがらないことが彼には明らかになった。オーガンパイプの保護資格を根底から脅かしているのが国境政策であることには有無を言わさぬ証拠があるようなのに、その国境政策に疑問を呈するだけの心構えが誰もできていなかったのだ。

「人びとがなぜこの人けのない、死と隣り合わせの、美しくも脆弱な土地を歩いて越えざるをえなくなっているのか、その根本原因に対処するまで、ここではどんな解決策も得られないだろう。自分が大きな官僚組織を離れる覚悟ができていることはわかっていた。制約されずに、これらの途方もない問題に実際に取り組める場所で、大義のために働きたかったんだ」

　二〇一七年九月に、彼はオーガンパイプを離れ、公園局を辞して、生物多様性センターにやってきた。

壁を築かれた国定記念物

すべてが起こったのは、二〇一九年の夏の「ある特定の、運命の金曜の晩」のことだったと、レイケンは私に言った。

「最高裁が論議の的となる裁定を下すときは、たいがいそうだ」と、彼は言った。「最高裁は金曜の遅い時間にこっそり事を運んで、メディアに書き立てられるのを避けるんだ」

一年半のあいだ、トランプ政権は議会から国境の壁の建設の承認と費用を得ようと試みていた。これらの要求は、何度も拒否された。二〇一九年二月にトランプが取った対応は、南側の国境で「国家非常事態」を宣言することだった。議会はこの宣言を拒んだ。すると、トランプはそれにたいする拒否権を行使した。

トランプ政権が取った次の行動は、アメリカの国防予算の一部を壁の建設費に回すべく試みることだった。国防総省は議会に、二五億ドル（のちに六〇億ドルに上がる数字）が国境の壁用に割り当てられることを通知し、障壁は「国益のために必要」と見なされているとした[29]。

必然的に、軍事費を「再編成」することにたいし法的に異議が申し立てられた。生物多様性センターは政府の計画にたいして、政府を訴えるプロセスに加わった大勢のうちの一つだった。二〇一九年五月にカリフォルニア北部地区裁判所で、壁をめぐる最初の審理が開かれたとき、ヘイウッド・ギリアム裁判官は判決文にこれは「異議を申し立てられた国境の障壁建設計画が賢明か否かを問うものではない」と書いた。むしろ、「この訴訟は厳密に、国境の障壁建設の資金を賄う計画案が、憲法下における行政機関の法的権限と、議会によって正式に行使されているいくつかの法規を逸脱しているかどうかに関するものである」と、彼はつづけた[30]。ギリアム裁判官は、実際にこれは違法であり、それゆえに壁の建設に向けた措置は何ら取れないと裁定した。

それでも、トランプ政権は食い下がった。二〇一九年七月に、彼らはどうにか最高裁への控訴に漕ぎつけた。同月二六日――レイケンの言う「運命の」金曜の晩――に、最高裁は判決を下した。判決文は一段落しかなく、五対四で地方裁判所の判決を覆す裁定で、行政府を訴えることに関与した側にたいし、そのようなことをする法的権限はないと宣言するものだった。その結果、軍事予算を再配分して障壁の建設は始められることになり、法的な異議申し立てが「合法的に」裁判にかけられるまではつづけられることになった[31]。

「これには僕ら全員が完全に衝撃を受けた」と、レイケンは私に語った。「僕は友人たちと飲みに出掛けていて、その通知を受けた途端、万事休すだとわかった。アリゾナ一帯に壁が建設されることがわかったんだ。オーガンパイプはおしまいだと知ったんだ。もうそれを阻むものは何も残っていない。それほど圧倒的だった。僕は一人でバーにもう一軒行って、大酒を飲んだ。悟ったのはこんなことだった。何てこった、これはアリゾナに壁ができるということだ。つまり、この先数年間の自分の人生は、これにたいする闘争になるということだ、と」

ものの数週間で、壁の最初の区画が着工した。八月末には、連絡道路が敷かれていた。ウィルダネスには長い線が引かれ、ブルドーザーで均され、この障壁独自の高さ九メートル強の鋼鉄の枠を設置するための側溝と基礎の準備が進められた。そのすべてが、オーガンパイプから始まったのだ。

「環境保護主義者と政治家が何よりも気にする地域があれば、そこが彼らの狙う地域となる。それによって相手方の抵抗を無力化することを期待しているんだ。彼らは核心部を一気に狙ってくる」

今後、法的な異議申し立てを受ける可能性があることを考えて、政権はできる限り迅速に行動しようとしていた。建設のスピードは「とにかく目が回るほど」だった、と彼は言った。

「通常なら、これらの環境計画文書はすべて確認して、国民の支持を得なくてはならないからだ。つまり、こうしたことはいずれも、環境法が何であれ制定されていれば決して起こりえなかった、ということだ」

その代わりに、トランプ政権は最高裁の裁定をもとに、一五年前の法令の一条項を利用した。これはもともと運転免許証の基準を強化するために制定されたものだった。この条項によって、米国国土安全保障省に「国境の周辺では障壁や道路の迅速な建設を可能にするために［……］一部の法律や規則、その他の法的要件の適用を差し控える権限が与えられた」[32]。「一部の法律」には、連邦政府の業務を規制し、環境を保護するために制定されていた二八ほどの条例を回避することも含まれていた。

まもなく、数メートルだった壁の長さは数百メートルになった。数百メートルは何キロにも延びた。レイケンは、アリゾナ州内の国境沿いを何度も往復し、複数の建設現場を監視して、できる限り多くの書類に目を通した。「これによって疲弊させられることはわかっていた」と、彼は言った。

移民が多く通過する場所かどうかはとくに関係がなく、できる限り多くの現場で、見境なく壁の建設工事を始めようとする動きがあるようだった。

「いくつかの場所では、本当に腹を殴られたような気分になった」と、彼は語った。そうした場所の一つは、アリゾナのはるか南東端にあるペロンチロ山脈のグアダルーペ峡谷だった。

「そこで使われたダイナマイトの量ときたら。彼らはこの美しい手付かずの自然の山脈を、ただ切り裂いてしまったんだ。しかも、そこには誰もいないのに。そこを越える人間はいない。国境警備隊もいない。誰かがいたためしはないんだ。目的が本当に人びとの越境を止める壁を建設することだったとしても、あの場所でそれを成し遂げる必要がないのは、ともかく歴然としていた。あれは単に破壊のための破壊だった」

こうしたことはいずれも、アリゾナが過去数百年来で最も深刻な旱魃（かんばつ）に見舞われている状況下で起こっていた。壁の金属製の柵部分は、コンクリートの土台の上に建てられていたため、攪拌（かくはん）して注入するには水が必要となった。それも大量の水だ。米国税関・国境警備局は一日当たり三〇万リットル以上が必要になると見積もった。もしくは壁一キロ当たり約四三八万リットルである。アリゾナにある国境に建設される予定の壁が、六四キロ以上であることにもとづけば、これは全体でおよそ二億八〇〇〇万リットルとなった[33]。最も容易に調達できる水源は地下にあった。帯水層として知られる地下の洞窟からのものだ。ソノラ砂漠では、これらの帯水層の多くは数千年前にできたものだ。最終氷期が終わったあとに溜まった大量の融解水であり、帯水層の水はそれ以来、どんどん減っている。「これは再生不能な水源だ」と、レイケンは言った。「有史以来、最も雨の多い年が一〇年つづいても、帯水層が再び満たされる可能性は低い。とにかく、満水にはできない」

地下水の利用は、通常いくつもの州法と連邦法によって厳しく制限されている。権利を放棄させるべき当局が、それらの法規を回避させていたのだ。建設現場ではどこでも、巨大な円錐形の給水タンクが設けられるようになった。レイケンがオーガンパイプの報告書を書いたとき、主要な国境の警備問題に次ぐ二次的な脅威として、公園にたいする二つの主要な問題を特定していた。地下水の枯渇と気候変動である。

「だから、何百万ガロンもの水が壁を建設するために地下から汲み上げられているのを見るのは、ただただ苦痛だった」

ひねくれた見方をすれば、これはもしや意図的なものではないかと彼は思い始めた。「国境警備の観点からすれば、環境がさらに過酷になって、死と隣り合わせの生物のいない土地になれば、そこを越え難くするという目的はさらに推進され、より多くの人命が失われる可能性が高くなる。だからときおり、彼らは喜んでこの土地をもっと暑く、乾燥した場所に変えようとしているんだと感じる。彼らの目的からは、何であれ保護しようという意欲は見えない」

それでも、過去数十年間のあらゆる証拠から、移民は砂漠の状況がどんなであろうと、思いとどまりはしないことが示されている。それは国境を越えることに固執している人だけではない。「もっと涼しい生息地を見つけるために、生物種が北へと移動する現象を僕らはすでに目にしている」と、ライケンは言った。「生き延びようとして、まもなく北へ移動を始める野生生物がメキシコにはたくさんいる。ところが、そこで生物たちはこの障壁に出くわすんだ。これまでいた生息環境がじりじりと北へ移動して、消えるのを見ながら、自分たちは壁を挟んで、もっと暑く乾燥した側に取り残され、絶滅することになる。そうした事態を僕らはすでに見てきている。毎年、それが加速しているんだ」

「壁ほどの景観規模で生息地を分断するもの」は存在しない、と彼は言った。「これまでこれほどの規模で景観を分割した同様のプロジェクトはないんだ。それにもちろん、生態系全体もひたすら劣化しつづけている。このパッチワークからあと何本糸を引き抜いたら、すべてがばらばらになるのか?」

オーガンパイプは実際には、壁を築かれた国定記念物に変容していたのだ。これは保護された脆弱な土地が、生態系全体が、メキシコとの国境にぶつかった途端、崖から落ちるかのごとく、突如として機能停止するかもしれないという印象を与えていた。実際には、レイケンが述べたように、「壁の向こう側では、はるかに美しくなっている」のだった。この土地では、噴火した巨大な火山からの黒々とした岩が一面に広がり、北米最大の砂丘がコロラド川三角洲から北東に向かって延々とつづいているのだと、彼は私に説明した。

「保全という観点からは、境界は確かに自然なものだ。生態系同士が自然に衝突し合う場所はじつに多くある。さまざまな生物群集が重なり、交差する線だ」

皮肉なのは、生態系においては、通常はこうした境界上に最も美しく、多様性に富んだ自然が見られることだ、とレイケンは言った。

「このことは人間にも非常によく当てはまると僕は思う。国境こそ、非常に多くの意味で、アメリカのなかでも極めつきの美しい場所だと思う。国境地帯に広がる、驚くほど豊かな歴史をもったこれらの驚くべき集落。文化交流と機会に富んだこれらの場所。これこそ、国家威信の源泉として、僕らが生みだし、保護し、確認する必要があると僕が考える文化なんだ」

レイケンは国境には別の未来を想像したがっていた。壁は解体され、オーガンパイプがずっと南まで、メキシコを抜けて、コルテス海〔訳注：カリフォルニア湾〕にいたるまでつづく生態学的な回廊の一部に過ぎない場所となる光景を想像したのだ。これは先例のない話ではなかった、と彼は言った。一九三二年に、カナダのウォータートン国立公園はアメリカのモンタナ州のグレイシャー国立公園と統合されているのだ。その結果、世界最初の「国際平和自然公園」が誕生した。国を越えて保護された四四〇〇平方キロにまたがる土地で、そのまっただ中にある二カ国間の国境の存在は、おおむね無視されている。

「人びとは実際、リュックを背にロッキー山脈の岩だらけの山中を抜けて国境を越えることができる。土地管理者たちは、地続きのこの景観を守るために共同して作業をする。そこはたまたま、強制的に引かれた線の両側に存在しているんだ」

レイケンの夢はいつの日か、数百キロはつづく「オーガンパイプ国際公園」を抜けて太平洋まで歩いて到達することだった。「ソノラ砂漠が海へとつづくなかを、ゆっくり歩いて越えることだ」

ベンチと壁

二〇二一年一月に、南側国境の壁の建設は、始まったときと同じくらい急速に中止された。その命令は、新しい大統領のジョー・バイデンから、就任初日に発せられた。三カ月後の四月三〇日に、その先の工事はすべて中止されることが確認された。[34] 二〇一九年八月以来、アリゾナでは七五キロにわたって新しい壁が建てられてきた。[35] しかし、これは連続した壁ではなかった。一連の区画や部分しかない。たとえ数キロにわたって延びていても、何カ所にも分かれた壁の線は、根本的に不完全なままとなった。ある意味で、これらの壁は即座に廃墟となったのだ。砂漠の平原の真ん中や、半分ほど爆破された山の頂にぽつんと、明らかな理由もなく、立ち上げられた鋼鉄の線である。建設現場は放置され、掘り返されただけで、どこにも通じていない未舗装の道の行き止まりに障壁の資材が山積みされたままになっている。

最後まで工事が進められていた現場の一つは、コロナド国立記念公園を抜けるアリゾナ・トレイルの最南端にあるフワチューカ山脈の山腹という、別の保護地域内にあった。建設工事はバイデン大統領の就任式の当日まで実施されていた。山の一部が爆破され、岩盤を通過する道を通すために均されており、作業を中止する命令が届いたころには、四〇〇メートル弱の壁ができあがっていた。その一端は歴史的な境界線標識とベンチにぴったり沿った場所で止まっていた。ベンチは何年も前にハイカーたちが景色を堪能できるようにするために設置されていた。

壁ができる以前は、このベンチに座ってメキシコのソノラ州まで南を見通すことができたと、レイケンは私に語った。「そこからは人間による開発の痕跡は何一つ見えなかっただろう。シエラ・マドレ山脈までつづく穏やかで美しい大自然だけだ。いまはこのベンチと壁がある。ベンチのある側から壁はそびえ始め、四〇〇メートルほど延びてそこで止まっている。そして、もう一方の側には何もない」

実際、景観内へのこの介入はあまりにも現実離れしているため、レイケンはこの壁をただ立ったままに残しておくことに価値を見いだしていた。「壁のこの部分を一種の注意喚起として、記念碑として残しておくべきだと考えている自分もいる。野生生物に甚大な規模で影響をおよぼすほどの大きさではない。それに、これは明らかにひどく不愉快で、何の役にも立たないものだ。これは説明などなくとも、それ自体でそのことを証明しているようなものだった」

だが、ある人にとっては無用の記念碑であるものが、別の人には未完の仕事なのだ。フワチューカ山脈内のこのベンチに座ると、壁は存在感をもって、もしくは不在感として現われるかもしれない。「この地にとって激動の時代だったが、この問題は、消えてなくなるわけではない」と、レイケンは言った。「次の共和党の大統領指名候補は間違いなく、トランプと同じくらい強硬に運動をして、壁を完成させようとするだろう。そして、彼らが実際に壁を完成させることを想像してみよう。そうなったら、彼らは何と言うだろう？」

それで終わりだろうか？　終止符を打てるのか？　国境の「問題」はおしまいなのか？

「ユマ〔訳注：アリゾナ州の国境都市〕やサンディエゴのような場所を見るといい」と、彼は言った。「いまでは二重、三重に壁がある。だから、これは単に永続し、恒久的で、終わりのないプロジェクトではないのか？」

二度でも、三度でも引ける線を、なぜ一度だけ引くだろうか？　国境の三一四四キロ分は三重に制定されてきたのだ。

記念物の上に重なる記念物

この景観にはずっと、ずっと古い記念碑が存在する。

オーガンパイプの北東端には、黒っぽい玄武岩でできた峰が連なり、小塔が並んだような急峻な尾根がある。ソノラ砂漠に何千年ものあいだ暮らしてきたアメリカ先住民の一部族、オオダム族にとって、この岩石層は神聖な場所である。彼らの伝統によると、大地全体は砂漠とともに始まり、「天空のドームの端に達するまで広がり、それから端と端が結びつくまでくるりと回った。この結びつきから、一つの存在が生まれた(36)」。この存在はイイトイの神で、この神は最初に、いま岩尾根があるまさにその場所に姿を現わし、オオダムの人びとにヒムダグ、つまり彼らの暮らし方を教えた。この暮らし方の中心にあるのは、土地は所有すべきものではなく、慈しむものだという考えだった。どの動物も草木も、棒切れや石ころも、それぞれに神聖なのだ。

今日そこにそびえる尾根を、イイトイ・モー、または「モンテスマの頭」と呼ぶ人もいれば、単に

「おばあさん」と呼ぶ人もいる。ある言い伝えでは、一人の老婆が籠を担いで平原を越えて家路に就いたが、疲れてしまい腰を下ろして休まねばならなくなった。「そこで老婆はほかの人びとから、そんな余裕はないのだと、まもなく日が暮れて、いま闇に包まれれば石に変えられてしまうのだと言われた」[37]。だが老婆は、これ以上は歩けないと言い張った。日が沈むと、その忠告が現実になった。陽光は地平線の下に沈み、彼女は硬い石に変わった。彼女の亡骸は尾根上の峰の一つになり、籠がもう一方の峰になった（これは古くからの言い伝えだが、今日この土地を越える人びとにとっても、この話は思いがけず身につまされるものとなる）。

オオダムの人びとは、その歴史のほとんどにわたってソノラ砂漠で、誰にも邪魔されることなく暮らしてきた。彼らは乾燥地農業の専門家となり、トウモロコシとインゲン豆を主食とし、季節ごとにオーガンパイプやベンケイチュウなどの柱サボテンの実と種を食糧にしていた。ここでは雨は長期にわたって降らず、それでいて突如として降り、降水は彼らの文化の中心をなしていた。人びとは絶えず不安定なバランスを保ちながら、この土地とともに暮らすすべを身につけなければならなかったのだ。

「先人たちと同様に、女たちは夏の太陽の動きを読み取り、どれだけの作業が必要かを判断していた」と、オオダムの詩人オフェリア・ゼペダは、子どものころ自分の母や祖母の姿を眺めていたことを思いだして書いた。「女たちは夏季の暑さや涼しさを考慮しながら、日々の計画を立てた。彼女らは気候をよく知り、そのなかで自信をもって生きていた。天候も、その動きも知り尽くしていたのだ」[38]

女性たちはほとんどの時間を、空を眺めて過ごし、「雷雨となりそうでも、恵みをもたらすにはあまりにも弱々しいとき」は笑い、もくもくと立ち昇り、やがて千切れてゆく雲を嘲った。「私たちを騙すだけ」の雲だ。そうして、雨がついにやってくると、彼女らは「静かに座って土壁から流れでる小川や、東屋の端からあふれる小さな滝を眺めた」。雨は「砂漠の緊張を破り、救いをもたらす。季節の周期はつづく」と、ゼペダは書く[39]。

外からの影響が最初にもたらされたのは一六世紀のことだった。スペインの探検家たちがオオダムの土地までやってきたときのことだ。そのとき、あるプロセスが働き始めた。開けた土地が横断され、権利が主張されて所有され、分割されるプロセスだ。オオダムの領地はアリゾナ北部からコルテス海の海岸線まで広がっていた。部族の人びとはこの広大な土地を行き来し、「砂の道」を歩いてソノラの塩原から塩、貝殻、黒曜石を収穫した。一七世紀には、彼らの砂漠の一部はヌエバ・エスパーニャの一部になった。一九世紀にはここはメキシコの一部になり、その後、メキシコとアメリカのあいだで戦争が生じた。米墨戦争後、オオダムは国境によって初めて二つに分割された[40]。

その後一世紀半にわたって、オオダムの人びとはますます追いやられ、孤立した。彼らの土地はメキシコの牧場主や農民によって奪われ、やがてはアメリカ空軍によって爆撃訓練場として使われた。オーガンパイプ国定記念物の公園そのものがオオダムの領地の上に指定されていた。アメリカ政府はこの土地を先住民の管理から引き離すことで「保護」するようになったのだ。その土地を保護することに文化全体が根ざしてきた人びとから。とはいえ、こうした歳月の大半において、国境はほとんど存在しないも同然で、柵を張り巡らした細い線に過ぎなかった。アメリカとメキシコにまたがる村落に住む親族を、人びとは訪ね合っていた。巡礼者は国境を越えて、その南にある聖地で「ヴィキタ」と呼ばれる「再生」の儀式を行なった（ヴィキタはワシの羽根の根本から採れる白い顔料を指す）。オオダムの長老、オフェリア・リヴァスが述べたように、この儀式は「世界の始まりからつづいてきたものだった[41]」。

ところが、この二〇年間に、この分割線は強化され、揺るぎないものになった。簡易な柵は、鋼材を交差させた丈の低い車両障害物に置き換えられた。国境警備隊の検問所がオオダムの保留地全体に設けられた。一方の土地から他方へ、一国から他国へ通過させていた門は閉鎖された。閉鎖されずに済んだ門は、厳重に警備されるようになった。監視塔が建設された。その後、壁が構築され始めた。壁は古代の墓地を横切り、神聖なキトバキートの泉からわずか数メートルの地点を通過した。おそらく一万五〇〇〇年ものあいだ、これらの泉は旅や交易の地であり、交差点となり、塩の道上で欠かせない水飲み場であり、休憩地となってきた(42)。いまでは、この湧水地は障壁にぶつかる。威圧的であるのと同じくらい、不釣り合いな鋼鉄製の柵だ。オオダム族はその歴史が始まって以来一度も、景観を遮るこのような介入物を目にしたことはなかった。一例を挙げれば、彼らの言語に「壁(ウォール)」に相当する言葉はない(43)。

ソノラ砂漠では、記念物がそれ以前の記念物の上に積みあがり、重複し、交差している。玄武岩になった「おばあさん」のシルエット。何千年間も人びとが歩いてきた古代の道。命を育む神聖な泉とサボテン。国立公園。「南部国境の壁国定記念物」。行方不明になった不運な移民の遺体の痕跡を示す崩れたケルン。メスキートの木陰にあるマリセラの記念碑。

オフェリア・ゼペダは詩の一編で、砂漠を歩いていたときに遭遇したある記念碑のことを書いている。彼女の表現からは、それがマリセラのものを指すことは容易に想像できる。そこには「とうに溶けてしまった」聖なる蠟燭と、「ぶら下がりイヤリングを着けた／若い女」の写真がある。記念碑の横に、オコティーヨ(尾紅寵(おこちょう))──ソノラ砂漠の多肉植物──の茂みがあることにも、彼女は気づく。春になれば、この茂みには「赤やオレンジの花が／咲き乱れる」だろう。そうなれば、

枝は前へと垂れるだろう。
鳥や虫たちが訪れ
彼女のまわりはトゥーソンの山々の

茶色くまだらな火成岩がぐるりと守っている。(44)

これらの古い山々も、いまではトゥーソン国際空港の飛行経路上にあるとゼペダは認める。くる日もくる日もこの記念碑の場所の上を、さながら「ぶら下がりイヤリングを着けた女の存在を認めるかのように」飛行機が低空飛行する。記念碑に重なる記念碑の上を。線をまたぐ線の上を。

7

国境を燃やす

山腹の森は夕闇に包まれる。二キロほど下方では、灯りが瞬いている。半円形に明るく輝く小さな沿岸都市だ。この街の先は、広い海が水平線へと消えてゆく。木々のあいだでは、準備が進んでいる。男たちや思春期の少年たち——女性の姿はまず見かけず、乳幼児は一人もいない——は、靴やサンダルを脱いで、自分の足裏とてのひらをダクトテープで巻く。

彼らの寝床は地面に敷いた毛布だ。木の枝から枝にかけて吊るしたターポリンシートの下に敷かれ、Tシャツを裂いてつくった布紐で縛られている。彼らはいつでも移動できるようにしておかなければならない。警察は森のなかまで彼らを追いかけ、キャンプ地を襲撃し、隠れ家や所持品は見つけしだい火を付ける。

どのキャンプにもチェアマン、つまりリーダーがいる。この沿岸都市を囲む山間部には、そのようなキャンプがいくつも点在していた。チェアマン（例外なく男性）は、キャンプを運営し、食料探しから水運び、新しい隠れ家づくりのためのビニール拾い、料理といった仕事を各人に割り当てる。さらに、梯子づくりの作業もある。木切れを、手に入る何かしらの素材で結わえつけ、そのてっぺんに大工用の釘を曲げてこしらえた鉤がついている。

これまで、こうした諸々の準備が積み重ねられてきた。一部の人びとは森のなかで何週間、何カ月間も暮らしてきた。何年間にもおよぶ人もいる。今晩、グループはキャンプを出発する。その数は数百、それどころか一〇〇〇〇人以上かもしれない。自分たちが戻ってはこないことを、今回こそやり遂げられることを、それぞれが祈る。彼らはそのためにここにいる。そのためにここへきたのだ。なかには何千キロも北に向かって旅して、この場所までたどりついた者もいる。

いま彼らは森を抜けてできる限り静かに光に向かって移動する。梯子はすでに山麓の茂みに隠してあり、そこで彼らを待ち受けている。市の外れからわずか数メートルの距離のところだ。

チェアマンの号令とともに、最初の一波が隠れ場所から飛びだす。前方には四重の巨大な柵がある。最初の柵は高さ三メートルの二重フェンスで、上部には渦を巻くレイザーワイヤーがある。そのすぐ向こう側には深さ二メートルの堀がある。つづく二番目の柵は、最初の柵の二倍は高さがあり、上部には柔軟性のある忍び返しが張りだしていた。その背後には、さらに高さ六メートルの柵が二列あり、その間の空き地は有刺鉄線の「網」で埋まっていた。

彼らはいま最初の柵に自分たちの梯子をかけ、レイザーワイヤーが密集するなかに引っ掛ける。第一波が上まで登ると、第二波が走りだして登り始める。それから最後の第三波が。いまや柵の上には数百人以上が登りついている。三回の波で押し寄せた全員がてっぺんまで登りついてから、梯子はようやく引き上げられ、それからまた同じプロセスが繰り返される。次の柵にも、その次の柵にも、さらに次のものにも。

金網フェンスは裸足のほうが登りやすい。ダクトテープを巻いておけば、いくらかはレイザーワイヤーや有刺鉄線からも保護されるが、さほど効果があるわけではない。柵をよじ登る人たちの大半はすぐに手や腕、脚から出血するようになる。多くは最後の柵までとてもたどり着けないが、そこまで到達するころには、警棒と防護盾をもった憲兵の大集団が彼らを待ち受けている。これらの柵は常時、赤外線カメラなどでビデオ監視されている。最初の波が木立から現われた瞬間から、おそらくはそれ以前から、柵の反対側にいる当局者たちは、彼らがやってくるのを知っている。

この最後の段階は数当て賭博であり、それも身体を対象にした残虐な賭けだ。だからこそ、これほど大勢が一気に登りつくのだ。地上に飛び降りるとき、人数が多過ぎて警察が阻止できないことを彼らは願っている。逃げだせるチャンスが、わずかなチャンスがあることを。逃げおおせた者にたいするチェアマンの命令は非常に明確だ。走れ、と。二車線の幹線道路をまっすぐ行くか、ゴルフ場の青々としたフェアウェイを突き抜けて、ずんぐりした低層の建物群を目指して走れと。そこは、そこだけは、彼らが亡命を求められるところなのだ。移民抑留センターが入居するそれらの建物のゲートまで行き着けば、成功したことになる。少なくとも一時的には。彼らは「越境」と呼ぶものを成し遂げたのだ。アフリカの柵をよじ登り、その向こうにある別の大陸、ヨーロッパへ降り立ったのだ[1]。

地球上で最も不平等な国境

「この場所、メリリャは小宇宙(ミクロコスモス)のようなものだ。ここには独自の規則があり、独自の重力の法則がある。そこでは物事は異なった具合に生じる」

カルロス・スポットルノは海辺のこの都市、メリリャについて語っていた。面積わずか一二平方キロのスペインの飛び地で、モロッコの北東にある半島に位置する。アルジェリアの国境から七〇キロ未満の場所だ。片側は地中海に面しており、反対側は有刺鉄線が一三キロにわたって半月形に並行して張り巡らされている。メリリャは実際には、二カ所ある飛び地の一つだ。もう一方のセウタは、西に二〇〇キロ以上離れたジブラルタル海峡の南側の上陸地にある。

アフリカにスペインが残したこれらの痕跡には、一五世紀のキリスト教徒によるレコンキスタにまでさかのぼる長い歴史がある。ムスリムの帝国をイベリア半島から追いだし、北アフリカの海岸一帯に足場を築く活動である。数世紀におよぶこの紛争の直後の一四九七年に、メリリャの港は最初に占領された。すでにはるかに大規模な領土拡大に狙いを定めていたスペイン王室が、最初に獲得した領地の一つだった。その三年前に調印されたトルデシリャス条約の条件によって、スペインとポルトガルの両王国は非キリスト教世界全体を二国間で分配することに合意していた。そのため、アゾレス諸島の経度より西にあるアメリカ大陸と太平洋はスペイン側の半球となり、カナリア諸島の緯度より南にある大西洋、アフリカ、アジアはポルトガル側の半球となった。

当時まだ地図にもほとんど記載されていなかった地域を、このように大まかに分割した行為は、ヨーロッパのその他いずれの大国からも顧みられなかったものの、両国はそれでも入植植民地主義（セトラー・コロニアリズム）の壮大なルールを制定したのである。一つの大陸が世界のその他の地域を征服し、所有し、最終的には境界を定めようとする、横柄な試みである。

それから五世紀を経た今日も、メリリャとセウタはスペイン領のままとなっている。双方の地はいまではアフリカとヨーロッパのあいだの唯一の地続きの国境でもある。双方を合わせても、わずか二一キロの国境線だが、そこでは二つの広大かつ途方もなく不平等な大陸同士が接している。

「だから、メリリャは」と、カルロスは言うと、一瞬押し黙り、適当な言葉を探すかのように両手を宙で泳がせた。「いつだって奇妙な場所だった」

カルロスはスペインのドキュメンタリー写真家で、ユーロピアン・プレス・プライズとワールド・プレス・フォトの双方の賞を受賞した経験がある。マドリッドの自宅から私と話をする彼は、ワイシャツにスーツの上着を着て、眼鏡をかけ、かなり小粋な人物に見えた。黒っぽい豊かな癖毛にふさふさと顎鬚を生やしており、顎の周囲にわずかに灰色の筋が入っている。背後の壁には黒板があって、「何でも聞いて下さい」という言葉が、通常の語順でも、逆順でも書かれていた。オンライン会議で画面がよく左右反転することにたいする、視覚的ジョークなのだろうと私は思った。これは二〇二〇年一二月のことだった。ヨーロッパの大多数の地域では、新型コロナウイルス感染症のパンデミックが再燃した結果、再びロックダウンに入るところであるか、すでに入っていた。

「こうした状況はいずれも、あらゆる境界を日常生活のレベルにまでもたらしている」と、カルロスは言った。「いまでは誰もが、動けない立場で暮らすということが何を意味するかを経験している。移動が許されないわけだ。欧米世界でおそらく初めて、それ以外の人びとが暮らしのなかでごく頻繁に体験していることを味わっている。どこもかしこも断層線や割れ目だらけだ」

六年前、カルロスとジャーナリスト仲間のギジェルモ・アブリルはスペインの『エル・パイス』紙からある仕事を請け負った。そのため二人は最終的に、欧州連合の外側の境界線を、モロッコの海岸から北極圏まですべてたどり、横断することになった[2]。

「メリリャでさまざまな事態が生じている時期は、スペインでも日々のニュースになっていた」と、カルロスは言った。「アラブの春以降は、リビアとチュニジアからシチリア島に向かうゴムボートが目に見えて増えていた。さらにシリア内戦が始まり、シリア人がトルコからヨーロッパにやってき始めていた。それで、次の三カ所で国境における圧力が増していた。アフリカにおけるスペインの国境であるメリリャ、シチリア島、それにトルコ、ブルガリア、ギリシャの一帯だ。編集者はわれわれに、これら三カ所に行って、関連する記事を書くようにと言った。基本的な考えは、彼らが言うように、国境線上にわが身を置いてみることだった。遠くから見ていてはいけない。原則は、自分の身を線上に置いて、そこで何が生じていて、人びとが何を語っているのかを見る必要があるということだ。入国しようとしている人びとと、彼らの入国を食い止めようとしている人びとを。そこで起きている事態の感触をつかむことだ」

二〇一四年一月に、カルロスとギジェルモはメリリャに向かった。当時のノートで、ギジェルモはそこを「城壁都市(ウオールド・シティ)」と呼んでいた。この場所全体が「狭くて息が詰まり」、監獄に入っている気分になるのだと[3]。現地に赴くわずか三カ月前に、リビアから船で北へ向かった三六六人の移民が、イタリアのランペドゥーサ島という小島沖で船が転覆して溺死していた。これは第二次世界大戦以来、ヨーロッパで最大の人口の大移動となるものの始まりだった。

メリリャそのものは長年、移民を吸い寄せる磁石となってきた。その大多数はサハラ以南のアフリカからやってくる。セネガル、マリ、スーダン、ギニア、ナイジェリア、コンゴ、コートジボワールの人びとだ。それでも、一九九〇年代初めには、メリリャにはどこにも柵はなかった。スペインが一九九五年にシェンゲン圏〔訳注：シェンゲン協定によって国境検査なしに自由に出入国できるヨーロッパの国々〕に統合され、メリリャともう一つの都市セウタが突如として欧州連合の外部の境界になって初めて、障壁が出現したのだ。メリリャでの建設工事は一九九六年に始まった。低い金網の柵の上部が螺旋状の有刺鉄線となったものだけが張り巡らされていた[4]。

一〇年後、五人の移民が市内に入ろうと試みて、スペインのグアルディア・シビル〔訳注：治安警備隊〕によって射殺されたあと、柵はもう一重張り巡らされ、その後にさらに一重が追加され、現在の六メートルの高さにまでそびえるようになった。この柵は立体的な有刺鉄線の罠として再設計されていた。有刺鉄線にレイザーワイヤー、スポットライト、見張り塔、人感センサーをすべて組み合わせたものだ[5]。地球上で最も不平等な国境を、物理的に具現化したものだ。これは一人当たりGDPで八倍の格差を表わす線なのである。ざっくばらんに言えば、これは平均してヨーロッパ側にいる人はそれぞれ、アフリカ側にいる人よりも八倍は金持ちであることを意味する[6]。この極端な不均衡こそ、メリリャ「独自の重力の法則」とカルロスが呼ぶものを生みだす一助となっている。小さな自治体ながら、その外部にいる一部の人びとにとっては、底なしに近い重力をもっているのである。

とはいえ、通常は不首尾に終わる。大半の移民は退却するか、突破しようと試みて追い払われる。たとえ柵を越えてメリリャに入れたとしても、彼らはまだ「押し返し（プッシュバック）」、またはデボルシオネス・カリエンテス（「熱い帰還」）と呼ばれる事態に遭遇するかもしれない。警察は移民を一網打尽にして、柵にあるゲートの鍵を開けて彼らを再びモロッコ側へ送り返す。国境からじかに彼らを追い返すのだ[7]。

運がよければ、彼らはそこで姿をくらます機会を見つけて、山中にある隠れ家に戻れるかもしれない。運が悪ければ、モロッコ軍に引き渡される。そうなると彼らはフェズやマラケシュ、ラバトなどの何百キロも離れた都市まで移送されることがある。さらに悪いことに、多くの人びとはモロッコとアルジェリアの国境にある砂漠の僻地へ連れて行かれ、食べるものも水もないまま、そこでただ解放される。往々にして負傷し、病気になり、飢え、殴打されている彼らには、再び旅を始め、どうにかしてメリリャまで、国境まで戻る道を探す以外にほとんど選択肢はない[8]。

現実には、多くの人にはほかに行き場がないのである。彼らは自分たちをハラガと呼ぶ。これは移民への中傷を込めたモロッコの言葉で、文字どおりには「燃やす人」を意味する。彼らのキャンプに火を付け、所持品すべてを焼却処分する警察の襲撃に言及するものだ。だが、時とともに、移民がこの用語を流用するようになった。自分たちは「ハラガ」、「燃やす人」であることを誇りに思うと、彼らは言う。いずれにせよ、彼らは当局に彼らの出身国を証明させるあらゆる書類、パスポートや身分証明書、その他の記録をすでに破棄していた。国籍を放棄して無国籍になり、希望という祭壇の上でみずからの身元を犠牲として捧げていたのだ。人類学者のステファニア・パンドルフォが北アフリカの移民に交じって暮らした研究で発見したように、この夢――移民するという容赦ない「プル要因」――はじつに強く、強迫観念や薬物使用、もしくは恋愛にすらたとえられて表現されるものなのである〔訳注：「国境を燃やす（ボーダー・バーニング）」という表現は非正規移民をすることを表わす〕。「彼らは依存症の言葉でハルグの精神状態を語る」と、彼女は説明する。「エ・ハルグ・キージリ・フルアルク・バハル・ディム、アナ・ムブリ〔燃えることは血のごとく血管を流れ、私は中毒になっている〕[9]」

自分たちは「燃やすこと自体を別として欲望や切望」を一切合切失ったのだと彼らは言う。彼らはすでに自分たちの外にいる。自分たちの存在を、国境の先に見据えていたのだ。「私の肉体はここにあって、私の存在はあちらにある」[10]。そして、彼らの本質、彼らの魂を取り戻す唯一の方法は、越境して、それを再び手に入れることなのだ。それを成し遂げるまでは、彼らは亡霊として、影の人びと（シャドーピープル）として、忘却されたまま生きている。彼らは自分たちの過去を燃やすことで、未来だけを残している。海辺にあるその都市まで下り、その柵を越えて。

出発点ではなく、終着点としてのモロッコ

一方、メリリャ内部にいる人びとは、メリリャを機会の場や、通過地点にしてはならないと決意を固めている。無数の移民の「存在」が市街地に出没していたとしても、当局はこれまで以上に彼らの肉体が越境してこないよう念を入れている。ヨーロッパの最南端であるこの地では、国境線は最も力強く、最も歴然とした形で刻まれている。それでも、その過程で、それ以外のものはもっと曖昧に、より不確かになった。とりわけ法律面が。

二〇二〇年二月一三日に、欧州人権裁判所は初めて「プッシュバック」の合法性に異議を唱えた訴訟に判決を下した。マリからの「N・D」と、コートジボワールからの「N・T」の二人の申立人は、二〇一四年八月に柵を乗り越えたが、スペイン領のメリリャの地に降り立ったところで身柄を確保された。彼らより前に、またそれ以降に移民を試みた多くの人びとと同様に、彼らはすぐさまグアルディア・シビルによって手錠をかけられ、出国ゲートからモロッコ側へ送還された。まずはメリリャの数キロ南にあるナドール市の警察署に連行された彼らは、のちに三〇〇キロは南西にあるフェズまで移送されて、そこに放置された。

訴状のなかで彼らは、「各自の状況を評価されることなく、何ら法的手続きも支援もないままに集団で追放となった」と述べた。欧州人権裁判所が禁じている行為である[11]。メリリャの地に降り立った途端、彼らには亡命を求めて、個々の状況が評価されるあいだは領域内にとどまる権利があった。二

〇一七年一〇月に、裁判所は違反行為があったと判断したが、スペイン政府が控訴し、訴訟は大法廷に移った。

二人が国境の柵を越えてからほぼ六年を経た二〇二〇年に、裁判所が下した最終的な判決は、この最初の判決を覆した。違反行為はなかった、と裁判所は述べたのだ。柵を乗り越えることは、この二人の移民による「とがめられるべき行為」に相当するからだと。「正式に許可されていない場所」を通って入国を試みたことで、彼らはみずからを「違法な立場」に追い込んだというのだ。そのため、スペインの当局は、即時追放したことへの異議申し立てにたいし、法的な救済策を取る責任を何ら負っていないことになった。

スペインはすでに亡命希望者が「自国領内への入国を求めるうえで可能な手段をいくつか」提供しているという理由から、裁判所は自分たちの判決を正当化した[12]。すなわち、メリリャの主要な国境検問所であるベニ・エンザールの国境ゲートを経由するものと、近くのナドール市にある領事館経由のものだ。しかし現実には、サハラ以南の人びとは、そのいずれにも近づくことができない。モロッコでは彼らを追い詰めるために特別に、警察部隊が編成されてきた。これらは往々にして、森のなかで彼らのキャンプを襲撃して破壊するのと同じ部隊なのであり、ナドールの市街を歩いている黒人は誰であれ、見つけしだい逮捕して尋問する任務を負っている。

一方、ベニ・エンザールに到達するには、国境線まで三〇〇メートル以上にわたってつづくモロッコ警察の三つの別々の検問所を通り抜ける必要がある。「サハラ以南の人」にとって、この「可能な手段」は不可能な旅でしかない。市内に入るのを防ぐためにすでに構築された多くの障壁に、肌の色がさらにもう一層を加えるからだ[13]。

この判決から、人権はヨーロッパの境界線でほころびが生じ、特定の例外や付帯条項の付いたものとなったのである。物理的な障壁を越えても、サハラ以南の人びとはまだ目に見えず、通り抜けもできない法的な力の場に遭遇する。

欧州連合——なかでもその国境沿岸警備機関フロンテックス——にとって、目的はモロッコを出発点ではなく、終着点にすることなのだ。移民がそこまで旅をすることは構わないが、それ以上はいけない。二〇一九年七月に、スペイン政府はヨーロッパへの不法移民を阻止する資金として、モロッコに三〇〇〇万ユーロの支払いを認可した。これは数百台の車両、ドローン、無線傍受装置、レーダー、および国境警備のための技術的監視装置を含む装置を購入するための二六〇〇万ユーロの公開入札を行なったうえでのことだった。その年の前半には、モロッコが移民のルートを封じ込め、遮断するのを援助するために欧州連合は一億四〇〇〇万ユーロの資金を支払うことを誓約していた。モロッコ内務省の移民・国境監視局長のハリッド・ゼルアリはこの包括提案を「よいスタート」と評した[14]。

モロッコにとって、移民を食い止めたり、解放したりすることは、政治的な圧力を行使するための有益な手段となっていた。二〇一七年二月に、モロッコの農業大臣アジズ・アハヌッシュは、自国の農産物と水産物のヨーロッパへの輸出に何らかの制限が課されれば、この国が「たゆまぬ努力」で「管理し維持してきた移民の流れ」の増加を見ることになるだろうという声明を発した。「ヨーロッパがわれわれと力を合わせようとしないのであれば、アフリカどころか、モロッコからの移民すら阻止する任務をわが国がこなすなどと、どう期待するつもりなのか?[15]」と、彼は述べた。

モロッコの警察と国境警備隊が移民追跡の手を緩めると、越境数はほぼ即座に急増した。アハヌッシュが声明を発した同日、アフリカからの一八人の移民が柵を越えてメリリャ側に入った。その一週間弱前には、わずか七二時間のあいだに八五三人がセウタの障壁を突破していた。前年の一年間に越境に成功した人数の半数近くにのぼる人数である[16]。

メリリャで何が起こっているのか

この恒常的な緊張が、この恒常的な不安定さが、メリリャのような場所の基盤そのものにじわじわと染み込んでいる。

「驚くべきことではないが」と、カルロスは私に言った。「この地では極右の政党が最速で勢力を増している。それがこれら国境の地で起きていることだ。地球上のこれらの片隅では、物事があまりにも不自然であるため、あらゆる過激な勢力が急成長を遂げるんだ」

二〇一九年のスペインの総選挙では、VOX（ボックス）という新しい極右政治運動が国会の第三政党に台頭した。選挙運動中に彼らは現代のレコンキスタを標語としていた。国民をさまざまな敵から解放するための十字軍であり、なかでもとりわけ移民、フェミニスト、分離主義者、グローバル主義者を敵としていた。彼らのスローガンには、非常に耳慣れた響きがある。アセル・エスパーニャ・グランデ・オトラ・ベス。スペインを再び偉大に。二〇一八年に副党首のハビエル・オルテガ・スミスが最初に表明した、メリリャとセウタの周囲に「崩されないコンクリートの壁」を建設するという誓約もまた、聞き覚えがある。VOXの党首サンティアゴ・アバスカルは後日、これまた大西洋の向こう側を彷彿させる言い回しで、この新しい障壁の建設費はモロッコが「おそらく支払うべき」ではないかと主張した[17]。

分断の言葉を語る政党では必然的に、壁は、それも「崩されない」壁は、強さと治安を表わす強力なシンボルとなる。VOXは危機にさらされるスペインのアフリカ側の国境を、政治的支配層の弱さを示す証拠として、たびたび利用してきた。二〇一九年の総選挙では、彼らはセウタの得票数の三分の一以上――この飛び地を代表する唯一の議席を下院で確保するのに十分な数――を獲得したほか、セウタとメリリャはいずれもVOX党の代表をそれぞれの自治政府議会でも選出した[18]。

これらの共同体は、人口大移動の影響をもろに受けた周縁地に暮らしている。彼らの多くは、何かしら国境関連の産業――警察、軍隊、またはグアルディア・シビル――で、「われわれの家の戸口を守る者として」働いている[19]。

カルロスとギジェルモは二〇一四年にメリリャを訪れ、しばらくグアルディア・シビルのあとを追いかけて過ごした。この国境警備隊が自分たちの仕事をどう考えているのか、何かしらの感触は得られたのかと私はカルロスに尋ねた。アバスカルがイメージを植えつけたように、それは国を守っているというプライドなのか、それとも恒常的な人間の闘争を前にして諦めの境地や無感覚に陥っていたのか。

「私がよく記憶しているのは、彼らが無人地帯にいると感じていたことだ」と、カルロスは私に語った。「政治家や世論から、『国境では強くなれ、誰もなかに入れさせるな』と言われる土地だと。それと同時に、彼らは暴力を振るっていると、もしくはあまりにも暴力的だとか、あらゆる「熱い帰還」を、許されていないのに実行していると非難されていた。だから、彼らは見捨てられたと感じていた。それにたいして、かなり悪く受け止めていたね。『やつらはマドリッドから連日こっちに電話をよこして、誰も入れさせるなと言う』と、われわれに語っていた。マドリッドだけでなく、ブリュッセルからも電話はきた。彼らはヨーロッパの機関から国境は守らなければならないと指示されていた。それでも、少しでも行き過ぎたことをすれば、彼らの仕事人生は終わりになるかもしれないんだ。彼らはこうしたあらゆる圧力のもとで暮らしていた。毎朝五時に目覚ましで起床する。『柵を飛び越えている者が五〇〇人いる。支度をして戦闘用意!』というわけだ。だから、彼らは朝五時には起きて、戦う準備をする。そうしたことが一週間に何度も起こった。それが彼らの暮らしだったんだ」

さらに、ベニ・エンザールとエル・バリオ・チノの国境検問所は、日々三万五〇〇〇人ほどが合法的に通過していた。周辺地域に住むモロッコ人は、夜間の滞在は禁じられているものの、査証免除によってメリリャには自由に入ることができる。この地に運び込まれ、ここから運びだされる物資は何であれ消費税も関税もかからない。ただし、人が「携行」するもので、それゆえに「個人の手荷物」として分類される限りである。毎朝、六時には何千人もが蛇行する行列ができ、そこに並ぶほぼ全員が女性だった。その大半は老若を問わず、寡婦か離婚女性、またはシングルマザーで、一家の大黒柱となっていた。くる日もくる日も、彼女たちは歩いては待ち、背負っている巨大な荷物の重みで二つ折れになるほど腰を曲げている。ビニールや防水布で束ねられたその荷の多くは、八〇キロ以上にもなった。彼女らはポルテアドレスと呼ばれる、いわゆる「ラバ女」だった。夜明けから日暮れまで数回は往復して、メリリャに物資を運んではもちだす。それも日当わずか一〇ユーロのためにだ[20]。

　彼女らの荷はつねに基本的な必需品、つまり食料と衣服として分類されるが、実際には何でも構わず、とりわけ携帯電話のような高価な電子機器が多い。税関の役人は詮索することなく女性たちを通過させる。およそ四万五〇〇〇人（メリリャ自体の人口の半数以上）がポルテアドレスとして生計を立てている。この業界によって間接的に支えられている人の総数は四〇万人を超える。要するに、これは一種の公認の密輸——非典型的な通商（コメルシオ・アティピコ）とスペイン語では呼ばれるもの——で、毎年、六億ユーロにものぼる物資の輸送となっている[21]。その結果、国境そのものが、境界にある奇妙な形態の工場となったのだ。分離する線と、何よりも切羽詰まって低賃金で働き、何度でも越境するのを厭（いと）わない労働力の存在によって動かされる、生産と利潤のためのメカニズムである。

　カルロスはある朝、検問所に行って、ゲートが開いて人びとが騒々しくなかに入る様子を眺めたことを覚えている。群衆は「牛のように列をなし」、その多くは「叫んでおり」、なかには気絶する人もいる、とギジェルモはノートに書いた。大勢の越境者とポルテアドレスたちは、普段の日にも増して大人数だった。一人の女性が警察によって列から引き離されるのを、彼らは見守った。カルロスはその瞬間の写真を撮った。役人たちは彼女が顔を逸らし、空を見つめているあいだに、もっていた書類を調べていた。「彼女の顔には、世界中の苦しみが浮かんでいた」と、ギジェルモは書いた。警察官の一人がカルロスたちのほうへやってきた。「彼女はシリア人と思われるのでね」と、警察官は言った。[22]

このころには、すでに二〇〇人ほどのシリア人がメリリャに入り込んでいた。内戦を逃れてきた第一陣の波だ。シリア人の大半は、メリリャ・ゴルフクラブの芝地の下方にあるムスリムの墓地にあるテント村で暮らしていた。

カルロスとギジェルモはその後、モロッコ側へ入り、国境の役人に自分たちは教師だと伝えた。地元のシークレットサービスに監視されるのを警戒して、二人はベニ・エンザールの青空市場周辺を数時間歩いて、買い物をするふりをして過ごした。その後、彼らは姿をくらまし、市の外まで歩いて半時間ほど丘陵地へ入り込んだ。移民キャンプの一つの周辺部に行き着くのに、そう長くはかからなかった。

頭上のユーカリの木々のなかに人影が見えた。つねに警察の襲撃を見張っている歩哨たちだ。カルロスたちは歓迎され、キャンプの中心部にまで招き入れられた。大半はマリ、セネガル、ガーナ出身の一〇〇〇人から二〇〇〇人ほどのキャンプだ。カルロスはキャンプの活動を写真に収めた。近くの湧水を汲んだプラスチック製の水ボトルを運ぶ男たちの長い列。サッカーをする一団。焚き火の上でぐつぐつと煮える鍋を囲む人びと。多くの人は切り傷や深い傷を見せてくれた。柵を越えようとして失敗に終わった以前の試みの「土産」と、ギジェルモはそれを呼んだ。[23] 彼らはみな戦争を逃れてきたことや、貧困、飢饉(ききん)について語っていた。

「ともかくその惨状に私は驚いた」と、カルロスは言った。「視覚的には何ら驚くものはなかった。それらはニュースで以前に見てきたものだった。しかし、国境線上にわが身を置いてみると、画面からは感じることのできない物事に気づくんだ。森のなかや、雨の降るなかで、何カ月も野宿することが何を意味するか。現場に行くと、『ここで一晩過ごしたら、自分には悪夢になるだろう』と感じる。

それなのに、そこにいる人たちは半年か一年間、あるいはそれ以上そこで過ごしているんだ」

　カルロスの写真の一枚はとりわけ人目を惹く。あり合わせのものでつくった十数張りのボロボロのテントの前に、シルエットになった人物が一人いて、両側にはユーカリの木がある。彼は山の斜面の小高いところから、広い景色を眺めている。そこからはモロッコのベニ・エンザールの町と、その向こうにあるメリリャの湾曲した港が見える。海は青灰色に広がり、水平線は立ち込めたかげろうのなかに消えていた。これは国境を「燃やすこと」を何よりも象徴している。越境というただ一つの目的のために、それまで知っていたあらゆるものを捨て去ることだ。写真のなかの人物は、前方にあるこの先の人生を見つめている。「われわれを止めるものは何もない」と、キャンプにいた移民は彼らに言った。

　カルロスたちは午後のうちにメリリャに戻り、夕方にはホテルに帰り着いた。彼らはバーで飲みながら話をしていた。移民が柵に向けて行動を開始するのとまさに同時刻に、ギジェルモはノートに書き込んでいた[24]。二人はヨーロッパでは、なかでも北部では、メリリャで何が起こっているのかを、いかに多くの人が知らずにいるかについて語り合った。

「われわれの目的の一つはそれだった」と、カルロスは私に言った。「この場所が存在することすら何も知らない人が、たとえばドイツなどにいる。だから、われわれはそうした事態を変えようと考えた。ここで何が起こっていようと、いずれ彼らのところにも、あなたのところにも到達するからだ。いまから数週間後かもしれない。数カ月後、数年後かもしれない。そして、これこそまさしく生じてきたことなんだ」

越境の産物

カルロスは、状況はまるで異なっていたとはいえ、越境の産物だった。彼は一九七一年にブダペストで生まれた。彼の父親は外交官で、母親は美大の卒業生だった。

「まだ鉄のカーテンの時代だったから、ブダペストにはスペイン大使館がなかった。そこで、父がほかの二人の外交官とともに現地に赴いた。当時、彼らはまだ非常に若く、二八歳だった。これは父たちの最初の任務の一つで、やるべきことは大使館を開設することだった。そういうわけで、彼らはそこで二、三年間ホテル暮らしをして、大使館に改装できる物件を探した」

カルロスが生まれると、両親はブダペストの司祭に会って、洗礼の手配をした。司祭はスペイン語名の「カルロス」を使わず、ハンガリー語風の名前を提案した。両親はそれを拒んだが、最終的には妥協することで合意し、彼をラテン語で「カロルス」として洗礼を受けさせることにした。スペインはまだハンガリーと公式に外交関係を確立していなかったため、彼の出生証明書は最寄りの適切な国に預けなければならなかった。それがオーストリアだった。ウィーンの記録保管所のどこかに、カロルス・スポットルノの存在を認知する最初の公式書類は存在する。

「まあ、国同士が互いを承認しないと、こういう事態になる」と、カルロスは言った。

ブダペストで過ごした期間、彼の両親はハンガリーのシークレットサービスの監視下に置かれ、その延長線上でＫＧＢにも監視されていた。「両親は自宅の居間や、あらゆるところでマイクを発見した。両親は以前キューバにいたが、そこでも同様だった。そうなると、何かしら考え方にも影響する。うちの母はいまでも電話では多くのことを語りたがらない。誰もがあらゆることを録音しているのだと、母は考えている」

カルロスが三歳のとき、一家はブダペストからローマへ引っ越した。三年後、一家はマドリッドに移った。その間に両親の結婚生活は破綻した。両親が離婚したとき、カルロスはわずか六歳だった。八歳になったとき、父親がモロッコの首都ラバトに赴任した。そして、カルロスと母親は父親と一緒について行った。これは両親がよりを戻すための試みだった。

「おそらくそこは、出直しを試みるには地球上で最悪の場所だったんだろう」と、カルロスは笑った。「魅力的なものが何一つなかった。パリに赴任していたらひょっとすると……でも、モロッコでは？だめだ」。彼は首を振って、笑った。「でも、それはモロッコのせいではなかった。それは両親自身の問題だった」

一年後、母親はラバトを去って、スペインに戻り、アンダルシアのマラガ市を見下ろす山のなかで暮らすようになった。

「当時の母はヒッピーになっていたんだ」と、カルロスは言った。「父は外交官で、母はヒッピーだった……母は田舎で、電気も水道もない生活を三年間送ることを決心していた。そして、私は母について行った」

同時に、父親は息子をマラガの名門校に通わせるべきだと主張した。カルロスは、シャワーは週に一度ほどしか浴びず、歯は磨いたことがなく、山のなかの共同体全員が車のバッテリーで家のなかの電気を賄っていたことなどを語った。そして、彼が毎日バスで丘陵地を抜けて一時間半かけて市内の学校まで通ったことなども。

カルロスは、母親と同じように、美術を専攻するようになった。彼がアカデミア・ディ・ベッレ・アルティ・ディ・ローマに入学したころ、父親がイタリアに再び赴任していたため、そこで一緒に暮らすようになった。彼は広告代理店で美術ディレクターとして働き始めたが、最終的にその仕事には虚しさを覚えるようになった。彼は写真家として腕を磨いていたので、写真という媒体で政治・経済や、社会的不平等について物語を伝えたいと考えた。型破りな子ども時代を過ごしたことを考えれば、彼がドキュメンタリー・ジャーナリズムに鞍替えしたのは必然的なことだったのかもしれない。

「子どものころから、ごく幼いころから、国際情勢や政治に関する会話にはさらされてきたからね」と、カルロスは言った。「それに、父からはこんなことを言われて、教育されてきた。『今日、ニュースで見ることは何であれ、一週間後には反動が出てくる。注意して見るんだ！　すべてのことはつながっている』」

マレ・ノストルム作戦

二〇一四年三月上旬、メリリャに旅をしてから一カ月半後に、カルロスとギジェルモは地中海のまっただ中にいた。全長一二〇メートルのイタリア海軍のフリゲート艦グレカーレに乗せてもらう交渉に、彼らは成功していた。同艦は水中戦用に建造されたが、マレ・ノストルム作戦――「われわれの海」を意味するラテン語――のためにこの当時は再利用されていた。その前年、ランペドゥーサ島で起こった悲劇に対応して、イタリア国防省が始めた無制限の捜索救難作戦だ。同艦はアフリカとヨーロッパのあいだの海域を巡視する任務を負った三〇隻のうちの一隻で、横断を試みる移民船を見つけた場合は、救助と援助の手を差し伸べていた。

それまでの一カ月間、カルロスとギジェルモはヨーロッパの外縁の境界線沿いに東から西へと着実に進んでいた。二月の初めに、二人はイスタンブルまで飛行機で行き、ギリシャの検問所を通って欧州連合まで戻るバスに乗った。そこから彼らは「国境線上にわが身を置き」つづけ、ギリシャとトルコのあいだの周縁部沿いを移動した。

一三〇キロにわたるギリシャとトルコの国境は、エーゲ海最北端のトラキア海からエヴロス川を北へさかのぼるコースを取る。だがオレスティアーダ一帯で、国境線は近道をして農業地帯を一〇キロほどまっすぐに横切る。二〇一二年にここに高さ三メートルの鉄製の柵が建設され、トルコ側は上から下まで螺旋状の有刺鉄線で覆われるようになった。「われわれが知る限り、これまで誰もここを越えたものはいない」と、ギリシャのある国境警察官はカルロスたちに言った[25]。

この柵は高さ二〇メートルの骨組みだけの監視塔と、幅五〇〇メートルの軍の立入禁止区域によって、その全長で増強されている。その区域に許可なく入れば、逮捕されて収監される危険があった。これは、カルロス自身がこの区域の内側に入って国境の写真を撮り、ギリシャ軍に阻止された際に知ったことだった。彼らはカルロスを尋問し、拘置所送りにすると脅したが、最終的にカメラからすべての画像を、少なくとも首から下げていたカメラの画像を処分することで納得した。ギリシャ軍は彼のカバンのなかまでは調べず、二台目のカメラは見つからずに済んだ。彼が実際に国境線を越えて撮影に使ったほうのカメラだ。そのメモリーカードには、この景観の一連の画像が入っていた。そこにそびえる監視塔、古い地雷の警告標識、そして手前には柵の厳格に管理された線があり、欧州連合からトルコのエディルネの町を望む眺めが見られた。

柵の一方の端の近くには、移民の収容センターがあった。この障壁の両側を回って、エヴロス川を渡河することでトルコ側から越境してきて、拘束された人びとを収容するところだ。そこは二重の柵の上に、さらに有刺鉄線を張り巡らせたもので囲まれた収容所だった。「ここは拘置所ではない」と、カルロスとギジェルモが訪問した際にある役人は言った。このセンターにはアフガニスタン、エリトリア、アルジェリアからの人びとと、それにわずか数日前に越境してきたシリア人の新しいグループがいた。写真撮影や移民と会話することなど、あらゆる行為が禁止されていたため、二人はすぐさまそこを離れて、国境線をさらに北西までたどって、ブルガリアとも接する地点まで行った。

ブルガリア領に入ったのちに、二人は地元の国境警備隊の詰め所を訪ねる手配をした。エルホヴォの町の近くにあるソ連時代の古い軍施設に置かれたものだ。基地司令官から彼らは、何年ものあいだブルガリアへの移民は存在しないも同然だったと教えられた。ところがこの半年間に、一万一〇〇〇人ほどがトルコから越境してきた。その大多数はシリア人だった。いまではブルガリアは、トルコとの約二七〇キロの国境を常時監視する費用として欧州連合から何百万ユーロも受け取るようになっていた。カルロスは職員が赤外線画像を含む、監視カメラからの映像を見ている様子を撮影した。「その光景はすぐさま、メリリャのことを思いださせた」と、ギジェルモは書いた[26]。

そのわずか一カ月前に、ブルガリアは同国南東端にあるレソヴォの検問所周辺の平野と丘陵に三三キロ以上にわたって柵を建設し、レイザーワイヤーを張り巡らせ始めていた。この景観から鉄のカーテンの最後の物理的な遺物――何百キロにもわたる柵と地雷原――が撤去されてからわずか二五年後に、新たな障壁が現われ始めたのだ（その後の年月に、さらに多くの区間に障壁が建てられ、二〇一七年の夏までにトルコとの国境はほぼ全線において、冷戦時と同様に封鎖されることになった[27]）。カルロスは、国境フェンスの最初の部分の建設が始まる様子を撮影した。金網とレイザーワイヤー、監視技術を提供するのは、メリリャの障壁システムを設置したのと同じ会社だった[28]。

二人はそれからすぐにブルガリアを出て、西へ向かった。三月の初めに、彼らはランペドゥーサ島に渡った。だが、地元の沿岸警備隊の巡視に同行させてもらおうという彼らの企ては、海が荒れていたために頓挫した。そこで代わりに、彼らは島の一角にある不気味な場所を訪ねた。「移民船の墓場」である。そこは、サッカー場をいくつか合わせたほどの広さで、救助活動後に海から引き上げられ、腐りかけ、錆びついた船がそこらじゅうで大きな山をなしていた。古い船は「乱暴な神の玩具のように、積み上げられていた」と、ギジェルモは書いた[29]。地元の活動家、ジャコモ・スフェルラッツォが難破船から見つかった物による展示物を制作していた。カルロスはその破壊された人生の残骸を写真に収めた。水に浸かったナイジェリアのパスポート、コルゲートの練り歯磨きチューブと三本の歯ブラシ、なかのページがごっそり失われた聖書の歪んだ表紙、哺乳瓶などを。

ランペドゥーサ島から、二人はシチリア島まで飛行機で移動して、カーラ・ディ・ミネオを訪れた。当時そこはヨーロッパ全体で最大の移民受け入れセンターで、かつて米軍基地だった場所の通りと家屋を利用していた。この場所には、実際の収容力の二倍に当たる四〇〇〇人近い移民がいて、一軒に一〇人ほどずつ暮らしていた。このセンターは、「現実離れした景観」で、「この世の終わりのような場所」だったと、ギジェルモは書いた。[30] 二人が待ちつづけていたメッセージがようやく届いたのは、この場所を訪問していたときのことだった。グレカーレへの乗艦許可が下りて、彼らを地中海まで連れだすためにヘリコプターが緊急派遣されていた。だが、海軍は彼らがいつ陸地に戻れるかについては、何も保証しなかった。

グレカーレに搭乗後、彼らはほぼすぐさま艦長に面会した。

「君たちがジャーナリストであることは知っているし、何を望んでいるかもわかっている」と、艦長は二人に言った。「だが教えてくれ。本当は何がしたいんだ？」

「その点ではかなり明確で、われわれはこう言ったんだ」と、カルロスは言った。「救出作戦を見たいんです。その現場を、できる限り間近に見たいんです、と」

それならまさにぴったりの場所にやってきたと、艦長は彼らに言った。しかし、海は荒れていた。海が静まるまでは、移民船が渡ることはないと思われた。

カルロスとギジェルモは、こうした救助船に乗り込むことを許可されたごく最初のジャーナリストだった。それはタイミングの問題だった、とカルロスは私に言った。

「イタリアの政治、軍事システム全体が、突如として自分たちがやっていることを見せるよい時期だと判断したんだ」と、彼は言った。「彼らはマレ・ノストルム作戦の費用を自分たちで支払うことにうんざりしていた。『ヨーロッパはどこに行った？』と、彼らは言っていた。『なぜ誰もわれわれを助けにはこないのか？　ドイツの船はどこにいる？　フランス船はどこだ？　ここでこの大きな重荷に対処しているのは、君たちとわれわれ、スペイン人とイタリア人以外誰もいない。だから、そうだ、何が起きているかをニュースで知らせてやろう』と」

過去一五年間に、すでに地中海では推計二万人の移民が溺死してきた。その数は増えつづけるばかりだった。ヨーロッパの海の境界線上にある国々がどんな措置を講じようと、おそらく変わらないのだろう。
「国境の番をすると、いつでも報道陣がついてくる」と、カルロスは言った。「国境はきれいごとでは済まないからだ。だから誰がその管理をしようと、悪い評判が立つ。それに政治的な支援が必要になる」

乗艦から三日後には、天候が回復し始め、風が凪(な)いで海は穏やかになり始めた。四日目の夜、ギジェルモは水平線が「血のような赤」に染まり、グレカーレの周囲の水がガラスのように滑らかになった情景を書いた。彼らはリビアから一三〇キロほど沖合にいた。横断しようと待機している船がいたとすれば、それ以上の好条件はなかっただろう。

翌朝早く、船室にいた二人はヘリコプターの回転翼の音で目が覚めた。彼らは司令室まで駆けあがった。

「コンタクトがあった」と、艦長は二人に言った。「かなりの可能性で移民だ」。衛星電話で助けを求める通話を受信したのだ。グレカーレのヘリコプターは青い木造船だという説明を無線で伝えてきた。船上には一〇人の子どもと一〇人の女性の姿が数えられ、おそらく全員で一五〇人から一七〇人は乗船していると思われた。これは「SAR」――捜索救難案件(サーチ・アンド・レスキュー)――だと言われた。

艦長はグレカーレの救命ボートを降ろすように命じ、すべてのボートにライフジャケットを満載した。カルロスとギジェルモはボートの一艘に乗り込む許可を願いでた。艦長はしばらく考えていたが、「アヴァンティ」と、最終的にイタリア語で言った。行け、と。[31]

「あんな光景は、それまで見たことがなかった」と、カルロスは私に言った。「難民キャンプに行ったことはあった。でも、あれは違った。あの人びとはじかにストレスとトラウマにさらされていた。怪我をしている人はいなかったし、誰も死なず、天候はよかった。すべてがこの上なくスムーズだった。それでも……」

移民船に近づいたとき、ギジェルモは自分たちを見つめている顔について書いた。彼らの目には恐怖と安堵の入り混じったものが浮かんでいた。彼らは二〇人ずつ救命ボートに移動させられていた。「落ち着いて」と、機関長は彼らに言った。「君たちはイタリアにいる」(32)

救助隊はすぐに、この船には船倉があって、そこにさらに多くの乗客がひしめきあっていることを発見した。この船は全長わずか一五メートルの木造船に過ぎなかった。そこに二一九人も乗り込んでいたのだ。大半はパキスタン人とシリア人だったが、モロッコ人、ナイジェリア人もいて、さらに四人のネパール人まで交じっていた。

「私は完全に撮影することに集中していた」と、カルロスは言った。「写真を撮ることに、資料となるものや動画を撮ることに。あれは私の人生のなかできわめて切迫した瞬間だった。私はこう考えていた。『これがすべてを説明する鍵となる瞬間で、失敗は許されない』と。バッテリーは充電されていなければならない。カメラは作動しなければならない。ヨーロッパの歴史が動いているのを目撃しているのであって、二度目のチャンスはないのだから」

だが、グレカーレの甲板に戻ったころには、カルロスは圧倒されていた。

「ある時点で、私は手を止めた」と、彼は言った。「数分間、休憩したんだ。自分がどんな恰好をしていたかはわからないが、艦長がそばにやってきて、こう言ったのを覚えている。『おい、君、大丈夫か？ ショック状態にあるように見える』。そこで、私は言った。『いえ、いえ、大丈夫です。仕事をしているだけです』。でも、実際には、私は確かにショック状態にあった。そして、自分が体験していることを消化しようとしていた。最悪の事態でなかったのは運がよかったのだろうと思う。おかげで、画像の出来に集中できるぐらいの精神状態で仕事をつづけることができた。状況が本当に悪かったら、自分がどんな反応をしていたかはわからない。死んだ子どもを見ていたら、それにどう反応しただろう？ おそらくひどい事態になっただろう。仕事はできたとしても、とにかくわからない……」

カルロスはしばらく押し黙った。

「私には息子がいる」と、彼は言った。「当時、彼は六歳だった。浜辺で死んでいたあの少年と、大して変わらない年齢だ」

あの少年というのは、アラン・クルディのことだ。トルコのボドルム半島からギリシャのコス島まで一家で渡ろうと試みた際に船が転覆し、溺れ死んだシリアの三歳児だ。彼の遺体は二〇一五年九月二日に、トルコのフォトジャーナリスト、ニリュフェル・デミルによって写真に収められた。この画像はものの数時間で世界中に拡散された。それは見るに堪えないのと同時に、無視することもできない写真だった。この写真は世界の指導者たちに電話を取らせ、互いに話をさせることになった。これは人道主義的でかつ劇的な世間の反応を引き起こした。だが、それは絶望の研究でもあった。(33)

「あれは衝撃を与える」と、カルロスは言った。「もちろん、そうだ。これが自分にも起こりうると考えざるをえなくなる。そう結びつけるのはじつに容易い。それは最大の恐怖となる」

カルロスとギジェルモは、アランが死亡する一年半前にグレカーレに乗っていた。二〇一四年にはまだ比較的極端な例だった事件を彼らは目撃していたのだ。しかし、それもすぐに日常の出来事となった。カルロスの写真のなかに、とりわけ説得力のある一枚があった。アランの恐ろしい写真と表裏をなすものだ。

この写真では、シリアの幼い少女が下方にある救命ボートから甲板に引き上げられた、まさにその瞬間が捉えられている。彼女は五歳か六歳で、着ている緑色のアノラックのフードをなかばかぶり、ピンク色のスカーフを首元に緩く結んでいる。彼女の体全体は、オレンジ色の箱のような形状のライフジャケットのせいで小さく見える。迷彩服を着た一人の乗組員が彼女を別の人物に手渡している。この光景を縁取っているのは、グレカーレの暗灰色の舷外張りだし部分と、どんよりした曇り空、そ

れにわずかに波が立つ不透明な海表面だ。少女の黒い巻き毛はフードの片側からあふれており、額から鼻先まで太い一房がS字を描いて垂れ下がっている。彼女の口はスカーフで隠れているが、その目はカメラをまっすぐに見つめている。というよりはむしろ、カメラを通してまっすぐ見つめている。その目はあなたを見ているのだ。

彼女の視線は謎めいているというよりは、限りない解釈を可能にしている。その目は感謝しているのか、それとも非難しているのか。悲しげなのか、怒っているのか。怯えているのか、安堵しているのか。その目はおそらく何よりも、眼前の出来事にたいする自分自身の反応に向き合わざるをえなくなる場所なのである。波打ち際にあったアランの遺体のあの画像は、恐怖が圧倒的なものになったら、見ることはできない。だが、ここではその反対もまた然りとなる。目を逸らせないのだ。少女の目はじっと見つめる。黒々として射抜くようであり、生気に満ちて、否定しようもなく生きている。これは希望のイメージだと言うのは、おそらく言い過ぎだろう。しかし、これは確かに可能性の一つを表わすものだ。その救助は、かつては一つの選択肢だった。

マレ・ノストルム作戦は、二〇一三年一〇月初めから二〇一四年一〇月末まで、一年と少しだけ継続した。その間に、この作戦は一三万人以上を海上で救った[34]。だが、費用は嵩み、政治的な意志は揺らぎ、グレカーレのような船舶は一隻また一隻と、別の用途に回されていった。この作戦は「プル要因」を生みだし、さらに多くの移民がこれまで以上に不適切な船で危険な横断に挑むのを後押ししたと言う人すらいた。マレ・ノストルム作戦が終了してから一年後の二〇一五年一〇月に、少なくとも二九五〇人の移民を乗せた船がリビアとランペドゥーサ島のあいだで転覆した。二八人が救出され、二四人だけが遺体で見つかった。残りは溺れて、波間に消えていった[35]。

亀裂

二〇一五年三月初めに、ユーロ圏の財務大臣たちがギリシャの破綻しかけた経済の救済をめぐる厄介な交渉の幕引きを図ろうとしていたとき、ギリシャのパノス・カメノス国防相が演説を行なった。「ヨーロッパがこの危機でわが国を見捨てるのであれば、われわれはヨーロッパを移民であふれ返らせよう。イスラーム国からの聖戦士が何百万もの経済難民による人間の潮流のただ中に交じることになれば、それはドイツ政府が悪いのだ」

カメノスはポピュリストの新右翼政党である独立ギリシャ人の党首だった。同党は極左政党の急進左派連合（シリザ）と連立政権を組んだ。カメノスはさらに、ヨーロッパがギリシャを「攻撃」するのであれば、「われわれも彼らを攻撃しよう。あらゆる国からの移民に、シェンゲン圏に入るのに必要な書類を与え、そうすることで人間の波をまっすぐベルリンに向かわせるのだ」とも言った[36]。

カルロスにしてみれば、これは彼らが語ろうとしていた物語の決定的な瞬間の一つだった。

「二〇〇二年の議定書〔訳注：アテネ条約〕があって、そこでは難民がヨーロッパの国に入国する場合はいつでも、入国地の国内にとどまるべきだと定められている。もちろん、この議定書は難民や移民が大量に増える前に署名されていた。ギリシャ、イタリア、スペイン——南ヨーロッパの最貧国——に何十万もの人びとが入り込むと、南ヨーロッパと北ヨーロッパのあいだの分断が生じ始める」

ヨーロッパ大陸の末端にいる人びとと中央部の人びとのあいだのこの対話は、どんどん敵対的になっていった。「南部は、われわれが境界線を守っているんだと言っている」と、カルロスは言った。「『でも、あなた方はそれがどこかも知らない。そのような場所については、聞いたことすらないんだ』と。そして、国境で問題が生じているというわれわれの言葉に耳を傾けることがあったとしても、こう言うんだ。『だからどうした？　そんなことはわれわれの問題ではない』。そしてカメノスは、こうした事態をおしまいにするのだと決意した。これを終わりにするのだと。問題を知らせてやるのだと。過激主義者でなければ、そんなことをするなどと想像もしないだろう。人間を武器化するんだ」

その前年、カルロスとギジェルモが実施した旅の記録は、『エル・パイス』紙に「ヨーロッパの門戸で」という見出しとともに掲載され[37]、ワールド・プレス・フォト賞を受賞した。その夏、二人は同紙を説得して、そのストーリー記事を継続させてもらうことにした。そのため、二〇一五年九月に、彼らはハンガリーとセルビアの国境にある小さな町ルスケまで旅をした。

カルロスが最初に到着してギジェルモに電話をかけ、大混乱している状況を説明した。「どこにでも煙幕と機動隊が見え、めちゃくちゃだ[38]」

ハンガリーはセルビアとの国境を閉鎖する命令を出したばかりで、高さ四メートルのレイザーワイヤーの柵を、一八〇キロほどの国境線沿いに急速に建設していた。推計一六万人の移民がすでに越境してきていた。ハンガリーの右派首相オルバーン・ヴィクトルにしてみれば、国を封鎖する時がきていた。

「誰でも入国させるわけにはいかないことを、明確にしなければならない」と、彼は言った。「すべての人を入国させたら、ヨーロッパはおしまいだからだ[39]」

オルバーン政権は、ハンガリーに不法入国することを犯罪とする法律を可決した。大勢の移民がルスケの国境検問所の近くの野原に囲い込まれていた。ある一団が柵を乗り越えようと試みると、大乱闘が始まった。ハンガリーの警察は催涙ガス、放水銃、装甲車両を使って移民を撃退した。二九人が逮捕され、負傷者はさらに大勢いた[40]。この時点で、数千人がすでに到着しており、何十万人もがやってくる途上にあった。ギリシャから徒歩でマケドニア（現在は北マケドニア）、コソヴォ、セルビアを抜けて北へと長距離を旅してきたのだ。前方で道が封鎖されると、人の流れは西へ向かい、ハンガリーの周囲を回ってクロアチアに入った。

カルロスとギジェルモはこの新しいルートをたどって、クロアチアのトヴァルニク町の鉄道駅周囲で膨れあがって大規模になった移民の一時的なキャンプに向かった。駅がその場しのぎの即席の国境となっていた。先へ行こうとする人びとの動きを規制する警察と障害物が隘路（ボトルネック）をつくっていたのだ。クロアチアのゾラン・ミラノヴィッチ首相が、自国領土を難民が自由に通過できるようにするつもりだと発表したばかりだった。

「これらの人びとを受け入れ、向かわせる準備ができている」と、彼は言った。「彼らが目指していると思われる場所……ドイツやスカンディナヴィアへ[41]」

列車は定期的に駅へ到着しており、そうなると人びとは殺到して乗車し、その過程で家族がばらばらになる事態も頻発した。移民は列車がどこへ向かうかは知らず、ただ先へ進むことだけを考えていた。

「ハンガリー政府の政策には賛同しない」と、ミラノヴィッチはつづけた。「あのやり方は有害で危険だと考える。建設中の壁は誰も食い止めないだけでなく、恐ろしいメッセージを送っている。二一世紀のヨーロッパに柵を設けるのは答えではなく、脅威だ[42]」

まもなく列車を補うためにバスが到着しだした。トヴァルニクの助役はカルロスとギジェルモに、ここではわずか四日間で二万五〇〇〇人ほどの人びとを移動させたのだと語った(43)。こうして難民は次の国境、次の障害物を目指して進み、ハンガリーの閉じられた国境を迂回して、スロヴェニアの南側の境界線を目指した。そこでは、人道的な取り組みが強化されていた。ボランティアたちが着るものと食べるものを手渡し、医療支援をしており、その多くはヨーロッパ中部や北部からやってきた学生だった。ギジェルモにはその一時期は「連帯が急拡大」したように感じられた(44)。これはアラン・クルディが死亡してまもない日々だった。世論の政治姿勢は大きく変わっていた。少なくともしばらくのあいだは。

二カ月後、カルロスはパリで友人と夕食を食べていた。突如として、ウェイターがレストラン中に響き渡る大声で、店内の人びとに注意を呼びかけた。近くで銃撃があったのだ。「パニックにはならずに」と、ウェイターは言った。「ただし、お帰りいただく必要があります」

「私はホテルに戻るべきか決心しなければならなかった」と、カルロスは私に言った。「ホテルは銃撃が起こった方向にあった。それとも、銃撃から遠ざかるように歩くが、どこにも行き場がなくなるかだ。私はホテルに行くことにした。およそ一〇分後、私は通りを歩きながらもずっと、どこへ身を隠そうかと考えていた。銃撃音が聞こえたら、どうしようかと」

二〇一五年一一月一三日の夜のことだった。フランスの首都では、テロリストによる一連の組織的な攻撃が起こっていて、合計で一三〇人が死亡した。そこにはバタクラン劇場で行なわれていたロック・コンサートで、銃撃犯によって撃たれた九〇人の観客が含まれていた。イスラーム国がのちに犯行声明を出し、殺害はフランスがシリアとイラクで行なった空襲にたいする報復措置だと述べた。襲撃者の大半はフランスかベルギー生まれだったが、一部の者は以前にシリアでイスラーム国とともに戦闘に加わっており、大量の難民の流れに紛れ込んで、ヨーロッパにこっそり舞い戻ったものと考えられていた。
カルロスはそうした瞬間に何を考えていたのだろうかと、私は思った。彼はその少し前に移民危機の取材から戻ってきたばかりだった。それが今度は、パリのテロ攻撃にすぐ近くで巻き込まれたのだ。彼にとっては、すべてが混沌としているように感じられたのだろうか。何かしら大陸規模の崩壊が起こっているのだと？

「まさにそういう状況だった」と、彼は答えた。「しかも、それは私だけの認識ではない。人びとがこれら二つの出来事を結びつけることはわかっていた。極右の政党にとっては、両者を関連づけるのはごく簡単なことだったからだ。つまり、九月には、何十万もの人びとがバルカン半島を縦断していて、女性がヒジャブをかぶっていたので、明らかにムスリムと見なされていた。そして、二カ月後にはこの大量殺害事件だ。プロパガンダという観点では、難民を犯罪者として物語に仕立てるという点では、これは完璧に意味をなす。非常に関連づけやすいものだ。しかも、うまく関連づけられる、と言うことだ。これらの二つの出来事が、ブレグジットの投票と無関係だったとは私は思わない。これらは完全に関連しているんだ」

それでも、難民はやってきつづけた。二〇一五年末には、ヨーロッパに一〇〇万人かそれ以上がやってきた。その年の初めに合意した割り当て分の移民を受け入れることを、一部の国が拒否し始めるまでに時間はかからなかった。態度は再び硬化しつつあった。

「ナショナリズム、隣国間の不信、外国人嫌い……」。ギジェルモはその年が終わるころ、そうノートに書いた[45]。彼とカルロスは、ヨーロッパの基盤そのもので何かが「ひび割れ始めた」と感じていた。外側の境界の大きな断層線から、まずは南北のあいだにさらに多くの亀裂が生じ、その後は欧州連合内の各国間の国境線に沿って広がった。これらの割れ目はいずれも関連し合っていた、とカルロスは言った。そして、それらが修復できないとなれば、「構造全体が崩壊するだろう」と。

北側の終着点

二〇一六年一月に、ヨーロッパの境界線に沿ったカルロスとギジェルモの旅はようやく終わりを迎えた。アフリカの地中海沿岸に、海辺の都市であるメリリャに旅をしてから、ほぼ二年が経っていた。いまでは、欧州連合の南の終着点から四〇〇〇キロほど離れた場所で、彼ら二人はその北側の終着点に到達していた。北極圏の先の、フィンランドの小さな国境の町サッラで。

彼らの物語におけるこの最終部分はその大半が、外側を眺めることについてのもの、ヨーロッパの北東の境界線にのしかかっている大きな重み、すなわちロシアのほうを眺めることに関するものだった。それ以前の数週間のあいだ、二人はリトアニア、ポーランド、ラトヴィアに出かけて、NATO加盟の一一カ国から数千人もの兵士が軍事演習を行なう様子を目撃した。「赤い国（レッドランド）」という仮想敵国が国境侵攻してきたと想定するものだった。さらに、彼らはウクライナまで旅をして、本物の戦闘——同国の東部と西部のあいだで生じている内戦——がはるかに大きな紛争の影を投げかけているのを見た。ロシアとNATOはどちらも、ウクライナ国内で対立し合うそれぞれの同盟者に軍事訓練や後方支援、備品等を提供していた。世界の強国からなる二つのブロックのあいだの地理的防波堤として、ウクライナはヨーロッパの代理国境戦争の場となっていた。二〇二二年二月に、代理戦争が実際の戦争になった。ロシアの侵攻——ウラジーミル・プーチンによれば「特別軍事作戦」——は、ウクライナの国境を地図から消し去ろうとする願望に突き動かされたものだった。プーチンによれば、この目的は、歴史的な間違いを正すものであり、人口四〇〇〇万人の国の周囲に引かれた線を消し去るものだった。そもそも、一度も本当には存在しなかった国だ、と彼は主張した。パンデミックの時期にクレムリンの記録保管所で古い地図を眺めて過ごしたせいで、ロシアの歴史的な辺境地を武力によって取り戻そうとする彼の屈折した個人的こだわりに火が付いたようだった。

「バルト海沿岸諸国の人びとにとって、ロシアの存在がいかに生存の脅威であるかを見るのは衝撃的なことだった」と、カルロスは私に語った。「それは日々、彼らの暮らしを落ち着かないものにしている。いつ何時でも、ロシアによって容易く侵攻されかねないと感じているからだ。ロシア人はクリミアでやったように、自分たちの歴史的な本来の領土の一部を取り返しているのだと言っている」

　カルロスにとって、このことは彼らの物語の根底にあるテーマの一つを強調するものだった。「つまり、われわれヨーロッパ人はお互いを知らない、ということだ。たとえば、スペインに住むわれわれは、リトアニア人の恐怖については、何も知らない。リトアニアがどこにあるのかすら、われわれはほとんど知らない。だが、これはスペイン人が無知であるだけではない。リトアニア人だって、われわれの恐怖や、心配事については何も知らないに違いない。あるいはギリシャ人が何を不安に思っているかについても」

　フィンランドは彼ら二人の最後の訪問地だった。ここでは、ロシアとの国境は一三〇〇キロにおよぶ。これはヨーロッパの外部の境界線としては最長の区間だ。フィンランド当局は、二人を国境警備隊の双発プロペラ機に乗せて、ヘルシンキを出発してバルト海の凍結した海面を越える巡回飛行に連れだした。

「氷を見てみろ」と、カルロスはギジェルモに言った。彼は飛行機の窓越しに、亀裂の走る広い氷の海原の写真を撮り始めた。「バルト海で、われわれはヨーロッパの亀裂を見た」と、ギジェルモは書いた*[46]。それは、その時点では、大雑把なものだったとはいえ、彼らにとって説得力のある前兆を示す視覚的なメタファーだった。

「われわれはフィンランドとロシアの国境に関する壮大な物語を期待していた」と、カルロスは言った。広大な領土にまたがって走る国境の全線に沿って、緊張が高まる感覚が得られるだろうと彼らは考えた。ウクライナで見た大きな振動が、この線に沿って反響しているだろうと。

「だが実際には、ロシアは彼らにとっては問題ではなかった。大きな問題は人口五〇〇万の国に到着したばかりの三万人の難民だった。彼らにとってはそれが衝撃だったんだ」

その大半は二〇一五年末のわずか二、三カ月のあいだにやってきた。そのためにフィンランドは欧州連合全体で四番目に亡命希望者の多い国となった。それも、全体の数字のなかで最大の増加率が示されていた。カルロスとギジェルモは、三二〇〇キロ北にある小さな都市クオピオの移民受け入れセンターまで旅をした。彼らはそこで、自分たちがバルカン諸国で訪れたのと同じ村を通過してきた人びとに出会って驚愕することになった。しかも、二人が訪れていたのとまさに同じ週にいた人が何人もいた。

「彼らはバルカン諸国からオーストリア、ドイツ、デンマーク、スウェーデンと旅をしていた。そして、スウェーデンは彼らの一部をフィンランドに送ったんだ」と、カルロスは言った。「クロアチアの同じ鉄道駅にいた人びとにすら、われわれは出会ったよ」

クオピオ市を訪問中に、二人は移民の子どもたちが地元の小学校に通う様子を見学したほか、アイススケートのレッスンを受け、受け入れセンターまで帰宅する途中、雪で遊んでいることも耳にした。しかし、緊張の兆候も見られた。市街地で見かけた難民反対の落書きを、カルロスは写真に撮った。極右の集団が移民に嫌がらせをしたとか、受け入れセンターが暴徒の攻撃を受けたという話もあった。

二人はそこからさらに北まで旅をし、北緯六八度線上にあるフィンランド最北端のイヴァロの軍事基地で、国境警備隊に合流した。兵士たちは彼らを雪に閉ざされた森のなかの巡回に連れだした。その地では気温はマイナス三〇℃まで下がった。カルロスの眼鏡は寒さで真っ二つに割れ、ギジェルモのボールペンは書けなくなった。彼らは国境の長い柵にまで到達した。だが、これは人間を締めだすためのものではなかった。むしろ、フィンランドのトナカイの個体群をなかに閉じ込めておくためのものだった。

その後、彼らは最終の訪問地サッラまで行った。フィンランドとロシアのあいだの最北の越境地点の一つである。ここはつねに「何もない辺鄙な場所」だと、かなり喜んで自称してきた場所だった。「われわれはこの国境の地の警察署にいた」と、カルロスは私に語った。「そして、大して期待もしていなかった。国境の警備隊員が二名ほどいるだけだろうと思っていた。退屈しながら画面や、森のなかのカメラの映像を見ている連中だ。何かを見つけるなどと期待はしていなかった。そのとき突然、車が到着したんだ。われわれがそこへ着いたちょうどそのときに」

古いラーダ〔訳注：ロシア車〕のなかに七人がぎゅう詰めになっていた。彼らは国境のフィンランド側で車から出てきた。

「彼らはわずか数メートルしか離れていないところにいた。でも、ヨーロッパの法律があるので、話をすることはできなかった」

そこでカルロスは写真を撮ってもいいかと質問した。国境警備隊員はためらったが、肩をすくめて、それを禁じる法律はないと同意した。カルロスはそのことを思いだして笑った。「ヨーロッパの迷路だね！　何かは可能で、何かは可能でない」

彼らは一行に近づいて、スマートフォンのグーグル翻訳を使って写真を撮影してもよいかと尋ねた。同時に、国境警備隊員の聞こえないところで、どこからきたのかを尋ねた。一行は二つの別々のグループで構成されており、彼らの旅のこの最終区間で一緒になっていた。カメルーンからのカップルと、

＊カルロスとギジェルモは、「ヨーロッパの門戸で」と題して発表した以前の記事と、ヨーロッパ東部および北部周辺地へのその後の旅を合わせて、*La Grieta*（亀裂）という名称の「フォトブックとグラフィックノベルの中間」と彼らが表現する現場日誌を制作した。これは二〇一六年にアスティベリ社から最初にスペイン語で刊行された。私はギジェルモの現地調査ノートから引用する際にフランス語版、*La Fissure* を使用した。翻訳は私自身による。英語版はまだない〔訳注：日本語版は『亀裂――欧州国境と難民』（上野貴彦訳、花伝社、二〇一九年）〕。

アフガニスタンからの五人家族だ。カルロスは彼らの写真を撮影した。彼ら七人はスーツケースをもって雪のなかに一列に並んで立っていた。そのすぐ背後には、国境の縞模様の障害物があって、検問所を囲む大量の投光照明によって後ろから照らされていた。

「国境の法律に関して最もよく知っているのは移民たちだ」と、カルロスは言った。「彼らはあらゆることを完全に知り尽くしている。何をすればいいか、何を言えばいいかを知っている。そしてここでは、彼らはこうしたオンボロの車をムルマンスク〔訳注：フィンランドとノルウェーの国境に近いロシアの都市〕で買って、国境まで六時間運転し、そこで亡命を求めるやり方を考えだした」

過去数カ月間に、人が乗り込んだ同様の車が到着していた。ときには一日に三台、四台とくることもあった。サッラの警備隊員は彼らに車の廃棄場を見せた。持ち主が国境を越えた途端に放置したラーダやヴォルガなどのロシア車でいっぱいの駐車場だ。その光景はカルロスとギジェルモにすぐさまランペドゥーサ島の「移民船の墓場」を思いださせた。実際には、サッラからさらに四〇〇キロあまり北へ行った、北極海の沿岸からさほど離れていない場所でも、同様の光景が見られた。こちらはなかでも奇妙なものだった。

欧州連合の境界の先にあるストーシュコグの国境検問所で、ロシアとノルウェーが接している。そこでは、両国間の国境の規則に抜け穴があった。つまり、ロシア側は人びとが徒歩でノルウェー側に渡ることを許可しておらず、ノルウェー側は正式な渡航書類のない人びとを車に乗せて入国することを禁じていたものの、自転車は双方で何ら検査されることなく許可されていたのだ。二〇一五年の夏に、最初の難民がノルウェーに自転車で到着した。その年の年末には、五〇〇〇人ほどの亡命希望者が同じ方法で国境を越え、その大半がシリア人だった。国境のノルウェー側には、乗り捨てられた自転車が巨大な山をなした。それらの多くは子ども用自転車だった。子ども用がいちばん安く買えたからだ。ノルウェー政府はすぐに行動して、この抜け穴を塞いだ。その後二〇一九年になって、政府はストーシュコグの国境のわずか二〇〇メートルの区間沿いに金網の柵を、五〇万ポンドの費用で設置した。ヨーロッパ大陸の末端に、またもや障壁がそびえたのだ。狙いを定めたものであると同時に、無駄なものの象徴が[47]。

「これはじつに根深い反応だ」と、カルロスは私に言った。「われわれの骨身にそれほど深く染み込んだものなんだ。自分の身を守るために、国境を閉じ、門戸を閉じ、目を閉じる。閉じる。有害なものからどうすれば身を守れるのか？　閉じることだ。そして、箱のなかにとどまる。こうしたことは、われわれの脳に本当に深く刻まれているんだと思う。国境の概念を除外しようとするのは、おそらく不可能だろう。よく言われるように、自分の皮膚が最初の境界なのだから。これは本当だ。われわれには境界があり、境界とともに生きていて、それに頼るようになっているんだ」

それでも、カルロスは自分の旅のなかで遭遇してきた多くの柵や壁や障壁のことを考えながら、こうつづけた。「物理的な障壁をつくるということは、実際にはその障壁の破壊を要求しているんだ。遅かれ早かれ、これは生じる。これらの物理的な障壁は持続不可能だ。そして、障壁は、歴史のなかで何千回とやってきたように、一方からもう一方へ行こうとする人びとのあいだで衝突を生みだす」

第四部　崩す

8

解ける国境

「驚くべきことは、周囲の氷河に比べて、それが比較的小さい氷河だった点だ。しかも、われわれは何カ月間も地図上で研究し、それがどんな様子で、どのように動いたかや、距離などあらゆることを知っていたにもかかわらず、だ。こうしたことはいずれも、実際にその場に立った生身の体験によって完全に打ち砕かれた」

マルコ・フェラーリは三〇代後半で、短く刈り込んだ髪に、きちんと手入れした顎鬚、それに丸い銀縁眼鏡をかけていた。彼は生き生きと快活な話し方をする人だった。建築を学んだが、それを職業にすることはなく、代わりにデザイナーのエリザ・パスクアルとミラノにステュディオ・フォルダーという設計と調査の代理店を共同設立した。

マルコは氷河の運動を追跡する同社のプロジェクトについて私に語っていた。だが、一般的な氷河についてではない。グラフェルナー氷河はエッツタール・アルプスの標高三〇〇〇メートルの場所にある。この氷河は高い峰の二つの尾根間にある深い谷に挟まれている。いちばん高い峰はシミラウンで、三六〇〇メートル近くある。この氷河は国境でもある。そのちょうど中心を、イタリアとオーストリアを隔てる国境線が通っている。

地図上では、この国境の短い区間は、シミラウンから氷河を越えて北東に約一キロ半行った先の西マルツェルの頂上まで、外側に緩くカーブをして描かれている。アルプス地域全体を通して言えることだが、この国境線は分水界をたどる形で引かれていた。最も単純な意味では、山からの雨や雪解け水が北へ流れてドナウ川へ注ぎ、黒海に流れ出れば、その土地はオーストリアとなる。その水が南に流れて、アディジェ川に合流してから東へ向かってアドリア海に注げば、その領土はイタリアのものだ。

　ところが、氷河そのものには、国境線の標識はどこにもない。ただつねに移動をつづける一面の雪と氷があるだけだ。天候と大気の状況、季節の変化、これらすべてがグラフェルナーの分水界を意のままに変え、さらにつくり変える。ここでは、南北のあいだの稜線は決して同じ状態にはならない。毎年、毎週、毎日、それどころか毎分ごとに変わるのだ。マルコの計画はこの高高度の国境線を引く方法を見つけだすことだった。その絶え間ない漸進的な変化をリアルタイムで測定する方法を設計することだ。距離を置いて抽象的に見れば、グラフェルナー氷河はまたとない試験環境を提供しているようだった。

「ところが」と、マルコは頭を振りながら言った。「これはわれわれが想定したよりも、ずっとずっと大きなものだった。氷河は巨大な、それは巨大なものだった。それにどこもかしこも白かった。基準点がどこにもない。この場所はかなり平坦だが、それでもわれわれが考えるほど平坦ではなく、地平線はどこにも見えなかった。ただ丘陵や山に囲まれていた。それらが視界を完全に遮ってしまう」

　マルコのチームは二〇一四年四月に、ヘリコプターで氷河の上に降り立って、最初にここを訪れた。「頂上付近にはまだ雪がたくさん残っていた」と、彼は言った。「だから歩いて移動するのは、きわめて骨が折れた。そこを何度も縦横に歩かなければならない場合は、なおさらだ。疲労困憊（こんぱい）させられた。われわれは氷河の上で、七、八時間ほど過ごした。おまけに寒いし、標高を感じるので、信じ難いほど疲労する。気分爽快にはなるが、非常に疲れるんだ」

　マルコは一息ついてから一瞬考え込み、それからつづけた。

「だから、われわれの第一印象は、非常に綿密に手順を計画したのに、どこかまだ準備不足のような気がする、というものだった。状況はわれわれが考えていたより、はるかに過酷だった。そのことに、完全に気押されていた」

アルプスの分水界

それよりちょうど一世紀前に、別のチームがグラフェルナー氷河を訪れていた。彼らは軍事地理学院（ＩＧＭ）で働いている測量技師たちだった。これはイタリア軍の一部門で、同国の地図製作局の役割を担っていた。彼らの任務は新しい国境を探索して測量し、最終的に境界を定めることだった。

第一次世界大戦のあとにつづいた多くの分割の一環で、旧オーストリア帝国は一九一九年のサンジェルマン・アン・レ条約によって二つの地域全体をイタリアに割譲した。ドイツ語圏の南（ズユード）チロルは「アルト・アディジェ」になり、おもにイタリア語圏だったトレンティーノも新たに拡大したイタリアの国土のなかに吸収された。それ以前の国境のルートは一八六六年に定められていた。イタリアが統一王国になったわずか五年後のことだ。第一次世界大戦後に定められたこの国境は一気に北上して、場所によっては一〇〇キロ以上も北の中央アルプスのまっただ中まで移動していた[1]。

その基本原則となったのが、この分水界の概念だった。一七一三年に、フランスとサヴォイア公国はユトレヒト条約で双方の領土を「ロー・パンダント・デ・ザルプ」、すなわち「アルプスの流域」によって分割することで合意していた。これはヨーロッパの大山脈が公式にこのような形で分割された最初の事例だった。その最も高所の稜線が「自然の」分割点として見なされ、重力そのものによって国と国の違いが決まる場所となっていた。そして、これはその後にアルプス地方で生じたあらゆる分割の前例となった[2]。

原則はそうであっても、実践する段になると、話はまるで別だった。一九一九年から一九二三年にかけて、ＩＧＭの測量技師たちがこの理論上の分水界が正確にはどこにあるかを、実際に地上でも突き止めようと試みた。これは壮大で複雑な任務だった。測量チームは一度に何週間も何カ月間も費やして、高所を何百キロも移動し、現場日誌や日記に調査結果をまとめていた。ノートのページは次々に写真や地図、スケッチ、注記、計算、その土地に関してきれいに手書きされた説明などで埋められていった。測量技師たちは一九二一年以降のいずれかの時期にグラフェルナー氷河にやってきた。もう一つの氷河であるシュラフの標高よりも上に顔を出している岩だらけの尾根伝いに、東から近づいたのだ。

「この地点から、尾根は重力にさからうような崩れやすい岩と巨石で構成されているため、ますます狭く、たどり難くなる」と、測量技師たちは書いた。「オーストリア側ですら、尾根に氷の深い割れ目が現われるため、恐ろしいものとなる。この氷がいずれは標高三四九二メートルから三五七三メートルのあいだにある岩尾根を覆うことになり、境界線はその上を通る。ここでは境界線を足でたどるのはきわめて困難だ」

それでも、測量技師たちは先へと進み、西マルツェルの頂上まで登った。そこで彼らは、オーストリア側は岩だらけだが、イタリア側は氷で覆われていることを発見した。「西マルツェルから、国境はシミラウンの鞍部を二分する分水界沿いを通り、その後、シミラウンの頂まで、やはり氷で覆われていて、ほとんど見分けられない尾根伝いに登ってゆく」

そこにあるグラフェルナー氷河の上で、分水界はほぼ完全に見えなくなったと、測量技師たちは認めた。「全体として、この区画は複雑な流域を注意深く観察しない人びとにとってのみ、伝統として確立された国境のように思えるのである」(3)

それらの「人びと」には、一九二二年に政権の座に就いたイタリアの新しいファシスト政権が含まれていた。ムッソリーニやその閣僚にとって、分水界は単なる手段でしかなかった。数学と地図製作法を利用して定量化し、アルプス山脈を恒久的な境界として正当化する方法だったのだ。イタリア半島の人びとをつねづね育て、守り、区別し、特別な存在にしてきた巨大な岩の境界線である。分水界を作図し、位置を示すことは、新しく何かを制定しているわけではなく、むしろ昔からあるものを復元していたのだ。活気あふれるイタリアの力のシンボルとしての山間部の国境は、ローマ帝国時代にまでさかのぼるものだった。その意味では、国境は分水線というよりは、国家に後押しされたナショナリズムの波の高潮線だったのである。[4]

山のなかで技師たちが苦労しつつ入念な測量をつづける一方で、国境の南では併合した土地の、またはファシスト用語なら「救済させた」土地の、「土を征服」するための政府プロジェクトが進んでいた。この政策を推進したのは、熱心なナショナリストのエットーレ・トロメイだった。数十年にわたって、トロメイはこの地域と、アルプス山脈がイタリアの真の、自然な末端部であるという考えに固執していた。一九〇四年に彼は、アルプスの分水界の最北端を記す場所だと考えていた、標高三〇〇〇メートルのグロッケンカルコプフ山に登りさえした。これが初登頂であると主張して（その一〇〇年近く前にフリッツ・ケーグルというオーストリア人が登頂していたにもかかわらず）、彼はその山をヴェッタ・ディタリア、「イタリアの頂上」と改名する権利を主張した。[5] そこで彼がにべもなく、明け透けに意味していたのは、こういうことだ。ここがイタリアの頂上なのであれば、それ以南のすべてもイタリアである、と。

トロメイは『アルト・アディジェのアーカイブ』（*Archivo per l'Alto Adige*）誌を創刊した。これはジャーナリスティックで科学的な客観性によって俯瞰（ふかん）できる立場に立つと称しながらも、何かにつけて南チロルの歴史的かつ本質的な「イタリアらしさ」を証明する作業に乗りだしたものだった。彼の仕事の大半は、この地域一帯の町や村、川、丘、山などを調査して、イタリア風の地名の膨大なリストを編纂（へんさん）することだった。一部は歴史的なルーツや語源によるものだった。一部はドイツ語からの翻訳か、ドイツ語の単語にイタリア語風の語尾が加えられたものだった。だが非常に多くの名称が、単にトロメイが独自に考えだしたものだった。この『アーカイブ』は第一次世界大戦が始まるまでの年月に、イタリア各地でかなりの読者数を獲得していた。そのために同誌が発表した別名リストが地図や教科書、新聞にもひそかに入り込み、あげくの果てに時刻表にまで登場するようになった。

第一次世界大戦後、ファシスト政権がトロメイに、ズュードチロルからアルト・アディジェへの名称変更の監督を依頼したのは、おそらく必然的なことだったのだろう。一九二三年三月二三日に、ヴィットーリオ・エマヌエーレ三世の勅令によって、『アーカイブ』の地名カタログ――全一万六七三五件――がイタリア国家によって公式に採用され、ドイツ語名はすべて取って代わられた。四カ月後、トロメイは、新たにボルツァーノと改名された、アルプス山麓のボーツェン市の市立劇場の舞台に登壇して、この地域の再生のために考案された三二のプロヴェディメンティ(「措置」)を発表した。そこには、イタリア語を公用語として義務づけることから、オーストリア人公務員をすべてイタリア国籍の人と交代させることや、ズュードチロルの名称使用禁止、ドイツ語話者の共同体と関係のある政党と報道機関の解散、すべてのドイツ語学校の閉鎖までが含まれていた。この時点で名称のイタリア語化は、各自の苗字をイタリア語式に変更することを要請するまでにいたっていた。この決定はあまりにも極端であったため、この地域一帯でドイツ語の名称は墓石からも消し去られた[6]。

こうした話は、今日もこの国境地帯のなかにまだ残っている。「流域」、救済、ファシズム、プロヴェディメンティ、禁止、改名、抹消。一九二〇年代の測量技師たちが山岳地帯や氷河をゆっくりと進んで、国境に組み込むための拠点網を考えだし、発展させていたとき、彼らは同時にこの景観におけるアルプス山脈の本質まで捻じ曲げ、その軸を九〇度回転させていた。もはやそこは谷と峠によってつなぎ合わされた連峰ではなかった。何千年ものあいだこの一帯は南北方向に、前後に移動しつづけてきた場所だったのに、いまでは違いや、異質さを表わす揺るぎない線になっていた。ナショナリズムに利用された分水界は、その門戸を勢いよく閉めたのだった。

これらすべては、過去一〇〇年足らずのあいだに起こった。歴史的な見地からはここは新しい国境だ。未熟な国境だ。そして、多くの未熟者と同様に、ここも落ち着きがなく、止むことがない。少しずつながら、その全長にわたって、ここは動いている。国境は移動しているのだ。

動く国境

マルコは子どものころ、毎夏、両親とともに自家用車に荷物を積んで北へ旅をした。イタリアを出て、チェコスロヴァキアやフランス、オランダなど、ヨーロッパ各地を回った。

「こうした旅行で印象に残ったことの一つは、国境での行列だった。自分がある場所を離れて、この非常に明白に記された境界を通って別の場所へ入っていることがわかった。それはいつも、どこかしら魅了される経験だった」

プロジェクトを始めた当初、彼は自分がアルプスの氷河にかかわるはめになるとは思いもしなかった。ステュディオ・フォルダーは二〇一四年のヴェネツィア建築ビエンナーレで、《イタリアの山(モンディタリア)》という展示の一環でインスタレーションの仕事を依頼された。これは建築と音楽、映画、ダンス、劇場を組み合わせることで、現代のイタリアの政治的、文化的な現実を考える試みだった。最初からマルコにわかっていたのは、何かしら国境と関連するものをやりたいということだけだった。

彼は一九八〇年代に車で旅をした子ども時代を思い返した。それから、ヨーロッパ圏内の国境での検問を廃止するプロセスの端緒となった一九九五年のシェンゲン協定の影響力について考えた。その後数十年間に、四〇〇〇万平方キロ以上の地域にまたがる二六カ国間をパスポートなしに旅をする権利が、四億ほどの人びとに与えられた。国境はじつにおぼろげなものとなったため、最も実質的な意味では、消滅したも同然となった。

だが、あれだけの検問所と、あれだけの国境の建物はどうなったのだろうかと、マルコは疑問に思った。かつて彼の家族が列をつくって並び、通過した建物はどうしたのか？　彼はヨーロッパ各地の国境検問所の古い写真を集め始め、それからグーグルストリートビューで現在の同じ場所の画像と比較してみた。

「ほぼすべての場所で、建物は完全に解体されていて、そのため国境の物理的な痕跡は何もないか、放置されたような状態で、道路はその周囲を通るか、そのなかを通っていて、検問所の標識はどこにもなかった」

だがそれと同時に、そのような建物がかつては目印となって、地形のなかで物理的に表わしていた線は消え去ってはいなかった。国境線はまだ地図のなかにあったのだ。

「地図は変わっていなかった」と、マルコは言った。「しかし、現実は大きく変わった。だから、われわれはこうした一見、矛盾して思われる事態を調査してみたかったんだ。シェンゲン協定がいかに国同士のあいだの実際の人や物の流れを変えただけではなかったかを。それが国境の理解をめぐってヨーロッパ人が想像してきたものをいかに変えたのかを。というのも、われわれの世代はどうも、ヨーロッパの国境はもはや存在しないので、実際に自由に動ける、という概念とともに育ってきたと思うからだ。でも、こうした考えは、二〇一四年でもすでに揺らいでいたのは、かなり明白だった。移民をめぐって新しい国境政策が執行されていたし、誰もが自由に動けるわけではなく、ごく特定の国のパスポートをもつ、非常に特権的な国民だけであることがじつに明らかになっていた。だから、こうしたことすべてを調査してみたかったんだ」

そこから、マルコとチームの仲間は、自分たちの任務は「事物」としての国境とは正確には何であったかを理解することにすべきだと判断した。国境を築くことの背後にある概念や考えを、それが法律のなかでどう定義され、実際の、物理的な重みを与えられているのかを、そして建造物として、景観のなかの物理的な現実の存在として、どのように具体化されていたのかを理解することだ。彼らがＩＧＭの活動に目を向けるようになったのは、こう考えたからだった。

この国営の地図製作局の古い資料は、フィレンツェ郊外の高い塀と有刺鉄線を張り巡らせた陸軍兵舎の建物群内に保管されている。ここは今日も、一八六一年に最初に設立されたときと同様に、軍の一部でありつづける。そして、この機関の主要な任務は、イタリアの陸上の国境を維持管理することなのだ。それが何であり、どこにあるかを知り、その存在を、地上における可視性を、標識と境界石という形で保護することである。今日、この仕事は、シモーネ・バルトリーニとマリア・ヴィットーリア・デ・ヴィータというわずか二名の職員によって行なわれている。

「この資料庫は驚くべき場所だ」と、マルコは眼鏡の奥で目を輝かせながら私に言った。「当時の日記や国境のオリジナルの測量図が揃っているんだ。しかも、索引が付けられ、棚に整然と並んでいる。ただし、古い資料の相当部分はとにかくまるで未整理の状態で、そこに何が含まれているか彼女たちにもまったくわかっていない。われわれは何日間もぶっつづけで、そこにある書籍を自由に開き、地図がしまってある引き出しもすべて見ることができた。途方もないものだ。資料の豊富さは、ともかく常軌を逸していた。それだけでなく、その資料の質もとてつもなかった。何しろ、測量は三角測量をして測地学の計算をする、驚くほど専門的なものだからだ。それと同時に、現地で何カ月間も暮らすわけだから、測量技師たちによる写真やノートなどもすべて見られるんだ。彼らは景観の観察から、チーズやパンなどの食料をどこで調達できるかまで、あらゆることを書いていた」

国境の「物質性」を探るマルコの調査のなかで、この資料庫は一つの重要な原点を示していた。三台の標準サイズのファイルキャビネットがある一室で、彼はイタリアの陸上国境の公式記録を見つけた。大半が報告書と座標リストからなるものだと、彼は言った。もちろんそれを裏づけるものとして、その他無数の書類と記録資料が資料庫にはあった。地図、地図帳、写真、現場調査の記録。でも、その一室では、すべての歴史が、国境線のルートを作成し、測定を重ねるために費やされたあらゆる作業が、これら三台のファイルキャビネットに凝縮されていた。三台のファイルキャビネットのなかには、四方面の「国境」が保管されていた。

「イタリアには一つの国境があるとは実際には言えない」と、マルコは言った。「どの国境も、その他の国境とは異なるからだ」。東から西まで一九〇〇キロ以上にわたるアルプス山脈沿いに、イタリアはスロヴェニア、オーストリア、スイス、フランスとそれぞれ接している。

「四つの国境があるのは、どの国境にもまるで異なる歴史があって、まるで異なる取り決めと、まるで異なる書類群があるからだ。実際の書類そのものは見た目がまったく異なる。それらの視覚的言語は異なっているんだ」

ファイルキャビネットの中身は、一世紀以上にわたって測定、計算、交渉、外交をつづけ、最終的には目視した最終結果なのである。

「これは測量技師たちとわれわれが長々と議論したことだった」と、マルコは言った。「たとえば、国境を決定する際にどんな特異性があるかを。まずは国内での合意があるが、これは非常に曖昧なものだ。それは言葉で表現される。国境はこの地点からこの地点へ、さらにどこそこの地点とすべし、という具合に。その後に生じるのは、言葉から非常に大まかな地図を描くことだ。しかし、実際の、最終的な国境の地図は、測量技師によって作成される。だから、じつに詳細にわたる精密さで国境線を決める判断はすべて、非常に個人的なものなんだ。そして、それは場所自体を足場にしてしか、定められない」

マルコは一種の国境の脱構築を楽しみながら、このプロセスを生き生きと私に描いてみせた。国境と見なす線はどういうわけか景観のなかから現われるのだと、彼は説明した。そして、それが現われる唯一の方法は、測量技師がそれを、自分の目と測定機器を使って見たときなのだ。これらの機器は自然の地物や境界や斜面を組み合わせ、結びつけさせ、それらを数学的な座標として利用し、描画し、線が描けるようにする。そのプロセスを後押しするために、測量技師は視覚の補助や、計算のための三角点となる構造物を建てる。自然の景観を認識しやすくするために人為的に強化するものだ。

「つまりだね、線は一連の建造物、物理的な建造物として現われて、国境の物質性が強化されるんだ」と、マルコは言った。「しかし、もちろん、それ以外の部分もあって、それは文化的なものだ。それに関しては、つまり国境を突き止めるには、この線に沿って、またはそれを越えて移動し、行き来する何百人もの人びとの長年にわたる経験を考慮しなければ、その線を描くことはできない」

だが、いまはどうなっているのか。現代の国境の管理人であるシモーネとマリアの暮らしはどうなっているのか？　当初の形成期の測量調査がずっと昔に行なわれたことを考えれば、「事物」としての国境はどちらかと言えば「人工遺物」となり、歴史の断片となってはいないのか？　現代のＩＧＭは、景観を目視するうえでどんな役割をはたしているのか？　その景観は一世紀前にすでに目視され、そこを横切る線が解釈され、引かれてきたのだ。

資料を自由に閲覧させてもらう前に、マルコはＩＧＭの本部でシモーネとマリアに会っていた。その事務所は兵舎内にではなく、フィレンツェの中心地のサンティッシマ・アヌンツィアータ広場沿いにあるルネサンス様式の壮大な建物のなかにある。面談のいちばん最後に、二人の測量技師たちは国境線を写した一連の航空写真を取りだしたのだとマルコは言った。それから、彼女たちは氷河を指差し始めた。上空から見ると、氷河は景観のなかの空白スペースのようで、稜線のごつごつした黒い筋から下方へ延ばされ、縦横にも引かれた太い白の刷毛跡になっていた。

「いま当時を振り返ると、彼女らは自分たちの仕事がもう時代遅れで、必要ないと思われているのを知っていたかのようだった。だから面談の最後に、自分たちを正当化するために、それらの写真を見せてくれたんだ。彼女たちはこう言った。『ほら、これを見て。この数年間は、この新たな問題に取り組んでいるの。アルプス一帯で国境を引き直しているから、本当に忙しくて』」

それらの航空写真は、国境の景観が根本から、場合によっては非常に急速に変わっていることを明らかに示していた。氷河が解けて、縮小しており、完全に消滅すらしているためだ。この新たな景観は、新たにそれを目視する新たな測量技師を必要としていた。氷が消滅するにつれて、分割の原則であった分水界も動いていた。そしてもちろん、それとともに国境も移動していた。国境線はその場にとどまるのを拒んでいたのだ。

シモーネとマリアは、国境の修正は過去にもときおり生じていたのだと説明した。原因は、道路建設や電線の敷設などのインフラの開発から、私有地をめぐる争いや土砂崩れまで千差万別だった。

「基本となる大原則は、国土の面積は同じでなければならないというものだ」と、マルコは言った。「そのため、イタリアが何らかの理由で領土を獲得すれば、オーストリアに領土を割譲し返さなければならない。差し引きした数値がつねに同じとなるように。これは毎回、意見交換や調整、会議から外交交渉にいたるまで、やたら長いプロセスとなる」

しかし氷河の場合、変更は絶え間ないものとなった。氷原の縮小によって、アルプスの尾根沿いの一〇〇以上の場所で国境の異変が生みだされていることを、測量技師たちは立証した。

「氷河が動くことで起こっている変化の規模は、国境の管理と定義に関する現在の法的枠組みではまったく対処できないものだった」と、マルコは言った。

IGMはイタリアの外務大臣に働きかけて、ある提案をした。当初の分水界の原則に従って、領土の交換や外交協定を伴う必要なく、国境をただ動くがままにする、というものだ。国境線が自然のプロセスに従っている場所はどこでも、これらのプロセスで線は引き直すことができる。そして、測量技師はただ境界線を地図に書き込み、修正しながら、自然のあとをたどるのである。

この解決策は最初に一九九四年に提案された（もっとも、一九七〇年代にはすでにIGMの測量技師たちが、国境線沿いの氷河が縮小して形状を変えていることに気づいていたのだが）。その一〇年ほど後の二〇〇五年に、この提案はイタリアとオーストリアのあいだの国境を調整する二国間協定として法制化された。二〇〇九年には、この協定はイタリアとスイスのあいだでも施行された[7]。

この法律は、これら三カ国のあいだの国境は、たとえ分水線が動いても、つねにその線をたどるものとすると定めていた。これは新しいタイプの国境を生みだしていた。それは、イタリア議会が表現したように、「もはや恒久的に確定されておらず、氷河の侵食と減少によって生じる漸進的な変化に左右され、ときには消滅という極端な状況にもなる[8]」ものだった。それはコンフィーネ・モービレ、「動く国境」だった。そして、これは世界中どこよりも先駆けて歴史上初めて、国境が不変ではなく、本質的にそれ自体の自由意志によって変動しうることを認めたものだった。

マルコのチームは当初、これが興味深い法的展開であると認める一方で、単なる思いがけない事態で、珍しいものなのだとも思っていた。

「それでも、その後の数週間、われわれはそれについて考えつづけ、その問題に戻りつづけた」と、彼は言った。「そのうち、それが焦点に、われわれのプロジェクトの支点になった。それに関連して、どれだけ多くのことが探求できるか気づいたんだ。生態系との関係、加速する気候変動、それにヨーロッパ各地の地政学的均衡などだ。〈自然〉の線と政治的な線との差異。それこそわれわれが探し求めていた種類の関係だった。動く国境は、そうしたことすべての中心となった」

測量技師たちがマルコに見せた最初の航空写真は、エッツタール・アルプスにある小さな氷河の写真で、この氷河はどこよりも縮小して急速に高所へと後退していた。

「この氷河、および国境の形状には大きな変化があった」と、マルコは言った。「当時これはまだ動いていたが、氷はさほど後退していなかったので、たとえば尾根の岩肌が見えるほどではなかった」

最も近年のＩＧＭの測量では、ここの国境は一九二〇年代の当初の線から一〇〇メートル以上ずれており、分水界はどんどんイタリア側に張りだして、オーストリア側の土地が増えている。航空写真に写っていて、表面に国境線のあった氷河がグラフェルナー氷河だった。

＊

ヴェネツィアの古いロープ工場の一室。アルセナーレ〔訳注：旧国立造船所、ビエンナーレの会場の一つとなった〕と呼ばれる長らく放置された造船所と武器工場群の一部。室内は暗いが、白く長いテーブルの上にスポットライトが向けられている。テーブルの片端には、二つの白い石膏（せっこう）ブロックの上に航空写真を投影し、削りだして製作した山間部の立体模型がある。もう一端には紙が山積みになっている。それぞれの紙には三〇〇〇分の一の縮尺地図が印刷されており、一九二〇年代のイタリア－オーストリア間の国境のルートが描かれ、国境線がグラフェルナー氷河を横切る区域に焦点が当てられている。テーブルの上には長方形の枠が表示されており、地図を一枚取ってその枠内に置き、ボタンを押すようにと説明書きにある。ボタンを押すと、テーブルの中央に設置された機械のアームが動きだす。アームは優雅な黒い金属製の写図器（パンタグラフ）で、その手――レコードプレーヤーのヘッドシェル〔訳注：レコード針を付ける部分〕に似た小さな直方体――に赤いフェルトペンが取り付けられている。

　北西に一八〇キロ行った先の標高三三〇〇メートルの地点、グラフェルナー氷河の雪と氷からなる一〇〇〇メートルにわたる分水界線沿いの五カ所に、センサーが並んでいる。これらのセンサーは太陽光で動き、アルプスの過酷な気象条件にも耐えるように設計されており、その正確なGPS座標をアルセナーレの装置に常時送り返している。ボタンが押されるたびに、アームはまさにその瞬間のセンサーの位置を読み取り、グラフェルナー氷河上の国境の正確な点を描き入れ、線を描いてゆく。写図器は迷うことなく、機械的に易々と地図に赤い線を描く。一九二〇年の国境の点線が描かれた北から始まり、すぐにその線を横切って南側に移り、長く垂れ下がったDの字を描きながらさらに先まで南下する。ペンはもち上がり、それから地図の下部にある四角のほうにゆっくりと降りてきて、そこにコンフィーネ、つまり「国境」という文字を、日付と時刻とともに書き入れる。動く国境線は何度でもリアルタイムで、オンデマンドで引かれているのである。

＊

二〇一四年四月にマルコが初めてグラフェルナー氷河に出かけたのは、GPSセンサーを五カ所に設置するためだった。彼のチームは、地元の山岳ガイドのローベルト・チアッティとともに氷河をゆっくりと進み、IGMから入手した最新の測定値を使って、本当の稜線を探して地図に描くことを試みた。

「当初、センサーは実際には科学的なものではなく、劇的効果を担うものとして考えていた」と、マルコは私に説明した。「ただ何が起こるか見届けるために、われわれは稜線をたどることを考え、それをやってみた。テストだったんだ」

所定の場所に設置されると、センサーは二〇一四年の春と夏のあいだずっとそれぞれの位置を発信しつづけた。

「それによって実際に国境が動く様子が見えることが理解できた。この動きはたった五カ月間ではごくわずかだが、それでもデータそのものに見られるんだ」

だが、九月の終わりには、電波は一つずつ消えていった。山間部で積雪が深くなって、五台のセンサーがいずれも完全に埋もれてしまったのだ。その後、秋から冬にかけて、センサーは呑み込まれて氷に吸収され、氷河の本体に引きずり込まれた。一一月にビエンナーレが閉幕するまで、アルセナーレでのインスタレーションはつづいたが、まだ九月に送信された最後のデータを使って、国境線の位置を描いていた。

しかし、これでステュディオ・フォルダーのプロジェクトが終わったわけではなかった。マルコはこのシステムを改善して、正確さと精度を向上させたいと考えた。同時に、彼はセンサーそのものの設計を見直してより頑丈にし、山の上の極端な気象条件にも耐えられるようにしたかった。改良版が組み立てられた。以前のセンサーよりも多くのデータを集められるものだ。改良版はGPS座標とともに、気温、空気の質、太陽光指数も記録することができた。まだ太陽光で動いていたが、蓄電池の周囲の断熱材を改良して、作動しなくなる温度以下に下がるのを防ぐようにして、マルコが「ミニチュア温室効果」と呼ぶものを外側の覆いの内部につくりだした。マイナス三〇℃での動作確認がミラノ大学の「低温研究所」において行なわれた。南極大陸からの八〇万年前の氷床コアが保管され研究されているのと、同じ場所である。

この研究は二年にわたってつづけられた。ステュディオ・フォルダーは氷河学者や地球物理学者と共同して、性能を向上させたセンサーで氷河を測定する新しい方法を考案した。二〇一六年四月には、マルコはグラフェルナー氷河に再び赴き、ヘリコプターで運んでもらった〇・五トン分の装置を輸送用の網から降ろしていた。今回、センサーは五台ではなく、二六台になっていた。そして、これらを稜線に一列に並べる代わりに五台×五台の格子状(グリッド)に並べ、最後の一台のセンサーは近くの岩に設置して、標高と気圧の基準値となる測定値を提供する計画になっていた。こうすることで分水界は、単純な線としてではなく、三次元モデルとして測定できるようになった。つねに変動するデータによって把握され、変換される「生きた」彫刻である。

少人数のチームがGPS受信機を片手に氷河の上を歩きだし、一平方キロの場所に格子を描いた。彼らは登山用のハーケンでセンサーを固定した。ハーケンはアルミの三脚の土台部分を抜けて、地面を覆う雪も掘り進み、氷河氷そのものにまで食い込ませた。各ユニットはLEDライトを点灯させ、それぞれが局所的なセルラー・ネットワークにつながっていて、データを盛んに送信していることを示していた。

今回、作図マシンは三〇〇キロ離れた、ドイツの都市カールスルーエの旧軍需物資工場に置かれていた。カールスルーエはZKMというアート・アンド・メディア・センターの本拠地である。センサーが氷河に設置されてからわずか二週間後、インスタレーションが始まってからものの数日で送信は途絶えた。電波が遮断されたのだ。山岳ガイドのローベルトがマルコに連絡をくれて、現地で大雪が降ったことを伝えた。

「ローベルトの驚くべき点は、センサーの状態をチェックしに毎週出かけてくれたことだ。彼はシミラウンの頂上に双眼鏡をもって登り、報告してきた。相当な量の雪が降ったと、三メートルぐらいは積もったと言うんだ。センサーは間違いなく埋もれてしまったと、彼は言った」

それでも数週間後には、データのリンクは復活した。新しいセンサーは、ソーラーパネルが発電を再開するようになれば、再び動きだすように設計されていた。気温が上がるにつれて、雪は解けてなくなり、すべてのユニットが再び太陽のもとに姿を現わした。グリッドはまたオンラインに戻ったのだ。

このマシンから何枚くらい異なる国境の地図が描かれたのか、私は知りたかった。というよりはむしろ、センサーとインスタレーションがある意味で閉じたループで、自立したシステムであることを考えれば、国境が何度、みずからを描いたのかを知りたかった。

「何千回とも言えるし、一度もないとも言える」と、マルコは笑いながら答えた。「どちらの答えも正確だろう」

ヴェネツィアでの最初の展示では、彼らは九〇〇〇枚の地図のコピーを用意した。これらは半年間の展示の最初の二カ月も経たないうちにすべて使用されてしまったため、さらに数千枚印刷しなければならなくなった。来場者は自分の地図をもらって、もち帰ることができた。マルコはそれらが、南アフリカやケニア、ニュージーランドなど、世界各地まで運ばれたという話を聞いている。
「時間がつねに違うから、どの地図も違っている。だから、どの地図もほかのものと似てはいない」と、マルコは言った。「地図が描かれている瞬間には、自分の手のなかにあるその地図が最も正確で、直近の国境の地図になっている。でも、別の来場者がもう一枚の地図を描いた瞬間に、それまでの地図は取って代わられている」

同時に、写図器と赤いペンで描かれている国境線そのものにも、意図的に矛盾が含まれている。センサーは位置や気圧のわずかな変化を察知できるものの、地図の縮尺はそれらの変化を本当に記録するにはあまりにも小さいのだ。何しろ、国境線の動きはフェルトのペン先の幅よりも小さいからだ。
「二番目のシステムでは、できる限り正確を期するような設計になっていた」と、マルコは言った。
「でも同時に、このプロジェクトの背後にあった考えには、測定することへの一種の批判も込められていた。ペンの太さのせいで、すべての変化が地図上で目に見えるようにはならない。それでも、どの国境線も異なるのは、それを描く写図器が少しばかり揺れるためなんだ！」

これはマルコが計画的に意図したことだった。驚くほどよく考え抜かれて精密に見えるこのシステムですら、実際は正確にはならない。「氷河はどんなときでもつねに動いているから、本当に正確な地図を描ける時点はないんだ。この不正確という考え、つまり完璧な測定は不可能だということこそ、インスタレーションでわれわれが本当に伝えたかったことなんだ。美的な観点からは、インスタレーションが驚くほど精密で機械的であってもね」

マルコは二〇一六年九月の終わりにグラフェルナー氷河を最後に訪れた。彼はチームの仲間とともに、すべてのセンサーを撤去してグリッドを解体するためにやってきていた。その日も長い一日となった。積もった雪はすべてなくなり、氷河の本当の表面が、青いガラスのように輝く氷が露出していた。歩きながら、彼は氷河の上にかすかに輝く赤いものを見つけた。近づいてみると、それはセンサーの覆いだった。当初の五台の一つで、二年前に行方不明になっていたものだ。「センサーは完全に氷のなかに包み込まれていた」と、マルコは言った。「ごく一部だけが外に出ていたんだ。だから、それを取りだすには掘らなければならなかった。壊れてはいなかったが、あちこち凹んで傷がついていた」

氷河はセンサーを抱き込み、旅に連れだしていたのだ。その後、それを置き去りにした。境界標は氷によって排除されていたのだ。ほかの四台のセンサーはまだ行方知れずだ。だが、グラフェルナー氷河が滑っては縮小するなかで、おそらくごく近いうちに、残りの四台が山頂のどこかに再び姿を現わす日がくるだろう。

エッツタール・アルプスの男

九月初めのある朝、七時、ホーホヨッホフェルナー氷河を通るイタリアとオーストリアの国境からわずか数百メートル南の地点。夜間に雪が降り、あとには氷と岩を覆う細かい雪片が残った。私たちの周囲は、小さい結晶を輝かせる雲に囲まれていた。空気は冷たく、おそらく氷点下四℃か五℃くらいだっただろう。それでも、太陽が昇っており、西のほうにわずかに青空も覗いているのが見えた。

私は山岳ガイドのローベルト・チアッティにロープでつながれていた。ローベルトはいまでは六〇代になっているが、筋骨たくましく柔軟で、小妖精のような人物だ。ふさふさとした髪は灰色で縮れており、肌は深い栗色をしているが、鼻先だけが日焼けして痛んでまだらにピンク色になっている。彼が先を行き、私が後ろにつづいた。私たちのアイゼンは雪を踏むと軋(きし)み、ときおり金属が石や硬い氷が露出した部分に当たると、甲高い不快音を鳴り響かせた。

ホーホヨッホフェルナーはグラフェルナーよりはるかに大きな氷河だ。この氷河はアルプスの稜線沿いに数キロ西に位置し、北側の下方の谷へ下降する三つの氷の流れからなる。ただし、これらの支流はもはや一つの氷河を形成することはない。それぞれの流れのあいだに岩尾根が姿を現わし、氷を三つの別々の塊に分けてしまったからだ。国境は最も西側の支流上を通る。私は氷河が残した崩れた岩の破片の上を歩きながら、気づかないうちにオーストリア領に入っていた。私の横には、標高三三〇〇メートルのシュヴァルツェ・ヴァント、「黒い壁」がそびえていた。

ホーホヨッホフェルナーは過去一世紀半に、三分の二以上は縮小したのだとローベルトは私に言った。彼ははるか北東まで漏斗状につづく焦茶色のむきだしの岩に沿って手を動かしながら、谷のほうを指し示した。

「以前、ここはすべて氷で埋まっていた」と、彼は言った。

その瞬間、白い雲の筋が谷底に伸びてきた。嘲るかのように。もしくはもう存在しない氷河の亡霊が出現したかのように。

アルプス山脈の氷河の面積は一九世紀なかばごろ、小氷河期として知られる時期の終わりに、記録に残る限り最大に達した。それ以降は消失が加速する傾向がつづく。一八五〇年にあった氷河の半分は消えていった。この減少の三分の二は、一二五年間に生じた。残りの三分の一は過去わずか三〇年間に起こった。私たちのいるエッツタール・アルプスでは、一九八三年から二〇〇六年のあいだに氷河地帯全体が三〇％強減少した。一三〇平方キロほどあった氷が、九〇平方キロをやや上回る程度にまで減少したのである[9]。

ローベルトは「氷河について、そこが自分の家であるかのように語る」と、マルコは私に言った。「彼はそれらの場所をじつによく知っていて、それが劇的に変わるさまを見てきたんだ」。ローベルトはかつてマルコにこう言った。私にとって、氷河は人生なんだ、と[10]。

氷河の上をローベルトの後について移動するのは、素晴らしい体験だった。私たちは着実に、きちんと手順を踏みながら進んでいった。すでにホーホヨッホフェルナー氷河の真ん中まできており、その真向かいにそびえる高い赤茶色の断崖に向かっていた。氷は真っ黒や真っ青の塊に見え、その上に積もった雪を通して、黒々と輝いていた。ローベルトはときおり足を止めて、登山用ストックで前方を突き、足元の氷の硬さを確かめていた。私たちは、幅こそ一メートルほどだが、確かな流れとなって斜面を勢いよく下っている川に出くわした。水は左右に蛇行しながら氷に食い込み、考えられないくらい完璧で滑らかなカーブを描いて両岸を削っていた。ときには、いちばんよく聞こえる音が風や自分たちの足音ではなく、急流の音であることもあった。その姿は見えなくとも、私の足下の水路やトンネルを走り抜ける音が聞こえるのだった。

過去三〇年間に、南チロル全域で一九カ所の氷河が完全に消えてなくなった。「部分的」氷河の数は増え、わずか二〇〇余りだったのが、三〇〇〇カ所以上になった。[11] だが、これは復活の兆しではない。むしろ、氷河の塊がいずれは必然的に分割されることを示している。ホーホヨッホフェルナーで生じているように、氷河はどんどん小さい塊に分かれ、分割された氷の断片のモザイクとなり、どんどん縮小し、後退してゆく。

ホーホヨッホフェルナーの最も標高の高い部分に到達するには、山を登らなければならなかった。そこまで行き着くには、ヴィア・フェラータ、「鉄の道」、つまり、断崖の岩にしっかりと固定された一連の鋼鉄製ケーブルや梯子を登ることになった。標高三〇〇〇メートル近くでは、これは息の切れる苦しい登りとなった。ケーブルはまだ透明な氷に覆われていたし、足下の岩はつるつる滑った。てっぺんまでたどり着いたころには、太陽が顔を出し、雲は霧散していた。前方には残っている氷河の最大部分があった。そこは前夜の降雪が積もって、何もない白紙状態に見えた。

照り返しはサングラスをかけていても強烈だった。時刻はちょうど九時を回ったところで、暖かくなってきているのが感じられた。雪はすでに柔らかくなって解け、氷河の岩が露出した周辺部のいたるところに小さい水溜まりができていた。再び歩き始めると、その表面が最初に思ったほどまっさらではないのが見てとれた。斜度がきつくなる場所では、表面に何本もの長い皺が刻まれていた。「クレバスだ」と、ローベルトは私が見ているものに気づいて言った。その筋は何本もあった。細い割れ目で、長さは数百メートルあるが、幅はせいぜい一メートルかそこらしかなく、ただし下まで深くつづいていた。

それからまもなく、ローベルトが片手を上げて私を止めた。彼がストックで雪の塊を突き刺すと、少しばかり崩れ、その後ばらばらになって小さなブラックホールへと落ちていった。彼は周囲の表面を試してから、納得したようにうなずいた。

「大丈夫だ。ただし、足下に気をつけて」と、彼は言った。

彼はそれをまたぎ、私はあとにつづいた。穴は半歩分ほどの幅だったが、私はそこを通り過ぎる際に、なかを覗き込むという失敗を犯した。穴は底なしだった。ひたすら、めまいがするような深い虚無空間に落ち込んでいた。わずかな割れ目だが、そこから離れるとき自分の足音がこだまして、呼びかけてくるのが聞こえた。

私たちは、さらに登って高い稜線に合流する長い岩尾根を越えてから、その尾根沿いに方向転換し、まっすぐ上へと向かい始めた。もはやホーホヨッホフェルナーを離れて、クロイツフェルナーという別の氷河の表面に立っていた。稜線に出るまでにあと一キロはあり、標高差でさらに三〇〇メートル以上、凍りついた斜面を登らなければならない。雪は深く柔らかくなり、真っ白な山腹で暑く感じられるようになってきた。しかし、ローベルトは安定した歩調で登りつづけ、私たちのアイゼンはリズムに合わせて軋んだ。どちらもほとんどしゃべらず、先へ進むことに集中し、薄くなる空気から息を継いだ。

頭上の、さほど遠くない場所に黒い露頭が見え、その上に高い木柱が立っているのがわかった。ほどなくして、私たちは氷河から抜けだし、岩の上に降り立っていた。小さな高原に突きだしていたこ

の木柱まで私たちは登ってきた。ここで、少なくとも休息が取れる。ここが登れる限りの高所だった。標高三二七八メートルである。

私が身をかがめてアイゼンを外すと、ローベルトは私のすぐ前の地面の埃を払った。そこには鉄製の締め具で固定された平らな石板があった。石板の上に彫られていたのは「I」と「Ö」の文字だった。イタリアとエスターライヒ〔訳注：オーストリアのドイツ語名〕の頭文字だ。「I」は、子どもが描く屋根のような、二本線だけの上向き矢印の内側に収まっている。しかし、これは単なるシンボルではなかった。これがまさしく国境の位置とルートを示していたのだ。地形そのものに固定された、マルコの言う「事物としての国境線」である。私は分水界に座っていたのだ。背後では、尾根がさらに数百メートル上り、ハウスラプヨッホとフィナイルシュピッツェの頂上へとつづいていた。だが、私の前方では、国境の破断線はちょうど石板が示すように、急激に南へと曲がっていた。

写真を撮ろうとスマートフォンを取りだしたとき、テキストメッセージ（ＳＭＳ）がきていることに気づいた。私の携帯電話網からで、一時間前に受信していた。「オーストリアへようこそ」と。私はイタリアの国境線からわずか数百メートル離れただけだったが、私の電話は国境を越えたことを知っていたようだった。これは少々、不安な気分にさせるものだった。

私たちは分水線の上に座ってサンドイッチを食べた。ローベルトは私に、これらの石板は年中、設置し直さなければならないのだと言った。過酷な気象条件ゆえではなく、器物損壊のためだった。一世紀前からつづく因習で、石板は傷つけられ、刻み目をつけられ、粉々にされることもある。国境の「物質性」は、「自分たちの山」が二つに分割されることにいまも反対する人びとに攻撃されてきたのだ。

しばらくのちに、私たちは再び出発したが、今度は下りだ。まだ国境線をたどっていた。線は南へ向かい、私たちはわずか数歩だけ西側のイタリア側を歩いた。これらの南向きの斜面には、氷河はもう残っていない。大きな氷塊や板状の氷ですら見当たらない。温暖化する世界がそれらを消滅させ、いまでは岩場になっている。そこは崩壊し、混沌とした場所だった。山の斜面全体が大小さまざまに割れて、粉々になった岩屑（がんせつ）で覆われていた。

私たちは小さな雨裂（うれつ）のなかに降りた。狭いU字形の溝で、そこで斜度が緩くなるために両側に岩が積みあがっていた。ここは、私がローベルトに連れて行って欲しいと頼んだ場所だった。

アルプスの氷河は過去数十年間に解けて消滅するなかで、多くの秘密も明かしてきた。そこに再び姿を現わしたのは、単に岩と分水界だけではなかった。氷によって過去の断片も明らかになってきたのだ。ローベルトは一枚の写真を取りだして、私たちが立っている場所のすぐ前の平らな、雪がなくなったあとの空間に置いた。それはまさしくこの地点で三〇年前に撮られた写真だった。その画像は現実離れしており、不気味ですらあった。けばけばしい蛍光色の服を着た二人のハイカーが、雨裂にしゃがみ込んでいた。二人の足下には遺体があった。遺体は鈍いオレンジ色で、周囲の岩と同様の色合いをしていた。遺体の上半身だけが見えていた。背中、肩、腕、頭部だ。遺体はどこか縮んで干からびているように見えた。うつ伏せになっていたが、両腕は片側寄りに伸ばされていた。氷から体を引きあげ、この世に戻ろうとしているかのようだった。

*

一人の男が山を歩くために村を出る。これまで何度となくやってきたことだ。この土地はよく知っており、知り尽くしていたとすら言える。彼は痩せ型で、脚の筋肉はよく発達しており、山中を歩き、登ることには慣れていた。だが、膝と背中に故障をかかえていた。関節がすり減り、疲労しているのだ。時期は早春。彼は稜線に向かって、分水界に向かって山を登る。そして、戻ることはなかった。

山に命を奪われたのだ。彼はその小さなU字形の雨裂に横たわる。雪が遺体の上に降り積もる。それから解けて、彼は水溜まりのなかに沈んだ。彼の遺体は回転する。水は凍り、再び雪が降る。その後、もっと雪が降る。層の上にさらなる層が重なり、その上にまた重なる。彼はいまや雪に深く埋もれているが、それでも空気はまだ彼のところまで浸透する。空気は遺体から水分を吸収して、彼を干からびさせる。だが、完全にではない。歳月が経つにつれて気温が下がり、雪は圧縮されて氷になる。氷は一〇メートル、二〇メートルと堆積する。氷は稜線を完全に覆い尽くし、彼は雨裂の底に埋まったまま、岩のあいだで、氷河に蓋をされている。

やがて、一九九〇年の夏に、南側から山中に暖かい風が吹きつける。雪と氷は急速に解け始める。その冬、雪が積もることはなく、翌夏、風が再び吹く。今回、その風はサハラ砂漠からずっと北上してきて、アフリカの砂漠の粒子の細かい砂を運んできた。砂は氷と雪に黄褐色の染みをつけ、融解のプロセスをさらに加速させる。
その年の九月の午後、フィナイルシュピッツェの頂上から降りてきた二人のハイカーが、近道をすることにした。雨烈までやってきたところで、大きな水溜まりを見つける。それから遺体を目にする。頭と両肩が平らな岩にもたれかかっていたのだ。

彼らはシミラウン山の下方のティーゼン峠の入り口にある山小屋まで急いで行き、自分たちが発見したものについて報告する。雨烈はイタリアとオーストリアの国境のすぐ近くにあるので、両国の警察が呼ばれた。山小屋の主人アロイス・ピルパマーは、息子のマルクスとともに現場に出かけた。彼らは衣服の断片と、背負子（しょいこ）のフレーム、ピッケルの柄を見つけた。アロイスはこの男が誰だかわかると思った。一九四一年にここでハイキングの途中行方不明になった、ヴェローナ出身の音楽教授カルロ・カプソーニだ。

翌日、オーストリアの警察が到着して、空気ドリルで遺体を掘りだそうと試みるが、天候が悪化し、彼らは作業を中断しなければならなくなる。遺体が掘りだされたのはその三日後のことだ。その間にアロイスは再び現場に戻り、この男の周囲に散らばっていた物を多数集め、ビニールのごみ袋に詰めていた。インスブルック大学の法医学の専門家ライナー・ヘンが現場に呼ばれ、最後の発掘作業を監督する。遺体は、つるはしとスキーのストックを使って氷の外に出される。その過程で、彼の所持品の断片がさらに出土する。革の切れ端と紐、干し草の塊。木製の持ち手の付いたナイフと石刃もある。ヘンはこの遺体がカプソーニだとは考えない[12]。

男は遺体袋のなかに詰められ、ヘリコプターでオーストリアの村フェントまで運ばれ、そこからゼルデンの町の警察署まで車で運ばれ、木製の棺（ひつぎ）に納められた。そこから、彼はインスブルックの法医学研究所まで霊柩車（れいきゅうしゃ）で移動する。最初に発見されてから五日後に、考古学者コンラート・シュピンドラーが遺体安置所にやってくる。シュピンドラーはこの男を見るが、最も興味を惹かれたのは傍らに置かれた物だった。シュピンドラーはそれらを見るなり安置所内の人びとに、「この男は少なくとも死後四〇〇〇年は経ている」[13]と告げる。
遺体は解凍されており、その結果、腐敗し始めている。唯一の選択肢は、山中の状況の再現を試みることだ。人工的な氷河をつくりだすのだ。男は殺菌された手術着を着せられ、殺菌された水でつくった、砕いた氷の層のなかに詰められて、室温マイナス六℃の冷却室に安置された。ここの湿度は、できる限り一〇〇％近くに保たれている。
体からは細胞組織の試料が採取され、放射性炭素年代が測定される。その結果から、彼は実際には五三〇〇年前の人であることがわかる。氷河氷がこれだけの年月のあいだ彼を保存したため、「しっとりしたミイラ」になっていた。フリーズドライの一種で、まだ若干の水分を保っているものだ。彼の臓器はそのまま残っているが、体は干からびて縮んでおり、五〇キロあった体重は一三キロに減っていた。[14]
発見から数週間が経つと、新たな疑問が湧きあがる。彼は正確にはどこで発見されたのか？　もちろん、誰もがその雨烈の場所は知っている。しかし、誰にもそこが国境のどちら側に当たるかは定かでない。ＩＧＭが、オーストリアの同等の機関とともに呼ばれ、ハウスラプヨッホの尾根から雨烈まで南に下る国境線の範囲を再調査することになる。一九二〇年代にこの国境線が最初に引かれたとき、この斜面はまるで異なる場所だった。氷河に覆われていて、どこが分水界か見極めるのがほとんど不可能だったのだ。当時は雨烈そのものも、厚さ二〇メートルもの氷の下に隠されていた。
技師たちは、測量機器をもってこの新たな景観を歩いて回り、巨石や岩のあいだにある分水界の経路をたどった。雨烈は、国境線から西に九〇メートル行った地点にあることを、彼らは発見する。イタリア側だ。[15]
男は再び移動しなければならなくなる。彼はいまや南チロルの所有物と見なされている。少なくとも数年間は眠れることになる。彼のためにボルツァーノ市に新しい施設が建てられ、特別設計の冷却室が備えられたのだ。一九九八年一月一六日に、彼の新しい家の準備が整った。彼はインスブルックを冷凍車で出発して、ブレンナー峠で国境を越える。車は通行止めにした高速道路を、イタリアのシークレットサービスに護衛されながら走り、あとにはヘリコプターやテレビ局のバンの車列がつづいた。

＊

私は雨烈の周囲をしばらく歩き回り、ここで何が起こったのかを想像しようと試みた。地球の気温が寒冷化し始めたのとちょうど同じ時期である、紀元前三三〇〇年ごろ、標高三〇〇〇メートルに男の遺体が横たわっている様子を。非常に特殊かつ特異な状況が組み合わさり、氷が彼を包み込んで保存し、何千年間も保持したあげくに、彼を手放し、時代を超越した人物として戻していた。このことは私には、じつにありえないようでいて、同時にじつに容易なことに思われた。その雨烈の壁面の一つに背中をもたれて座れば、誰でも同じことができる。ただし、いまでは同じ効果は働かないだろう。そこには自分を包み込む氷は存在しない。そして、岩はとにかく何も関知しない。

出発する時間になった。ローベルトは東に方向を変えた。東側では国境線ははっきりと標識が整備された道になっていた。私たちはイタリアへ入る主要なハイキングルートであるティーゼン峠を見下ろす、高く狭い尾根の上に立っていた。そこからはでこぼこのガレ場になり、前方の道はしばしば危なげに石が山積みにされた場所に入り込んだ。尾根は最後に、急激に下って平らな鞍部に出た。背後にシミラウンの黒々とした山がそびえるその場所に、山小屋があった。

私たちはなかに入ってスープとビールを頼み、それからまた外に出て暖かい日を浴びながらテラスに腰を下ろした。ローベルトは私たちの下方にある岩を指差した。山小屋から数メートル下に、真っ赤な小型の缶を支えている三脚があった。それはマルコが二度目の実験のために組み立てた二六台のセンサーのうちの一つで、チームが記念にここに残していったものだった。

グラフェルナー氷河は、シミラウンの山頂を越えた山の南東の斜面にあり、わずか数キロの距離にあった。私たちの向かい側の北西の斜面には、ニーダーヨッホフェルナー氷河があった。三〇年前、ニーダーヨッホフェルナーは山小屋の玄関先まで達していたと、ローベルトは私に語った。いまでは、私たちが座っている場所から、その末端部分すらもはや見えない。この氷河は数百メートル彼方まで後退し、岩が隆起した部分の向こう側に行ってしまったのだ。

短い休憩のあと、私たちはイタリア側へ下り始めた。ティーゼン峠は赤茶けて殺伐とした景観だった。雪解けの急流によって削られた巨石だらけの不毛の地だ。石から熱気が立ち上ってくる。マーモットの甲高い鳴き声が空気をつんざいた。はるか下方のヴェルナゴ湖を見下ろす斜面に、私が泊まっている宿があった。峠からは、湖面はほとんど現実とは思えないくらい印象的な深い青緑に見えた。急流の音が谷間に満ち、うなり声だったものが轟音(ごうおん)にまで達していた。それは去ってゆく氷の音だった。

エッツィの生涯と来世

翌朝、私はヴェルナゴ湖を後にして、山を抜けてボルツァーノまで車で出かけた。この都市は東にはドロミテ山脈、西にはエッツタール・アルプスを望む深い谷の平らな底にある。ここでは三本の川が合流している。タルヴェーラ(タールファー)川、イザルコ(アイザック)川、そしてアディジェ川の東側の支流だ。ここは南側の分水界の合流点であり、市の中心部を抜けて南チロル考古学博物館まで歩くあいだ、川は濁流となっていた。青緑色にあふれ返った強い流れは、丸太や枝を草地の土手の上に堆く積み上げていた。

私は雨烈から救いだされた男に会いに出かけていた。学名ホモ・ティロレンシス、「氷河死体」（彼の発見を記録する政府の公式書類に記された彼の名前）である。今日、彼には「エッツィ」という新しい名前がある。「エッツタール」と「イエティ」を短くしたもので、氷のなかから遺体が見つかったわずか一週間後に、ウィーンのジャーナリスト、カール・ヴェンドルが最初に名づけたものだ。メディアは五〇〇以上のあだ名を付けようと試みたが、これが定着した。アイスマンのエッツィだ。

博物館は優雅なアールヌーヴォー様式の三階建ての建物で、もとはオーストリア＝ハンガリー銀行の支店として第一次世界大戦直前に建てられた。だが、終戦後イタリア銀行の所有となった。ここがエッツィの家である。

彼は湾曲した長い説明用パネルの後ろにある、薄暗い壁の窪みの奥にある小部屋に横たわっていた。一度に一人ずつしか見学はできない。イグルー内部を思わせる――ただし長方形だが――白いブロック壁の小部屋のなかで、彼は不透明なガラス板の上に、顔を上にして横になっている。この部屋は水と不凍液を混ぜたものを流したパイプで囲まれており、それによって内部の温度はどんなときでもマイナス六℃に保たれている。来場者が鋼鉄製のプレートの上に立ち、磨き上げられた金属フレームに囲まれた四〇センチ角の小さな四角い窓から覗いてボタンを押すまで、遺体は暗闇のなかで待機している。それから突如として、氷河のような青い光を浴びながら彼が姿を現わす。

これは芝居がかっているのと同時に、衝撃的な瞬間だ。彼の右腕は覗き窓のほうへ伸ばされており、その手はすぐ近くにあるため、手を伸ばせば握れるのではないかと思った。私は彼の肌のごく細部まで、指関節のしわの筋や指紋まで見ることができた。指は、何かをつかんでいたかのように握り締められていた。だが、手のなかには何もなかった。

彼の左腕は上体の上に大きく投げだされ、干からびて棒のようになった二頭筋は顎の下に押しつけられている。両足は重ねられている。彼はいまではひどく小さく弱々しくなっている。子どもの遺体のようだ。氷によって縮んでしまったのだ。全身が薄っすらと凍りついた薄膜で覆われている。定期的に殺菌した水を浴びせて、遺体から湿度が失われないようにするスプリンクラー・システムによるものだ。水は指先や肘などの末端部分に小さい氷の粒をつくっていた。この氷の鎧の下の皮膚は、暗い橙褐色になっていた。それは不気味にも、焼きすぎたローストチキンの外側のパリパリ部分のように見えた。

　私は彼の顔を見た。唇はごく薄くなり、鼻はなかば潰れ、開いた口から歯が覗いていた。まだ眼球はある。かつては茶色だった。いまでは乾燥しているが、眼窩のなかに残っていて、虚無空間を見つめている。彼の右目には、睫毛すら一本残っている。彼は何も見ていないが、つねに見られている。この「冷却室」内の気圧、室温、湿度は常時、モニターされているのだ。彼は精密スケールの上に寝かされ、体重に少しでも変化が出れば、自動的に警報が鳴らされる。

　博物館内のその他のスペースには、彼の所持品が点在している。それらは、細菌や虫を殺すために九九％窒素で満たした空気を充填した、柱のようなガラス・キャビネットのなかに展示されている。そこには純銅の刃が付いた彼の斧、熊の毛皮の帽子、長弓、矢筒、一四本の矢がある。皮革製の脚半と鹿革の靴、ハシバミの木をU字形にした背負子のフレーム。子牛の革のベルトに、スクレーパー、ドリル、火打石、火口用のツリガネタケ属のキノコが入ったポーチ。比喩的にも、文字どおりにも一瞬のうちに凍りついた暮らしを彩っていた装具だ。

　あれこれ総合すれば、これは厳密に科学的で非宗教的な、一種の埋葬の儀式に相当するのではないかと思い当たった。手の込んだ特別設計の建物に、貴重品とともに安置された男。彼の人生を明らかにする品々を周囲に並べられて。これは保存処理を施されたミイラや湿地遺体などの、保存状態の良好な古代の人間の遺骸が発見されたときに通常、典型的に見られることだ。何らかの儀式が行なわれて、来世のために肉体と精神の準備がなされた証拠だ。だが皮肉なことに、エッツィを特異な事例にしているのは、彼の当初の「埋葬」が自然現象によるもので、その場所と天候、気候変動による偶発的なものだったことだ。彼の死は予測のつかない突然のものだった。または少なくとも、彼にとっては予測のつかないものだった。いまでは研究によって、彼が具体的にどのように雨烈壁面の岩のそばでうつ伏せに横たわることになったかが明らかになっているからだ。

彼は殺されたのだ。

発見後の最初の一〇年間は、彼が吹雪に巻かれたか、登坂中の事故で死亡したと考えられていた。だが、二〇〇一年に遺体のレントゲン写真から、フリント石の鏃が左肩のすぐ下の、肺からわずか数ミリの場所で発見された。彼は背後から、おそらく一〇〇メートルほど離れた場所から射られていた。さもなければ、矢は体を貫通していたはずだ。その代わりに、鏃は鎖骨下動脈を切断して、そこにしっかりはさまった。彼は数分間で出血多量で死亡したのだろう。

ミュンヘン警察の法医学プロファイラーであるアレクサンダー・ホルン警部が博物館からの依頼を受けて、エッツィの最期を解明するのを手伝った。新たに実施された検視の報告書を使い、まだ残っていた彼の胃と消化器官の中身まで調べて、ホルンは殺害をめぐる状況を描きだした。エッツィは山中で野宿し、料理をして、アイベックス〔訳注：野生のヤギ類〕の肉とヒトツブコムギ――おそらくはパンという形で――と脂質の多いチーズかベーコンの食事をした。彼が焚き火のそばで休んでいた三〇分後、背後から矢を射られた。ＣＴスキャンから、頭骨の骨折と後頭部にかなりの外傷が見つかった。これは射られて転倒したためか、殺害者が息の根を止めるために殴打したことによる。

ホルンによれば、動機が盗みでなかったことは確実だ。エッツィの所持品は、貴重な銅製斧を含め、見たところ手付かずの状態にあった。むしろ、これはあらかじめ計画された意図的な殺人だった。「攻撃者の目的は彼を殺すことで、遠距離から射ることにした」と、ホルンは『ニューヨーク・タイムズ』紙のインタビューで語った。「大半の殺人は個人的なもので、暴力沙汰になったあと、それがさらに激化する。『やつの後をつけて、見つけだし、殺してやりたい』と。殺人事件でわれわれがいだく諸々の感情であって、こうしたことはどれだけ歳月を経ても消え失せてはいない」[16]

そういうわけでエッツィは雪のなかにうつ伏せに倒れ込んだ。彼の右手、冷却室の窓に向かって伸ばされていたほうの手は、つまるところ何かをもっていたのだ。それは身を守ろうとする最後の虚しい試みのなかで石刃をつかんでいたのだ。彼はその石刃を五〇〇〇年間はもっていたのだろうが、一九九一年に遺体が氷から削りだされたとき、指から剝ぎ取られた。石刃はいま別の展示ケースに収められている。それでも、その手には筋肉が緊張していた痕跡が残されている。それはエッツィが安らかに眠れないことを思いださせる。突然の暴力の記憶が、彼の体の組織そのものに保存されているのだ。

彼が国境線からわずか数メートルの場所で死んだのは偶然だったのか、と私は考えた。その山中で、彼は何をしていたのか？　どこへ行くつもりだったのか？　古代の領土の限界を超えてしまった可能性はあるだろうか？　彼が殺されたのは、その違反を犯したせいではなかったのか？

私は博物館の考古学者の一人アンドレアス・プッツァーに話を聞くことができた。アンドレアスは穏やかで落ち着いた人だった。彼は慎重に、正確に語り、ときおり言葉を切って眼鏡を直し、白髪交じりの茶色の長い髪を掻きあげた。

「エッツィはわれわれに氷の世界を開いてくれた」と、彼は言った。「この時代には人間はこの環境を利用していなかったというのが、一般的な見解だった。でも、エッツィはまるで違う物語を語ってくれたんだ」

エッツィが発見された結果、まったく新しい研究分野が生まれたのだ。有史以前のアルプス地域周辺や内部の暮らし、交易、文化、移動が完全に再評価されることになった。

「この時代に、領土の分割は確かにあった」と、アンドレアスはつづけた。「たとえば、エッツィの時代、つまり銅器時代には、そのような信仰の場所にはメンヒルという彫刻された巨石が立てられていた。それらの巨石はつねに集落の近くにあって、集落は互いに二、三キロの距離にあった。それらの信仰の場所は氏族の領土を示していたのだとわれわれは考えている」

とはいえ、当時の全体像は非常におぼろげで、断片的なのだと、アンドレアスは言った。「有史以前の境界がどこにあったかを見極めるのは、非常に難しい。もっと多くの事例が必要だ」

近年、エッツィの時代から二〇〇〇年はあとの青銅器時代の別の信仰の場所が見つかった。「アイスマンが見つかったティーゼン渓谷では、谷の入り口に信仰の場がある」と、アンドレアスは私に語った。「次の谷にも、別の信仰の場がある。その次も同様だ。だから、それらの場所は領土の境界を示しているのだと私は考えている。北部からきたとすれば、これらの信仰の場を見ることになり、それらはこう告げている。ここは私の領土である。もしくは私の共同体の領土である、とね」

それでも、アンドレアスは山間部が現代のように分割されていたことは、これまでなかったと考えている。「山の高所には、こうした信仰の場は、巨石の標識は見つからない。だから、山間部は最も近いところだけが、おそらく村の領土だったのだと考えられている。それにいまでは、アルプスの北と南の文化集団には行き来があったことがわかっている。銅器時代に最初のグローバル化は生じた。集団が互いに接し合っていたわけだ。イタリア北西部でつくられた石斧はオーストリアやドイツ、フランスで出土している。人びとは接触し合っていたし、多くの交易もあったことが、道具や工芸品の原材料の分析からわかってきた。アイスマンが銅斧をもっていた理由は、この地域がアルプスを越える通商路だったからだろう」

エッツィの生涯は移動の連続だった、とアンドレアスは言った。「彼が違う地域で育ったことはわかっている。遠方からもたらされた材料を使っていたことが判明している。だから、彼はほかの文化とのつながりを表わす人物なんだが、そこには移動してほかの土地を見ようとする意図も感じられる」

そうなると、彼の来世である現代において国境線がこれほど大きな影響力をもってきたことも、別の意味で皮肉だ。彼は国境線のどちらの側にいるのか？　彼を「所有」しているのはどちらの国なのか？　彼はどこに所属するのか？

アンドレアスは大きくうなずいた。「歴史的な観点からは、このアルプスの峰は国境ではなかった。どちらの谷の人びとも、双方に所有地をもっていたのでね。今日あるのは、第一次世界大戦後に政治家によって引かれた仮想（ヴァーチャル）の国境だ。経済的な観点や、文化的な観点からは、オーストリアとイタリアのあいだに国境は一度もなかった。石器時代から鉄器時代まで、アルプスを越えるために峠が使われていたことを示すものが出土している。アルプスの峰や分水界など、このいわゆる自然の境界は、一度も人間の境界だったことはなかったんだ」

アンドレアスはしばらく黙って、こめかみをさすった。彼はボルツァーノで生まれてここで育ったと私に語った。自分のことはイタリア人ともオーストリア人とも思わず、チロル人だと考えていた。この地域のアイデンティティは、つねにつながりに関連するもので、外部からの影響に左右されてきたと、彼は言った。

「でも、いまでは政治的な国境があって、それは大方われわれの頭のなかにある。ただし、どんどんそうではなくなっている。ここ、エッツタールや南チロルの者にとっても、いまでは国境がある。過去一〇〇年間に山間部の人間のあいだの交流は、この国境とともに減ってきている」

景観は変わる。国境線は景観を変える。あるいは、少なくともそれがどう認識されるかを。ナショナリズムの力としての重力だ。線には重さがあるのだ。

私はもう一度、冷却室に戻って、窓越しにエッツィの見納めをした。これは人間としては奇妙な運命だ。毎年、三〇万人が訪れて彼をじろじろと眺める。多くの人は、私と同様、それまで一度も死体を見たことがないかもしれない。それなのに、ここにはガラスと壁でわずか一〇センチほどしか隔てられていないところに、一人の死者がいる。氷によって歪められ、スポットライトに照らされた、殺人事件の被害者が。彼が永久に保存されるというのは、完全に考えられることだ。現在そうであるように、その腐敗は食い止められている。彼の肉体はどっちつかずの状態で凍りついているのだ。

　博物館が実践している維持管理のレベルは驚異的だ。毎月、彼の皮膚の数センチ四方の同じ面積が写真撮影される。画像は特別なソフトウェアを使って以前の写真と比較され、ごくわずかにでも光沢、色、形状に変化がないか確認される。

　これらの画像は、ちょうど測量技師たちによる山の航空写真のようなものだと私は思い当たった。エッツィの体は、小宇宙のなかでアルプスの景観になったのだ。小さな氷河が尾根や谷や窪みを、彼の全身を埋め尽くす。氷河はモニターされ、完全な平衡状態で維持され、つねに充填され直し、再形成され、決して解けたり縮小したりしない。エッツィは人工的に温度と湿度が調整された（クライメト・コントロールド）箱のなかで無限に存続できる。山岳氷河に関しては、かつて彼を保存してきたあの巨大な氷の塊に関しては、気候（クライメト）は何ら調整されていない。気温が上がれば、氷河はただ次から次へと消えつづける。

氷河を見る

マツとモミの森。木々のあいだを牛がのんびりと歩き、首のまわりに付けた鈴が耳障りなコーラスになって鳴り響く。一頭の牛が前方の道を塞いで、動こうとしない。私が牛を避けて回り道をすると、牛は見下したようにこちらを見た。まもなく木立はなくなって、高原の牧草地に変わり、雑草が生い茂り、岩がむきだしの開けた斜面になった。

　私はヴェルナゴ湖からシュロフヴァント（「ごつごつの壁」）の頂上を目指して登っていた。湖岸からは一〇〇〇メートル以上の標高差で、山道は直線的なきつい登りとなって、ひどく堪えた。頂上から、グラフェルナー氷河の南側がよく見えるのではないかと私は期待した。氷河が解けてその下の谷に消えてゆく「消耗域」である。そこから何かしら見えれば、の話なのだが。さらに数百メートル登ると、道は垂れ込めた黒雲のなかに消えた。

頂上近くの急峻な斜面では、羊とヤギが草を食(は)んでいた。鈴の音は増えて、いまでは絶え間なく聞こえる。周囲の視界が遮られるなかでは、ほとんど不気味だった。これらの動物たちは何千年ものあいだアルプス山中を移動して回ってきた。おそらくエッツィの時代にまでさかのぼると言う人もいる。イタリア側の農民は毎年、分水界を越えて、オーストリアのエッツタールの高原の牧草地まで群れを連れてきた。鈴の音は国境線を越えて遠くへ消えて行っては、戻ってきていた。

ずっと登りだったため、私は暑くなって、筋肉痛になっていた。しかし、雲のなかに入ると気温は急激に下がった。こめかみの汗はすぐさま冷えて、肌寒くなった。目の前の段差に神経を注ぎ、荒い息をしていたため、頂上は見えなかった。草地はもうなくなっていた。ただ岩ばかりだ。道は巨石と純然たる断崖のあいだを抜けてジグザグに急カーブを描いていた。あとどれだけ進まなければならないのか、私にはまったく見当が付かなかった。そのとき不意に、暗闇のなかから稜線が見えてきた。鋸歯状に黒々と長く突きだしている。

尾根のてっぺんは、忘れ去られたような場所だった。崩れた岩がそこらじゅうにあり、割れ目に不自然に突き刺された木柱でその先の道が示されていた。まるで割れた陶磁器の大海原を歩いているようだった。シュロフヴァントの低いほうの峰は張りだした岩棚になっており、巨大な金属製の十字架が立っていた。その土台部分には石を積み、木製の交差梁で建てた仮設シェルターがあった。いままでは雲にすっかり覆われていたため、すぐ周囲にあるもの以外は何も見えなかった。

疲労困憊して気落ちした私はシェルターの入り口に腰を下ろして、昼食を食べた。小さい雪片がつかの間、かろうじて見える程度に降り、まるで古い白黒映画のノイズのように空気がカサカサと鳴った。私は標高二八〇〇メートルの場所で、灰色の繭のなかにいた。一〇分間待ち、さらに二〇分待ったが、雲は動こうとしなかった。寒さが忍び寄ってくるのが感じられ、脚がこわばってきた。ほかにすることもなく、私は再び出発して、シュロフヴァントの本当の頂上までの最後の短い登りに取り掛かった。すると、それが起こった。

雲が薄くなり、切れ間が見えてきた。突然、ヴェルナゴ湖方面の谷間が見下ろせるようになった。北のほうでは、灰色の筋が雲の塊からちぎれていた。シミラウンの黒々とした影が現われた。幕の後ろで合図を待っていた人物が姿を見せたのだ。私は足を速めており、背後では石が転がり、すべり落ちていた。その景色が、現われたのと同じくらいすぐさま消えてしまうのではないかと心配だったのだ。しかし、雲は消えつづけ、陽射しが白く光った途端、そこに見えたのだ。グラフェルナーの表面が。氷河は私が立っている場所から一キロほどしか離れていなかった。だが、そのあいだの地面はほぼ一直線にグラヴァ川の峡谷へと落ち込んでいた。

私は断崖の最先端に立った。足下には灰色の雲海があった。谷の向こうでは、グラフェルナーが距離と遠近感のせいで、滑稽なほど小さく縮んでいた。それは白い逆三角形をしていた。頂点は下方の山腹に向けられている。底辺は完璧な直線を描いて、シミラウンとクライネ・シミラウンという二つの峰から峰へとつづいていた。この場所からは、分水界の複雑な地形はすべて潰れて見えた。なぜただそれを線と呼ばないのか？　何が問題なのか？

「自然の」境界線

「これはまったく無意味だと考えることが何度もあった」と、マルコは私に語っていた。「なぜこれについてこだわっているのか、この氷河に、国境のこの短い区画に？　でもそこで、いや、特定のプロセスからどれだけ理解できるかという観点からは、精密で科学捜査的であることは本当に報われると考えている自分がいる。ごく末端の、些細なものに思われるプロセスだ」

自分のプロジェクトの中心には、欧米式の政治的なものの考え方に異議を唱えようという考えがあったと、マルコは言っていた。安定した地球という理想によって形づくられた思想体系の縫い目を解くことだ。そこではどんな変化もゆっくりと、合理的に、予測可能な方法で生じている。だが、「自然の」境界線と思われるところに領土やナショナル・アイデンティティの概念を織り込み、それらの境界線が急速に、手に追えない形で変化したらどうなるのか？

「われわれはほとんど実験的な状況で問題を見ていた」と、マルコは言っていた。「氷河には政治にかかわるものは一切ない。でも、国境が完全に自然の地物からなる場合でも、それがいかにまだ政治的な構造物であるかを、これは示している。だから、あのプロジェクトは自然の国境という考えを何とか打破しようとしたわけだ。そんな考えを完全に崩して、不可能に思えるようにすることだ。『ここですら、国境線など引けない』と、言っているんだ」

私たちには、領土について別の方法で考えさせてくれる議論や考えが欠けていると、マルコは考えている。「われわれが育ってきて、かつ教えている枠組みが、国境は領土という組織の基本的形態なのだとほのめかすからだ。これはとんでもないことだ。別のやり方もあるというイメージが、われわれにはない。人間の動きをいかに違う形で捉えられるかというイメージがないんだ。われわれのプロジェクトの目的は、代案となるイメージを生みだし、異なる視覚的イメージを与えることだった。領土についての違う理解の仕方だ」

国境にたいする私たちの執着が、究極的には想像力の欠如に行き着くのだろうかと、私は彼に質問してみた。領土という組織は、解決されるのを待つ構造上の問題なのかと。

「表現について考えてみるのは非常に興味深いことだと私は思う」と、彼は語っていた。「われわれが物事を表現する方法や、世界について築くイメージ。そのイメージに沿って、われわれは世界のなかで行動する。政治が機能する方法を変えるには、まずは違うイメージをつくりだす必要がある。現在の国境は機能していないからだ。自然界に国境は存在しないんだ。国境は多数の異なる地方や国家を管理する方法としては非効率的で、直観に反していて、問題をはらんでいる。国境など本当に撤廃しなければだめだ」

自然の終末時計

高層の雲に切れ目が見えてきて、真っ青なインクの染みのような空が現われた。グラフェルナー氷河とその下方の岩がむきだしの斜面全体に陽光が降り注いでいた。赤銹色の岩に白い雪。

マルコが二〇一六年にこの氷河を最後に訪れたとき、氷河学者のチームが彼に同行していた。彼らは地中を貫通するレーダーを使って、氷河の下の基盤岩に到達するまで電磁波を送り、将来の景観図を作成した。氷が消失したときに見られる山の光景である。氷河の厚みに彼らは驚いていた。グラフェルナーはあと一〇年、ひょっとすると二〇年は消滅しないだろうと、彼らは考えた。

シュロフヴァントの頂上から見ると、この氷河は黒い山と山のあいだに見事に位置しており、そのVの字形の雪は、砂時計の細いくびれに落ちてゆく砂のようだ。くびれの下方では当然、氷はなくなって、融解水に変わっている。今後一〇年かそこらで、それだけの氷全体が砂時計の上部から流れでて、もうどこにも氷は存在しなくなるのだろう。そして、変化するのは国境のこの短い区画だけではない。地球全体の国境も変化している。

グラフェルナーは自然の終末時計のようなもので、気候変動の容赦ない進行をカウントダウンしているのだと考えよう。この氷河は温まって縮み、消滅する。そしてアルプス山脈一帯でも、アンデス山脈、ヒマラヤ山脈、グリーンランド、アラスカ、南極でも多くの氷河がそれとともに消え去るだろう。(17) この一つの国境が解ける一方で、ほかの国境は上昇する海面の下に沈んでゆく。氾濫原は水面下になる。川の三角洲は水浸しになる。

それだけの氷はどこかへ行かなければならない。分水界に十分な水が注がれるということは、世界が描き直されるということだ。

9

「この肉体の壁」

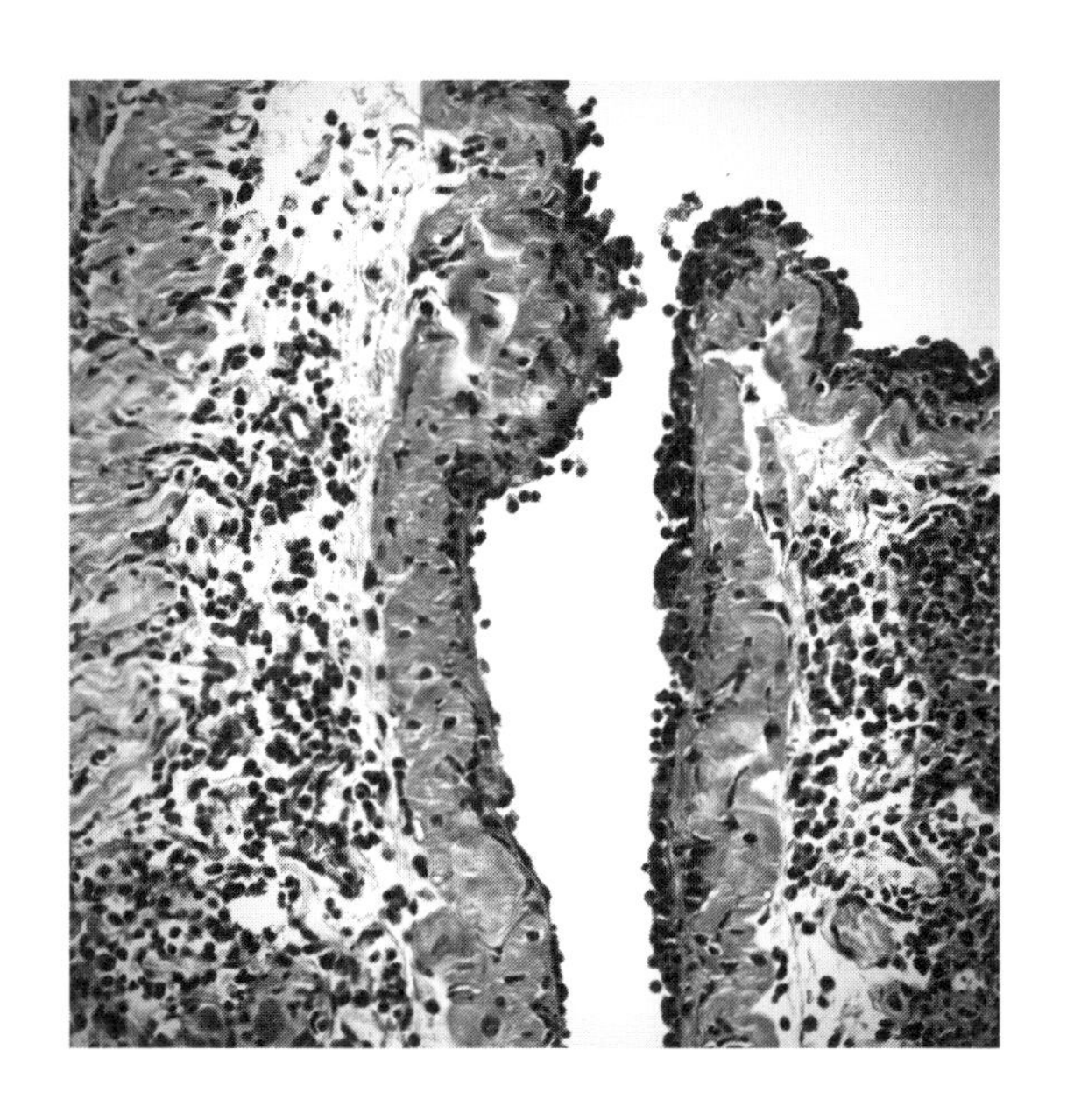

「最初の突破口は、ウイルスがそのエネルギー源にたどり着く能力を得ることだ」と、ベンジャミンは私に語った。「そこから始まる。その障壁（バリア）が崩れるときだ」

ベンジャミン・テノーヴァー教授はニューヨーク市のマウントサイナイ・アイカーン医科大学のウイルス学者だ。彼は研究室から私と話をしていた。片側はマディソン・アヴェニュー、もう一方はセントラルパークに囲まれたマウントサイナイの研究棟内にはいくつもの実験室がある。彼はそこにウイルスの「図書館」をつくりあげた。マイナス八〇℃に保たれている冷凍庫内には小さなクライオチューブに保存されたウイルスが何列も並んでいる。ベンジャミンのチームはそれらを使って、宿主の体が、より一般的には「生命」そのものが、ウイルス感染にどう反応するのかを、細胞レベルまで理解しようと努めている。

「そのプロセスのために、ウイルスは細胞に取りついて、最初の防壁を通り抜ける方法を進化させる必要がある」と、彼は言った。「細胞はただそこに無防備に存在するわけではないからだ。細胞はつねに目を光らせている。〈ビッグ・ブラザー〉は人体では明らかに現実のものだ。体のシステム全体が常時、隅々の細胞まで調べようとしている。体はつねにストップ・アンド・フリスク〔訳注：呼び止めて行なう所持品検査〕をやっているんだ。常時、細胞の外にあるものも追いかけている。それぞれの細胞が手当たりしだい何でもつかんで、表面まで運んでからこう言う。『こんなものがなかに入っていた、こんなのも入っていた、こんなのもあった』と。すると、免疫システムとビッグ・ブラザーが細胞たちを見ていて、こう言うわけだ。『大丈夫だ、それは私がつくった、それは私がつくった、それは私がつくった』。そうしてしまいに、『それはまだ見たことがない』と言うときがくる」
「そこから、それが始まるんだ。そのとき軍隊が召集され、増援部隊の要請が送られる。免疫システムが何か異質なものを見つけたときだ。それが最小規模の境界侵犯だ」

社会が永久に変わる

船が到着したのは一〇月の初めのことだった。最初は二隻か三隻だったのが、全部で一二隻になり、いずれもシチリア島のメッシーナ市の屈曲部を回ってやってきた。ここはカニのハサミのように湾曲し、尖った先端部のある場所で、それによって波止場を外海から守っている。船はジェノヴァの母港に戻る途中で、各地の港から積んできた商品や積荷を運んでいた。はるか東方の黒海のクリミア半島から戻ってきた船もあった。賑やかな港に集まる多くの船舶に交じって、これらの船はそろそろと入港してきた。船が到着してから数日も経たないうちに、ジェノヴァの船員たちだけでなく、彼らと接触した誰もが病気になっていった。

最初の兆候は、太腿や腕にレンズ豆大の腫れ物ができることだった。まもなく、船員たちは血を吐くようになった。彼らは三日間、絶え間ない吐き気に苦しんだ。そうして死んでいった。
「やがて船員たちとともに、彼らと話をした者だけでなく、彼らの所持品を手に入れたり、触れたり、そこに手を置いたりした者も死んだ」と、シチリアの地元民、ミカエル・プラティエンシスは報告した(1)。

共通項はジェノヴァの船であることに港湾当局が気づくとすぐに、残りの船員と船舶は波止場から追放され、海上へ送り返された(2)。だが、この病は彼らとともに去りはしなかった。メッシーナに根を下ろしていたのであり、驚くほどの速度で広まっていた。「一緒に話をする者たちのあいだで、吐息が感染を広げる」と、プラティエンシスは述べた。「ある人が別の人を感染させているのだが、犠牲者はまるで突然、苦痛に見舞われたかのようで、いわばそれに打ち砕かれているようだった[3]」。船員たちと同様に、死は三日以内に「確実に訪れた」。一家全員が、ペットまで全滅していた。「性別や年齢による違いは何らなく［……］誰もが同じように死んだ」

メッシーナを完全に見限ることにした人もいた。多くの人は近くのカターニア市へ向かった。だが、プラティエンシスが気づいたように、「すでに体内で運ばれていた病は、彼らの肉体を消耗させていた」。大勢の人が道中で衰弱し、路肩や海岸で倒れるか、森やブドウ畑のなかで倒れた。カターニアまでたどり着いた人も、宿泊場所を見つけたころには「息を引き取る」ばかりになっていたのである。カターニアの人びとは、遺体は市外の遠い場所に「きちんとした深い墓」を掘って埋葬すべきだと主張した[4]。メッシーナからさらに多くの難民がカターニアに向かってきたが、門前払いを喰らわされ、そのため彼らは気の抜けた小さな集団になって、助けや泊まる場所を必死に求めながらさまよい歩いた。

カターニアでも、やはり同様に、手を打つにはすでに遅過ぎた。疫病は市内に蔓延しており、その深刻さを増すばかりのように見えた。腫れはいまでは「へーゼルナッツ」ほどの大きさから始まり、やがてさらに大きくなって鶏卵サイズの腫瘍になった。まもなく、カターニア市はほとんど全滅したも同然となった、とプラティエンシスは述べる。同時に、困窮したメッシーナの人びとが旅をしたせいで、疫病はシチリア島の隅々にまで拡散していた。翌年の一月――メッシーナにジェノヴァの船が最初に入港してからわずか四カ月後――には、疫病はイタリア全土に広がっており、とどまるところを知らないかのように、先へ進みつづけた。アルプス山脈を飛び越え、フランス、スペイン、ハンガリー、ドイツに感染は広がっていった。北方のスカンディナヴィアも襲われ、疫病はイギリス海峡を越えてイングランドへ、そしてついにはヨーロッパの北西端のスコットランドにも到達した(5)。

ジョヴァンニ・ボッカチオはこの病が故郷のフィレンツェ市に到来する様子を、じかに目撃していた。プラティエンシスと同様に、ボッカチオもまたこの感染症をまずは卵大もしくはリンゴほどの大きさの腫れとして紹介し、鼠蹊部や脇の下にできると書いている。だが症状はそこで「変化し始めた。そして多くの人は腕、腿など体のさまざまな部位に黒か鉛色のシミが見つかった」。これらの特徴は、「死期が迫っていることの確かな兆候」だと彼はつづけた(6)。

この拡散を食い止められるものは、何もないようだった。「医師たちの助言も薬も役に立たず、無駄なものに思われた」と、ボッカチオは書く。科学は混乱し、確たる治療法もないとなると、彼は入念に構築されてきた社会の序列と境界が、まずは一つずつ綻び、やがて分裂して、その後は完全に消滅してゆく様子を見つめつづけた。

「あらゆる種類の恐怖と幻想」が感染を免れた人びとの思考に取りついた、と彼は述べた。「彼らのほぼすべてがまったく残酷な予防策を取った。すなわち、病人とその所持品を避け、それらから遠く離れたところへ逃げたのである」。この自衛本能はじつに極端であり、兄が弟を見捨て、おじが甥を、妹が姉を、妻が夫を見放すのを彼は目にした。「さらに悪いことに、そしてほとんど信じられないことに、父母が自分たちの子どもの世話を拒否したのだ」と、彼は述べた。「子どもがまるで誰かほかの子であるかのように扱ったのである(7)」

昼も夜も、何千という人が自宅でも、通りでも死んでいた。屍は横たわった場所がどこであれ、そのまま放置され、多臓器不全から壊疽によって全身が黒くなっていた。法の権威を尊重する気風は、「神のものでも人間社会のものでも廃れてしまい、ほぼ消滅点に行き着いていた」と、ボッカチオは述べた。そのため、「人びとは自分の好きなように勝手に振る舞えるのだと感じるようになった」と、彼は断じた。

熱狂的に快楽主義に没頭する者もいて、「そのような邪悪な疾病にたいする最も確かな薬は、人生の快楽を味わうことであり、歌って楽しく遊び、すべてのことに笑いながら、あの手この手で欲求を満たすことだ」と決心していた。その他の人びとは「仲間ごとに分かれて、ほかの誰からも隔離されて暮らす」か、「自宅も親族も、地所も所有物も放棄して、田舎へ向かった」。まるで病気が「市の城壁内にいる人だけを襲う」と信じているかのように(8)。

ボッカチオはこれを物語の基礎にした。脱出の空想物語である。一〇人の魅力的な二〇代の若者――七人の女性と三人の男性――が、いかにフィレンツェを離れて周辺の田舎の地所に向かったかを彼は書いた。一行はそこで嵐をやり過ごし、外の世界が疫病と衰退に圧倒されているあいだ、互いに物語を聞かせ合って、「可能な限り楽しもう」と目論んだ。「私たちのほうが見捨てられた人間なの」と、グループのリーダーであるパンピネアは叫んだ。となれば、「自分たちの暮らしを守るために、可能な限りの方策を使うことが、私たちにとっても、ほかの誰にとっても悪いはずがないでしょう?」と、彼女は問いかけた(9)。

一〇人の友人たちは一〇日の隔離期間中、毎日一話ずつ語り、一〇〇の話が『デカメロン』とボッカチオが名づけた物語集となった。これらの物語のなかで、登場人物たちは権力層やエリートたちをからかい、周囲でこれほど易々と、これほど徹底的に崩壊した社会の偽善行為についてこき下ろした。その過程で一〇人はためらいがちに、何かしら異なるものを想像し始める。疫病に見舞われる以前のフィレンツェで顕著に見られた市民同士の交友や礼節の慣習を復活させると同時に、それぞれの話を使って新しい考え方や生き方、振る舞い方を探ろうとするものだ。自分たちやフィレンツェの都市や、社会が全体として生き残ったとしても、それらは永久に変わるのだということを彼らは理解していた。

これは一四世紀なかばに起こったことだった。ジェノヴァの船は一三四七年一〇月にメッシーナに入港した。その後の四年間に、全ヨーロッパの人口の三分の一から半数が、そして世界全体ではおそらく総計二億人が死亡した。[10]ボッカチオの時代のフィレンツェでは、人口の三分の二近くが死んだ。社会は人類史に例を見ない規模で荒廃した。しかし、完全に破壊されたわけではなかった。そしてまもなく、疫病の恐ろしい脅威に対応するように進化し適応し始めた。

ボッカチオや、その他多くの人びとが気づいたように、この「大厄災」、「黒死病」〔訳注：のちに腺ペストと判明〕は「何年か前に東洋で始まっており、その地で無数の人びとの命を奪ったのちに西洋へ向かってきた」[11]。ということは、この疫病は移動したことになる。しかし、大陸間に吹く大風に乗って運ばれてきたわけではなかった。むしろそれは、人間によって運ばれたようだった。疫病はジェノヴァの船乗りとともにシチリア島にやってきた。地中海のさまざまな港に寄港した、数えきれないほど多くの船乗りたちとともに航海し、シルクロードの長い陸上ルートをたどる通商キャラバンに交じって旅してきたのだ。疫病は移動し、いつでもやってこようとしていた。東洋と西洋のあいだを結ぶ交易、往来、通商の連鎖にはあまりにも多くの輪が連なっており、疫病を食い止めることはできなかった。その最初の、恐ろしい大流行の直後に問題となったのは、それらの連鎖をどうすれば断ち切れるかであった。

一三七七年に、アドリア海の港湾都市ラグーザ——今日のクロアチアのドゥブロヴニク——は、トレンティーノと呼ばれる制度を確立する法律を可決した。不調や病気に見舞われていることが知られている場所から市内に入ろうとする者は誰でも、まず三〇日間（トレンタ・ジョルニ）、隔離された状態でいなければならないというものだ。一五世紀の初めには、ヴェネツィア共和国がこの構想を採用したが、隔離期間を四〇日間（クワランタ・ジョルニ）に延長した。トレンティーノはクワランティーノになった、これが検疫（クオランティーン）の由来である。[12]

船と船員は症状が現われるのに十分な期間、錨泊（びょうはく）していなければならなかった。すでに病気になった者や疫病の感染が強く疑われる者は、ヴェネツィア潟の島に特別に建設された病院、ラザレットに警備艇で移送された。ラザレットでは、さらに多くの段階の隔離状態に置かれた。患者はそれぞれ個室に入らなければならず、個室にはそれぞれ菜園と炊事場が備わっていた。ラザレット内での社交は禁じられていた。収監者が死ねば、三・六メートル以上の深さに掘られた墓穴に、石灰を撒かれて埋葬された。

だが、ヴェネツィア市のその海域まで近づくためにも、船は監視と警備および封じ込めの複数の輪をくぐり抜けなければならなかった。アドリア海では武装した巡視艇が外周囲を形成し、つねに航路を監視していた。イタリアの海岸線のほぼ全線沿いで、監視塔や哨所（しょうしょ）が建設された。それらは互いに目視できる距離で配置され、昼間は手旗信号で、夜間にはのろしを上げて迅速に意思伝達できるようになっていた。非合法的な上陸には警告を発し、武装した歩兵や高速の騎兵隊に支援を求める合図を発して、検査を受けずに入港を試みる者を追い詰めた[13]。

内陸では、疫病が広まった場所ではどこでも、その領域周辺にテントの監視所が臨時に設営された。多くの場合、これらの衛生管理措置が、共和国や公国、都市国家の外側の境界が景観のなかで何らかの物理的な意味をもって初めて認識される機会となった。その境界はそれ以前は不明確であるか、存在すらしなかったのである。ほとんど遵守されないことが多かった地図上の線が、突如として現実のものとなった。国境は、汚染された場所と清浄な場所のあいだの地理的な境界設定として出現し、生みだされていた。不浄と清浄。罹患と無病。公衆衛生が、哨戒艇（しょうかいてい）の外周から、検疫でラザレットの個室に監禁された船員にいたるまで、あらゆる範囲における空間管理の問題となったのだ[14]。

月日が経つにつれて、監視の方法はどんどん高度なものになっていった。イタリア各地の都市は、公衆衛生問題全般に立法、司法、行政の三権を行使できる公衆衛生局を置いた。これを補う形で、国家間で広範囲にわたって頻繁に連絡が取られるようになり、病気に関する情報が集められ、ヨーロッパ、北アフリカ、中東のどこでも共有されていたのである。二週間に一度、危機が生じればときには毎日でも書簡が交わされた。市内の衛生状況をスパイが報告し、疫病の流行が交易にもたらす経済的な影響を恐れた国家がその事実を隠していないかどうかを確認した。一七世紀になると、この慣習は制度化された。各都市国家は、協定によって共通の公衆衛生を実践するよう規定され、あらゆる主要な港湾都市や波止場の公衆衛生局内に独自の独立した代表を送り込めるようになった。[15]

感染が広がっているという知らせが届くと、いつでも禁止令や中止令が出され、どんな感染地からきた人間や船舶、積荷、郵便物も、特定の検疫所を経由したものを除いて、他国への入国が禁じられた。これらの命令を無視するか違反するかした場合には、死刑に処すことができた。それでも、特定の地域で病気が蔓延すると、一部の場所は本質的に、常時不衛生なのだという評価が生まれるようになった。「経験からは、オスマンの領地では、疫病〔訳注：腺ペスト〕は決して完全には撲滅されない」と、ヴェネツィア公衆衛生委員会によって製作された冊子は説明した。「したがって、オスマン領地全域とそれに従属しているすべての国は、つねに感染した状況にあると疑うことが公衆衛生局の不変の法則なのである」[16]。オスマン帝国の人びとにとっては、ヴェネツィア共和国だけでなく、ヨーロッパ内のどの国でも、唯一可能な入国方法は検疫を受けることだった。要するに、東洋から西洋に入るためには、「浄化」されなければならないのだった。

オーストリアは一八世紀の初めに、オスマン帝国との一六〇〇キロにおよぶ国境の全線に沿って、生物学的防除システムをつくりだすことすら試みた。詳細な地図が描かれ、感染が流行した際に取るべき手順が解説された。景観一帯に黒い破線や点線が走り、[17]山の峠から幹線道路まであらゆるものを二分して、どこに「防疫線」を張るべきかを示していた。黒い三角は検疫所とラザレットを設けるべき場所を表わしていた。やはり曲がりくねりながら川や道路、山脈を越えて、地図一帯を走っていたのは、太い黄色い線だった。これが感染の前線だった。[18]それより北側にいる人は誰でも健康であると考えられ、保護または脱出を必要としていた。その線より南側にいる人は自動的に保菌者であり、脅威で、汚染源であると見なされていた[19]。

これらの措置は高度化されていたにもかかわらず、ヨーロッパでも世界各地でも、五世紀にわたってまだ腺ペストの深刻な発生がつづいた。というのも、つまるところ誰もそれが何であるか理解していなかったからだ。根本原因は一九世紀末になって、スイス系フランス人の医師アレクサンドル・イェルサンの研究からようやく発見された。イェルサンは香港市内で大発生していた死にいたる病気に対応していた。

死亡したばかりの患者のリンパ組織を顕微鏡で調べていたイェルサンは、細菌の存在を確認し、それがケオプスネズミノミ由来であることを突き止めた。この細菌はノミの胃のなかで増殖してその消化器官を詰まらせるため、飢えたノミがやたらに餌を求めるようになる。このノミは、飛び移った相手がクマネズミであれ、ほかの動物や人間であれ、咬みつく際に細菌を犠牲者のなかに吐きだす。エルシニア・ペスティス *Yersinia pestis*（この細菌、ペスト菌はイェルサンから付けられた学名で知られるようになった）は、ヒトでは鼠蹊部か脇の下の、咬まれた場所に近いほうのリンパ節に入り、そこで免疫システムを撃退しながら、急速に増殖する[20]。この体内の闘争が、卵形の赤い腫れを引き起こす。中世の作家たちによってたびたび言及されている症状と同じものだ。その過程で、ペスト菌は肺にまで達して、この病気を肺ペストに変え、咳をすることで吐きだされた小さい飛沫によって、人から人への伝染を可能にする。吐息が感染を広げる、といみじくもミカエル・プラティエンシスがシチリアで述べたように。

イェルサンが香港まできて治療に当たっていたのは、確かに腺ペストだった。この感染症は一八世紀なかばには収束し、消滅したも同然となっていたが、結局、一〇〇年後に中国とインドに再び戻ってきた。ノミの宿主の体内にぎゅう詰めになったまま、ペスト菌は生きつづけ、機会が生じればいつでも、香港で起こったように、ヒトの体内で増殖する。そしてこの菌は今日もなお残っている。毎年、二〇〇〇件以上の発生が世界各地で報告されている。最も近年の事例はマダガスカルとモンゴルのものだったが、アメリカ南西部のニューメキシコ州とアリゾナ州ですら、規模こそ小さいものの定期的に流行が起きている[21]。

ここには、検討に値する別の景観がある。イェルサンが発見をなし遂げるために探求した景観だ。裸眼には見えない、小さな顕微鏡の世界だ。細胞とタンパク質と分子からなる景観だ。独自に発達した景観であって、驚くほど洗練された監視と制御のシステムである。数世紀ではなく、何十億年という歳月をかけて発達したものだ。何しろこの景観は、ほぼ四六時中、攻撃にさらされており、これまでもつねにさらされてきたからだ。この景観はその境界部分に侵入者がいないか、許可なく入ってくる者がないか見張るのを決してやめない。つまり、攻撃を試み、境界の防衛手段を回避しようと試みる病原体を、昼夜の別なく監視しているのだ。細菌、プリオン、原虫、それにウイルスなどの病原体である。

生命の末端で

「われわれはウイルスのいない世界に暮らしたことは一度もない」と、ベンジャミンは言った。「これからも」

ベンジャミンは黒く濃い髪を短く刈り込んでおり、縁の大きな老眼鏡をかけていた。四〇代前半だが、その満面の笑みと生き生きとした目からは、少年のような熱意があふれている。

彼は生命の起源につねづね魅せられてきたのだと、私に語った。カナダのオンタリオ州の田舎で育った彼の子ども時代は、「祈りと聖書と教会」に支配されていた。進化が議論されたことはなかった、と彼は言った。むしろ、生命は「六日間の創造のようなもの」として出現したのであって、信仰の問題なのだと考えられていた。それでも、ベンジャミンの父は大型動物の獣医だった。車で往診に出かける父親によく同行していたので、彼は幼いころから医学や科学には触れていた。

高校を卒業すると、彼はモントリオールのマギル大学の医学部進学課程に進み、医師になるために研鑽（けんさん）を積む予定だった。しかし、それは細菌学のコースに登録するまでのことだった。彼の先生は毎日、違う種類のウイルスを取り上げた。その発生源、特徴、生き残りの戦略、自己複製などを。「その先生はともかくすべてのものを生き生きと説明した」と、ベンジャミンは私に語った。「そのあまり、私に先生の情熱が乗り移ったんだろう。後ろを振り返ったことは、一度もないと思うよ。それほど夢中だった」

ウイルスの研究から、彼は過去を見つめるようになった。それも、数十億年前の過去だ。そこから生命が何であり、どこからきたのかに関する興味をそそられる理論がもたらされ、子ども時代にはじつに揺るぎないものだった聖書の創造の物語の呪縛を振り解くことができた。

「そのおかげで、この宇宙にいくらか違う動機と関心をもつようになった気がする。進化に興味をもっているからこそ、大半の人よりいくらか深く掘り下げて考えられるんだ」

彼が私に説明してくれたところによると、「われわれが最も有力視している説で、いまのところかなり健闘しているのは、生命はＲＮＡから始まったというものだ」。

リボ核酸（ＲＮＡ）だ。これはヌクレオチドと呼ばれる極小の物質で構成された一本鎖の分子である。ＤＮＡには二本の鎖があって、その構造は定形で何百万ものヌクレオチドからなる。一方、ＲＮＡは不定形で、無限に近い形状を取ることができ、大きさもずっと小さく、わずか数千の、ときには数百のヌクレオチドだけで構成されている。ベンジャミンが私に説明したように、細胞をコンピューターにたとえれば、「ＤＮＡはハードドライブで、ＲＮＡはソフトウェアになる。そして、実際のアプリケーションはタンパク質だ」。

要するに、ＤＮＡは私たちの稼働能力を決め、そこには人間の細胞が動かすことのできるすべての「ソフトウェア」、つまりＲＮＡが網羅されている。ＲＮＡの仕事はタンパク質を組織して指示を与え、特定の任務を実行させることだ。

「任意の瞬間に細胞のなかで動いているソフトウェアのスナップショットを撮れば、それがＲＮＡだ」と、彼は言った。「ＤＮＡは変わらない。コンピューターのハードウェアを見ても、プログラムがどう動いているかについては何も語ってくれない」

ＲＮＡに関して興味深いことの一つは、「それがＤＮＡおよびタンパク質の双方として、ある程度まで機能できる点だ」と、ベンジャミンはつづけた。「ＲＮＡは両者のあいだにあって、その中間に位置するから、どちらの役目も少しずつはたせるわけだ。双方の役目を少しだけできるから、どうすれば生命が誕生するかに関しては、圧倒的に有力な説となっている」

生命がどのように誕生したかという疑問をめぐっては、多くの根本的な問題がある、と彼は言った。「でも、一〇億年の歳月があれば、核酸のでたらめな集合体が一つのＲＮＡを形成するだろうし、そうなればいずれは自己複製する能力をもつＲＮＡができるはずだ。そう思い切って信じるならば、それがいい、い、い、い、い、生命の始まりとなるだろう」

今日では、実験室でこの具体的なプロセスの一つの形態を再現してみることができる。

「ヌクレオチドが一五〇しかないような小さいＲＮＡをつくりだすことができる」と、彼は言った。「ごく小さなＲＮＡで、ただ自己複製を何度でも繰り返すものだ。だから、一〇億年もあれば、実際に進化がそのようなことをなし遂げたと考えるのは、それほど飛躍したこととは思えない」

ＲＮＡはいったん自己複製できるようになると、間違いも犯すようになる。再生するあいだに、変異が現われる。そこから無限の方向に分岐が始まり、それぞれが複雑化し始める。一つのＲＮＡから一つの細胞になるまでに必要な、数え切れないほど多くの段階の最初の一歩を踏みだすのだ。

「それが、まさにそこが発端だ」と、彼は言った。「そこから生命の定義は曖昧になる。自己複製できるRNAは、ウイルスでもあるからだ。だから、実際には地球上に存在したいちばん初めの〈生命体〉は、当然ながら、ウイルスだと主張することができ、私を含め多くの人はそう考えている。自己複製できたのはRNAだった。ウイルスというのは、まさにそういうものだからだ」

ベンジャミンは、いちばん初めの「原始細胞」としてつくられ、みずからを生成して存在するようになった分子の複雑な層について私に概説しつづけた。自己複製するそのRNAは、明確に分かれ、制限された空間内部に保たれ、守られた細胞「体」に含まれている。だが、たとえごく初期の段階でも、その存在の当初の揺らぎの段階でも、周囲の環境は脅威に満ちていただろう。

「その最初の生命体には」、つまりその最初の原始細胞には、「それに影響を与えるウイルスがいたはずだ」と、彼は言った。「今日のわれわれとちょうど同じように。生命は誕生した途端に、ウイルスというこの問題を即座にかかえたんだ」

実際には、細胞の生命が始まったその瞬間から、それは生存をかけて必死の闘いを繰り広げていた。ウイルスの目的は細胞を餌食にすることしかない。ウイルスがあまりにも強くて、細胞に侵入して圧倒すれば、生命は形をなす前から潰されてしまうだろう。こうしたことは何度も生じてきた可能性があると、ベンジャミンは述べた。フライングの連続としての、地球上の生命の起源である。存在しては、なくなることが、何度も繰り返されたのだ。ところが、あるとき細胞がみずからを守ることを学んだ。

「ウイルスというこの問題に対処する戦略を細胞が覚えてからは、これは少なくともある程度は成功している」と、彼は言った。「それが進化を双方向に推し進めている。ウイルスは資源を求めてつねに宿主をやっつけようとしている。宿主は自分自身が繁殖できるようにウイルスをつねに排除しようとする。そして、この闘いゆえに、ウイルスは決して毒性が強くなり過ぎない。さもないと再び袋小路に入ってしまうからだ。これは進化の過程を通じて行なわれてきた、言うなれば、非常に込み入ったダンスなんだ。そこではウイルスが——彼らは考えたりしないし、意識もないが——つねに別の方法を探し、別の戦略を試して、それらのエネルギー源に再び戻ろうとする。そして、ウイルスの戦略が進化するにつれて、宿主側もその同じ資源を狙われるのを阻む方法を進化させなければならない」

その結果が、数十億年にわたる闘争であり、ベンジャミンが以前に「永久的な軍拡競争」と呼んだものだ[22]。

「私が宿主で、ウイルスと戦う新しい武器を生みだすとすれば、ウイルスは私の武器に対処する新しい武器をつくりだすだろう。そうなると、私は何か新しいものを考えなければならない。その結果、すべてはつねにそれ以前のものと関連するようになる」

そのプロセスを十分に長く経ると、私たちに、すなわちヒトにたどり着く。信じ難いほど複雑な多細胞生物だが、それでもいつ何時もつねに、この終わることのない宿主とウイルスの紛争に巻き込まれている生物である。ウイルスが細胞の境界を越えてあなたや私のなかに入り込み、私たち個人の生物的な境界を突破しようと試みれば、いくつものことが一気に生じる。

「ウイルスを最初に察知する細胞は、非常に利他的だ」と、ベンジャミンは言った。「この細胞はこう言う。『私はこのために敗れるが、敗れても、二つのことをするつもりだ。軍隊を召集することと、増援部隊を要請することだ』。軍隊の召集とは、周囲の細胞にこう告げることである。『問題が発生していて、ウイルスが検出されている。私は死ぬと思うが、あなた方残りの者は、無事に乗り切れるよう確認してくれ』」

この「軍隊の召集」はタンパク質の分子——インターフェロン——を細胞外の空間に放出させ、その近くにあるほかのタンパク質すべてに信号を送るという形態を取る〔訳注：インターフェロンは、細胞間の情報伝達を担うサイトカインの一種〕。ベンジャミンはこれを「可能な限りすべてを強化する」と表現した。バリケードに要員配置する、ハッチを締める、跳ね橋を引き上げるなど、好きなメタファーでそれを表現すればよい。このプロセスはすべて、時間を稼いで、騎兵隊が到着するまでウイルスを寄せつけないためのものだ。というのも、細胞からの次のメッセンジャーであり、ケモカイン〔訳注：サイトカインの一種〕と呼ばれる別のタイプのタンパク質が、「増援部隊」を引き連れて戻る途中だからだ。

「こうして、免疫システムの強打者がやってくる。特殊化された細胞からなる別の一部隊全体だ。これらはそのウイルスを捕まえるか、ウイルスに殺された細胞を捕まえる。その断片——かならずしもRNAの断片ではないが、タンパク質の断片——を見つけ、それを使って抗体をつくり始める」

体内のウイルスの存在にじかに反応して、体は特定の適応防衛手段を生成し始めることができる。私たちは再びあの同じ「ダンス」を始める。細胞レベルで壁を建設し、境界を築いて、これ以上の病原体を寄せつけまいと試みるのだ。

「だからこそわれわれは今日ここにいるのであり、だからこそ脊椎動物はこれほど成功を遂げている」と、ベンジャミンは言った。「われわれにはその能力があるからだ」

私はウイルスが最初の生命の形態だというその考えに、何度も戻っていた。それは優雅であると同時に、どこか恐ろしい理論に思われた。その考えは自分たちがみなどこから、何からきたかという真実を、もしくは少なくとも真実の一端を直視させる。ベンジャミンはその最初の細胞、つまり自己複製するRNAとして始まった細胞が、のちにどう進化してDNAのなかに「配線」されるようになったかを語った。その時点で、細胞はより高度なシステムに変貌を遂げていると、彼は言った。それは突然、自分でエネルギーを生みだせるようになったからだ。

「そして多くの人は生命を、独自のエネルギー源を生みだせるものと定義する。独自のエネルギー源を生みだし、かつ進化することだと。ところがウイルスは進化できるが、独自のエネルギー源を生みだすことはない。そこに、まさしく論争の線のようなものがある」

ウイルスは「偏性寄生体」だ。ウイルスはエネルギー源に入り込んで、自分たちの数を増やせるときは「生きて」いるが、その供給源である細胞を離れるとすぐに、ウイルスは別の供給源が見つかるまで不活性化する。しかし、この「不活性」の期間こそ、生命とは本当は何かという問いに本質的なレベルで異論を唱えるのだ。

たとえば、アラスカ北西部の海辺にあるブレヴィグ・ミッションという小さな村の物語を考えてみよう。一九一八年一一月に、この村の人びとは死の病に冒され始めた。わずか五日間で村に住む八〇人の成人のうち七二人が死んだ。原因はウイルスだった。A(H_1N_1)、いわゆる「スペイン風邪」である。第一次世界大戦の終戦間際に始まった、このインフルエンザの途方もない流行は、世界各地で推計五〇〇〇万人の命を奪うことになった。ブレヴィグ・ミッションのように、地球上でも屈指の僻地の共同体でも、伝播を免れなかったということは、その毒性と感染の特性の双方を証明するものとなった。

村人は山腹の墓地に埋葬された。あまりにも多くの白い十字架が立てられたため、遠目には行き当たりばったりに柵の支柱を立てたかのように見えた。アラスカの気候ゆえに、遺体は永久凍土によって地面の下で凍ったまま保たれた。一九九七年に、ヨハン・ハルティンという七二歳のスウェーデン出身の微生物学者がブレヴィグ・ミッションまで旅をして、墓地を掘り返した[23]。

彼はその四〇年前の一九五四年にも、同じことを試みていた。四体の遺体の肺組織を採取して、アイオワ大学の実験室まで輸送してから、鶏卵に注入してウイルスを増やせるか試してみたのだ。だが、何も起こらなかった。ハルティンが再度試みることにしたのは、たまたまアメリカ疾病予防管理センターに勤務する微生物学者、ジェフリー・タウベンバーガーが書いた雑誌記事を読んだことがきっかけだった。タウベンバーガーは一九一八年のウイルスのゲノム配列の解析を試みていた。

タウベンバーガーの研究室の協力を得たハルティンは、再びブレヴィグ・ミッションまで長旅に出て、永久凍土を掘り起こした。地面から二メートルほど掘ったところで、彼はイヌイットの女性の遺体を見つけた。「ルーシー」と彼が仮称をつけたこの女性は、一九一八年に死亡したときは二〇代なかばだった。彼女の凍結した遺体から肺を取りだしたハルティンは特別な保存液のなかにそれを入れて、タウベンバーガーのところへ送った。一〇日後、組織にはウイルスの遺伝物質が含まれていたことが確認された[24]。

その後八年間、まずはこのウイルスの起源と進化を理解するために、その後、最終的にそれを「再構築」するために研究がつづけられた。二〇〇五年に、アトランタの疾病予防管理センター本部で、テレンス・タンピーという微生物学者がそのウイルスを、プラスミドと呼ばれるＤＮＡ分子の形で、ヒトの腎臓細胞に注入した。数週間は、ハルティンが経験したように、何事も起こらなかった。やがて、七月の終わりにタンピーは細胞の培養物をもう一度見た。それは突然、斑点だらけになっていた。ウイルスが自己複製していたのだ[25]。地中深くに埋められた遺体の細胞組織に一世紀以上、眠っていたのちに、ウイルスはエネルギー源に戻る方法を見いだした。それは事実上、蘇ったのだ。

これは、ベンジャミンが言ったように、「そこに、まさしく論争の線」がある事態だった。一部の微生物学者が述べたように、ウイルスは「生命の末端で」存在している[26]。ウイルスはその究極的な境界線に出没し、周辺部に身をひそめ、数百年どころか、数千年の歳月を越えて去っては戻ってくる。その過程でウイルスは、私たち人間の存在にとって白か黒かであると同時にじつに根本的な、生と死が意味する概念そのものを曖昧にし、打ち砕く。

「防疫線」としての国境

蒸気船は乾燥して草木のない海岸線からさほど離れていない場所に錨（いかり）を下ろした。エジプトのシナイ半島南端近くの砂漠と山ばかりのこの場所で、紅海とスエズ湾が合流している。船には、毎年のメッカ（マッカ）への巡礼を済ませてヨーロッパに戻るムスリムの乗客数百名が乗っていた。やはり乗船していたのは——または少なくとも、状況から反証されるまで、乗っていたと疑われていたのは——ビブリオ・コレレ *Vibrio cholerae* として知られる微生物の乗客だった。非常に毒性が強く、ものの数時間で患者を死にいたらしめることがある疫病、コレラを引き起こすコンマ形の細菌、コレラ菌である。

手漕ぎボートがやってきて、乗客を「人けのない浜辺」まで輸送した[27]。そこに待っていたのはずらりと並ぶ軍の野営用テントで、四つの別々のグループに分けられていた。それによって乗客を船ごとに隔離していたのだ。現場には数百人の兵士が護衛に付いていた。いずれにせよ、そこは何もない広大な平原に囲まれていた。ここはエル・トールの検疫所で、一九世紀後半に紅海の海岸沿いに、スエズ運河、地中海、ヨーロッパを結ぶ航路に並行して設置された五カ所のうちの一つだった。

このルートをたどる巡礼の乗客はすべて、その先へ移動できるようになる前に健康であることを証明しなければならなかった。エル・トール到着時に船内でコレラの発生が報告されておらず、キャンプで四八時間を過ごしたのちに一人も発症しなければ、彼らは先へ進むことができた[28]。だが、何かしらの感染が申告されて検疫所に到達した場合には、その期間は最低でも一五日間に延長された。新たに発症者が出た場合は、その都度、再び全期間のやり直しとなった。なかには一度に何カ月間もここに閉じ込められ、人里離れた土地の極端な暑さと寒さにさらされる人もいた。それはもちろん、コレラによって彼らの旅が永久に終わりにならなければの話だった。

コレラは、人類史のほぼすべての時代において、世界のごく狭い場所に封じ込められていた。インド北部のガンジス川の三角洲である。やがて一八一七年に、コレラは一気に広まった。インド亜大陸にイギリスが影響力をおよぼすようになると、それまで孤立していた地域にも旅行をし、通商を行なうことが可能になった。細菌は感染した人から水源へ、そこから再び人間へと移動し、インド全土を結びつける連鎖となった。一八一八年には、『タイムズ』紙がコレラはカルカッタ（現コルカタ）の州一帯で「怒濤のごとく、いまだ猛威を振るっていた」と報道した。原因は不明だったが、その影響は衝撃的なものだった。「その攻撃は唐突で、非常に急激に死を招く」と、新聞報道はつづいた。「最初に発症してから六時間以内に死亡することも珍しい事態ではない[29]」

第一次の流行でこの疫病は、東は中国、インドネシア、フィリピンまで、西はカスピ海まで伝播し、ヨーロッパの入り口にまで到達していた。数年後にはコレラは収束し、原発地以外はどこも消滅したかのように思われた。やがて一八二九年に第二次の大流行が起こった。今回、これは世界のさらに遠隔地までおよび、陸路を伝ってロシアを経由して北ヨーロッパまで、そして船によってエジプトと中東まで広がった。まもなく、ドイツ、フランス、イギリスにも現われ、そこから大西洋を越えてカナダ、アメリカ、そしてメキシコにまで一気に拡大した[30]。

コレラはとりわけ、貧しい人びとを狙い撃ちした。社会で最も不利な立場に置かれた人びとを直撃する一方で、富裕層やエリートは見逃された。サンクトペテルブルクからパリ、ロンドン、グラスゴー、ニューヨークなどあらゆるところで暴動が起こり、デマが飛び交った。コレラの陰謀論者は、この病気が実際には大規模な人口抑制の手法なのだと主張した。病院、医師、看護師、公衆衛生担当の職員はみな、暴力的な攻撃の的となった[31]。

この疫病は一つのパターンを形成し始め、世界各地で波をつくって発生し、そのたびに以前よりも遠くまで波及してから収束し、数年の期間が経つと原発点に戻るようだった。それでも、正確な原因は明らかではなかった。飲み水に細菌が増殖することとの関連が突き止められ始めたが、多くの専門家はまだ感染は「瘴気（ミアズマ）」を通じて起こりうるのではないかと主張していた。つまり、保菌者が出す汚染された空気を吸うことによって、である〔訳注：瘴気そのものは、沼地から発生する悪い空気の意味〕。

だが、とりわけ懸念されたことの一つは、メッカへの旅だった。一八六五年に、一万五〇〇〇人ほどの巡礼者がコレラの大流行で死亡した。帰国の旅で病気をもち帰った人も大勢いた。その結果、アレクサンドリアの港では六万人が死亡し、感染の連鎖はまもなく地中海を飛び越えてマルセイユを荒廃させた。この年の暮れにはコレラは再びニューヨーク市にも広まった。[32]

パリ大学の衛生学教授――および小説家マルセル・プルーストの父――のアドリアン・プルーストは、「因果関係をメッカまで直接たどってみせた。ヨーロッパは、「毎年このまま、巡礼に翻弄されつづける」わけにはいかないと、彼は書いた。[33] 巡礼者は以前にも増して、はるか遠方から、大人数で旅をするようになっていた。蒸気船と鉄道が登場したことで、世界は事実上、圧縮されていた。遠距離の旅は社会的な地位にかかわらず、ほぼ誰にでも選択可能なものに変わった。「貧民巡礼者」の「危険な階層」と称されていた人びとでも、可能になったのだ。[34] そしてもちろん、グローバル化した旅は人びとに利益をもたらしただけではない。自己複製に夢中な病原体にとって、以前よりも大勢の宿主の体に取りつけるチャンスほどよいものがあるだろうか？　コレラは産業化時代の最初のパンデミックとなった。[35]

当時の当局にとっては、こうした輸送と交流の経路が、主要な媒介者と思われた。中世に腺ペストと闘うために講じられたのと同じ措置に従って、彼らはコレラとの闘いは基本的に空間を管理する手腕によるものと考えていた。彼らの戦略はいずれも疫病の経路を遮断することに関するもので、感染者を囲い込み、隔離して、監視網を設け、プルーストが言うように「場所を特定する」ことだった。つまり、「疫病の侵略にたいして強化せねばならず、真の戦略的拠点と見なせるかもしれない場所」のことである。[36]

たとえば、紅海沿岸のエル・トールの検疫所などだ。この検疫所はオスマン帝国の庇護下で設立されて、エジプトによって運営・管理されていたものの、実際にはヨーロッパからの直接的な政治圧力の結果として設けられた緩衝地帯だった。東洋と西洋のあいだの生物学的な線に沿って、明確な区別がなされたのだ。それは、比喩的な線であり、文字どおりの線でもあった。

一八六六年に、コンスタンティノープル（現イスタンブル）で国際衛生会議が開かれ、メッカへの毎年の巡礼を規制するための計画が練られた。七カ月間つづいた会議期間中、オスマン帝国はヨーロッパの「衛生領域」への入国の許可を求めた。この依頼は、帝国の領土内の保健衛生がつねに必要とされる基準に達していないという理由で拒否された。黒死病の時代のように、オスマンの領土は再び不浄であるとの烙印（らくいん）を押されたのだ。オスマンとの国境は疫病の重要な境界を示していたのである。[37]

エル・トールなどの検問所によって南部から地中海へ入るルートが管理され、同様の予防対策が北部でも黒海沿岸の入国港を管理するために設けられるなかで、ヨーロッパはみずからを「文明的な」場所として定義していた。外部の「非文明的な」汚染者から自衛する責任を帯びた、清浄な領域である。

その結果、旅行者の体は究極の精査と疑念の対象となりつつあった。そして、国境はそうした念入りな検査が行なわれかねない場所となった。一九世紀を通して、国から国への移動を管理するうえで、保健衛生は主要な、そしてたいがいは唯一の関心事として浮上していた。異質の物体（フォーリン・ボディ）／異国の人体は、相変わらず、「未知」の脅威を突きつけていた。しかし、何よりも緊急を要するのは、この脅威が未知の病であることだった。査証やパスポートが普及する以前は、旅行者にとって必携の書類は、自分が「病気持ちではない」ことを証明するものだった。国境は何よりもまず、「防疫線」として制定されていた。単にそこが自分たちの領土だと恣意的に表示するためではなく、そこには差し迫った明らかな目的があったのだ。生物学的検査の場所として。一方には物理的に清浄なものを、もう一方には穢（けが）れたものを分け隔てる線として。[38]

だが、ここにはそれ以外のものもかかわっている。ヨーロッパへ入るための最初の障壁としてのエル・トールは、ヨーロッパ大陸そのものとはまだかなりの距離があったからだ。ここでは、僻地の砂漠の海岸線に防疫の境界線づくりが外注されていた。ヨーロッパの大国は自国の領土を越えて、一種の生物学的な植民地主義に関与していたのだ。疫病の脅威を、それが自国の国境に近づく以前から、管理していたのである。[39]

この政策には、世界的な公衆衛生の基準を向上させたいという純粋な願望と、利己主義や、人種による選別、国民の「純血」というばかげた概念が入り混じっていた。しかし、その根底には、一つの不可逆的で重大なものの認識があった。国単位の国境では十分ではなかったのである。世界は結びついていた。無数の接点は増えて根を張る一方だった。毛細血管が、地球の隅々にまで延びて到達していた。自分が誰であれ、どこに住もうが、もはや本当の選択はできない。誰もが一つの巨大な、相互に結びついた地球規模の免疫システムの一部となってしまったのである。

二〇二〇年

ベンジャミンは、マギル大学の学部の最終学年にいたときの話をしてくれた。一九九八年のことだった。その五年前、アメリカでは「フォー・コーナーズ」として知られる場所で謎の病気が流行していた(アリゾナ、ユタ、コロラド、ニューメキシコの四州すべてがここで出合うためにその名称でよばれていた)。呼吸困難に陥った人びとが病院にやってきて、その後まもなく、事実上、自分の体液に溺れて死んでいった。この症状と臨床所見は、既知のどんな病気にも合致せず、ウイルス学者がその病原を突き止めるまでに何週間もかかった。

「彼らは最終的に、それが感染したネズミ由来の埃から生じていると解き明かした」と、ベンジャミンは言った。「ネズミが埃に排尿して、その埃が舞いあがって、人間がそれを吸い込んだ」。そしてその過程で、「ハンタウイルス」と呼ばれるウイルスの、それまで知られていなかった変異株が体内に入った。ハンタウイルスは世界中の齧歯類に見つかるが、いくつもの異なるウイルス株がある。「モントリオールでどんなウイルス株が広まっているか調べてみたら面白いだろうと私は考えた」と、彼は言った。「それがフォー・コーナーズのものとはどう違うかを見るのがね」

彼は大学のキャンパス内に、事務所や化学研究室だけでなく、遺体安置所にすらネズミ捕りの罠を仕掛け始め、毎朝、五時に起きて何か捕まっていないか見に行った。

「私はマギルの害獣駆除業者になっていた」と、ベンジャミンは笑って言った。

四カ月のあいだに、彼は二〇〇匹以上のネズミを集め、その肺を切除して、組織を「均質化して」――大雑把に言えば、潰して液体状にかき混ぜて――RNAを抽出して、ウイルスを探せるようにした。ただし、探しだすまで行き着くことはなかった。

「自分が何をやっているのか、私にはわからなかった」と、彼は言った。「当時は二二歳だったからね。自分ではすべての規則に従っていると思っていた。私はカナダ保健研究機構に連絡した。だが最終的に、私のeメールの一通が誰かの目に留まり、その人はこう思った。『何てこった、この若造にこれをやらせてはダメだ』。そこで、彼らは即座に私の研究を中止させた」

彼は再び笑いながら、同時に頭を振った。

「これは妙な話だ。自分の家でネズミを捕まえるのに許可はいらないのに、家のなかのネズミを捕まえて、ウイルスがいるかどうかを調べるのが目的となると、突然、バイオセイフティ・レベル3の訓練が必要になるんだ」

ネズミに関しては、「まだ冷凍室に眠っている。どこで捕まって、捕まえられたときどんな様子だったかの説明とともに、きちんとカタログ化されてね」。

ベンジャミンと話をする少し前に、私はアルベール・カミュの小説『ペスト』を再読していた。第二次世界大戦前後のフランス領アルジェリアの隔離された町が舞台となっている（小説の冒頭で年代は「一九四＊年」としている）。この物語の奇想天外さは、これがその町で働いていた医師のノートからつなぎ合わせたもので構成されていた点だ。話のごく初めに、ベルナール・リユー医師はある朝、診察室を出たとき外の踊り場にクマネズミの死骸を見つけたことを思いだす。彼はそれを「注意も払わずに脇へ押し除けた」。その同じ日の夕方、彼が自宅のアパルトマンに戻って、鍵を探していると
き、別のクマネズミが廊下からよろよろと出てくるのを見る。

「クマネズミは立ち止まり、よろめかないようにしているようで、医師のほうに向かってきたが、またもや止まって、かすかな鳴き声をあげてくるくると回り、やがて倒れた。半開きになった口から血が噴きでた。医師はクマネズミを一瞥してから、上階へ向かった(40)」

クマネズミは市内のいたるところで死につづけた。最初は数百匹だったが、やがて数千匹になり、「地面の下や隠れ家、地下室、下水管から、よろめきながら長い列をつくって」上がってきた。こうしたことすべてが奇妙で、当惑させられるものだと思いながらも、市の人びとが危険に気づいたときは、すでに遅過ぎた。最初の死者が出たとき――リユーのアパルトマンの管理人――には、この病気はすでに特定感染症となっていた。当局はすぐに市全体を封鎖する決断を下し、城壁内の住民を隔離し、運命に任せることにした。

カミュはこの小説をファシズムの陰湿な蔓延を表わす寓話として構想した。疫病をイデオロギーの浸透にたとえ、始まりはゆっくりだが、急速に、手に追えない勢いで広がり、致命的な結果を招くものとした。この本を二〇二〇年の暮れに読むと、それはもっとじかに、文字どおりの類似点を突きつけた。ベンジャミンがマギル大学のネズミについて語ったとき、私は彼をリユー医師の役割になぞらえて思い描かずにはいられなかった。そして、踊り場にいた最初のクマネズミを無視せず、彼が代わりにそれをまっすぐ実験室に運んで肺を取りだし、原因を突き止めようとするところを想像した。

小説のなかで、現状の真の怖ろしさが市の人びとに理解され始めたとき、彼らはこう嘆いた。「こ

の小さな市が、クマネズミが日向で死に、管理人が奇妙な病気で死ぬ場所として、特別に選ばれるなどと思いもしなかった」[41]

だが、おそらく誰もそのような行動は取らないのだろう。ベンジャミンは、マウントサイナイ・アイカーン医科大学内の四、五カ所の研究室の室長たちと、ほぼ毎週月曜日の朝、開いていた会議のことを話してくれた。彼らはそこでそれぞれの分野のインフルエンザ研究に関して話し合い、情報交換をしていた。二〇二〇年一月のそうした会議の席で、彼らは初めて「中国からの奇妙な呼吸器系ウイルスについて引き起こされているニュース」のことを話し合った。テーブルの周りに座っていたのは、四人の熟練のウイルス学者で、そのうちの二人はすでに、インフルエンザに関する研究で全米科学アカデミーの会員になっていた。それでも、それら四人のうち、ただ一人だけ——グループのなかの最も若い人——が実際に心配していた。

「あれはSARSのようなものだとわれわれは思っていた」と、ベンジャミンは言った。

重症急性呼吸器症候群（SARS）は「ベータコロナウイルス」で、二〇〇二年ごろに最初に発生して、世界各地で八〇〇〇人ほどが感染し、致死率は一〇%程度だった。一〇年後、新たなベータウイルスの変異株で、中東呼吸器症候群（MERS）コロナウイルスとして知られるものが現われた。これはわずか二五〇〇人ほどの感染者を出しただけだったが、致死率は三分の一以上だった。

「そしてどちらも本当に自己限定的なものだった」と、ベンジャミンは言った。「だから、暑い季節になると、SARSはただ消滅した。どうやら地球の表面から消えたようなんだ。あるいは少なくとも、ただコウモリだけに戻ったんだろう。それにMERSだ。実際には、これはラクダの特定感染症で、人間にも若干は感染するが、目に見えて急増することはなく、大問題とは思えなかった。だから、われわれ年長のウイルス学者三人はみな、こういうスタンスだった。それがウイルスであっても、たとえベータコロナウイルスでも、脚があるわけではなく、そう遠くまで広がらないし、すべてはうまく収まるだろう、と」

　ベンジャミンはこめかみを無意識にさすった。

「でも、この感染症がイタリアに現われたとき、もはやわれわれの誰もそれが本物ではないとは思わなかった」

　イタリアのその最初の発症例が報道されたのは二月二一日で、ロンバルディア州のミラノの少し北にある小さい町でのことだった。

「その事態が発生するとすぐに、これが世界中に拡散しないと考えるウイルス学者を探しだすことは、どこであれ難しくなっただろう」

　二週間後、ニューヨークのベンジャミンの研究室に小さいねじ蓋式のチューブが一本届いた。なかには赤い液体が入っていた。シアトルで死亡した患者の肺から採取して均質化した組織の試料で、この患者は最近ヨーロッパからアメリカに旅をしてきていた。そしてその細胞組織のなかには、重症急性呼吸器症候群コロナウイルス２（ＳＡＲＳ ＣｏＶ－２）、つまり、新型コロナウイルス感染症、正式名称ＣＯＶＩＤ－19を引き起こすウイルスが入っていた。

　ベンジャミンの研究室は、特定のウイルスを研究するのではなく、多様なウイルスが宿主の体にどのような影響をおよぼすかを理解することを専門にしている点で、他の研究機関とは異なっている。ここは細胞の境界線に焦点を置いている。そこが突破されたら、免疫システムがどう感染に対処するのか、または妥協するのかを調べるのだ。

「ある意味でこれはわれわれにとって、すでにやってきたことを応用すべき新たなウイルスに過ぎなかった」と、彼は言った。「だから、実際には何ら切れ目なく適応すべき事態だった[42]」

　一週間も経たないうちに、アメリカの国防総省が彼の研究室に数百万ドルの助成金を提供して、このチームをコロナウイルスの研究だけに特化させた。

「あれはとんでもないことだった。私は自分の研究室をひっくり返さなければならなかった。政府との大規模な契約があって、人びとはただ答えを求めていた。私の研究室は、フェレットとハムスターの双方を飼えるバイオセイフティ・レベル３の施設がある、世界で十数カ所しかない研究室の一つだった。この二種はたまたま、自然界でコロナウイルスに感染する動物だったんだ。だから、こうした事態になった大半は単に、私のところがこの研究をするのにぴったりの資源と能力を備えていたためなんだ」

仕事が猛烈に忙しくなるのと同時に、ベンジャミンは周囲のいたるところでニューヨーク市が閉鎖されるのを見た。マウントサイナイ・アイカーン医科大学は病院とともに、職員以外の外部の人間をすべて締めだし、すべての待機手術は取りやめになった。

「ここは廃墟のようになり、とにかく静まり返っていた。やがて、ロビーに病室が建ち始めた。どこかに場所があれば、それを新たな病室に変えて、ＩＣＵの収容人員を増やせるようにした」

通りの向こうにはセントラルパークがあった。巨大なテントがイーストメドウに設営され、そこが急速に仮設の病棟に変えられていった。

「まるで交戦地帯のようだった」と、彼は言った。「そして通りは実際にはがらんとしていた。誰もいなかった。車で走り回る人もいなかった。聞こえるのは救急車のサイレンだけだった」

ベンジャミンのチームは昼夜兼行で働き、未明に研究室に出勤して、夜遅くに退出した。

「私は自宅からスクーターで往復していた」と、彼は私に語った。「通りの真ん中を走れるんだ。ほかにはとにかく誰もいないからね」

非現実

ベンジャミンの研究室で働く博士課程の学生、デイジー・ホーグランドは、見慣れない抽象的景観の輪郭線をたどりながら、私を案内してくれていた。私たちが見ていた画像は、真上から見た磯の海岸線のようだった。半円形の湾が、一連の岩だらけの小さい入り江となり、背後に絶壁のような断崖がある岸へと隆起していた。ただし、変な色になっていた。「海」は白く、かたや「岩場」や「陸地」は赤、紫、濃い紺色に色付けされていた[43]。

「ぼやけて見えるところがわかりますか？」と、彼女は私に聞いた。「そうあるべきでないのに」

彼女は海が岸にぶつかる場所を指していた。そこの陸地は、打ち寄せる波によって部分的に崩されたかのように、ぼかされ、不明瞭になっていた。

「それは気管支のアポトーシスを示すものです」

アポトーシス、細胞の死だ。

「その紺色の点は」と、デイジーは湾の周囲全体に積みあがった巨石の山のように見えるものを指差して説明した。「大半が核です。それら一つひとつが細胞なので。そして気管支上皮は、何百という細胞に覆われています」

私たちが調べていた景観は、SARS CoV-2（COVID-19）に感染したハムスターの肺の組織で、それを四〇〇倍に拡大して見ていたのだ。気管支上皮は薄い細胞膜で、肺のなかで血液酸素交換を管理する何百万もの肺胞——小さい空気の袋——を覆っている。画像のなかの白い部分、海の部分が一つの肺胞で、上皮の海岸線に囲まれていたのだ。

「私たちが見ているのは、コロナウイルスが細胞を殺し、そこから残骸とウイルスが大量放出される様子です」と、デイジーは言った。「それがここで起こっていることです。細胞が死んで、いろいろなものが放出されている」

生物学的な漂流物や投げ荷、細胞の死骸が岸辺に打ち上げられるか、海へ押し流されていたのだ。彼女はさらに多くの景観を眺めるツアーに私を連れだした。次に見たのは、別のハムスターの肺の気管支上皮で、二〇〇倍に拡大されていた。私たちは今度は高みから見下ろしていた。ただ一つの湾を見るのではなく、海岸線全体を見ていた。海へ注いで、砂州のような湾曲した砂嘴（さし）をつくっている川の河口だ。この海岸ではさまざまな活動がひしめいており、密集した黒っぽい点がいずれも場所を確保しようと競い合っている。

「これらはすべて好中球（こうちゅうきゅう）です」と、デイジーは言った。「いくらでも、いくらでもいます」

実際には、その数は多過ぎる。好中球は免疫細胞で、白血球の一種であり、私たちの体の境界警備隊員のなかで最も一般的かつ数の多いものの一つだ。

「これは免疫反応に不均衡が生じていることを示しています。すべてバランスの問題なので、一方に偏り過ぎれば、ひどく有害になりかねません。いろんなものが美しく編成されたシンフォニーのように、ここぞというときに起こらなければダメなんです。でも、ここでは免疫反応は、間違った方向に行っています。これはただ病気を悪化させているだけです」

警備隊はただ次々にやってきて、土足で景観を踏みにじっていたのだ。

私たちは別の、今回は一〇〇倍に拡大された画像へと進んだ。そこは湿地で、細い陸地のなかに含まれた湖と水域のパッチワークになっていた。いくつかの湖の周囲に、小さなピンク色の岸辺がある。

「そのピンクの塊ですか？　そこに見えているのは浮腫です」と、デイジーは言った。「重度の血管性浮腫です」。静脈からあふれて周囲の組織に入り込んだ血液が水分の蓄積と腫れになって、放置しておくと、呼吸困難になり、完全な呼吸不全となって、死を招く。

これらの画像は、ある意味で、衝撃的であるのと同時に超現実的だと私は思った。もしくは非現実的だとすら。この体内の細胞の領域は、私にはまったく異質なものであり、メタファーや類推（アナロジー）の形でしか理解ができなかった。しかしそれでも、デイジーが見せてくれた画像はウイルス感染の前線だったのであり、コロナウイルスが境界線を突破して宿主の体に入ったときに、まさしく起こることだったのである。

「私たちには見えないか、まったく理解できない、そんな世界がまるごと一つあるなんて、すごいことです」と、デイジーは私に言った。「そのことに心を惹かれずにはいられないんです」

ニュージャージー州で育ったデイジーは、生命工学の専門高校に入学したのち、ヴァーモント大学で微生物学を勉強した。卒業後、彼女はしばらく科学を離れて国際開発の分野で働くことを検討した。しかし最終的に、医学研究の誘惑は無視できないほど強かった（カリフォルニア州バークリーの非営利団体で働いてわずか二週間後には、彼女はふと気づくとこう言っていた。「ああ、神さま、誰か私にピペット〔訳注：液体を計量するスポイト状の道具〕をちょうだい。作業台にいないと、とにかく充実感がないから」）。彼女は二〇一八年にベンジャミンの研究室に入り、当初はインフルエンザに特化したウイルスの工学プロジェクトを研究していた。それも二〇二〇年三月の第二週までのことだった。

「そのときすべてが一夜にして、とにかく急変してしまったのです」

その時分には、デイジー自身がすでにコロナウイルスに罹患していた。彼女だけでなく、移動制限が課される直前にニュージャージーに帰省した際に会った姉妹や両親も、感染していた。これはパンデミックの現実に即座に誘導されるものだった。彼女自身がウイルス学者となれば、なおさらだった。「ときおりひどく奇妙な気がします」と、デイジーは言った。「このウイルス、私が研究しているウイルスが。それが自分の細胞に何かをするところが思い浮かぶんです。不思議な感じです。あまりにも知り過ぎているので」

検疫プロトコルで許可が出るとすぐに、彼女はマウントサイナイのチームのもとに復帰した。実験室のウイルス研究は急速に進んでおり、最初のフェレットを感染させ始めるところまできていた。コロナウイルスが宿主の体内で何をするか正確に追うために、その後ハムスターでも同じことを実施する予定になっていた。ハムスターは最良のモデルとなった。ハムスターはヒトと同じ「受容体」をもつ最小の齧歯類だ。受容体は、ウイルスの「スパイク」タンパク質が体内に入り込むために、最初に取りつくACE_2という細胞表面のタンパク質である[44]。

この研究は、マウントサイナイ内部のバイオセイフティ実験室で実施されていた。ここはウイルス研究の中核のようなところで、ウイルスの生きた「取り扱い」を行なうことができる。デイジーは実験室に入るプロセスを私に説明してくれた。細胞壁のような控室をいくつも通り抜けなければならず、その後ようやく感染エリアにつづく最終のスペースに到達することなどを教えてくれたのだ。

「だから、N95マスク〔訳注：米国国立労働安全衛生研究所の微粒子対応の規格に合格したマスク〕と、防刃ガウン、靴カバー、ヘアーキャップ、フェイス・シールド、一方が破れた場合にわかるように、色違いの手袋を二重にして身につけなければなりません」

部屋の内部では、すべてが「陰圧」に保たれていた。

「陰圧はすべての空気を吸い込むんです」と、彼女は説明した。「だからドアを開けても、エアロゾル化したウイルスの粒子が出ていくチャンスはありません。空気はつねにフィルター付きの通気口を通して吸いだされているからです」

最初になかに入ったときは恐ろしかったと、彼女は私に語った。

「星が見え始めて、その場を離れなければならなかった。とにかくすごい圧力だったんです。心理的なプレッシャーと、それにもちろん陰圧も。それに慣れていなければ、めまいを起こすかもしれません。それに私たちはみんな、とんでもなく長時間働いていたからです。週七日、一日一二時間も。そして数カ月もして、六月になるころには、打ちのめされるようなプレッシャーがありました。自分はただの研修生なのに、このパズルを解くためにできる限り懸命に働かなければならない重要なピースであることも知っているからです。私はそれを、生き残りをかけたプレッシャーのようなものとして感じていました」

実験室内部の、連結し合った部屋の中心部で、デイジーは共同研究者らとCOVID-19をテストして、その戦略が何であるかを探りだそうとしていた。このウイルスに打ち勝つための方法を見つけだそうとしていたのだ。ウイルスは宿主である無数のヒトの体で野放しになり、実験が何ら制約も規制も受けずに実施されていた。外のニューヨークの市街地では、ひっきりなしに鳴り響く救急車のサイレンが繰り返しその存在を告げていた。

「日々コロナウイルスを相手にして、それからセントラルパークの巨大テントの病院の脇を通って、食料品の買い出しに行くわけです」と、彼女は言った。

デイジーは頭を振ってから、しばらく押し黙った。

「どうかしていますよ」と、彼女はつづけた。「ときどきそのことを思うと、自分はCOVIDの長期的影響を受けているのか、と思います。こうしたことすべての幻想を、いま見ているのか、と。正直言って、ときどきそう感じることがあります。私はパンデミックの発生地で博士課程をやっているんです。それどころか、世界を変えたパンデミックが襲っているときに、RNAウイルスでそれを研究しているわけです。そのことが、とにかく年中、ひどく現実離れしているように感じます」

私たちが住む世界

ベンジャミンのチームは、コロナウイルスがきわめて尋常でないことを、ウイルス学者がこれまでに見たためしのないことをやっているのを明らかにした。

「インフルエンザを考えてみよう」と、ベンジャミンは私に言った。「インフルエンザは最初に細胞に入り込むと、軍隊の召集と増援部隊の要請の双方を封じる。どちらも、インフルエンザにとっては悪いことだからだ」

その最初の感染段階で、インフルエンザはインターフェロンがその他の細胞に危険を警告するのを防ぐことで、免疫システムを妨害する。ケモカインが白血球にメッセージを送るのを止めるのだ。

「情報伝達を阻止するんだ」と、ベンジャミンは言った。「そこで感染した細胞は第一報の警告を送ろうとするが、阻止される。細胞は第二報を送ろうと試みる。阻止される、阻止される」

体は破損した箇所があることを知らず、信号が消えた小さい場所があることに気づくまでに時間がかかり、インフルエンザはその間を利用して複製し増殖する。

「ところがコロナウイルスでは、その最初の細胞の境界を突破すると、軍隊の召集だけを阻止して、増援部隊の要請は止めない」

インターフェロンの放出――「軍隊の召集」――は、ウイルスにとっては差し迫った脅威を表わす。「ウイルスは感染を成功させて、次の人間にうつすために、少なくとも最初の壁の突破で自分の複製を何千とつくる必要がある」と、彼は言った。そのため、ウイルスは全力を傾けてこの差し迫った脅威は制圧するが、その間に宿主の体が必然的に重砲を送り届けてきても、それをわざと無視する。

ベンジャミンが言うように、「ウイルスはこう言っているんだ。『構わない。増援部隊の要請は放置するつもりだ。そうすれば五日は稼げる。二〇〇〇株は分身を生みだせるから、そうしたらそこを出て、次の細胞に入ってまた数千の複製をつくる。それが私の戦略というものだ』」[45]

だが、この戦略は宿主の体の組織に壊滅的な損害を与える可能性がある。

「増援部隊の要請のための蛇口は開け放しておくのだから、ウイルスは肺のなかであちこちに移動するし、患者はただもっと多くの増援部隊を要請しつづけることになる。そのため、〔訳注：異物にたいする防御として〕炎症反応を引き起こすように設計されたこれらの細胞で肺はいっぱいになる。炎症は局所的なものとなるよう設計されているが、増援部隊が到着したころには、ウイルスがどこにでもいるわけだ」

デイジーがハムスターの組織試料で見せてくれたように、免疫システムの反応が暴走状態になるのだ。ウイルスは細胞を殺して、自身の複製をつくり、その間に好中球の大軍がそのあとを追い、被害を悪化させる。肺胞はこの細胞戦争の破片や残骸で膨れ上がる。海岸線に打ち上げられていたあのすべての死骸だ。そうなると気道は詰まり、呼吸は困難になり、ときには不可能になる。

「これは本当に厄介なウイルスだ」と、ベンジャミンは言った。「大量の残骸を残すんだ」

　そのあまりの量に、残骸は当初の感染場所――大半は気道や肺――を抜けだして、全身に循環してしまう。

「別の場所、脳の奥や、心臓、肝臓、腎臓、脾臓(ひぞう)、膵臓(すいぞう)、腸などを見ると、どこもかしこもこの大炎症を起こしているのがわかる。つまり、あの増援部隊の要請だ。その痕跡があらゆるところにある」

　話をつづけながら、私は微生物の世界と「マクロ政治」の世界との類似を思わずにはいられなかった。私たちが住む世界だ。ベンジャミンはそのアナロジーに喜んで耽(ふけ)っていた。

「それぞれの器官が国だとすれば、そこで生じているのは気道に相当する国がほかのすべての国に、深刻な問題が生じていると警告する事態だ。すると、あちこちの器官がそれぞれのやり方で自分たちの境界を定める。どの器官も独自の方法でね。脳が提供する防衛手段は、肺が提供するものとは非常に異なっている」

　ここまでは、非常に良識的だ。体は準備をしており、体内の境界線のすべてに障壁を備え、ウイルスには適さない環境を生みだす。だが、問題は周辺部でこれだけ増強を図るには代謝コストがかかることだ。

「そのため、肺が悲鳴をあげて『ああ、神さま、やつらがやってくるぞ』と言うと、腎臓がそのメッセージに『よし、こっちは準備ができた』と言って反応し、防衛を強化する」と、ベンジャミンは説明した。「でもそうするなかで、腎臓本来の機能にも支障をきたす。脳の機能も同様だし、その他すべての器官もそうだ。それらの防衛措置を取るには多くのエネルギーが必要となり、それは通常の生活には使えないエネルギーだからだ」

この負担のもとで、あらゆる歪みが生じ始める。人びとは胃腸の症状や心臓の問題をかかえてＩＣＵに運ばれてくる。

「これらはもはやウイルスが引き起こした結果ではない」と、彼は言った。「むしろ、体中の器官が消費する必要のないエネルギーを使い果たした結果なんだ」

体のシステムは異物の侵入にこだわるようになり、それらを排除しようと身を粉にする。私たちの生きる現代に、これほどふさわしいウイルスはいないだろうとつい言ってみたくなる。

決して終わることのない戦争

二〇九九年に、一人の男が世界の歴史を書き始める。それは最後の歴史で、最後の本であり、何であれ最後に書かれるものだ。この男が地球上に生きている最後の人間だからだ。

彼の名は、ライオネル・ヴァーニーで、ローマの人けのない通りを一人で歩き回りにきている。見捨てられた宮殿、境界、廃墟のあいだをゆっくりと進みながら。彼はコロンナ宮殿〔訳注：現在は美術館〕を自分の家としている。「その壮大さ、その絵画の財宝、壮麗な大広間は、心地よいものであり、元気づけてくれさえする」。彼はバチカン宮殿の大広間をうろつく。フォロ・ロマーノの巨大な円柱を抱き、「燃える頬」をその「冷たい耐久性」に押し当てる。彼は市の有名な図書館を訪れ、目に留まった本をどれでも選び、テヴェレ川の土手に「人目に付かない木陰」を見つけて腰を下ろし、それらを読む。

彼の唯一の連れは牧羊犬だ。カンパーニャでまだ群れの番をして、「忘れてはいないが、もはや無用の、人間から教え込まれたこと」を繰り返し、「自分の義務をはたしている」ところを彼が見つけた犬だ。空き家の一軒で、彼は作家の書斎を発見する。なかば完成した原稿のページが周囲に散乱している。この発見をきっかけに、彼は起こっている出来事についての自分自身の記録を書き始めた。彼はそれを「輝かしい死者」に捧げる。死者の「影」が「蘇って、この世界の崩壊について読むこと」を祈願して。

その七年前の二〇九二年に、疫病がやってきた。それは「ナイル川の岸」から発生したように思われ、まもなくコンスタンティノープルへ広まった。当時、トルコと二〇〇年近く交戦状態にあったギリシャの軍によって、同市は占領されていた。紛争地帯だった都市を荒廃させたあと、疫病はアテネに戻る兵士に運ばれて行った。アテネでは人びとは疫病の「無慈悲な鎌の前によく実った穀物」のごとく倒れ始め、市内にある古代の寺院が遺体安置所として再利用された。その年の六月に、東方からの知らせが届き、ある朝、「黒い太陽が昇った」という。イスファハーン、北京、デリーの通りは「疫病に倒れた屍」が散乱していると言われた。

ライオネルはイングランドでわずかな友人たちと暮らしていたとき、これらすべての知らせを受けていた。「この曇りがちな島国に暮らすわれわれは、危険からは遠く離れている。これらの厄災をわれわれのもとにもたらす唯一の状況は、東方から移民を満載した船が到着することだった」。それでも当時はまだ、災難は何段階も離れた遠くの出来事のように思われた。すでに感染国と国境を接している「国が敵をうまく排除するための本格的な計画に乗りだしている」ことは聞いていた。しかし、自国の政府にとって、「本気で危惧する必要はなかった。イングランドはまだ安全なのだった。フランス、ドイツ、イタリア、スペインがあいだにあり、われわれと疫病とのあいだの壁にはまだ破損箇所はなかった」。

しかし徐々に、イギリスと世界の国々との貿易や旅行の通常の活発なネットワークが機能しなくなる様子が明らかになった。外国の港から貨物船が到着しなくなった。客船の姿も見えない。かつては「娯楽と利益を求めて大勢が忙しく集まっていた場所で、いまや嘆き声と苦痛の声しか聞こえなくなっていた」。海外からの報告はますます絶望的になった。「アメリカの広大な都市や、インドの肥沃な平原、中国の人口密集地が、まったくの廃墟となる恐れがある」ことが、報じられていた。疫病は迫りつつあった。「われわれは一三四八年の疫病を思いだすよう呼びかけた。人類の三分の一が死滅したと計算されている時代だ。いまのところ、西ヨーロッパは感染していなかった。この先もずっとそうだろうか？」

その答えは必然的に、ノーだった。二〇九二年八月末には、疫病はフランスとイタリアを席巻した。国境も壁も、それを食い止められなかった。いずれにせよ、ライオネルが気づいたように、領土をめぐる諸々の議論はばかげたものになっていた。「もはや国など存在しない！」疫病はついにイングランドにも広がり、地球上で難を逃れている場所はどこにもなくなった。「疫病は全世界に蔓延している！」と、彼は言った。

この悪夢のような終末的未来は、メアリー・シェリーがゴシック小説の傑作『フランケンシュタイン』を執筆した八年後に書いたもので、もともと一八二六年に『最後の人間』〔訳注：邦題は『最後のひとり』〕として刊行された。[46] シェリーはこの作品を、世界でコレラの第一次パンデミックが広がるのに合わせて執筆した。死にいたる病気が出現し、医療専門家がその伝染に当惑する事態となったことは明らかに、小説の着想を得るうえで強力な源泉となった。だが、それはシェリーの個人的な事情にもよるものだった。

わずか数年のあいだに、彼女は夫のパーシー・シェリーと偉大な友人のバイロン卿、彼女の子どもたちを亡くしていた。「最後の人間！」と、彼女は一八二四年五月の日記に書いた。「そう、私ならその孤独な存在の感情を、愛する仲間の最後の生き残りとしての感情を、うまく描けるかもしれない。身近な人びとにみな先立たれた私なら」[47]。彼女の小説は、疫病による人類の絶滅を想像した最初の主要な文学作品となった。発表された当初は評論家に無視され、嘲笑すらされたが、この小説には今日のほうが心をざわつかせ、強く訴えるものがある。

ベンジャミンと話を終える少し前に、私はウイルスと人間の免疫システムのあいだの「軍拡競争」について彼が説明したことについて、再び尋ねてみた。軍拡競争という観点からすれば、つねに境界は突破され、一線を越えてしまう可能性があると思い当たったからだ。核兵器が発明されてから、人類は相互確証破壊の可能性を打ち立ててきた。彼のメタファーに従えば、微生物学的なレベルでも似たようなことが起こる危険性はあるのかと、私は疑問に思った。細胞でも一歩先んじようとするゲームが行き過ぎることがありうるのだろうか？

「地球を一つの巨大な生命体だと考えてみよう」と、彼は私に言った。「地球上のあらゆるレベルで、さまざまな体の内部でエネルギーが交換されていることを思えば、そう考えることはできる。どこかの個体群があまりにも大きくなったとき、ウイルスが確かにやることがある。別に彼らがそう考えているからではなく、単にそれがウイルスの本質だからなんだが。つまり、その生物をやっつけるのはウイルスだということだ」

これはあらゆる生物種や有機物のあいだで、いつでも見られることなのだと、彼は私に言った。数を増す大きな個体群は、ウイルスが進化し、拡散して、繁殖する環境を提供する。

「その後、その個体数が減れば、ウイルスは生き残れなくなるし、残った個体群がウイルスに耐性をもつようになれば、ウイルスはレーダーから消えて、個体群は再び拡大できるようになる。次の何かがやってくるまでだが」

それが生存のパターンなのだ。

「しかし、人間として、われわれはこのパターンに本当に深入りしてしまった」と、ベンジャミンは言った。「なにしろ、抗生物質とワクチンの開発は、感染症にとっては核兵器なんだ。そして、われわれがそうした武器を使用するなかで——実際、使用しているんだが——ウイルスや細菌や真菌が出現すれば、これは本当に破壊的なものになる」

　彼はそこで、黄色(おうしょく)ブドウ球菌が進化するか突然変異するかして、人間の投げつけた核兵器にも効き目がなくなるシナリオを概説した。「そこで起こることは、人口が文字どおり半減しかねないということだ。ただし、何らかの遺伝子の突然変異で、この特定の脅威にもはや感染しにくい集団も出てくる。そうなると、再び戦争が始まる。こうして何百万年も同じことが繰り返されてきたんだ」

　それでも、人間の記憶は非常に短いままだ。疫病について長々と考えたくはないのだ。カミュの小説『ペスト』の最後では、破壊された市が救われる。発症件数は激減し、その後ゼロになる。検疫用のゲートは開いて、通りには人びとがあふれ、市の上空に喜びの叫び声が上がる。だが、リュー医師はさほど感動していない。「この喜びはつねに脅威にさらされている」と、彼は考える。「疫病の病原菌は決して死なないか、完全に消滅はせず、何十年ものあいだ休眠できる」のを彼は知っているからだ。「そして人類の指示によるか、不運によって、疫病がそのクマネズミを行動させ、どこかの満足しきった都市に送りだしてそこで死なせる日が、おそらくくることも[48]」

　ベンジャミンはこう言った。「人がよくこう言うのを耳にすると、私にはおかしなことに思える。『ああ、これは一〇〇年に一度のパンデミックだ。だから、これが終われば、あと一〇〇年は大丈夫だ』。実際には、それは賭博者の錯誤なんだ。現実にはそういう具合にはことは進まないと私は思う。だから、ＳＡＲＳ　ＣｏＶ－２のようなウイルスも、これらがずっと日常のものになりつつあるのがわかるだろう。そして、われわれがルールを破っているから、このウイルスは日常のものになりつづけると私は思う」。ウイルスが適応し、医学が突きつけた挑戦もすぐにすり抜けるのは必然的なのだと、彼はほのめかしていた。人間が配備した「核兵器」――抗生物質とワクチン――から副産物(フォールアウト)が生じてくるのだ。これは決して終わることのない戦争だからだ。

　パンデミック――そのような戦争の比喩的な前線――では、境界は非常に重要であると同時に、取るに足らないものにもなる。境界は閉鎖され、強固になり、封鎖される。それでも、どこかには抜け穴が残る。誰かが一人そこをすり抜け、病原体を運べばよいのだ。そうなれば、それらの境界は崩壊して縮小する。さまざまなレベルでたどるのだ。あなたの住む国から都市へ、町や村へ、あなたの家やアパート、部屋へ。

最終的には、領土や領域は自分自身の身近な景観、つまり、私たちの皮膚と血と骨の奥では意味をなさなくなる。そうなれば、シェリーが『最後の人間』で書いたような事態となる。「私たちの精神は、先ごろまで無数の領域と無数の思考の組み合わせを通じて異国へと広がっていたものは、いまやこの肉体の壁の背後に身を縮めていた。それを健全に保つことだけを望んで」[49]

10

広大な岸辺に緑の線を

(緑の線: グリーンライン)

一九三〇年代なかばに、エディンバラ大学の森林科学教授のエドワード・ステビングが境界線を探して西アフリカまで旅をした。この境界線はつかみどころのないものだった。どんな地図にも描かれてはおらず、ごく曖昧に表現されている以外にほかの何も記載されてはいなかった。そして、この境界線はつねに変わっていた。季節ごとに、年ごとに。その線は各国の国境など何ら顧みることなく、一貫性がなく、偶発的で、それでいて何千キロにもわたってつづいている。ステビングが探していたのは、移行の線だった。彼はできる限り精密に、サバナが砂漠になる境界を探したかったのである。「私はいま、もう何日もサバナの消失に気を配ってきた」と、ステビングは書いた。「言葉を換えれば、数百キロにわたってということだ。ときには、本物の砂漠――木のない砂漠――を見つけたと思うこともあったが、失望に終わるだけだった。そこには本当に示された境界がないことは知っていた。いわゆるサバナ林と高木落葉混交樹林のあいだには明確な区別はなく、互いの指や舌が相互に入り組んでいる」。代わりに、現実はそれよりもう少し複雑だった、と彼は言った。「砂漠の侵食はひそかであることも多い」と、彼はつづけた。「ほとんど目に見えず、知覚できないほどだった」[1]

この境界は文字どおり、粒状のレベルで存在していた。根や土壌、大地、地下水面の変動によって引かれては、引き直されるものだ。ステビングの旅は、東はチャド湖から西はフランス領スーダン（現在のマリ）のガオまで、一六〇〇キロ近くにおよんだ。彼のルートはナイジェリア北部をニジェール南部と分けている国境線の上を行ったりきたりし、移り変わる不安定な景観を進んだ。彼は「はてしなくつづく乾燥した落葉の低木地帯を進み、やがて背後は砂に覆われた岩の低い丘陵となる」場所を抜けて旅したことを書いた。牛、羊、ヤギの大きな群れのそばを通ったことや、低木林や低い丘の草が夜間に燃えているのを見たことも書いた。「丘の斜面に不規則な火の筋が這い上がる。大砂漠から数キロの距離にあるこの地点ですら[2]」

　これらの乾燥した土地が、森林やバオバブの木が長くつづく一帯に取って代わり、チャド湖に注ぐ支流であるコマドグ・ヨベ川の周囲では鬱蒼（うっそう）とした緑地になった。「この美しい緑の高木林が、細い帯のように国土を横切り、川の両岸に服を着せているのを見るのは、興味深い光景だ」と、ステビングは書いた。「そしてそれを、南北双方に広がる砂漠のようなサバナ林と比べれば。砂漠の外縁部の黄色い砂は、北方に低い砂の丘陵となってそこかしこに覗いている[3]」

　砂漠はよく見える場所にあっても、地平線のどこかにあっても、彼にとってつねに迫りくるような存在感があった。亡霊や、心霊現象のように。「ドゴンドゥチで砂漠は再び姿を現わす」と、彼は書いた。「この町は断崖の縁にあり、てっぺんが平らで、末端部が丸く長くつづく尾根を見下ろしている［……］あちこちに砂の平野から高さ一五メートルほどまで突きだした黒っぽい岩の露頭があり、丸くなったものもあれば、ゴツゴツしてはいないが尖ったものもあった[4]」

　ステビングは軍隊のトラックで移動し、つねに夜明けとともに出発した。日中に気温が急激に上がって、「暑さと抑え難い喉の渇き」に象徴される事態になる前にである。彼は定期的に止まって、土地を歩き回り、紛れもない変化の形跡を探した。土壌の層は「厚みを増す一方の絨毯のような砂に、徐々に覆われていった」。低木林が開けていった。これは水の供給が断続的になって、水位が下がっている証拠だった。ますます「そこではサバナ林はどんどんとげのある枯れ気味の低木が中心となり、そのあいだにイネ科の束状（そくじょう）草類が繁茂という一連の状況が形成されつつあった」。これらの草はしばらくしがみついていた。だが、それは土壌劣化の最終段階だった。まもなく束状草類も姿を消した。こうなれば、境界線が引き直されるのを食い止めることはできない。「砂漠が征服したのだ」と、彼は書いた。(5)

問題となっている砂漠は、茫洋としたサハラだった。そしてステビングが旅をしていた曖昧な辺境の地がサヘルだった。アラビア語で「海岸」や「岸辺」を表わすサーヒルに由来するサヘルは、アフリカの最も幅広い部分のサバナ、ステップ、とげのある低木地を七〇〇〇キロにわたって、帯のように横断している。北方の砂の大海原を南方の雨林と分断する帯であるステビングが懸念したのは、この土地が変化しているようであったことだ。それも急速に、見たところ手に負えない形で変わっていたのだ。

「砂漠が前進している！」と、彼は叫んだ。「どのように、またはどれほど速くかは、まだこれから調べなければならない」。ところが、この地域を旅すればするほど、彼の懸念は深まった。サヘルの人びとは、「火山の周辺ではなく、砂漠の周辺に住んでいる。その力は計り知れず、黙々と、ほとんど目に見えない形で進むその歩みを推計するのは、難しいに違いない。だが、最終到達点は明らかだ。植生の全滅と、壊滅したこの地域からの人間と動物の消滅だ(6)」。

エディンバラで教授職に就く前に、ステビングは一〇年間、インド森林局に森林昆虫学者および動物学者として勤務していた。彼は全三巻の『インドの森林』(*The Forests of India*)を書き、一九世紀に東インド会社で医療部門の外科医から森林監督官になった人びとにまでさかのぼる初期の保全実践の事例を詳述した。環境の悪化が人間の健康状態に影響をおよぼすという考えを主張した、初期の人びとである。インドでは、歯止めの効かない森林減少がおよぼす深刻な余波を、彼らは警告していた。(7)

ステビングの西アフリカ遠征は多くの点で、この仕事の延長であり、これは「砂漠化」として知られるものを近代で最も早期に記録した一例となった。景観におよぼす人間活動の影響が、その生態系を不毛にし、土壌を劣化させ乾燥させ、そのバイオマス（生物量）の減少どころか、完全なる消滅すら招いている状況がそこでは描かれた（砂漠化という用語そのものは、一九四九年にフランスの植物学者アンドレ・オーブレヴィルが自著『熱帯アフリカの気候、森林、および砂漠化』（*Climats, forêts et désertification de l'Afrique tropicale*）のなかでつくりだした。「砂漠はつねに脅威となる」と、彼はサヘルについて書いた。その度合いときたら、「今日、本物の砂漠が自分の目の前で生まれるのが」見られるほどだと、彼は述べた）[8]。

ステビングにとって、「サハラが着実に前進している証拠が存在する」ことは疑いなかった。しかし、それを食い止める方法はないのか、と彼は問いかけた。「この脅威に障壁をつくることが、人間の能力を超えたものであるはずはない」と、彼は言った。「森のベルト」をつくって「かつて存在したものを再生」し、砂漠の侵入を抑えることだ。彼が思い浮かべたのは、全長一六〇〇キロ、幅一一キロの太い森林の線で、「人間に対抗する力に対処できるだけの十分な規模でなければならない」ものだった。「ばらばらに対処したところで、この静かな侵略には間違いなく見合わない」[9]

「昔はここに木があった」

タビ・ジョーダはチャド湖の西の端の、かつては水面下にあった場所で暮らし、働いている。彼はカメルーン北西端の、ナイジェリアとの国境にまたがるこの高木林地帯で育った人物でもあった。「これらの木々が、私たちにあった遊び道具だった」と、彼は私に語った。「遊ぶものはそれだけだった。木から別の木に飛び移る方法を学んでいた。そういうものを学びながら、私たちは育った。それにサッカーだ。昔は木から採れるラテックス〔訳注：ゴムノキの樹液〕で自分たちでボールを用意したものだ。本物のボールは見たことがなかったんでね」

彼は薄茶色の繊維質の素材の塊を掲げて私に見せてくれた。それはもつれた海藻と巨大な生きたゴムバンドを掛け合わせたもののように見えた。彼はそれを引っ張り、透明になるまで引き伸ばしてから、急に片手を放して元の形に戻した。

「これをすべて巻きつけると、昔ながらのボールがつくれる」と、彼は言った。「森からつくられたサッカーボールだ」

タビは三〇代後半で、きれいに刈り込まれた短いヤギ鬚を蓄え、フランス語訛りのある申し分のない英語を話した。彼はそれを、抒情的な長いパラグラフで語る。スポークン・ワード詩人に似ていなくもない話し方で、リズム感よく、弾みをつけたかと思うと、長く強調した形で口をつぐむ。私たちの会話は当惑させられつつも、比類なく楽しいものになった。

「もっと若かったころは、植生もまだたくさんあった。森も鬱蒼としていた。以前は、自宅からほんの二〇メートルも行けばこれらの木々があって、ラテックスを収穫することができた。いまでは何キロも先まで行かなければならない。とても遠くまで行かなければね」

彼は手のなかにあるゴムを上の空で引っ張って伸ばし、片手を放す動作を繰り返した。

「以前はそんなことはなかった」と、彼はつづけた。「昔はここに木があったんだ。教室からは、学校周辺の木のなかにサルが見えた。校庭で遊んでいることもあった。でも、もうサルを見ることはなくなった。あのサルたちはどこへ行ったんだ？　あのヒヒたちはどこへ行った？　以前はシャコ、つまり野生の鶏の声が聞こえた。朝になると私を起こすんだ。ブーバック、ブーバック、ブーバック、早朝にそんな声を出す。五時にね。あの鶏たちももういない。どうなったんだ？　もちろん、それは明らかだ。そこにもう木がないからだ。森がなくなったんだ」

塵の帯

ステビングのサヘルに関する報告が一九三五年の夏に『ジオグラフィカル・ジャーナル』で、「侵入するサハラ――西アフリカ植民地への脅威」という題名で発表されて注目を集めると、イギリスとフランスの両政府は非常に危機感を覚え、その問題を探究するために共同の境界林委員会を発足させた。一九三八年に研究結果を――またもや『ジオグラフィカル・ジャーナル』で――要約した委員たちは、ステビングの「将来にたいする悲観的な見解」をおおむね一蹴し、「西アフリカにかなりの経験がある観察者」の多くは、彼の結論とは「見解が一致しなかった」と辛辣に指摘した。むしろ、「裸地になった一部の農地に砂が移動したとしても、心配にはおよばず」、「したがって、広大な防風防砂林の設置は不必要である」と、彼らは述べた。委員会の意見では、「自然の森林形成は、人間によって干渉されている場所を除けば、安定しているようである」とのことだった[10]。

人間によって干渉されている場所を除けば。重要なのは、この最後の部分だった。ステビングと委員会はいわば、ある表現の解釈をめぐって言い争っていたのだ。つまり、砂漠が動いているという強烈なイメージであり、その砂丘が上昇する海の波のごとく、外へと押し寄せているというイメージだ。関心を惹くと同時に、恐ろしい考えでもあった。しかし、それは証拠から生まれたものではなかった（ステビング自身がのちに「侵入する」という言葉を使ったことを後悔したと認めていた[11]）。だが、ときにはゆっくりと、たいがいは知覚できないほどながら確かに変化していたのは、サハラの南側の境界線沿いの景観だった。サヘルは砂漠によって制圧されたわけではなかった。そこは一種の砂漠になりつつあったのだ。ステビングも境界林委員も、この変化の要素には気づいていたが、その原因も、それが意味するものについても、誰も本当には合意ができていなかった。気候なのか？　農業なのか？　過放牧か人口過剰なのか？　降水と水位がつねに変動するこの地域の、自然のサイクルの一部に過ぎないのか？

数十年が過ぎた。植民地支配は、土地の管理を何世代にもわたって着実に、徹底的に変えてきた。厳格に管理された農業生産方法が導入されて、作物と林地は分けられた。フランスの行政府は落花生や綿花のような作物の大規模な耕作を導入して、ヨーロッパに輸出し返せるようにした。増産と利益が求められると、農民は自分たちの農地を拡大してどんどん耕作限界地まで進出するようになり、土壌を耕し、養分は肥料で与え、大量に農薬を散布した。これはその一方で、サヘルの遊牧民が利用することのできた放牧地を減らすことになったのである。植民地主義以後(ポストコロニアル)の世界への移行もあった。各国が独立を宣言し、その過程で砂漠やサバナに国境が明確に刻まれたために、何世紀ものあいだ利用されてきた放牧のルートは遮断されてしまった。土地の利用をめぐって農民と牧畜民が争うことが増えた。そして、その間に土壌や草地は過耕作されるか、過放牧された。景観の昔のリズムは崩れ、破壊された。その後、雨季がこなくなった。(12)

始まりは一九五〇年代だった。毎年、雨量はどんどん減っているようだった。雨雲が垂れ込めることはなくなり、たとえ垂れ込めても、すぐに流れてしまうのだった。照りつける太陽を遮るものは何もなく、暑さが増していた。樹木は材木として切り倒されるか、大規模な植林地につくり変えられたため、畑や作物には木陰がなくなった。場所によっては表土が乾燥し始め、硬くなり、塵と化していた。

一九六〇年代末には、チャド湖の水位が下がり始めた。アフリカでも屈指の内陸の淡水源であるこの湖は、カメルーン、ナイジェリア、ニジェール、チャドの国境が接する中心地でもある。その水域は、アフリカ大陸全土の一〇分の一ほどにも相当する。この湖はつねづね季節ごとに変動してきたが、今回は違った。一九七一年には湖は通常の面積の三分の一にまで縮小した。その減少した水域は、この先にくる危機の最も差し迫った、目に見えるシンボルとなった。不作になり始めた。牧草もその他の植生も枯れて、消滅した。食むものがなくなり、家畜は死んだ。多くの国が、あらゆる動物の三分の一から半数近くを失う経験をした。旱魃は広まり、西はセネガルから東はエチオピアまで、サヘル一帯で三〇〇〇万近くの人の暮らしに影響をおよぼした。飢餓と疫病がこの土地を消耗させていた。

一九七〇年代なかばには、雨季が戻ってきた。サヘルの一部は回復し始め、人びとは再び土地を耕作し、作物が育ちだした。だが、これはつかの間の中休みに過ぎなかった。あの差し迫った旱魃の指標となったチャド湖は再び縮小し、以前よりもひどい状況になった。一九八四年には、その二〇年前と比べて四分の一になった。この地域全体から、またもや作物やその他の植生が枯れてなくなったのである。そして再び、何十万もの人びとが移住を迫られるか、それ以上の深刻な事態となった。一九六〇年代末の最初の旱魃の始まり以降の死者数は、一〇〇万人を超えていた[13]。

サヘルは乾燥し、太い塵の帯となった。北部の広大な砂漠にたいする防波堤ではなく、その鏡になったのだ。風が吹くと、劣化した表土から砂埃が立ち込めて太陽が見えなくなることもあった。

ただの一本の木の問題ではない

土地の劣化には多くの理由があったと、タビは言った。彼自身の村では、最も基本的なものの一つが材木だった。

「材木を販売したいという欲求は根強いものだった」と、彼は言った。「材木は生計の糧となったんだ。薪が販売され、ローズウッドや材木には需要があった。そのために、人びとは森を切り倒した」

タビは村を出て大学で学んだ。「そして村を出入りするたびに、道路脇にずらりと材木の山が並んでいるのを見た。うちの家族もそれに加担していた。私が大学に行くために使われたお金の一部は、いいいい、そこからのものだ。だから、私もその問題の一部だった、そうだろう？　自分を免除するわけではない。材木は暮らしを支え、家族のための食料を買って食卓に並べ、子どもを養う経済になっていたんだ」

だがもちろん、それは限りある資源だった。

「ブッシュマンゴー〔訳注：アフリカマンゴノキ。マンゴー属ではない〕のような木を例に取ってみるといい」と、彼は言った。「非常に太い幹がある。これを材木として切り倒せば、その材木で二〇〇ドル稼げる。そしてその二〇〇ドルは一度きりのものだ。でも、ブッシュマンゴーを収穫すれば、この木でおそらく毎年五ドルぐらい儲けられる。別の木も五ドルにはなって、さらに別の木は八ドルかもしれない。それを一〇本の木、または二〇本の木で掛け算するんだ。そうすればすでに、その週、材木から得る収入を超えている。でも、木を切れば、それはなくなる。それでおしまいだ。その木を一生失ったんだ」

タビは木が一本一本、そうした目に遭うのを見ていた。子どものころから彼はそれを見ていた。彼が育った「遊び道具」が一本一本消えて、規格化された材木の山となってあらゆる道路脇に積み上げられていったのだ。砂漠とのあの境界はどうなのか？　彼の村は、ある意味で、大地からことごとく剝ぎとろうという経済的な圧力に駆られて、その境界を地上に築くことに手を貸したのだ。

「この土地はあまりにも多くの価値を失った。ここは裸の土地なんだ」と、彼は私に言った。

こうしたことは国を越えて、大陸全体にまたがる最大規模のものから、最小規模のものにいたるまで見られるのだと、彼は言った。

「これは人びとがめったに話題にしないことだ」と、タビは言った。「でも、木を一本切り倒すたびに、育っているその他多くの木々を台無しにする結果になる」

その過程で実生（みしょう）は踏み潰され、引き抜かれる。若木は決して育つチャンスを得られず、太陽から守るものもなく、土壌からの養分も奪われる。これはおそらく、サヘルの暮らしを表わす適切なメタファーなのだろう。つまり、耕作限界地ではいとも簡単に均衡は崩されるということだ。そこからあらゆる事態は狂い、予測の付かない結果の連鎖が始まる。それは決して、ただの一本の木の問題ではなかったのである。

「ここではじつに多くの若者が弱い立場にいる」と、タビは言った。「収入の流れが途絶えた途端、収入を得られなくなった途端、何が起こるのか？　とくにそれが大人になりかけの思春期の子であれば。彼らはこう考え始める。『いとこはドイツへ行った。サハラを横断して、船に乗って地中海を渡り、ランペドゥーサ島にたどり着いたんだ。彼はそこで亡命者として受け入れられ、最終的にヨーロッパ内で滞在できるようになった。だから、僕も同じことをしよう』と。世界は本当に、本当にボーダーレスになった。それでも、このボーダーレス状態のなかにもまだ境界（ボーダー）はある。非常に多くの境界が。だから最終的には気候難民が出てくる。こうした土地の劣化によって押しだされた非正規の移民が出てくるんだ」

　タビはもう少しでその一人になるところだった。彼は二〇〇四年に、友人たちとともにその同じ旅をする準備をしていた。スペインまで行くのが彼の目的だった。まずはカメルーンからナイジェリアへ旅をして、そこからニジェール、アルジェリア、モロッコを抜ける。距離にして二五〇〇キロ以上で、その大半はサハラを通る。出発する予定の前の晩に、彼は夜遅くまで起きて考え、自問した。

「自分は村のために役立つ人間になりたくて学校へ行った、違うのか？　そしてそのとき、まさに間一髪で、私は自分が何者かを受け入れるようになった。そのとき、ただ自分がやりたいこと、こうして出ていくこと以外に、やるべきことがあると思い知らされたんだ。自分の社会に戻って、影響力をもつんだと。するとその晩、偶然にもあることが起こった。私は旅に出るために靴をしまっておいたのに、朝、起きてみると片方しか見つからない。もう一方が見つからないんだ。だから、靴を探すうちに、行くべきでないと夜に決心したことをそれが後押しした。それが封印したようなものだ。意味がないと。私は友人たちに言った。『ごめん、この旅に一緒には行けない』」

　代わりに、タビは元いた場所に戻った。彼がそれまでずっと知っていた場所に。

「すぐさま、一週間も経たないうちに、私はただ景観のなかに入り込んでいた。そして自分に言い聞かせた。この乾燥した土地を森に変えてやるぞ、と」

グレート・グリーン・ウォール

木々が立ち並ぶ線を想像してみよう。広大な大陸の西海岸から始まって、海を離れて内陸部へとつづく。この線は幅が一五キロある。まっすぐではなく、むしろ最初は東へ数百キロほど緩くカーブする。その後、線は急激に北へ曲がり、上空から見れば、横倒しになって扁平で長いSの字のようなものを描く。この最初のSは二つ目のSへと流れ、そのころにはこの線は三〇〇〇キロ以上もつづいていることになる。いまやこの線はまっすぐになり、ごくわずかに湾曲するだけで、さらに何千キロも進み、ついに大きな海が見えてくる。線はその海岸にキスしたあと、南へ曲がり、それから釣り針の形で再び曲がって、大陸の東岸にある終着点に到達する。八〇〇〇キロ近く森が途切れることなく、海から海まで、陸地を蛇行しながらつづく光景を想像して欲しい。地球上で最大の生きた構造物を、グレートバリアリーフの三倍もの規模のものを想像して欲しい。それからそれに名前をつけるところを想像するのだ。「緑の長壁（グレート・グリーン・ウォール）」と。[14]

この構想は、一部にはトマ・サンカラにまでたどることができる。一九八〇年代なかばにブルキナファソで活躍し、「アフリカのチェ・ゲバラ」と呼ばれたマルクス・レーニン主義の革命家指導者だ。自国を社会・経済・環境面で変革させるためのサンカラの計画には、一〇〇〇万本の木を植樹する取り組みが含まれていた。この計画にはエドワード・ステビングの「森のベルト」を彷彿させるものがあったが、もっと壮大な規模のものだった。サヘル一帯の諸国すべての手本となる、砂漠化に抗（あらが）う緑の障壁だ。いつの日か大西洋岸からインド洋の沿岸までを結びつけることのできる、密集した木々の塊である。「いくらかの狂気がなければ、根底からの変化は実行できない」と、軍事クーデターで暗殺される二年前の一九八五年に、サンカラは言った。「われわれは未来を敢えて生みださなければならない」[15]

二〇〇五年に、ナイジェリアのオルシェグン・オバサンジョ大統領が、サヘル－サハラ地域の国家元首のサミットで、このアイデアを復活させた。これはとりわけセネガルの指導者アブドゥライ・ワッドから強く支持された。これを最初に「グレート・グリーン・ウォール」と呼んだのはワッドだとされる。そして二〇〇七年に、アフリカ連合の政府によってこれは正式に採用された[16]。

この当初の段階では、そこで意図されたのは本当に文字どおりの壁だった。平均降水量の数値を使って決められたルートに沿って、木々は密集した塊で植えられることになっていた。年間降水量がちょうど一〇〇ミリから四〇〇ミリまでのあいだの、およそ一五キロの幅の地帯が特定された。サヘルの全域を蛇行しながら進む乾燥した回廊だ。そして、その緑の壁はセネガルに始まり、東へモーリタニア、マリ、ブルキナファソ、ニジェール、ナイジェリア、チャド、スーダン、エリトリア、エチオピアを通って進み、ジブチに行き着く[17]。この形であれば、壁は人の心をつかみ、強力に視覚に訴えるものとなる。国境を越える巨大な生態学的境界線である。北方のサハラの大砂漠と対峙する、汎アフリカ主義の不屈の精神と回復力を象徴するものだ。砂漠に引かれた線ではなく、砂漠に対抗する線である。

「今日、〈壁(ウォール)〉という言葉はどこか否定的な含みがあります」と、国連砂漠化対処条約（UNCCD）でグレート・グリーン・ウォール計画のコーディネーターを務めるカミラ・ノルトハイム＝ラーセンは私に語った。「でも、これは人びとを分断するのではなく、結びつける壁なのだと、私たちは説明に努めています。だから、これは自然の驚異としての最初の壁であり、そこでは人間が自然と一体になっているんです」

カミラはUNCCDの本部があるドイツのボンから私と話をしていた。彼女は黒縁の眼鏡をかけ、金髪を肩まで垂らし、私がこれまでに出会った北欧人におおむね共通する、完璧な構文になった英語で話をした。オスロ大学と、のちにトゥールーズ大学で国際開発を学んだあと、彼女は国連に入って、初めはアジアの女性問題に関して働き、その後二〇〇二年から砂漠化の分野に異動した。「私は経歴からすれば経済が専門なので、この分野で働くことが自明だったわけではありません」と、彼女は言った。「でも、本当に、土地と土地からの資源は、世界的に注目されるべきなのに、そうなっていないと思うようになりました。世界の誰もが気候変動については話しています。気候の変化が自分たちにどう影響するかは、子どもでも知っていて、それは本当に素晴らしいし、重要なことです。でも、私にしてみれば、健全な土壌の必要性には十分な関心が集まっていません。私たちはそこで食べ物をつくり、家を建てて暮らしているわけだから、健全な土壌の価値はもっと国際的に注目されてしかるべきです。ここには何百万もの人びとを貧困から救いだす可能性があると思うんです」

サヘルでは、人口の五分の四ほど――推計一億三五〇〇万人――が、農業を通じて直接に、またはそれに関連する仕事に就くことで、土地によって生計を立てている[18]。

「だから、健全な土地は、実際に今日私たちが話題にしているその他すべての世界的な問題に関連しているわけです。気候変動にも、食料生産や、仕事、移民、治安にも。経済を専門とする私にとって、それは本当に興味深い観点です」

こうした感情が、グレート・グリーン・ウォールを徐々に、その文字どおりの原点から遠くへ引き離していった。まず初めに、すべてが大規模植林に向けて調整されていった。広大な土地がブルドーザーで均され、木々が広大な森の軍隊のように並べられ、整然と列をなして植えられた。各国は植林された木の本数と、「再緑化」された土地の面積をめぐって野心的な目標値を追いかけていた。

しかし、グローバル・エヴァーグリーニング・アライアンスの会長で、国際アグロフォレストリー研究センターの元所長のデニス・ギャリティが、二〇二〇年のアフリカの乾燥地再生に関する報告書に書いたように、「大半の大規模な土地再生の試みは残念な結果になるか、悲惨なほどの失敗に終わっていた[19]」。多くの苗木は成木になるまで育たず、当初植林されたあとは、ほとんど手入れもされず、注意も払われないまま過酷な状況下で枯れていった。研究から、植林された木の枯死率は八〇%を超えることもしばしばあったことが示された。場所によっては、マツやユーカリのような生長の速い外来種が導入されたが、それらは対処するはずの当の問題を悪化させる結果に終わった。つまり、土地から水分を吸いあげ、在来種を押しやり、意図したわけではないが、一種の管理された劣化を招いたのである。[20]

ギャリティにしてみれば、植林の実施はつねに「トップダウンで、各地の現実にはほとんど注意も関心も払われず」、「人びとのニーズにはまず合わず」、持続可能で拡大できるものにするには費用がかかり過ぎた。しばしば多国籍銀行や開発機関によって援助されてきたそのような構想で、すでに何十億ドルもが無駄になった、と彼は述べた。[21]

二〇二〇年にUNCCDがグレート・グリーン・ウォールの進展を審査した際には、二〇三〇年に一億ヘクタールの土地を再生するという目標のうち、達成されたのはわずか四%だったと報告された。だが、この数字は、グレート・グリーン・ウォールの特定のルートを外れた土地を再緑化する作業を含めれば、またはその特定の援助で実施されたわけではない再生を含めれば、一六%に上昇した。[22]

たとえば、世界最貧国の一つであるニジェールでは、一九八〇年代なかば以降に五〇〇万ヘクタールほどの土地が回復してきた。これは何十万もの小規模農家による実績だ。何よりも目を見張らされるのは、それが一本も植林をせずに達成されたことだ。農家の人びとは代わりに、ただ自生する木々の切り株からの自然の再生を管理し、生物のいないように見える土中で休眠していた種を育てたのだった。土壌の「種子の記憶」とも呼ばれる再覚醒である。

二〇〇四年にオランダのアグロフォレストリー(森林農業)の専門家クリス・レイがこの地域を訪問するまで、これは外の世界ではほとんど気づかれることもなく進行していた静かな景観の革命だった。サヘルで何十年にもわたって研究してきたレイには、一九八〇年代の旱魃のさなかにニジェール南部をドライブしたときの鮮明な記憶があった。あまりにも多くの砂と埃が舞い上がっていたため、日中でも車のヘッドライトをつけなければならなかった。[23] ところが、二〇年後に戻ってみると、この同じ不毛の景観がまるで見違えるほどになっており、どこまでも植生と樹木に覆われていたのだ。[24] アメリカ地質調査所の研究者グレイ・タッパンと共同して、レイはこの地域の衛星写真や、一九七〇年代のフランス政府の航空写真を分析したほか、独自の航空測量すら委託した。

その結果は驚異的なものとなった。現代と過去の画像を比較することで、彼らは「一九八〇年代初期には植生がなかったサバナの広大な地域のいたるところに、いまでは樹木や低木があり、作物が植わっている」[25] ことを明らかにした。この土地はナイジェリア北部と国境を接しているため、土壌も降水量もまったく同じ二国間の土地同士をじかに比較することができた。一方では土地は植生もまばらな裸地になっており、かたやもう一方では密集した緑地が長くつづいている。地図上の線を取り除いても、ニジェールとナイジェリアのあいだのこの国境は、宇宙から見ることができる。レイとタッパンが述べたように、農民たちは「壮大な規模で新しいアグロフォレストリーの庭園を文字どおり築きあげたのだ」[26]。西洋の大量生産農業のように、樹木と作物を別々にするのではなく、彼らは代わりに双方を再び組み合わせて、互いに協調し合って効果を発揮するようにした。そこからもたらされた結果の一つが、二億本に近い木の再生だったのである。[27]

このような成功物語が、グレート・グリーン・ウォールの意味と目的を変え始めた。その名称は残っているが、いまではカミラが言うように、「それはたとえであって、アフリカ各地で土地への介入がモザイクのように進むのを見る一つの方法なんです。これら数千の共同体を共通の目的と共通の目標で結びつけるものです」。壁は、そう考えたければ、すでに崩れている。すべての壁が必然的に崩れるように。そして、その意味論上の廃墟から浮かびあがってくるのが、このモザイクなのだ。このプロジェクトが目的を達成することがあるとすれば、サヘル諸国とその開発パートナーたちは草の根のジグソーパズルをつなぎ合わせなければならない。

「現場では、どうすればうまく行くのか、いまでは私たちにはわかっています」と、カミラは言った。「各地の共同体には何が必要か、何を求めているのか知っています。でも、それを投資と結びつけて、本当に私たちが必要とするだけの規模にまで拡大すること、それが課題だと、私は思います」

経済学者としてこの問題に取り組む彼女にとっては、本物の木とともに「経済的な木」も育てる必要がある。「この土地に暮らす人びとに、自分たちの土地に投資したくなる理由を与える必要があります。土地の管理を奨励するような意味付けです。それが収入をもたらすからです。私たちにとっては、土地再生の側面はおもに、ほかの何よりも生活基盤と結びついています」

この新しい取り組みでは、おそらく似つかわしいことに、この壁の精神的な父であるトマ・サンカラの言葉を再び聞くことができるだろう。「われわれが勝ち取ろうと闘っている世界は、決して専門家によって築かれることはない」と、彼は言った。「それは普通の人間によって築かれるものだ。自分たちの暮らしの条件を変える過程で、自分たち自身も変わる人びとだ[28]」

アフリカに一〇億本の木を

二〇〇五年にナイジェリアのオルシェグン・オバサンジョをはじめとするサヘル諸国の元首が最初にグレート・グリーン・ウォールについて話し合っていたのと同時期に、タビはカメルーン北西部の故郷に戻っていた。

「とくに強く印象を受けたことが一つあった」と、彼は言った。「まだ子どものころ、学校で木を二本植えたことがあった。一本はアボカドの木で、もう一本はモリンガ〔訳注：ワサビノキ〕だった。どちらもすごく大きく育ったのを覚えていたんだ。この木からはすぐにアボカドの実が採れたし、大きな木陰もつくってくれた。こうしたことはすべて、心の底にしまい込んでいた」

そこで、タビは苗木園を始め、少しばかりの土地で苗木を大きく育てることにした。「その仕事をしながら、私は多くのことも学んだ。どうすればそれらを村にとって生産性のあるものにできるのか？　どうやって管理すべきなのか？」

彼がその結果を見るまでに長くはかからなかった。「景観が変わるのがわかった。しかも変わりつづけたんだ。実がなり始めた。木を育てると、木は成木になるまでに三、四年かかる。木が提供してくれるものは何なのか？　それによって違うやり方が可能になるものは？　まあ、この考え方で、これらの作物をどう育てるかを検討し始めることができる。あるいは蜂の巣を導入して、木の種類を大きく増やせるようにして、一年中、収穫があるようにするんだ。そうしたら、実を収穫して市場で売るか、葉を使って何かしらの製品をつくれる。生態系は安定し始めるし、アグロフォレストリーを導入すれば、人びとは実際に家畜を放牧させせながら、作物を植えて刈り取ることができる。土地再生を持続可能にするにはそれが必要なんだ」

ここまできた段階で、タビはもっと野心的に考え始めた。「自分にこう言い聞かせたんだ。アフリカには一〇億の人間がいる。こうした行為が、この大陸に住む一人ひとりの特性になったら、どうなるか？　努力や思考を、アフリカ全体を再生する方向へ向け直したらどうなのか？　一〇億本の木を植えれば、そうすればアフリカは開花し、繁栄する」

こう思いついて、彼は自身のアグロフォレストリー事業を始め、「アフリカに一〇億本の木を（ワン・ビリオン・ツリーズ・フォー・アフリカ）」という会社名にその思いを託した。彼はまずカメルーン国内のほかの村や町に出かけ始め、その後、時間をかけてサヘル地域だけでなく、その先のチャド、ニジェール、ナイジェリア、ブルキナファソ、トーゴ、マリ、ガーナまで出かけた。タビのやり方は、人びとにビジネス・モデルを示し、なぜ新しい木の生長を促す必要があるのか、そしてなぜすでにある木を切り倒すのを避けるべきかを説明するものだった。

「木を切るなと人びとに言うとき、代わりに何を与えるのか？」と、彼は言った。「彼らにお金を与えるわけではないのだから。だから、木を燃やすか切るかを迫る圧力に、人びとが抵抗できるよう援助する必要がある、そうだろう？　その木は彼らのもので、その暮らしも彼らのものだからだ。そうして、木を切ったり燃やしたりすることが大きな負担だと彼らが気づくようにする。彼らの暮らしへの脅威であり、将来への脅威だと。持続可能でない大金を追い求める代わりに、長期にわたって少額の収入を追えばいいと伝えるんだ。それなら持続可能だ」

彼の経済議論に結びついていたのは、感情に訴える主張だった。タビは、土地の劣化によって引き裂かれることがあまりにも多い人びとの運命を、根底から変える方法を提案していたのだ。

「人びとにこう言えばいい。いいかい、実際にあなたの子どもの面倒を見られるんだ。子どもたちはこの村に残ることができて、ヨーロッパに行かずとも、この村の財産の一部になれるんだ。サハラを横断して、地中海を渡って命の危険を冒すことなく。何しろ、何百万人もがその海で死んだからね。私はこう言うんだ。なあ、兄弟、姉妹、息子よ、われわれに何ができると思う？　よし、お伝えしよう。これがカメルーンでわれわれがやったことだ。われわれはこんな風にやって、こんな具合にうまく行ったんだ、と」

今日までに、タビは自分のアグロフォレストリー・モデルを八カ国の三三の共同体に紹介し、二〇〇万本以上の木の生長を見守ってきた。土地を調査するために最初に現地を訪れたあと、彼はワッツアップのアプリを使ってプロジェクトにかかわるすべての人とコンタクトを取りつづけ、進捗状況を知らせたり、さらなる指導や助言を求めたりするメッセージを年中受けている。

「雨季が始まったら、この木を植えるようにとか、その下にあまり多くの土を入れるなと彼らに伝える。あるいは彼らはこう言ってくる。昨日、残念なことが起きた。牛がうちの木に衝突して、台無しにしてしまった。どうすればいい？などとね。だから、私にはあらゆる場所からのあらゆる情報が入ってくる。日々、ブルキナファソやニジェールやチャドで起こっていることを、私はよく知っているんだ。これらの共同体から知らせがくるのは、彼らとともに働いているからだ。われわれはさまざまな共同体の共同体なんだ」

タビは口伝えで、グレート・グリーン・ウォールの調整役の人びとの目に留まるようになり、このプロジェクトの大使になってもらえないかと依頼された。プロジェクトの構想と、彼自身のアグロフォレストリーの仕事の目的は、完全に一致していた。それでも、グレート・グリーン・ウォールの最初の展開で起こったつまずきや間違いについて尋ねると、彼は頭を振って、長いあいだ沈黙した。

「あれは大恥だ」と、彼はようやく言った。「大恥だ。世界の指導者たちには、あれが大恥だと私が言うのを聞いてもらいたいよ。なぜこれを恥と言うかって？　私はこの地域の出身だから、胸が張り裂けそうな気分なんだ。ここは私の両親や祖父母やきょうだい、親戚が暮らすところだ。だから私は、靴を履いているから足のどこが痛いかわかる者の視点で、話をしている。植林するために何十億という資金が投資された。繰り返すが、植林だ。でも、植林するだけでは十分ではない。それでは十分じゃない。その木が実を結ぶまでに育てられなければ、木を植える意味はない。そこがこの国の政府や国連や世界銀行や、その他多くの支援機関が失敗した点だ。彼らの耳元で言ってくれ。彼らは失敗したんだと」

タビは手にもったゴムの繊維の塊を再び引っ張っていた。どんどん長く引き伸ばしていたため、彼が片手を放すたびに、ゴムはバチンと大きな音を立てた。

「グレート・グリーン・ウォールについてあれこれ語られるのを聞く。それがサヘルから発信されるべき話をつくりあげていることをね。でも、自分の暮らしが自分よりもよく見える話なんて誰もつくりあげられない。われわれには、トップダウンで押しつけられたか、上から課された話にサヘルが苦しめられているのがわかる。前線に立たされたこれらの人びとの口から、感情から、話は有機的につくりあげられるべきなんだ」

　彼は頭を振りつづけた。このプロジェクトは本質的にちぐはぐなのだと、彼は言った。調整も目に見える結果もない。植林されたあれだけの木は、育たなかった。これは成功しないと危ぶんでいるのかと、私は彼に聞いてみた。

「そのために取り組みの速度が落ちることは心配だ」と、彼は答えた。「でも、心のなかではまだ、グレート・グリーン・ウォールがアフリカにとって最良の希望だと思っている。まだ本当にそれが、暮らしを変えると思っているんだ。横同士のつながりのないばらばらの共同体の集まりから、力強く脱却を図るものだ。食料不足や人的被害、気候問題による資源絡みで頻発する暴力沙汰を特徴とするような社会からの脱却だ。このプロジェクトは社会を繁栄したシステムに変え、暮らしを変えられる。それにもちろん、これはもっとずっと先まで広がり、これらの人為的な境界線すべてを減らすことができる」

　タビが述べたように、グレート・グリーン・ウォールは「ボーダーレス」なモザイクだ。

「だからこれは人びとに、野生動物はその内部で実際に移動できることを伝えているんだ。生計手段も内部で移動できるし、人びとも内部で移動できる、そうだろう？　これは実際にアフリカを変貌させられる大義に向けて、アフリカ人を一つにまとめている。それはもっとボーダーレスなアフリカという論理的な結果に行き着く。そこではわれわれは発展の文化によってもっと結びついている。政治や行政による制限と障壁の文化などではなく」

　彼はゴムの塊を空中に放り投げ、それを受け止めた。一度、二度、三度。

「アフリカ人として、われわれはたくさんの人為的な境界の内側で暮らしている。押しつけられた境界だ。そして本当はアフリカだけを思っているわけではない。われわれが境界（ボーダー）／国境と呼ぶものを、全世界が再定義する必要があると思うんだ。全世界が自分たちを、一つの生態系全体として見るべきだ」

人間気候ニッチ

一九二一年に、イギリスはこの国の歴史上でも屈指の深刻な日照りがつづく事態に見舞われた。緑だった景観は茶色くなり、薄黄色になった。七月だというのに、木々の葉は落葉し始めていた。作物は葉焼けし、萎(しお)れて、枯れた。地面は硬くなり、ひび割れた。南東部の海岸にあるケント州がなかでも大きな被害を受けた。海辺のリゾート地マーゲートでは、年間降水量がわずか二三六ミリとなった。これはいまでも記録が残る限り、イギリスの年間降水量としては最低記録だ(29)。この数字から、公式にはここは砂漠になったのだ。つまり、年間降水量が二五〇ミリ以下しかない地域の定義だ。

　その乾燥しきった夏と、同じくらい暑く乾燥した秋になったとき、その町に暮らしていたのは詩人のT・S・エリオットだった。彼は勤めていた銀行の行員記録に「神経衰弱」と記載された症状から、回復したところだった。この時期に遊歩道の日陰に座って、マーゲートの砂浜を眺めていたとき、彼の最も有名な作品である「荒地」の大半が書かれた。この詩の最終部で、エリオットは語り手が「乾燥した平原」、すなわち「水はなく岩だらけ」の場所を通って移動する様子を描いた。そこでは「雨の降らない乾いた不毛の雷」が流れを塵に変え、あとには「死んだ山の、唾を吐けない虫歯だらけの口」が残された。

　エリオットを研究する学者たちが示唆したように、イギリスの容赦なく居座る日照りがただ彼を蝕(むしば)み、その痕跡をページの上に残したのかもしれない。「水があれば立ち止まって飲むだろう」と、彼は書いた。だが、「岩のあいだでは立ち止まることも考えることもできない」。実際には何をするのも困難だった。「ここでは立つことも、横になることも座ることもできない(30)」。人間はこんな風に生きるべきものではない、と彼はその猛暑のただ中でそれとなく言った。それは不自然だった。それが心身を蝕み、気力を打ち砕いたのだ。立つことも横になることも、座ることも考えることもできないのだ。

オランダのヴァーヘニンゲン大学の生態学者であり数理生物学者であるマルテン・スヘフェルと話をしながら、私の脳裡にエリオットがマーゲートでうだるような回復期を過ごしたことが浮かんだ。マルテンは数年前に、メキシコのユカタン半島の先端近くにあるメリダ市に会議のために旅をしたときのことを、私に話していた。

「そこは耐え難いほど蒸し暑かった」と、彼は言った。「それでこう思い始めたんだ。これがいいはずはない。ここでは本当にものを考えられない、とね」

彼は人間がいつ最もよく機能するのかを探る研究がないか探し始めた。どんな状況下で、どんな条件かを。

「すると、大したものが見つからなかった」と、彼は言った。「私は頭の片隅で、そのことを考えつづけた。ひょっとすると生態学でよくやる観点から、答えが得られるかもしれないと思った。つまり、動物や植物の〈ニッチ〉〔訳注：生体的地位、生息場所〕を再構築してみる方法だ。ただそれがどこに生息していて、どこには生息していないかを見ればいいんだ、そうだろう？」

マルテンが言うように、ホッキョクグマなら北極にいる。トナカイは砂漠にはいない。彼は以前、熱帯雨林の研究でこの技法を利用したことがあった。生態学では異なる環境同士の「明確な境界」として知られるものが、非常にしばしば見つかったと彼は語った。たとえば、山間部には森林限界の明確な境界がある。それは目に見える明らかな境目で、それより標高の高いところではもはや高木は育たない。

「でもこの明確な境界はサバナと雨林のあいだにもある」と、彼は言った。彼は何年ものあいだ、一方の状態からもう一方へと移行するのに必要となる決定的な降水レベルを突き止めることに専念してきた。「ここなら森が育つだろうとわかる気候範囲（エンベロープ）は特定できるし、気候が変化したら何が起こるかは予測がつく」

この研究について南京大学からの客員科学者の徐馳(シユウ・チイ)と話し合っていたとき、マルテンの考えはついに具体化され始めた。

「私たちは研究室に座っていて、ある日こんなことを考えていた。まあ、森や木の代わりに、それを人間で試せるのではないかと。それはまだ多分ばかげた途方もないアイデアだろうと思ったが、どうなるか見てはどうか、とね」

マルテンは六〇代の初めで、北ヨーロッパ人特有のそばかすのある白い肌をしており、短い顎鬚に白髪交じりの髪をしていた。自分はつねづね自然に夢中になってきた、と彼は私に語った。子どものころ、彼は医師である曽祖父と一緒に暮らしていた。この曽祖父は三〇年以上にわたって、自然界に関する観察を数多く日誌に付けていた。マルテンは生物学を学ぶようになり、しばらく古生物学に心を奪われたことがあったが(「島から埃だらけのネズミの骨を採取しなければならなくて。それは何とも退屈だと思った」)、生態学に落ち着いた。

「私は数学的な分野に、理論的な分野に進んだ」と、彼は私に言った。「複雑なシステムや自然のなかの転換点(ティッピングポイント)や、それがどう作用するかを理解しようとしたんだ。そこから、社会のなかの転換点にどんどん関心をもち始めた。基本的に私はただ落ち着きがなく、好奇心に動かされているだけなんだ」

マルテンと徐馳が探し求めていたのは、「人間気候ニッチ」と彼らが呼ぶものだった。人間にも理想的なエンベロープがあるのか？　人口動態や土地利用、気候に関する既存の膨大なデータセットを掘り返せば、種としてのヒトが繁栄できる最適条件を特定することは可能なのか？

研究には三年ほどの歳月を要した。結果を導きだしたり見極めたりするのが難しかったからではない。その反対に、結果はあまりにも歴然としていて、あまりにも衝撃的で、二人は自分たちの手法や計算を何度も確かめる必要を感じたからだ。

「あらゆる地図を調べ、あらゆる計算作業を行なうと、人間が明らかに特定の温度域に集中していることがわかった。そして、それをさらによく調べてから考えた。まあ、おそらく単なる偶然だろう。おそらく大半の人は、単に歴史的な経緯からその場所にいるのだろう、と」

それから彼らは過去にさかのぼって調べ始めた。中世や、古代の世界へ、さらにその先の完新世の中期まで。

「驚いたことに、同じパターンが見られたんだ」と、マルテンは私に言った。「そしてそのことは本当に驚きだった。人間がこれらの気温に限定されるのだとすれば、人びとはこの最適な範囲に限定されていたわけだ。暑過ぎもせず、寒過ぎもしないところに」

データからは、少なくとも過去六〇〇〇年間に、ヒトの集団は地球上で考えられるすべての気候範囲のうち、驚くほど狭い同じ範囲内で暮らしてきたことがわかった。年間の平均気温が一一℃から一五℃の地域という特徴をもつ範囲だ。きわめて重要なことに、この温度「帯」が、圧倒的に最も有力な統一要因なのである。降水量よりもそうだし、土壌の肥沃度よりは間違いなく重要なのだ。後者は人間の分布にはごく限定的な影響しかないようだった。[31]

「こうした事態は石器時代であれば想像ができた」と、マルテンは言った。「でもいまでは、私たちはどこへでも移動できる。家を建て、衣服も暖房も冷房もあって、農業でもあらゆる技法がある。その意味では、これは非常に驚くべきものだ。これは別に、非常に暑いところや非常に寒いところに、人が誰も住んでいないというわけではない。人間はどこにでも住んでいる。でも人間の大多数はまだ、人間の大多数がつねに暮らしてきた場所に住んでいる。ということは、何か根本的な理由があることがわかる」

マルテンが述べたように、すべての生物種には究極的にそれぞれの理想の環境のニッチがある。そして技術が進歩しても、生物の一種でしかない人間も、その例外となる可能性は低いのである。

二人はその問題を探り始めた。なぜこの特定の温度帯なのか？　一つの理由として、世界の人口の半数近くが小規模農業に依存していることに彼らは気づいた。つまり、農民が屋外でこなす厳しい肉体労働であり、それは極端な気温になれば大きく影響されかねない。彼らは暑さと、肉体的、認知的、心理的能力の低下とのあいだに、強い相関関係があることを示すデータを調べた。それらは気分、行動、精神衛生に波及効果をおよぼした。その後、気候が経済の生産性におよぼす影響を調べた別の研究論文に、自分たちの結果と驚くほどの類似が見られることに二人は気づいた[32]。

「これらの経済学者たちは一六六カ国を調べて、少しだけ暑い年や、少しだけ寒い年があった場合に、経済にどう響いたかを追究した。こうしたすべての情報をつなぎ合わせると、彼らは私たちが発見したのと同じ生産性の最適温度に行き着いたんだ。それには何かがあるようだった。暑過ぎるようになった場合は実際にはさほどよくわかっていない」

しかし、これは彼ら二人の研究の一部だった。年間平均気温と人口の分布のあいだに、歴史的に安定した強固な関係を彼らが突き止めたようであることを考えれば、将来についてはどうなのか？　気候変動の影響があれば、人間のこのニッチが移動するのは必然的だった。彼らが探求したかったのは、それが正確にどこで、どれだけ遠くまで動くかだった。気候変動に関する政府間パネル（ＩＰＣＣ）の最新の予測を使って、彼らは半世紀後に待ち構えていそうな世界のモデルを構築した。

「そしてそのニッチが空間的にどれほど動くかは、とにかく衝撃的だった」と、マルテンは私に語った。「今後五〇年間に、それは過去六〇〇〇年間に動いたよりもずっと大きく動くだろう」

彼らは一連の地図を作成して、この地理的な変化の具体的な本質を説明した。「生活への適性」を、最も適していない薄い青から最も適した濃い青まで濃淡の違う青で表わすことで、いまから二〇七〇年までのあいだに「気候ニッチ」の容赦ない移り変わりを、北半球の大部分と南半球の大陸の先端部に広がる大量のインクの染みのようなものとして見ることができた。同時に、赤道と熱帯域ではどこでも、その色は薄くなっていた。サハラ、サヘル、アラビア半島、インド、オーストラリア北部、南アメリカの上半分、北アメリカの下半分はあまりにも淡い色で、ほとんど白くなっていた[33]。

「再確認するために、私たちは別の手法も取った」と、マルテンは言った。「私たちは人間が住んでいる地球で最も暑い場所を調べた。サハラ内のいくつかの地点などだ。それから、将来においてそれらの気温条件がどうなるかを調べた。すると、これが現在、多くの人が暮らしている地域にまで広がることがわかるんだ」

現在、年間平均気温が二九℃かそれ以上となる場所は地球の陸地表面の一％未満しかない。IPCCの「通常どおりの業務（ビジネス・アズ・ユージュアル）」の数値――つまり現在の気候変動の進行が、何ら対策を講じられず緩和されない状況――に従うと、この面積が地球のほぼ五分の一にまで広がることが予測された[34]。「そしてもし人類が将来も、これまで一度もヒトが住んだことのない場所に住むのを避け、そのニッチを追おうとして、極端に暑い場所も避けるだろうという仮定状況をただ推定して想定すれば」と、彼はつづけた。「どれだけの人が移動するのか？　すると、三五億人という仰天するような数字が出てくる」

マルテンが言ったように、「それだけの人数が移民になると推定するうえでは、非常に注意しなければならない。人は動きたがらないものだからだ。彼らが移動するのは、本当に移動しなければならないときだ」。

移民を方程式から外すとすれば、二〇七〇年までに人類の三分の一が、現在は地球上のわずかな場所にしか見られないような状況で暮らすことになる。その大半は、現在サハラ砂漠に集中しているような場所だ。もちろん、それにたいし、こうした事態は決して起こらず、気候緩和策と技術の進歩が温暖化の進行を緩めるし、人間は適応するのだと主張してきた人もいる。

「そういうのはほとんどが戯言だと私は思うよ」と、マルテンは私に言った。「この緩和策とやらは何も見当たらないからね。そういう対策はとにかく生じていない。でも、たとえそれがうまく行ったとしても、気候システムの緩慢さゆえに、私たちはまだかなりの気温の上昇を見ることになる。それにいままでは、私たちは最悪のシナリオに沿って動いていると言う人がどんどん増えている」

適応に関しては、彼は楽観的ではなかった。

「お金さえあれば、何にでも適応できる。いいエアコンを設置して、安いエネルギーを使える。現場で働かなくていいなら、問題ではない。現場にはロボットを送り込んで、室内にいればいいのだから。でもそれらはいずれも資源を必要とする。それにあいにく、最も暑くなる場所は、地球上で最も貧しい場所なんだ」

より広い生態学的な景観を見れば、多くの生物種はすでに移動している。南北両極へ、谷から撤退して山の標高の高い場所へ、つねにもっと温帯の土地〔訳注：より涼しい土地〕を求めて。毎年、何キロかずつ、こうした移動が生じていることに研究者は気づいている。あらゆる生物が自分たちの生きられる気候ニッチを追っているのだ。

「たとえば、植物でそれが生じているのがわかる」と、マルテンは言った。「以前はもっと寒かった場所で、繁殖に成功する種が増えている。そして現在もっと暑くなった場所では、繁殖できなくなり、枯れることが増えている。それが植物を動かしているんだ。地球上では、つねにそうしてきた。それにもちろん、こうなるのは自然なことだ。気候が変われば、別の場所へ移動するんだ」

マルテンが説明したように、一部の国は「気候勾配」が大きい。たとえば、中国やチリのような場所では、国内で移動すれば、領土内の別の場所に人間のニッチがまだ見つかる機会があるだろう。しかし、移動できなければどうだろう？　行く手を遮るものがあったとすれば？

「もちろん、国境を越えたいとなれば、国際的にずっと難易度が上がることになる」と、彼は言った。

「ほかの種は国境など知らないから、移動する。ただ移動するんだ。でも国境に関連した諸々の問題があると、身動きの取れない状況に陥る。これは私たちにとって問題を引き起こす。私たちは国境を築き、足止めを食らったんだ」

マルテンの研究は「ニッチ」を別の種類の境界線として強調していた。個々のどんな国や政府の支配も完全に超越した境界線だが、それでも同時に、その境界線は地球上にいるほぼすべての人間が今日、実際に暮らす場所を定めてきた。何千年ものあいだ、この境界線はほぼまったく同じ場所にとどまっていた。狩猟採集から農耕への移行を後押しし、文明の始まりを告げたものだ。地球上のすべての主要都市の立地選びや建設から、国境のある国民国家の誕生、そして産業化時代の到来と加速を見守ってきたものである。

この安定したニッチの内部で活動することで、人類は成長し、繁栄し、地球上にあふれ返った。このニッチが私たちをつくったのだ。そして今回、私たちはそのニッチを動かし、人間本来の抑制不能な本質にもとづいて、それを支配しようとしている。自分たちの行動によって、人間はニッチを世界各地で急速に移動させているのだ。種全体としての自分たちの姿を忘れて、己の影を追いかけて[35]。

「そしてその反動がどうなるかを、私たちは問わなければならない」と、マルテンは言った。

何十億もの人間が、たとえそれが単に何億だとしても、極端な気温のせいで現在いる場所が住めない場所となって、将来、移動を余儀なくされたら、世界はどう対処するのだろうか?

「明らかな反応は、そしてこれはすでに見られているものだが、誰かがこう言いだすことだ。まあ、これだけ流入されたらお手上げだ。国境を閉鎖する必要がある。壁などいろいろなものをつくる必要がある、とね。そういう反応が、長い目で見たとき持続可能なのか、と私は疑問に思う。完全に締めだすことはできない。かりに締めだすことができたとしても、国境の一方の側には多くの悲惨な状況が見られることになり、それが最終的に誰もが感じる緊張を生みだす。地球のどこでも、誰もその緊張を逃れることはできない」

マルテンが述べたように、私たちはいま、根本的な問いについて考え始めなければならない。この地球上で繁栄しつづけたいのであれば、人類にとって何が安全なのか(36)? 生態学者はすでにこの研究をサンゴ礁と雨林で行なっている。社会にもそれを実施してはどうなのか、と彼は言った。

「ある意味でそれはこの問いを、何が危険かとは言わずに、逆に言っているわけだ。つまり、何であれば安全なのか、聞いているんだ。不平等には安全な限界と、安全でない限界がある。両者は別々のものではない。同時に二カ所負の圧力がかかれば、もっと危険だからだ」

こうしたことに要約されているのは、もちろん移動する気候ニッチへの世界的な反応だ。

「私たちは地球全体に人間を再分布させることを考えなければならない状況に、対峙する必要が出てくる」と、マルテンは言った。「ただ国境に鍵をかけようとすることもできるし、未然に防ごうとすることもできる。新しい状況に品位ある移行のようなものを遂げたいのであれば、少なくともどんな問いかけが必要かを考え始めるくらいはしなければならない。国際協力や統合政策や法律について。労働の可能性について、食料供給や農業について、各地の生態学的な環境収容力について、文化統合について。どうやって社会を一つにまとめて、断崖の縁から落ちないようにするかについて」

だが、そのような問いは発せられていないと、マルテンはつづけた。

「人びとは考えないか、それについて語らないことを好む。これはよい考えではない。そうなればあちこちで孤立主義や後退が見られるようになる。当然、それはまさに間違った方向だ。国境問題は、私たちが本当に考え直す必要のあるものだ。人類の未来を見れば、これは重要なことだ。私たちすべてを、それぞれの国のなかに閉じ込めるなんて、とにかくできないんだ」

気候ナショナリズム

「国が消滅したらどうなるのか？」

これは気候変動に関連した地政学上の最大の疑問の一つだと、キャロライン・ジッグラフは私に言った。「消滅」するのは、自分たちの領土がいくつもの他国の領土に分割されたり、同じ地理上の地域に突然、違う名称が付けられたりするという意味ではない。そうではなく、土地そのものがなくなったらどうなるのか？

「国を定義するのは何かしら？」と、彼女は聞いた。「国境なのか土地なのか？　土地が国を定義するならば、ほかの国々はただ避難民を丸ごと吸収するということなのか？　政府がまだそこにあるのに、その国はもう存在しなければどうなるのか？　亡命政権はあるのか？」

キャロラインはブリュッセルから私と話をしていた。彼女はそこでヒューゴ観測研究所の所長を務めている。環境と気候変動、移民と政治の結びつきの研究に特化するために設立された最初の科学研究所だ（彼女のツイッターの経歴にはこう書かれている。「私は移動するすべてのものを研究します。まあ、大半は人間です」）。

彼女は世界各地の共同体に海岸侵食と海面水位の上昇がおよぼす影響について、私に語っていた。キャロラインは以前に、グエ・ンダールで研究者として働いていた。セネガル第二の都市サンルイにある漁業地区で、人口の九七％が、男女を問わず、漁業にじかに依存している。魚を捕り、魚を売り、魚を燻製（くんせい）や塩漬けにする仕事だ(37)。

「漁に何かがあれば、これらの人びとが食べていけるかどうかが劇的に変わってしまいます」と、彼女は言った。

グエ・ンダールの共同体は、アフリカ全土で最も人口過密な場所の一つで、「ラング・ド・バルバリ」（バルバリア地域の舌）と呼ばれる細長い指のような土地に暮らしている。一方にはセネガル川が流れ、もう一方は大西洋に面している。

「この土地は侵食によって削られていて、すでに家屋が崩れていくのが見られます。それに海流も変わってきて、ますます大きな波や高潮に襲われるようになり、昔より危険になった海で命を落とす漁師も増えているんです」

同時に、漁場も移動している。ある漁師は彼女にこう言った。「魚は移動している。だから、自分たちも行かねば[38]」。この共同体の多くの人びとは北部へ、国境を越えて数キロ先のモーリタニアまで出稼ぎに行って、ときには一年のうち一〇カ月も国外で暮らさなければならない。さもなければ、彼らの生活基盤は持続不可能になるからだ。漁師たちはこの収入を使って、半島内でもまださほど家が密集しておらず、土地があまり侵食にさらされていない場所に移るか、またはサンルイ市内の市街地に、家族のための新しい家を建てなければならない。

「彼らは海面の上昇による移転という、非常に特定の地域に限定された問題の費用を工面するために、国外へ出稼ぎしているわけです」

キャロラインはこう説明した。「ヨーロッパ人の視点からは、誰もがヨーロッパへきたがるという考えがつねにあるでしょう。だからこそ気候や移民が問題となるんです。私が苛立たしく思うのは、実際はそんなことは起こっていないからです。それは思いあがりもいいところね。誰もがただヨーロッパに行こうと必死になっているなんて。それが彼らの望む選択であるかのように。セネガルで私が見てきたのは、人びとはヨーロッパになど行きたくないという現実です。彼らは祖国の近くにとどまりたい。たとえこんな状況になって、漁師が国外へ出稼ぎに行くようになっても、そうするのは戻ってこられるからです。彼らが国で暮らしつづけられるためなんです」

だが、もしどこにも帰れる場所がなければ、事情は変わる。グエ・ンダールはいずれ、水面下となり、侵食によって破壊されてしまうかもしれない。共同体は適応しようと努めている。最終的に土地が失われれば困難が待ち受け、移住を迫られるだろうが、それでもここはセネガルのごく小さな一角だ。しかし、差し迫った全面的な脅威に直面している場所であればどうだろうか？

「それはとりわけ南太平洋の諸国にとって、懸念すべきことです」と、キャロラインは言った。「小さな島の発展途上国やインド洋の海面すれすれの環礁、モルディブなど。これらの場所が物理的な意味で存在しなくなって、それでも別の意味では確かに存在していたら、どうなるのか」

たとえば、太平洋の一群のサンゴ島と環礁からなるツバルには、一万二〇〇〇人ほどが暮らしている。ツバルは外の世界からは、もう何十年間も、気候変動の実験台のようなものとして見られてきた。ここは上昇する海面に呑まれ、国民が初代「気候難民」となる可能性が高い、歴史上で最初の国の一つである。おそらく驚くべきことではないが、多くのツバル人はこのように描かれることに苛立つ。これは沈みゆく世界の住民として、自分たちの文化が波間に沈むのを見る運命にある人びととしての、彼らの窮状にやたらこだわりたがる見方だからだ。

「私たちは自分たちの国からいずれ追いだされて、環境難民として分類されたいわけではない」と、あるツバル人はそうした見方について述べた。「そこには建設的ではない愛着がある。自分たちを将来の二級市民のように考えるようなものだ。人間として抱く感情の価値を下げるものだ。自分自身をちっぽけに感じ、否定するようになる。一人前の人間にしないものだ」

あるいは、別の島民はこう表現する。「私たちは歴史のなかで移動してきた。ツバル人はつねに一つの場所から次の場所へ移動してきた。島から島へと移ってきたんだ[39]」

ツバル人のように、自分たちはいわゆる気候変動の最前線に立たされていると考える人びとは実際、その問いへの答えをまとめ始めている。彼らにとって、これは救済され、逃げだす問題ではない。むしろ、移住・移民（マイグレーション）は彼らの文化に生来備わっていた一部なのだった。それどころか、すべての人間の文化に生来備わっていた一部なのだ。消えてゆく土地への一つの反応は、グローバル市民権を主張することだ。文化はボーダーレスなのだから、国だってそうなれないはずがあるだろうか？
「気候変動が国境を物笑いの種に変えたわけです」と、キャロラインは私に言った。「まるで国境が本物の境界だとでも言うかのように。国境の持続可能性については、大きな疑問符が付いています。国境としてだけでなく、私たちの地政学的な制度と国家のシンボルとしても。これらの制度こそ多くの意味で、私たちがこの生存の危機に直面している原因なのだから」

　圧力は、私たちが縦横に引いてきた線の骨組みの上で容赦なく高まっている。

「島嶼（とうしょ）国について言えば、それが困難な事態となる理由の一つは、ほかにどこにも行き場がないからです。でも、行き場はあっても、それが自分のものでなければやはり困難な事態になります」

　今日、世界の人口の五〇％近くは海岸地域に暮らしており、一〇％ほどに相当する六億人以上は、海抜一〇メートル以下の場所に定住している(40)。

「そして海面の上昇は私たちを内陸や高地や、諸々の場所に押しやります。そうなれば、いずれ大量移住は各国の統治の問題ではなく、国際的な問題になるでしょう。つまり、ちょうど消えてゆく島の場合と同様に、私たちは国民国家とは何か、国境は何を意味するのかに関する自分たちの考えを変える必要があるということです」

　消えてゆく島や海岸線、人間のニッチのひそかな漂流、そのあとには居住不可能な土地がどんどん連なる。もちろん、国境が変わらなければならない時点まで行き着くのは、避け難いことに思われる。だが、どのように変わるのか？

「国境にはいつでも浮き沈みがあるんです」と、キャロラインは言った。「不動だった試しはないし、決して一定でもない。もっと強化して、自国の国境について騒ぎ立てたくなるときもあるわけです」

　これは、気候変動をめぐる不安によって悪化するばかりのようだ。まるで障壁さえ築けば、暑さや海や不確実性を締めだせるかのように。もちろん、そんなことはできない。だが、私たちに確かにできることは、巻き添え被害を防ぐことだ。人びとの被害を。

「私たちにわかっているのは、怖い話をしたところで気候に関する行動を促しはしない、ということです。壁が築かれるだけです」と、キャロラインは言った。「気候変動について行動を起こす必要がある、とこちらが言っても、人びとにはこう聞こえるわけです。移民について何かをする必要がある、と」


ここから、「気候ナショナリズム」の概念が出現し始めた。ヨーロッパの極右のポピュリスト政党のなかには、気候変動の影響を否定する論調からの転換と、温暖化する地球が国益におよぼす危険を強調する方向への移行が見られる[41]。

「気候変動による破滅を語るこうした話のなかで、人びとは駒として使われています」と、キャロラインは言った。「そのためいっそう弱い立場に置かれるわけです。私たちが物理的な壁も、そうでない壁も、どんどん築いてきたために。ヨーロッパ要塞、引き締め、より制限的な政策などを」

「人間潮流」や「人間津波」、人間の「洪水」を語る終末的な話だ。もちろん、巨大な波を前にした場合の自然な反応は、それを跳ねつけ、食い止め、大惨事になりそうな脅威を前にして国境を築き、増大させることだ。オーストリア自由党（FPÖ）はこう言った。「気候変動は決して、亡命を正当化するものとして認識されるべきではない」。そうなれば、「ダムはついに崩れ、ヨーロッパとオーストリアもまた何百万もの気候難民であふれ返るだろう」と、同党は警告した[42]。ダム、洪水、潮流、波。いつもこうした氾濫に関連した用語だ。イタリアのマッテオ・サルヴィーニ〔訳注：同盟（レーガ）書記長で現イタリア副首相〕など、ほかの極右の指導者たちは、こうした不安を煽（あお）ると同時に、それを笑い物にもする。「気候移民（マイグラント）とは何だ？」と、彼は言った。「冬に寒くて、夏に暑ければ、移住するのか？　真面目になろう。ここにはすでにあまりにも大勢いる。気候移民には霧が嫌いなミラノの人間もいるのか？[43]」

国境は崩されるのではなく、さらに高く、強固にそびえる可能性がある。まるで地殻から成層圏まで、自分たち用に地球を一切れすっかり切り離せるとでも言うかのごとく。イタリアの同盟のような政党が「国家の気候適応」と呼ぶものが、またはFPÖがハイマートトロイエ（祖国への忠誠心）の概念でまとめるものが追求されるのだ(44)。

キャロラインが言ったように、国境にはいつでも浮き沈みがあった。だから、一部の人にとってはおそらく必然的に、国境線は非常に深く染み込んだものとなるのだろう。その論理的な終着点は気密シーリングのようなものとなる。まるで自国全体を一つの巨大なジオデシックドーム〔訳注：三角形を組み合わせた多面体のドーム〕に変えられるとでも言わんばかりに。自国の境界を不浸透性の強固な膜としてつくりあげ、波がそれに当たって崩れるか、その透明な側壁を高く高く登るのを眺めるのだ。それ以上にディストピア的な未来は、私にはほとんど思い浮かばない。

さらに大きなグリーン・ウォール

タビに気候ナショナリズムについて話すと、彼は長いこと椅子の上で体を前後に揺すって皮肉たっぷりに笑った。

「そうだ、じゃあ、われわれの空気を台無しにさせてもらおう」と、彼はまだくすくす笑いながら言った。「それはあなた方の空気ではないからね。水圧破砕（フラッキング）もさせてもらおう。この土地はわれわれのものだし、ここの水はわれわれのものだから。それはあなた方には関係のないことだ。あるいはコンゴの雨林をすっかり伐採させてもらおう。サヘル全体を乾燥させよう。あなた方には関係ないことだし、これはわれわれの気候なんだ。そうすれば翌日には誰かがこんなことを言うだろう。アフリカはおまえたちの領域だ。それなのになぜ自分の領域を大切にしないのかね？　そこはおまえらのろくでもない領域だ。俺たちにはどうでもいい。それはおまえらの気候で、おまえらの問題なんだ、とね」

グレート・グリーン・ウォールはこうした事態にたいする解毒剤になりうるのだろうか？　国境を越えた大陸規模の生態学上の境界として、とくに共同体間の磁石となって、協力し合うために設計されたものに。人びとを追い返すのではなく、惹きつけるための壁に。

「成功できれば、ほかの地でも私たちに何ができるかを示すよい手本になります」と、カミラは私に語った。「各地のグレート・グリーン・ウォールを見てみたいものです。ラテンアメリカや中央アメリカで、あるいは中央アジア一帯で、こうした回廊的な景観再生の協調した取り組みを。そうなれば、何かを本格的に達成するのに必要なだけの規模になるので」

おそらく、グレート・グリーン・ウォールはリオグランデ川の河口からティフアナまで、メキシコとアメリカを分離している乾燥した一帯にも築けるのではないだろうか、と私は彼女に提案してみた。対立してきた景観を、生産と協力の景観に変えられるのでは？

「国連の職員として、私はその種のことに何かを言う立場にありません」と、彼女は言った。

二〇一九年に、国連の別の機関である食糧農業機関（ＦＡＯ）がサヘルと中央アジアの都市の内部と周辺で、新たに五〇〇万ヘクタールの「都市林」を創生して、既存の三〇〇万ヘクタールの自然林を再生する「都市のためのグレート・グリーン・ウォール構想」を発表した。ＦＡＯのプレスリリースに添付された完成予想図には、さらに大きなグリーン・ウォールが描かれていた。西アフリカから東アフリカへ走る現在のルート沿いをたどるが、そこからさらにずっと先まで延びるものだ。アラビア半島を越えてイランとアフガニスタンへ入る。パキスタンとインドではヒマラヤ山脈の線をたどり、中国を抜けてカーブする。そうして最後にロシアの日本海沿岸で終わるものだ。その絵は架空のもので、想像の産物だった。でも、カミラが私に言ったように、絵空事であることが、ある意味で、重要だったのだ。(45)

「グレート・グリーン・ウォールについて何よりも説得力があるのは、その大きさと規模、それにブランド力ですね」と、彼女は言った。「この機関で長年働いてきたし、以前は人びとに自分が何をやっているか伝えようとしていました。でも、みんなぼんやりと見るだけで、何も理解していなかった。でも、グレート・グリーン・ウォールと言えば、彼らもわかるんです。そう、それは夢なのね。でも、壮大なことを達成するには、その種の構想や夢が必要なんだと思います」

夢であっても、そうでなくても、確かなことは現在、グレート・グリーン・ウォールはマルテンの人間気候ニッチの脆弱な境界上に、ぴったりと沿っている。サヘルでは地球の平均よりも急速に気温が上がっている。それと同時に、この地域の人口は今後三〇年間に三倍には膨れあがり、三億四〇〇〇万人になろうとしている。[46] 壁は当初、サハラを食い止める（ホールド・オフ）ものとして構想が練られた。しかし、いまではそれを逆にして、そのニッチを手放さない（ホールド・オン）ための手段として見なせるかもしれない。居住可能性の影が、大陸から失われてゆくのを阻止するためのメカニズムとして。

「アフリカを違う場所に変えたいんだ」と、タビは私に語った。「自分の事務所をこの森のなかにつくってね。そこで私は生涯を過ごすつもりだ」

広大な岸辺にグリーンラインを引くこと。

この線の物語は土壌のなかで語られるだろう。「一握りの塵のなかに恐怖を見せよう」と、エリオットは「荒地」の別の箇所で書いた。大地はこの先にくる暑さや旱魃を前にして、もち堪えられるのか、抗えるのか。今後の年月のなかで、人間のニッチの影はまだ、毎朝このグレート・グリーン・ウォールの背後を「大股に歩き」、それから「夕暮れに伸びて」この壁に会うのだろうか[47]？　それともその影は解き放たれて、漂い去るのか？　人類の究極的な境界は風に散ってしまうのか？

謝辞

この本は、じつに多くの人びとの助けと支援、情報提供がなければ、書くことも出版することもできなかっただろう。

多くの非常に多忙な方々がインタビューのために――じかに会うかオンラインで――時間を割いてくださった。彼らの寛大さと慧眼に触れられたことに恩義を感じている。なかでも以下の方々にお礼を申しあげる。ハンス・ラグナル・マティスン、イヴァール・ビョルクルンド、バハ・ヒロ、デイヴィッド・テイラー、マルコス・ラミレス、ジェイソン・デ・レオン、レイケン・ジョーダール、カルロス・スポットルノ、マルコ・フェラーリ、ローベルト・チアッティ、アンドレアス・プッツァー、ベンジャミン・テノーヴァー、デイジー・ホーグランド、タビ・ジョーダ、カミラ・ノルトハイム＝ラーセン、マルテン・スヘフェルおよびキャロライン・ジッグラフの各氏である。私たちの会話は豊かで心をそそられ、驚くほど楽しく、しばしば数時間にもおよんだ。多くのインタビューは世界中がロックダウン状態だった時期に行なわれた。物理的に旅をすることが不可能だったとき、ミラノからティフアナ、ニューヨーク、カメルーンにまでまたがる地域の人びとと通じ合えることには、じつに特別なものが感じられた。本書に含めた物語に彼らはかけがえのないものを寄与してくれた。

キャノンゲート社の素晴らしい出版チームには、深く感謝している。私の編集者のサイモン・ソローグッド、およびフランシス・ビックモア、ヴィッキー・ラザフォード、メリッサ・トムベア、ジェシカ・ニール、アンナ・フレイム、カトリーナ・ホーン、ジェニー・フライ、アリソン・レイおよび、本書のために作業をしてくださったすべての方々に。本書のための調査と執筆に関連して援助してくれたクリエイティヴ・スコットランド〔訳注：スコットランド政府の外郭公共団体〕にも感謝したい。

　友人でエージェントでもあるマギー・ハタスリーには、いつもながら限りなく恩を受けている。彼女は引退する前に最後に、本書を売り込んでくださった（彼女の仕事は成し遂げられた！）。過去二〇年にわたる彼女の指導、助言、援助がなければ、自分が著述家になったかどうかすら定かではない。著作権事務所のＲＣＷのジョン・ウッドにも、本書を出版に漕ぎ着けるうえで大いにご尽力いただいたことに感謝したい。

　そして最後に、もちろん、ヘイゼル、ブロディ、ネイトにも感謝を。

訳者あとがき

二〇世紀、二一世紀の世界に生きている私たちの大半は、自分が国民国家の一員であることを当たり前のこととして受け入れ、誰もがそうなのだと信じている。どこの国のどの親のもとに生まれるかは選べないのに、人はたまたま生まれついた国の文化や規範に染まり、そこに暮らす権利を主張する。しかし、いま住んでいる国に自分の居場所がない、と感じる人も地球上には大勢いる。多民族国家のなかで少数派として差別されている人びともいれば、気候変動によってただでさえ脆弱であった生活環境が脅かされ、政情不安や治安の悪化、経済危機に見舞われて従来の暮らしが成り立たなくなり、生き延びるために他国への移住を迫られる人も増えている。

私たちの暮らす緑豊かで平和な日本では、どこまでもつづく海岸線以外は、目に見える形での国境は存在しない。海外へは数時間ほど飛行機に乗って行くものだと思っている人にとって、外国というのは、空港のボーディングブリッジを通り抜けた先にある日常生活から切り離された、いわば異次元の存在でしかない。海の向こうから敵の艦隊や敵機が襲ってきた恐怖を記憶している世代も少なくなった。

だが、二〇二〇年春に新型コロナウイルスが世界的に大流行し、各国が国境を閉ざし、ロックダウンの措置を講じるなどした時期には、誰もが否応なく内と外の違いを意識させられ、世界がいつまでもこの半世紀間のように自由に行き来できるとは限らないことを実感させられただろう。外部からウイルスをもち込む人を締めだし、内部の安全を図ろうとする動きは、国内の都市部と地方でも見られた。危機に瀕すると、人は生存本能に従って排他的になるようだ。

この十数年間に世界各地で次々に生じる出来事は、一見、互いに無縁のようでいて、その根底には国境（ボーダー）／境界という共通の問題があると考え、それをテーマに世界各地を訪れて書きあげたのが本書『国境と人類』である。原題の *The Edge of the Plain* は、シュメールの都市国家間で「平原の外れ」と呼ばれた土地をめぐって争われた人類最初の国境紛争に由来する。著者ジェイムズ・クロフォードはスコットランド北東部のシェトランド諸島で生まれ、エディンバラに近いフォース湾の北側で、つまりローマ時代に築かれたアントニヌスの長城の外側で育った。二〇〇〇年ほど前であれば、「未開人」や「蛮族」と呼ばれていた側である。彼の曽祖父母のうち四人は、アメリカへ移民したものの、挫折して故郷のスコットランドに戻ってきた。そんな背景もあってか、著者の視点は一貫して、国境を築いてよそ者を締めだす側ではなく、締めだされた側に立つ。執筆の途中でパンデミックとなり、現地取材ができなくなったため、いくつかの章はオンラインによるインタビューやグーグルアースを使った仮想の旅にもとづいて書かれている。「国境線上にわが身を置いて」考えることの大切さを知っていた著者にとっては不本意だっただろうが、それらの章は、すでに忘れかけていたコロナ禍の窒息したような数年間を思いださせてくれる。

本書の原稿を最初に読ませていただいたとき、何よりも心を揺さぶられたのはアリゾナ州のソノラ砂漠を横断して密入国を図る途中で死んでいったエクアドルの若い母親マリセラのエピソード（「6過酷な地」）だった。三人の子どもたちに何らかの将来を与えるには、ほかに選択肢はないとまで思い詰めた彼女の心境は理解を超えたものだったが衝撃的だった。

というのも、私は高校時代に一年弱、テキサス州エルパソに留学したことがあり、アメリカ南西部のひたすら薄茶色い景観はよく知っていたし、現地に着いて早々に覚えた言葉が「イリーガル・エイリアン」や「ウェットバック」だったからだ。宇宙人も意味するエイリアンという言葉が不法在留外国人に使われていることには、高校生の私にもどこか引っかかるものがあった。当時、移民はリオグランデ川を渡って越境していたため、背中(バック)が濡れて(ウェット)いるのだと教わった。メキシコとの国境から三キロほどの場所にあった高校には、毎日自分で車を運転してメキシコ側のシウダッド・フアレスから通学してくる同級生もたくさんいた。その後、親しかった人たちが軒並みエルパソを離れてしまったため、本書を読むまで、この街が一九九三年以降に様変わりし、国境警備が厳しくなったことを機に、不法越境者がソノラ砂漠のような過酷な地を越えるようになったことは知らなかった。二〇〇〇年以降に六〇〇万人以上がここを横断し、三五〇〇人もが遺体となって見つかっているという。トランプ政権時に建設が始まった国境の壁は、バイデン政権発足とともに中止されていたが、このほど政策転換して再び建設が始まることになった。

二〇二二年二月には、すでに原書の執筆の最終段階にあったため、ウクライナ戦争については、それまでもヨーロッパの代理戦争の場となっていたことが短く触れられているに過ぎない。だが、この戦争で争われているのは、たかだか数十年前に人為的に、恣意的に引かれた国境／境界で仕切られた領土の問題だ。その線を境に民主主義と権威主義が完全に対立しているわけでもなければ、ウクライナ人とロシア人がまったく異なる二つの文化圏というわけでもない。「あらゆることが単純化され、簡略化された。対立のなかにどっぷり浸かってしまうのだ。境界線には善良な側があって、邪悪な側があった。[……]わずか数百メートル先には敵がいた。姿はほとんど見えないが、いつもそこにいる。胸壁の下に待機する、顔のない集団だ」(本書九七ページ)。これは双方で一〇〇万人以上の死傷者を出した第一次世界大戦のソンムの戦いに関する言及だが、ウクライナとロシアの膠着した前線でも同じことが言えるのではないか。第一次世界大戦当時、連合軍側が「幽霊であり、生き霊であり、歩兵たちが『他者』と考える存在」(本書九八ページ)だったのは、ドイツ兵だった。

邦訳版の校正に入ったところで、イスラエルとハマースの戦闘が始まった。著者は二〇一九年ごろに分離壁が張り巡らされたヨルダン川西岸を訪ね、パレスチナ問題に一章を割いている。日々のニュースで入ってくるガザ地区の惨状は目を覆いたくなるものだが、そこにいたるまでに七五年にわたって占領され、抑圧されつづけてきたパレスチナ人の実態を知れば、なぜこうなるまで放置されてきたのかと怒りが湧いてくる。武力衝突はある日突然、理由もなく生じるわけではない。

本書が扱う多様なテーマは、このように現代社会のさまざまな問題と直結しているのだが、著者クロフォードは歴史家なので、国境／境界をめぐる考察は古代から近世まで広い時代におよぶ。当然ながら、本書では多くの関連文献が引用されており、邦訳書があるものもかなりあったが、文脈に合わせて訳出し直したことをここにお断りしておく。

国境／境界とは何か、本書を通じて考え直させられたこの一年余りは、私にとって非常に有意義なものとなった。翻訳を任せていただき、多岐にわたる分野の微妙なニュアンスから多言語の表記にいたるまで、細部にわたってチェックしサポートしてくださった河出書房新社の渡辺和貴さんには、このたびもたいへんお世話になった。ここにお礼を申し上げる。

二〇二三年一一月

東郷えりか

国境（こっきょう）と人類（じんるい）
——文明誕生（ぶんめいたんじょう）以来（いらい）の難問（なんもん）

2024年1月20日　初版印刷
2024年1月30日　初版発行

著　者　ジェイムズ・クロフォード
訳　者　東郷えりか
装　幀　大倉真一郎
発行者　小野寺優
発行所　株式会社河出書房新社
〒151-0051　東京都渋谷区千駄ヶ谷2-32-2
電話03-3404-1201［営業］　03-3404-8611［編集］
https://www.kawade.co.jp/
印　刷　株式会社亨有堂印刷所
製　本　小泉製本株式会社
Printed in Japan
ISBN978-4-309-22910-2

別丁扉画像
Library of Congress, Parallel Histories: Spain, the United States, and the American Frontier.

ジェイムズ・クロフォード（James Crawford）
英国スコットランドの歴史家。エディンバラ大学で歴史学と法哲学を学ぶ。10年以上にわたり、スコットランド国立建築・考古学コレクションの調査に携わった経験をもつ。著書に *Fallen Glory: The Lives and Deaths of the World's Greatest Lost Buildings* など。また、BBC Oneのドキュメンタリー番組 *Scotland from the Sky* の脚本とプレゼンターを務めた。

東郷えりか（とうごう・えりか）
翻訳家。上智大学外国語学部フランス語学科卒。ブライアン・フェイガン『古代文明と気候大変動』、グレタ・トゥーンベリ編著『気候変動と環境危機』（以上、河出書房新社）、ニール・マクレガー『100のモノが語る世界の歴史』（筑摩書房）、アマルティア・セン『アイデンティティと暴力』（勁草書房）など訳書多数。

索引

か行

さ行

た行

な行

は行

ま行

原注

序文

(1)　A. Ghosh, *The Shadow Lines* (John Murray, 2011).

プロローグ　平原の外れ

(1)　S. N. Kramer, 'Sumerian historiography', *Israel Exploration Journal* 3, no. 4 (1953).

(2)　I. Finkel and S. Rey, *no man's land* (British Museum Press, 2018).

(3)　J. S. Cooper, 'Reconstructing history from ancient inscriptions : the Lagash-Umma border conflict', *Sources from the Ancient Near East*, vol. 2 (1983) ; Finkel and Rey, *no man's land* ; Kramer, 'Sumerian historiography'.

(4)　大英博物館は、モスル生まれの考古学者で、人類最古の文学作品のギルガメシュ神話を含む粘土板を発見したホルムズ・ラッサムが見つけたものと推測している。

(5)　Finkel and Rey, *no man's land.*

(6)　Ibid.

(7)　Ibid.

(8)　Cooper, 'Reconstructing history from ancient inscriptions'.

(9)　I. J. Winter, 'After the battle is over : the "stele of the vultures" and the beginning of historical narrative in the art of the Ancient Near East', *Studies in the History of Art*, vol. 16, Symposium Papers IV : Pictorial Narrative in Antiquity and the Middle Ages, National Gallery of Art (1985) ; Cooper, 'Reconstructing history from ancient inscriptions' ; Kramer, 'Sumerian historiography'.

(10)　Winter, 'After the battle is over'.

(11)　S. N. Kramer, *The Sumerians : Their History, Culture and Character* (The University of Chicago Press, 1963).

(12)　Ibid.

(13)　Ibid.

(14)　Ibid.

(15)　Ole Gron, 'Territorial infrastructure, markers and tension in Late Mesolithic hunter-gatherer societies : an ethnoarchaeological approach', *Muge 150th : The 150th Anniversary of the Discovery of Mesolithic Shell Middens*, vol. 2 (Cambridge Scholars Publishing, 2015).

(16)　C. Michael Barton, G. A. Clark and Allison E. Cohen, 'Art as information : explaining Upper Palaeolithic art in Western Europe', *World Archaeology* 26, no. 2 (1994).

(17)　Gron, 'Territorial infrastructure, markers and tension in Late Mesolithic hunter-gatherer societies'.

1　線状に連なる骨

(1)　P. Koch, 'Sami-state relations and its impact on reindeer herding across the Norwegian-Swedish border', *Nomadic and Indigenous Spaces : Productions and Cognitions* (Routledge, 2016).

(2)　E. Demant Hatt, *With the Lapps in the High Mountains : A Woman Among the Sami, 1907-1908* (University of Wisconsin Press, 2013) ; B. Sjoholm, *Black Fox : A Life of Emilie Demant Hatt, Artist and Ethnographer* (University of Wisconsin Press, 2017) ; K. Kuutma, 'Collaborative ethnography before its time : Johan Turi and Emilie Demant Hatt', *Scandinavian Studies* 75, no. 2 (2003), pp. 165-80 ; K. Kuutma, 'Encounters to negotiate a Sami ethnography : the process of collaborative representations', *Scandinavian Studies* 83, no. 4 (2011), pp. 491-518.

(3)　M. Tryland and S. J. Kutz, *Reindeer and Caribou : Health and Disease* (CRC Press, 2018).

(4)　R. Paine, *Coastal Lapp Society* (Tromso Museum, 1957) ; *Ottars beretning* (Arthur O. Sandved による新しいノルウェー語訳のオッタルの物語), Janet

Bately (1984)；以下を参照。'Sami Culture' resource held on the website of the University of Texas, Austin : Sami Culture : https://www.laits.utexas.edu/sami/dieda/hist/nor-sami.htm#ottar

(5) K. Nickul, *The Lappish Nation : Citizens of Four Countries* (Curzon Press, 1997) ; I. Ruong, *The Lapps in Sweden* (AB Stockholm, 1967) ; N. Langston, 'Mining the boreal north', *Environment and Sustainability in a Globalizing World*, ed. A. J. Nightingale (Routledge, 2019) ; 'Christianity and the Emerging Nation States', Sami Culture : https://www.laits.utexas.edu/sami/diehtu/siida/christian/nationstate.htm

(6) J. Nordin, 'Embodied colonialism : the cultural meaning of silver in a Swedish colonial context in the 17th century', *Post-Medieval Archaeology* 46:1 (2012) ; J. Nordin, 'Metals of metabolism : the construction of industrial space and the commodification of early modern Sapmi', *Historical Archaeologies of Capitialism* (Springer, 2015) ; T. Aikas and A.-K.Salmi, *The Sound of Silence : Indigenous Perspectives on the Historical Archaeology of Colonialism* (Berghahn Books, 2019).

(7) Nordin, 'Embodied colonialism' ; Aikas and Salmi, *The Sound of Silence* ; J. McCannon, *A History of the Arctic : Nature, Exploration and Exploitation* (Reaktion Books, 2013) ; Langston, 'Mining the boreal north'.

(8) T. R. Berg, *Theatre of the World : The Maps that Made History* (Hodder & Stoughton, 2018).

(9) Koch, 'Sami-state relations and its impact on reindeer herding across the Norwegian-Swedish border'.

(10) 以下に引用。Nickul, *The Lappish Nation.*

(11) N. Kent, *The Sami Peoples of the North : A Social and Cultural History* (Oxford University Press, 2019) ; Nickul, *The Lappish Nation* ; M. and P. Aikio, 'A chapter in the history of the colonization of the Sami lands : the forced migration of Norwegian reindeer Sami to Finland in the 1800s', *Conflict in the Archaeology of Living Traditions* (Routledge, 2005).

(12) Demant Hatt, *With the Lapps in the High Mountains* ; Sjoholm, *Black Fox* ; Kuutma, 'Collaborative ethnography before its time : Johan Turi and Emilie Demant Hatt'.

(13) Demant Hatt, *With the Lapps in the High Mountains.*

(14) Ibid.

(15) Ibid.

(16) Ibid.

(17) Ibid.

(18) Demant Hatt, *With the Lapps in the High Mountains* ; Sjoholm, *Black Fox* ; Kuutma, 'Collaborative ethnography before its time : Johan Turi and Emilie Demant Hatt' ; M. Svonni, 'John Turi : first author of the Sami', *Scandinavian Studies*, vol. 83, no. 4, winter (2011).

(19) J. Turi, *Muitalus sámiid birra* ('An Account of the Sami'), trans. T. A. DuBois (Nordic Studies Press, 2011).

(20) *Black Fox* の序文で Sjoholm によって引用。

(21) *Black Fox* の序文で Sjoholm によって引用。

(22) Demant Hatt, *With the Lapps in the High Mountains.*

(23) Ibid.

(24) Ibid.

(25) Ibid.

(26) Ibid.

(27) 以下も参照。J. Lundstrom, 'Names and places : the cartographic interventions of Hans Ragnar Mathisen' and M. T. Stephansen, 'A hand-drawn map as a decolonising document', *Afterall : A Journal of Art, Context and Enquiry*, vol. 44, winter (University of Chicago Press, 2017).

(28) I. Bjorklund, *Sapmi - Becoming a Nation* (Tromsø University Museum, 2013).

(29) Ibid.

(30) 以下に引用。Bjorklund, *Sapmi.*

(31) Lundstrom, 'Names and places'.

(32) 以下を参照。Maret Anne Sara's website : https://maretannesara.com/pile-o-sapmi/ ; A. S. Torp-Pedersen, 'You cannot beat a troll with its own tricks', *Contesting Histories : Art Practices Of/For Justice*, vol. 40, no. 3 (Kunstlicht, 2019).

(33) Maret Anne Sara による 'Pile o' Sapmi' の作品のウェブサイトを参照。http://www.pileosapmi.

com；以下を参照。A. S. Olsen, 'The Long Hard Cold Struggle', in *Kunstleritikk: The Nordic Journal of Contemporary Art*, 24 February 2017：https://kunstkritikk.no/the-long-hard-cold-struggle/；Office for Contemporary Art Norway, Maret Anne Sara short film in 'Thinking at the Edge of the World. Perspectives from the North'：https://www.facebook.com/oca.norway/videos/10158222297465294/；H. Hansen, 'Pile o' Sapmi and the connections between art and politics' (The Arctic Museum of Norway, 2019).

(34) The Truth and Reconciliation Commission：https://uit.no/kommisjonen/mandat_en〔訳注：現在はアクセス不可〕

(35) 'Minister says controversial copper mine needed for the green shift', *The Barents Observer*, 14 April 2019.

(36) 以下を参照。Anders Sunna's website：http://anderssunna.com

2 果てしない周縁部

(1) Herodotus, *The Histories*, 1, 82, trans. Tom Holland (Penguin, 2013)（ヘロドトス『歴史』（岩波文庫、改版、上・中・下）、松平千秋訳、岩波書店、2007年ほか）.

(2) Pausanias, *Description of Greece*, 2.3.85, trans. W. H. S. Jones and H. A. Omerod (Heinemann, 1918)（パウサニアス『ギリシア案内記』、周藤芳幸訳、京都大学学術出版会、2020年ほか）.

(3) Plutarch, *Greek and Roman Parallel Stories* 306a–b, trans. F. C. Babbitt（プルタルコス『英雄伝』、城江良和訳、京都大学学術出版会、2021年ほか）；T. Kelly, 'The traditional enmity between Sparta and Argos：the birth and development of a myth', *The American Historical Review*, 75(4) (1970).

(4) Herodotus, *The Histories*.

(5) D. G. Rocchi, 'Systems of borders in Ancient Greece', *Brill's Companion to Ancient Geography：The Inhabited World in Greek and Roman Tradition* (Brill, 2015).

(6) *Homeric Hymn to Aphrodite*, 以下に引用。J. McInerney, 'On the border：sacred land and the margin of the community', *City, Countryside, and the Spatial Organization of Value in Classical Antiquity* (Brill, 2017).

(7) McInerney, 'On the border'；Rocchi, 'Systems of borders in Ancient Greece'；G. Reger, 'On the border in Arizona and Greece：border studies and the boundaries of the Greek polis', *Historical Geography*, 45 (2017), pp. 188–219.

(8) S. G. Cole, 'Landscapes of Artemis', *The Classical World*, 93(5) (2000), pp. 471–81；McInerney, 'On the border'；Rocchi, 'Systems of borders in Ancient Greece'；Reger, 'On the border in Arizona and Greece'.

(9) P. Petra, 'From polis to borders：demarcation of social and ritual space in the sanctuary of Poseidon at Kalaureia, Greece', *Temenos – Nordic Journal of Comparative Religion*, 44(2) (2008)；Cole, 'Landscapes of Artemis'；McInerney, 'On the border'；Rocchi, 'Systems of borders in Ancient Greece'；Reger, 'On the border in Arizona and Greece'.

(10) Reger, 'On the border in Arizona and Greece'；Cole, 'Landscapes of Artemis'.

(11) McInerney, 'On the border'.

(12) Euripides, *Bacchae*, trans. William Arrowsmith (Yale University Press, 1967)（エウリーピデース『バッカイ——バッコスに憑かれた女たち』（岩波文庫）、逸身喜一郎訳、岩波書店、2013年ほか）.

(13) McInerney, 'On the border'；Cole, 'Landscapes of Artemis'；Reger, 'On the border in Arizona and Greece'.

(14) P. Vidal-Naquet, *The Black Hunter：Forms of Thought and Forms of Society in the Greek World* (Johns Hopkins University Press, 1987).

(15) Ibid.

(16) C. Pelekides, *Histoire de l'ephebie attique des origines a 31 avant Jesus-christ* (De Boccard, 1962)；Vidal-Naquet, *The Black Hunter*.

(17) Vidal-Naquet, *The Black Hunter*; Reger, 'On the border in Arizona and Greece'.

(18) Reger, 'On the border in Arizona and Greece'；Rocchi, 'Systems of borders in Ancient Greece'.

(19) Rocchi, 'Systems of borders in Ancient Greece'.

(20) Aristotle, *Politics*, 2.1265, trans. H. Rackham (Heinemann, 1932)（アリストテレス『政治学』（光文社古典新訳文庫、上・下）、三浦洋訳、光文社、2023年ほか）；以下に引用。Rocchi, 'Systems of borders in Ancient Greece'.

(21) Aristotle, *Politics*, 7.10.133.

(22) N. Bershadsky, 'Pushing the boundaries of myth: transformations of ancient border wars in archaic and classical Greece' (University of Chicago Press, 2013).

(23) D. F. Elmer, 'Epikoinos: The ball game episkuros and Iliad 12.421–23', *Classical Philology*, 103(4) (2008); L. O'Sullivan, 'Playing ball in Greek antiquity', *Greece & Rome*, 59(1) (2012), pp. 17–33.

(24) Elmer, 'Epikoinos'.

(25) Ibid.

(26) Demosthenes, *Philippic*, 3.47–50（デモステネス『デモステネス弁論集』、北嶋美雪ほか訳、京都大学学術出版会、2004年）; Vidal-Naquet, *The Black Hunter*, 以下に引用。J. W. Humphrey, J. P. Oleson and A. N. Sherwood, *Greek and Roman Technology: A Sourcebook: Annotated translations of Greek and Latin texts and documents* (Routledge, 1998).

(27) Dio Chrysostom, *Discourses*, 40 and 41, trans. H. L. Crosby (Harvard University Press, 1946).

(28) Dioscorides, *Epigrams*, 7.229, trans. W. R. Paton (Heinemann, 1917).

(29) Homer, *The Odyssey*, trans. Robert Fagles (Penguin, 1996)（ホメロス『オデュッセイア』、中務哲郎訳、京都大学学術出版会、2022年ほか）.

(30) G. Keyes (ed.), *The Letters of Rupert Brooke* (Faber and Faber, 1968), p. 676.

(31) S. Sassoon, *Memoirs of an Infantry Officer* (Faber and Faber, 1974).

(32) Private L. S. Price, 以下に引用。M. Middlebrook, *First Day on the Somme* (Penguin, 2006); P. Fussell, *The Great War and Modern Memory* (OUP, 2000).

(33) H. Williamson, *The Wet Flanders Plain* (Faber and Faber, 2009).

(34) Fussell, *The Great War and Modern Memory*.

(35) S. Sassoon, *Journals*: http://cudl.lib.cam.ac.uk/view/MS-ADD-09852-00001-00007/24

(36) E. Blunden, *The Mind's Eye* (Cape, 1934).

(37) Major P. H. Pilditch, 以下に引用。Fussell, *The Great War and Modern Memory*.

(38) C. Carrington, *Soldier from the Wars Returning* (Hutchinson, 1965).

(39) H. H. Cooper, 以下に引用。Fussell, *The Great War and Modern Memory*.

(40) T. E. Hulme, *Further Speculations*, ed. Sam Hynes (University of Minnesota Press, 1955)（T・E・ヒューム『塹壕の思想』、長谷川鑛平訳、法政大学出版局、1968年）.

(41) D. Jones, *In Parenthesis* (Chilmark Press, 1962).

(42) M. Brown, 以下に引用。Fussell, *The Great War and Modern Memory*.

(43) W. Owen, 'Exposure', *Poems by Wilfred Owen* (Chatto & Windus, 1920).

(44) S. Casson, *Steady Drummer* (G. Bell & Sons, 1935).

(45) E. Blunden, *Undertones of War* (Penguin, 1928).

(46) R. Graves, 'The Kaiser's War', *Promise of Greatness* (John Day Company, 1968).

(47) 以下に引用。Fussell, *The Great War and Modern Memory*.

(48) I. Rosenberg, 'The Immortals': https://www.nationalarchives.gov.uk/rosenberg/war-poems.htm

(49) 以下に引用。Fussell, *The Great War and Modern Memory*.

(50) A. D. Gillespie, *Letters from Flanders* (Forgotten Books, 2018).

(51) Ibid.

(52) J. E. Winter and F. E. Winter, 'Some disputed sites and itineraries of Pausanias in the Northeast Peloponnesos', *Echos du monde classique: Classical views*, vol. 34, no. 2 (1990).

(53) C. Watts, *Imperial War Museum*, 以下に引用。Fussell, *The Great War and Modern Memory*.

(54) Fussell, *The Great War and Modern Memory*.

(55) D. Croxton, 'The peace of Westphalia of 1648 and the origins of sovereignty', *The International History Review*, vol. 21, no. 3 (Taylor & Francis,

1999).

(56) J. O. Newman, 'Memory theatre: remembering the peace after three hundred years', *Performances of Peace: Utrecht 1713*, ed. Renger E. de Bruin et al. (Brill, 2015); M. Filho, 'Westphalia: a paradigm? A dialogue between law, art and philosophy of science', *German Law Journal*, 8(10) (2007); R. Falk, 'Revisiting Westphalia, discovering post-Westphalia', *The Journal of Ethics*, vol. 6, no. 4 (Springer, 2002).

(57) S. Patton, 'The peace of Westphalia and its affects on international relations, diplomacy and foreign policy', *The Histories*, vol. 10, issue 1, article 5 (2019); A. Hastings, *The Construction of Nationhood: Ethnicity, Religion and Nationalism* (CUP, 1997).

(58) W. D. Smith, 'Friedrich Ratzel and the origins of Lebensraum', *German Studies Review*, vol. 3, no. 1 (German Studies Association, Johns Hopkins University Press, 1980); Hastings, *The Construction of Nationhood: Ethnicity, Religion and Nationalism.*

(59) F. S. Fitzgerald, *Tender Is the Night* (Penguin, 1933)(F・スコット・フィッツジェラルド『夜はやさし』、森慎一郎訳、作品社、2014年ほか).

(60) Ibid.

(61) Letter from Lutyens to Ware dated May 1917, 以下に引用。T. Skelton and G. Gliddon, *Lutyens and the Great War* (Frances Lincoln, 2008).

(62) S. Martin, *The Mythic Method: Classicism in British Art, 1920–1950* (Pallant House Gallery, 2016); R. Holland, *The Warm South: How the Mediterranean Shaped the British Imagination* (Yale University Press, 2018).

(63) Fussell, *The Great War and Modern Memory.*

(64) A. Burgess, *The Wanting Seed* (Norton, 1976)(アントニイ・バージェス『見込みない種子』、斎藤数衛ほか訳、早川書房、1979年).

(65) Ibid.

(66) Fussell, *The Great War and Modern Memory.*

3 無限

(1) Tacitus, *Agricola*, trans. H. Mattingly (Penguin, 2009)(タキトゥス『ゲルマニア　アグリコラ』(ちくま学芸文庫)、國原吉之助訳、筑摩書房、1996年ほか).

(2) Ibid.

(3) Ibid.

(4) Ibid.

(5) Tacitus, *The Histories*, 1. 2(タキトゥス『同時代史』(ちくま学芸文庫)、國原吉之助訳、筑摩書房、2012年). 以下に引用。H. Mattingly, in Tacitus, *Agricola*.

(6) W. Hanson and D. Breeze, 'The Antonine Wall: the current state of knowledge', *The Antonine Wall: Papers in Honour of Professor Lawrence Keppie* (Archaeopress, 2020).

(7) Tacitus, *Agricola.*

(8) T. Romankiewicz, K. Milek, C. Beckett, B. Russell and J. R. Synder, 'New perspectives on the structure of the Antonine Wall', *The Antonine Wall: Papers in Honour of Professor Lawrence Keppie.*

(9) I. M. Ferris, 'Building an image: soldiers' labour and the Antonine Wall distance slabs', *The Antonine Wall: Papers in Honour of Professor Lawrence Keppie.*

(10) R. Graves, 'The Virgil Cult', *The Virginia Quarterly Review*, 38, no. 1 (1962), pp. 13–35.

(11) Virgil, *Aeneid*, trans. R. Fagles (Penguin, 2006)(ウェルギリウス『アエネーイス』、岡道男・高橋宏幸訳、京都大学学術出版会、2001年ほか).

(12) Ibid.

(13) B. Knox, Virgil, *Aeneid* への序文。

(14) Ibid.

(15) Virgil, *Aeneid.*

(16) Graves, 'The Virgil Cult'.

(17) R. S. O. Tomlin, 'Hadrian and Hadrian's Wall', *Britannia Romana: Roman Inscriptions and Roman Britain* (Oxbow Books, 2018), pp. 83–118.

(18) Tacitus, *Agricola.*

(19) D. Breeze, 'The end – and the future', *Bearsden: The Story of a Roman Fort* (Archaeopress, 2016), pp. 100–18; Hanson and Breeze, 'The Antonine Wall: the current state of knowledge', *The Antonine Wall: Papers in Honour of Professor Lawrence Keppie.*

(20) A. Maldonado, 'The Early Medieval Antonine Wall', *Britannia*, 46 (2015), pp. 225–45.

(21) L. Keppie, 'The Hunterian Collection and its Museum', *Journal of the History of Collections*, vol. 26, no. 3 (2014), pp. 355–62; L. Keppie, 'Searching out Roman inscribed and sculptured stones on the Antonine Wall in 1723', *Britannia*, 45 (2014), pp. 11–29.

(22) R. S. O. Tomlin, 'Gods and men', *Britannia Romana: Roman Inscriptions and Roman Britain* (Oxbow Books, 2018), pp. 311–84; L. Allason-Jones, C. Driel-Murray and E. M. Greene, 'Roman women in Lowland Scotland', *The Antonine Wall: Papers in Honour of Professor Lawrence Keppie*.

(23) D. Breeze, 'Life in the fort', *Bearsden*; Hanson and Breeze, 'The Antonine Wall: the current state of knowledge'.

(24) R. Birley, *Vindolanda: Everyday Life on Rome's Northern Frontier* (Amberley, 2009).

(25) C. P. Cavafy, *Complete Poems*, trans. B. Mendelsohn (Harper Press, 2013)(カヴァフィス『カヴァフィス全詩』、池澤夏樹訳、書肆山田、2018年ほか).

(26) Josephus, *Jewish Wars*, trans. H. St. J. Thackery (Heinemann, 1928)(フラウィウス・ヨセフス『ユダヤ戦記』(ちくま学芸文庫、1–3)、秦剛平訳、筑摩書房、2002年ほか).

(27) The Bible, Jeremiah 1:14(『聖書/旧約聖書続編つき』新共同訳、日本聖書協会、エレミア書、1章14節).

(28) The Bible, Joel 2:20(ヨエル書、2章20節).

(29) The Bible, Ezekiel 38:15(エゼキエル書、38章15節).

(30) The Bible, Revelations, 20:7–8(ヨハネの黙示録、20章7–8節).

(31) Josephus, *Jewish Antiquities*, trans. H. St. J. Thackery, Book I, 123, vol. 1 (London, 1930)(フラウィウス・ヨセフス『ユダヤ古代誌』(ちくま学芸文庫、1–6)、秦剛平訳、筑摩書房、1999–2000年ほか).

(32) K. Czegledy, 'The Syriac legend concerning Alexander the Great', *Acta Orientalia Academiae Scientiarum Hungaricae* 7, no. 2/3 (1957), pp. 231–49; F. Schmieder, 'Edges of the world – edges of time', *The Edges of the Medieval World*, eds. G. Jaritz and J. Kreem (Central European University Press, 2009); E. J. van Donzel, A. B. Schmidt and C. Ott, *Gog and Magog in Early Eastern Christian and Islamic Sources: Sallam's Quest for Alexander's Wall*, Brill's Inner Asian Library vol. 22 (Brill, 2010).

(33) The Qur'an, 18:92–98(『コーラン』(岩波文庫、改版)、井筒俊彦訳、岩波書店、2009年ほか).

(34) 以下に英訳され、引用。van Donzel et al., *Gog and Magog in Early Eastern Christian and Islamic Sources*.

(35) van Donzel et al., *Gog and Magog in Early Eastern Christian and Islamic Sources*.

(36) van Donzel et al., *Gog and Magog in Early Eastern Christian and Islamic Sources*; A. Silverstein, 'Enclosed beyond Alexander's Barrier: on the comparative study of 'Abbāsid culture', *Journal of the American Oriental Society*, 134, no. 2 (2014), pp. 287–306; V. I. Scherb, 'Assimilating giants: the appropriation of Gog and Magog in medieval and early modern England', *Journal of Medieval and Early Modern Studies*, 32, no. 1 (2002), pp. 59–84; Czegledy, 'The Syriac legend concerning Alexander the Great'.

(37) van Donzel et al., *Gog and Magog in Early Eastern Christian and Islamic Sources*.

(38) A. Gow, '*Gog* and *Magog* on *mappaemundi* and early printed world maps: orientalizing ethnography in the apocalyptic tradition', *Journal of Early Modern History*, vol. 2, issue 1 (Brill, 1998).

(39) Schmieder, 'Edges of the world – edges of time'.

(40) R. I. Meserve, 'The inhospitable land of the barbarian,' *Journal of Asian History*, 16, no. 1 (1982), pp. 51–89.

(41) Gow, '*Gog* and *Magog* on *mappaemundi* and early printed world maps: orientalizing ethnography in the apocalyptic tradition'.

(42) van Donzel et al., *Gog and Magog in Early Eastern Christian and Islamic Sources*.

(43) T. Zadeh, 'Of mummies, poets and water nymphs: tracing the codicological limits of Ibn

Khurdādhbih's geography', *Abbasid Studies* IV, vol. 5 (Gibb Memorial Trust, 2013).

(44) J. Griffiths, *The Great Firewall of China: How to Build and Control an Alternative Version of the Internet* (Zed Books, 2019); A. Collings, 'The Great Firewall: China and the internet', *Words of Fire: Independent Journalists Who Challenge Dictators, Drug Lords, and Other Enemies of a Free Press* (NYU Press, 2001), pp. 186–94.

(45) Griffiths, *The Great Firewall of China*; Collings, 'The Great Firewall'.

(46) 'Great Firewall father speaks out', *Global Times*, 18 February 2011, story archived at https://cryptome.org/0003/gwf-father.htm; Griffiths, *The Great Firewall of China*; J. Goldkorn, 'The Chinese internet: unshared destiny', eds. J. Goldkorn, G. R. Barme and L. Jaivin, *Shared Destiny* (ANU Press, 2015), pp. 106–23.

(47) T. Zixue, 'The Great Firewall', *The Internet in China: Cultural, Political, and Social Dimensions (1980s–2000s)* (Routledge, 2006).

(48) Zixue, 'The Great Firewall'.

(49) Goldkorn, *Shared Destiny*.

(50) Griffiths, *The Great Firewall of China*.

(51) F. Schneider, *China's Digital Nationalism* (OUP, 2018), 以下から引用。Public Pledge of Self-Regulation and Professional Ethics for China Internet Industry. 26 March 2002, *Internet Society of China*. 中国語版：https://www.isc.org.cn/hyzl/hyzl/listinfo-15599.html〔訳注：現在はアクセス不可〕

(52) Zixue, 'The Great Firewall'.

(53) Z. Rongwen, 'Scientifically understanding the natural laws of online communication, striving to boost the level of internet use and network governance', 16 September 2018, *Qiushi*. 英訳が以下にある。R. Creemers, P. Triolo, and G. Webster, 'China's new top internet official lays out agenda for party control online', *New America*, 24 September 2018: https://www.newamerica.org/cybersecurity-initiative/digichina/blog/translation-chinas-new-top-internet-official-lays-out-agenda-for-party-control-online/

(54) Zixue, 'The Great Firewall'.

(55) 以下に引用。Goldkorn, *Shared Destiny*.

(56) Schneider, *China's Digital Nationalism*; Zixue, 'The Great Firewall'.

(57) Rongwen, 'Scientifically understanding the natural laws of online communication, striving to boost the level of internet use and network governance'.

(58) R. Meessen, B. Torossian and F. Bekkers, *A Horizon Scan of Trends and Developments in Hybrid Conflicts Set to Shape 2020 and Beyond* (Hague Centre for Strategic Studies, 2020); A. Riikonen, 'Decide, disrupt, destroy: information systems in great power competition with China', *Strategic Studies Quarterly*, 13, no. 4 (2019); S. J. Brannen, C. S. Haig and K. Schmidt, *The Age of Mass Protests: Understanding an Escalating Global Trend* (Center for Strategic and International Studies, 2020).

(59) Brannen, Haig and Schmidt, *The Age of Mass Protests*.

(60) 'Google's ex-CEO Eric Schmidt says the internet will split in two by 2028', *Business Insider*, 21 September 2018: https://www.businessinsider.com/eric-schmidt-internet-will-split-in-two-2028-china-2018-9?r=US&IR=T

(61) 'Great British Firewall helps block 54m cyber attacks', *Financial Times*, 4 February 2018.

4 壁を築く

(1) 'Jordan condemns Israel's plan to bring high-speed train to Western Wall', *The Times of Israel*, 18 February 2020.

(2) Ateret Cohanim organisation: https://www.ateretcohanim.org/about/; 以下に引用。https://www.causematch.com/en/projects/ateret-2/

(3) 'Judge orders case reopened in long-running E. Jerusalem church property dispute', *Times of Israel*, 29 November 2019: https://www.timesofisrael.com/judge-orders-case-reopened-in-long-running-e-jerusalem-church-property-dispute/

(4) 'By the Jaffa Gate, final showdown looms in battle over Jerusalem's historic hotel', *The Observer*, 21 July

2019.

(5) Ibid.

(6) D. Newman, 'Boundaries in flux: the 'Green Line' boundary between Israel and the West Bank – past, present and future', *Boundary and Territory Briefing*, vol. 1, no. 7 (University of Durham, 1995); M. Gieskes, 'The Green Line: potency, absurdity, and disruption of dichotomy in Francis Alys's intervention in Jerusalem', *The Imagined and Real Jerusalem in Art and Architecture*, eds. J. Goudeau, M. Verhoeven and W. Weijers (Brill, 2014), pp. 33–58.

(7) ダヤンとアル＝タルが線を引き、1949年の休戦協定に付加された当初のイギリス測量図のデジタル版には2枚をつなぎ合わせるために使われたセロテープすら見える。https://www.un.org/unispal/wp-content/uploads/1949/04/f03d55e48f77ab698525643b00608d34_Arm_1949.jpg

(8) 1919年1月にイギリス戦時内閣の東洋委員会に検討を求めた外務省のEarle Richards卿の覚書。

(9) I. Black, *Enemies and Neighbours: Arabs and Jews in Palestine and Israel, 1917–2017* (Penguin, 2018).

(10) S. Tamari, 以下に引用。Black, *Enemies and Neighbours.*

(11) L. Halperin, 'Petah Tikva, 1886: gender, anonymity, and the making of Zionist memory', *Jewish Social Studies* 23, no. 1 (2017).

(12) Halperin, 'Petah Tikva, 1886'.

(13) J. Poleskin, 'The Three Stalwarts of Petah Tikva', *Maccabaean* 33, no. 2 (1920).

(14) D. Tidhar, 'Sender Hadad (Kriniker)', *Entsiklopediyah la-halutsei ha-Yishuv u-vonav: Demuyot u-temunot*, 19 vols (1947–71), in Halperin, 'Petah Tikva, 1886'.

(15) United Nations Special Committee on Palestine, Report to the General Assembly, vol. 1, A/364, 3 September 1947.

(16) Palestine Royal Commission Report, Presented by the Secretary of State for the Colonies to Parliament by Command of His Majesty (HM Stationery Office, July 1937).

(17) United Nations Special Committee on Palestine, Report to the General Assembly.

(18) Ibid.

(19) J. Husseini, 以下に引用。Black, *Enemies and Neighbours.*

(20) S. Nusseibeh, *Once Upon a Country* (Farrar, Straus and Giroux, 2007).

(21) A. Oz, *A Tale of Love and Darkness* (Vintage, 2004).

(22) Nusseibeh, *Once Upon a Country.*

(23) Oz, *A Tale of Love and Darkness.*

(24) United Nations Security Council, S/1302/Rev.1, General Armistice Agreement, 3 April 1949.

(25) Nusseibeh, *Once Upon a Country.*

(26) Oz, *A Tale of Love and Darkness.*

(27) Nusseibeh, *Once Upon a Country.*

(28) E. Weizman, *Hollow Land: Israel's Architecture of Occupation* (Verso, 2007).

(29) Nusseibeh, *Once Upon a Country.*

(30) A. Hashimshoni, Y. Schweid and Z. Hashimshoni, Municipality of Jerusalem, *Masterplan for the City of Jerusalem, 1968* (1972), 以下に引用。Weizman, *Hollow Land.*

(31) Nusseibeh, *Once Upon a Country.*

(32) Ibid.

(33) N. Ibrahim, 'Olive groves in the West Bank have become a battleground', *Time*, 1 November 2019.

(34) 'Forestry & green innovations', Jewish National Fund USA: https://www.jnf.org/menu-2/our-work/forestry-green-innovations

(35) R. Shehadeh, *Palestinian Walks: Notes on a Vanishing Landscape* (Profile, 2007).

(36) F. Pearce, 'In Israel, questions are raised about a forest that rises from the desert', Yale School of the Environment, 30 September 2019: https://e360.yale.edu/features/in-israel-questions-are-raised-about-a-forest-that-rises-from-the-desert; J. Brownswell, 'Resistance is fertile: Palestine's eco-war', *Al-Jazeera*, 1 September 2011; I. Braverman, 'Uprooting identities: the regulation of olive trees in the Occupied West Bank', *PoLAR*, vol. 32, no. 2 (2009), pp. 237–63; Buffalo Legal Studies Research Paper (2009); Y. Galai, 'Narratives of redemption: the international meaning

of afforestation in the Israeli Negev', *International Political Sociology*, vol. 11, issue 3 (September 2017).
（37） Braverman, 'Uprooting identities'.
（38） I. Pappe, *The Ethnic Cleansing of Palestine* (Oneworld, 2007)（イラン・パペ『パレスチナの民族浄化——イスラエル建国の暴力』、田浪亜央江・早尾貴紀訳、法政大学出版局、2017年）.
（39） Shehadeh, *Palestinian Walks*.
（40） ロンドン大学ゴールドスミス・カレッジにある研究機関 Forensic Architecture によって制作されたインタラクティヴな地図：https://conquer-and-divide.btselem.org/map-en.html
（41） NGO の Zochrot（ヘブライ語で「記憶すること」を意味する）によってナクバ（大惨事）への関心を高めるために制作されたアル＝ワラジャの歴史：https://www.zochrot.org/villages/village_details/49135/en
（42） 近東におけるパレスチナ難民のために国連パレスチナ難民救済事業機関（UNRWA）が作成したアル＝ワラジャの概略：https://www.unrwa.org/resources/reports/al-walaja-miniprofile; 国際司法裁判所のためにつくられた UNRWA が作成したアル＝ワラジャの概略：https://www.unrwa.org/userfiles/image/articles/2013/The_International_Court_of_Justice_AlWalaja_mini_profile.pdf; アル＝ワラジャに関するニュース記事：https://www.unrwa.org/newsroom/features/six-years-barrier-casts-shadow-over-west-bank-life
（43） UNRWA; G. Levy and A. Levac, 'Israel is turning an ancient Palestinian village into a national park for settlers', *Haaretz*, 25 October 2019.
（44） Gieskes, 'The Green Line'.
（45） 「グリーンライン」に関する作品をまとめたアーティスト、フランシス・アリスのウェブサイト：http://francisalys.com/the-green-line-yael-dayan/
（46） この話は、ウォールド・オフ・ホテル内の博物館の展示物で知ることができる。
（47） Weizman, *Hollow Land*.
（48） E. Weizman, *The Least of All Possible Evils: A Short History of Humanitarian Violence* (Verso, 2011).
（49） *The Least of All Possible Evils* に記録された、E. Weizman とのインタビューから引用。
（50） 以下に引用。Weizman, *Hollow Land*.
（51） S. Haddad, 'Song of the Birds', *Palestine +100: Stories From a Century After Nakba*, ed. B. Ghalayini (Comma Press, 2019).
（52） M. Kayyal, 'N', *Palestine +100*.
（53） Z. Jabotinsky, 'The Iron Wall': https://www.jewishvirtuallibrary.org/quot-the-iron-wall-quot
（54） Y. Liebowitz, 'The Territories', *Judaism, Human Values and the Jewish State* (Harvard University Press, 1992).
（55） Shehadeh, *Palestinian Walks*.
（56） R. Shehadeh, *Language of War, Language of Peace* (Profile, 2015).
（57） A. Oz, *Dear Zealots* (Chatto & Windus, 2017).

5 失われた国境

（1） DeLIMITations artwork, M. Ramirez のプロジェクト・ブログより：https://delimitationsblog.tumblr.com（スペイン語からの翻訳は著者による）
（2） Ramirez, 'DeLIMITations'.
（3） Ibid.
（4） D. Taylor, *Working the Line* (Radius Books, 2010).
（5） アメリカ国立公文書記録管理局にあるグアダルーペ・イダルゴ条約：https://catalog.archives.gov/id/299809
（6） M. Dear, 'Monuments, manifest destiny, and Mexico, Part 2', *Prologue*, vol. 37, no. 2 (2005): https://www.archives.gov/publications/prologue/2005/summer/mexico-2
（7） Ibid.
（8） 'Photographic views of old monuments and characteristic scenes along the boundary line of United States and Mexico west of the Rio Grande', Library of Congress: https://loc.gov/item/2005689733; Report of the Boundary commission upon the survey and re-marking of the boundary between the United States and Mexico west of the Rio Grande, 1891-1896 . . . Part I. Report of the International commission. Part II. Report of the United States section, Library of Congress: https://www.loc.gov/item/02002130/

(9) アダムズ＝オニス条約、1819年：https://avalon.law.yale.edu/19th_century/sp1819.asp

(10) Ibid.

(11) Ramirez, 'DeLIMITations'.

(12) T. E. Breckenridge, *Thomas E. Breckenridge Memoirs*, 1894, University of Missouri at Columbia: Western Historical Manuscripts Collection.

(13) Ramirez, 'DeLIMITations'.

(14) M. Dixon, *The Manuscript Journal of Charles Mason and Jeremiah Dixon with Historical Prelude to their Survey*, 1763, アメリカ国務省および以下で閲覧可能：https://archive.org/details/JournalOfMasonAndDixon/page/n3/mode/2up

(15) H. W. Robinson, 'A note on Charles Mason's ancestry and his family', *Proceedings of the American Philosophical Society*, vol. 93, no. 2 (American Philosophical Society, 1949).

(16) H. Woolf, 'British preparations for observing the transit of Venus of 1761', *The William and Mary Quarterly*, vol. 13, no. 4 (Omohundro Institute of Early American History and Culture, 1956).

(17) T. MacKenzie, 'Mason and Dixon at the Cape', *Monthly Notes of the Astronomical Society of South Africa*, vol. 10 (1951).

(18) E. Danson, *Drawing the Line: How Mason and Dixon Surveyed the Most Famous Border in America* (Wiley, 2017).

(19) Dixon, *The Manuscript Journal of Charles Mason and Jeremiah Dixon with Historical Prelude to their Survey*; Danson, *Drawing the Line*.

(20) Calvert Papers, Historical Society of Maryland, 以下で引用。S. M. Walker, *Boundaries* (Candlewick Press, 2014).

(21) Dixon, *The Manuscript Journal of Charles Mason and Jeremiah Dixon with Historical Prelude to their Survey*; Danson, *Drawing the Line*.

(22) John Lukens から Charles Peters 宛の 1762 年 6 月 16 日付書簡、Chew Family Papers, collection 2050, box 25, 以下に引用。Walker, *Boundaries*.

(23) Thomas Penn, 以下に引用。T. D. Cope, 'Charles Mason and Jeremiah Dixon', *The Scientific Monthly*, vol. 62, no. 6 (American Association for the Advancement of Science, 1946).

(24) C. Calvert, 以下に引用。Danson, *Drawing the Line*.

(25) Dixon, *The Manuscript Journal of Charles Mason and Jeremiah Dixon with Historical Prelude to their Survey*.

(26) Report of the Lords Commissioners for Trade and Plantations on the Petition of the Honourable Thomas Walpole, Benjamin Franklin, John Sargent, and Samuel Wharton, Esquires, and their Associates, 1772: https://www.gutenberg.org/cache/epub/26900/pg26900-images.html

(27) Dixon, *The Manuscript Journal of Charles Mason and Jeremiah Dixon with Historical Prelude to their Survey*.

(28) George Washington から William Crawford 宛の 1767 年 9 月 17 日付の書簡：https://founders.archives.gov/documents/Washington/02-08-02-0020

(29) Danson, *Drawing the Line*; G. Grandin, *The End of the Myth* (Metropolitan, 2019).

(30) Dixon, *The Manuscript Journal of Charles Mason and Jeremiah Dixon with Historical Prelude to their Survey*.

(31) Ibid.

(32) Ibid.

(33) Ibid.

(34) Ibid.

(35) Ibid.

(36) Ibid.

(37) Grandin, *The End of the Myth*.

(38) M. Twain, *Life on the Mississippi* (Dawson, 1883)（マーク・トウェイン『ミシシッピの生活』（上・下）、吉田映子訳、彩流社、1994–1995 年ほか）.

(39) John Randolph, 以下に引用。E. S. Brown, *The Constitutional History of the Louisiana Purchase, 1803–1812* (Wentworth Press, 2019); および以下に引用。Grandin, *The End of the Myth*.

(40) J. L. O'Sullivan, 'Annexation', *United States Magazine and Democratic Review* 17 (July–August 1845); 以下に引用。J. Shapiro, *Shakespeare in a Divided America* (Faber, 2020).

(41) J. M. Faragher (ed.), *Rereading Frederick Jackson Turner* (Henry Holt & Company, 1994).

(42) F. J. Turner, 'The significance of the frontier in American history' (Annual Report of the American Historical Association, 1893): https://www.historians.org/about-aha-and-membership/aha-history-and-archives/historical-archives/the-significance-of-the-frontier-in-american-history-(1893)

(43) Ibid.

(44) Ibid.

(45) Ibid.

(46) ターナーは論文の初めでこの点を認めている。以下から引用。'Distribution of population according to density: 1890', US Census Office, 11th Census, 1890, *Extra Census Bulletin* 2 (20 April 1891).

(47) H. Melville, *Mardi, and a Voyage Hither* (Harper & Brothers, 1849).

(48) N. J. Sales, 'Meet your neighbour, Thomas Pynchon', *New York Magazine*, November 1996.

(49) A. Nazaryn, 'A personal foray into the long-lost Pynchon tapes', *The New York Times*, 19 May 2017.

(50) T. Pynchon, *Mason & Dixon* (Vintage, 1997)(トマス・ピンチョン『メイスン＆ディクスン』(上・下)、柴田元幸訳、新潮社、2010 年).

(51) Ibid.

(52) Ibid.

(53) Ibid.

(54) Pynchon, *Mason & Dixon*; 以下も参照。S. Olster, 'A "patch of england, at a threethousand-mile off-set"? Representing America in "Mason & Dixon"', *Modern Fiction Studies*, vol. 50, no. 2 (Johns Hopkins University Press, 2004); A. N. Eigeartaigh, '"Toto, I have a feeling we're not in Kansas anymore": borders and borderlands in Thomas Pynchon's "Gravity's Rainbow" and "Mason and Dixon"', *Irish Journal of American Studies*, vol. 11/12 (Irish Association for American Studies, 2002); D. Cowart, 'The Luddite vision: Mason and Dixon', *American Literature*, vol. 71, no. 2 (Duke University Press, 1999); S. Cohen, '"Mason & Dixon" & the Ampersand', *Twentieth-Century Literature*, vol. 48, no. 3 (Duke University Press, Hofstra University, 2002).

(55) Abraham Lincoln and Stephen A. Douglas debates: https://www.bartleby.com/251/; 以下も参照。E. Osnos, 'Pulling our politics back from the brink', *The New Yorker*, 16 November 2020.

(56) 以下に引用。Shapiro, *Shakespeare in a Divided America*.

(57) 以下に引用。S. H. Bradford, *Scenes in the Life of Harriet Tubman*: https://docsouth.unc.edu/neh/bradford/bradford.html

(58) Pynchon, *Mason & Dixon*.

(59) Ibid.

(60) Ibid.

(61) Ibid.

(62) 詳細は以下を参照。David Taylor in 'Refuge and fortification', *Places Journal*: https://placesjournal.org/article/refuge-and-fortification-in-the-us-mexico-borderlands/

6 過酷な地

(1) 'Eight ways to build a border wall', *The New York Times*, 8 November 2017.

(2) PROTOTYPES アートワークのウェブサイト：https://www.borderwallprototypes.org

(3) M. Walker, 'Is Donald Trump, Wall-Builder in Chief, a conceptual artist?', *The New York Times*, 3 January 2018.

(4) 'Artists, curators respond to Christoph Buchel's Border Wall Project', ARTnews(リンクから公開状の全文が読める)：https://www.artnews.com/art-news/news/artists-curators-respond-christoph-buchels-border-wall-project-9775/

(5) Walker, 'Is Donald Trump, Wall-Builder in Chief, a conceptual artist?'.

(6) J. Saltz, 'Trump's border wall prototypes: a kind of national monument to American nativism', *Vulture*, 17 January 2018.

(7) 'Cawthorn drops the Donument Act': https://cawthorn.house.gov/media/press-releases/press-release-rep-cawthorn-drops-donument-act〔訳注：現在はアクセス不可〕

(8) 'AG lawsuit seeks environmental impact study on

federal immigration policy', *Arizona Capitol Times*, 12 April 2021.

(9) C. D'Angelo, 'There's plans to protect Trump's half-finished border wall as a monument', *HuffPost*, 14 April 2021.

(10) J. De Leon, *The Land of Open Graves: Living and Dying on the Migrant Trail* (University of California, 2015).

(11) Undocumented Migration Project: https://www.undocumentedmigrationproject.org/home

(12) Humane Borders: https://humaneborders.org/2020-was-deadliest-year-for-migrants-crossing-unlawfully-into-us-via-arizona/

(13) 以下のウェブページより。'About Humane Borders': https://humaneborders.info

(14) 'Why no one understands immigration, and why we need to with Jason De Leon', *Factually!* podcast: https://podcasts.apple.com/us/podcast/why-no-one-understands-immigration-why-we-need-to-jason/id1463460577?i=1000469506298

(15) De Leon, *The Land of Open Graves*.

(16) Ibid.

(17) Ibid.

(18) Ibid.

(19) Ibid.

(20) Border Patrol Strategic Plan 1994 and Beyond: https://www.hsdl.org/?view&did=721845

(21) Government Accountability Office, 'Report to the Committee on the Judiciary, US Senate and the Committee on the Judiciary, House of Representatives; Illegal Immigration: Southwest Border Strategy Results Inconclusive; More Evaluation Needed', 1997: https://www.gao.gov/assets/ggd-98-21.pdf

(22) Government Accountability Office, 'INS's Southwest Border Strategy; Resource and Impact Issues remain after Seven Years', Report to Congressional Requesters, 2001: https://www.gao.gov/assets/gao-01-842.pdf

(23) Undocumented Migration Project, Hostile Terrain 94 art project: https://www.undocumentedmigrationproject.org/hostileterrain94

(24) 'Brazen environmental upstart brings legal muscle, nerve to climate debate', *The New York Times*, 30 March 2010.

(25) L. Jordahl, 'Organ pipe cactus wilderness: wilderness character narrative and baseline monitoring assessment' (National Park Service, US Department of the Interior, March 2017).

(26) Ibid.

(27) Ibid.

(28) R. Carranza, 'Trump is rebuilding Arizona's border fence – and taking groundwater from an iconic desert preserve to do so': https://eu.azcentral.com/story/news/politics/border-issues/2019/09/05/where-water-arizona-border-wall-coming-from/2157543001/

(29) H.R. 6157 (115th) Department of Defense and Labor, Health and Human Services, and Education Appropriations Act, 2019 and Continuing Appropriations Act, 2019: https://www.congress.gov/bill/115th-congress/house-bill/6157/text?r=8

(30) Judge Haywood S. Gilliam Jr, United States District Court Northern District of California, Sierra Club et al., plaintiffs v Donald J. Trump et al., defendants: https://assets.documentcloud.org/documents/6026005/California-Border-Wall-20190524.pdf

(31) 'Supreme Court lets Trump proceed on border wall', *The New York Times*, 26 July 2019.

(32) 'Determination Pursuant to Section 102 of the Illegal Immigration Reform and Immigrant Responsibility Act of 1996, as Amended', Department of Homeland Security: https://www.federalregister.gov/documents/2018/10/10/2018-21930/determination-pursuant-to-section-102-of-the-illegal-immigration-reform-and-immigrant-responsibility

(33) Carranza, 'Trump is rebuilding Arizona's border fence – and taking groundwater from an iconic desert preserve to do so'.

(34) 'Biden cancels border wall projects Trump paid for with diverted military funds', *The Washington Post*, 30 April 2021.

(35) 'Trump's incomplete border wall is in pieces that

could linger for decades', *The New York Times*, 16 March 2021.

(36) National Park Service National Register of Historic Places : https://npgallery.nps.gov/GetAsset/1073cb1a-5bb0-4114-a4ec-e396310a5654

(37) Ibid.

(38) O. Zepeda, *Ocean Power: Poems from the Desert* (University of Arizona, 1995).

(39) Ibid.

(40) 'Border wall would cleave tribe, and its connection to ancestral land', *The New York Times*, 20 February 2017; Examining the Effect of the Border Wall on Private and Tribal Landowners, House Homeland Security Subcommittee: https://www.congress.gov/event/116th-congress/house-event/110571; E. M. Luna-Firebaugh, 'The border crossed us: border crossing issues of the indigenous peoples of the Americas', *Wicazo Sa Review*, vol. 17, no. 1 (University of Minnesota Press, 2002); G. L. Cadava, 'Borderlands of modernity and abandonment: the lines within Ambos Nogales and the Tohono O'odham Nation', *The Journal of American History*, vol. 98, no. 2 (Organization of American Historians, 2011); R. Hays, 'Cross-border indigenous nations: a history', *Race, Poverty and the Environment*, vol. 6/7 (Reimagine!, 1996).

(41) M. Dicintio, 'Ofelia Rivas, the Tohono O'odham, and the Wall', 19 January 2019: https://marcellodicintio.com/2019/01/19/ofelia-rivas-the-tohono-oodham-and-the-wall/

(42) F. Bell, K. M. Anderson and Y. Stewart, 'The Quitobaquito Cemetery and its History', US Department of the Interior, National Park Service, December 1980: http://npshistory.com/series/anthropology/wacc/quitobaquito/report.pdf

(43) 'There is no word for wall in our language', *El Pais*, 15 March 2017.

(44) O. Zepeda, 'Ocotillo Memorial', *Where Clouds Are Formed* (University of Arizona, 2008).

7 国境を燃やす

(1) I. Alexander-Nathani, *Burning at Europe's Borders* (OUP, 2021); I. Alexander-Nathani, 'Meet a boy who survived "The Crossing"', 5 July 2017: https://gpinvestigations.pri.org/meet-a-boy-who-survived-the-crossing-667e7234c397; E. Tyszler, 'From controlling mobilities to control over women's bodies: gendered effects of EU border externalization in Morocco', *CMS* 7, 25 (2019); M. Bausells, 'In limbo in Melilla', *The Guardian*, 10 May 2017; C. Spottorno and G. Abril, *La Grieta* (The Crack) (Astiberri, 2016).

(2) C. Spottorno and G. Abril, 'A las puertos de Europa' (At the gates of Europe), *El Pais Semanal*: https://elpais.com/especiales/2014/europa-frontera-sur/el-relato.html

(3) Spottorno and Abril, *La Grieta*.

(4) A. Ruiz Benedicto, M. Akkerman and P. Brunet, 'A walled world: towards a global apartheid', Transnational Institute, 18 November 2020: https://www.tni.org/files/publication-downloads/informe46_walledwolrd_centredelas_tni_stopwapenhandel_stopthewall_eng_def.pdf

(5) Ruiz Benedicto, Akkerman and Brunet, 'A walled world: towards a global apartheid'.

(6) M. Graziano, *What Is a Border?* (Stanford University Press, 2018).

(7) Spottorno and Abril, *La Grieta*; *The Black Book of Pushbacks*, 2 vols, Border Violence Monitoring Network, 18 December 2020: https://left.eu/issues/publications/black-book-of-pushbacks-volumes-i-ii/; 'Pushbacks in Melilla', Forensic Architecture, 15 June 2020: https://forensic-architecture.org/investigation/pushbacks-in-melilla-nd-and-nt-vs-spain

(8) 'Violence, vulnerability and migration: trapped at the Gates of Europe', Medecins Sans Frontieres, 13 March 2013: https://www.msf.org/violence-vulnerability-and-migration-trapped-gates-europe

(9) S. Pandolfo, 'The burning: finitude and the politico-theological imagination of illegal migration', *Anthropological Theory* 7 (SAGE, 2007).

(10) Pandolfo, 'The burning'.

(11) Case of N.D. and N.T. v Spain, European Court of Human Rights Judgement, 13 February 2020: https://hudoc.echr.coe.int/spa#{%22itemid%22:

[%22001-201353%22]}

(12) Ibid.

(13) 'Pushbacks in Melilla', Forensic Architecture; E. Tyszler, 'Humanitarianism and black female bodies: violence and intimacy at the Moroccan-Spanish border', *The Journal of North African Studies*, 26:5 (2021).

(14) 'Spain will give Morocco €30 million to curb irregular immigration', *El Pais*, 19 July 2019; 'Spain and Morocco reach deal to curb irregular migration flows', *El Pais*, 21 February 2019.

(15) 'Incursions at Spain's North African exclaves triple after Moroccan threats', *El Pais*, 27 February 2017.

(16) Ibid.

(17) 以下に引用。A. Santamarina, 'The spatial politics of far-right populism: VOX, anti-fascism and neighbourhood solidarity in Madrid City', *Critical Sociology* 47(6) (2021); P. Pardo, 'Make Spain Great Again', Foreign Policy, 27 April 2019: https://foreignpolicy.com/2019/04/27/vox-spain-elections-trump-bannon/

(18) Santamarina, 'The spatial politics of far-right populism'; Pardo, 'Make Spain Great Again'.

(19) 以下に引用。J. Boone, 'How is VOX making the Spanish flag wave again?', Tilburg University, June 2020 : http://arno.uvt.nl/show.cgi?fid=151784

(20) S. Creta, 'Lives on hold: how coronavirus has affected the women porters of Melilla', *The Irish Times*, 6 July 2020; C. Malterre-Barthes and G. A. Bajalia, 'Crossing into Cueta', Migrant Journal 4, *Dark Matters* (2018); 'Morocco's "mule" women scratch a living on Spanish enclave border', *Reuters*, 25 August 2017.

(21) Creta, 'Lives on hold'.

(22) Spottorno and Abril, *La Grieta*.

(23) Ibid.

(24) Ibid.

(25) Ibid.

(26) Ibid.

(27) R. Lyman, 'Bulgaria puts up a new wall but this one keeps people out', *The New York Times*, 5 April 2015; S. Nerov, 'Bulgaria's fence to stop migrants on Turkey border nears completion', *Reuters*, 17 July 2014.

(28) Ruiz Benedicto, Akkerman and Brunet, 'A walled world: towards a global apartheid'.

(29) Spottorno and Abril, *La Grieta*.

(30) Ibid.

(31) Ibid.

(32) Ibid.

(33) P. Slovic, D. Vastfall, A. Erlandsson and R. Gregory, 'Iconic photographs and the ebb and flow of empathic response to humanitarian disasters', *PNAS* 114 (4), 24 January 2017.

(34) A. Taylor, 'Italy ran an operation that saved thousands of migrants from drowning in the Mediterranean. Why did it stop?', *The Washington Post*, 20 April 2015.

(35) R. Baubock, 'Mare nostrum: the political ethics of migration in the Mediterranean', *CMS* 7, 4 (2019); 'Calls for action in Europe after migrant disaster in the Mediterranean', *The Washington Post*, 19 April 2015.

(36) A. Tarquini, 'La minaccia di Kammenos alla Germania: 'Se Ue ci abbandona, vi sommergeremo di migranti mescolati a jihadisti" ', *La Repubblica*, 9 March 2015; 'Greece's defence minister is threatening to "flood Europe with migrants"', *Business Insider*, 9 March 2015.

(37) Spottorno and Abril, 'A las puertos de Europa'.

(38) Spottorno and Abril, *La Grieta*.

(39) 'Hungary closes Serbian border crossing as refugees make for Austria on foot', *The Guardian*, 4 September 2015.

(40) 'Refugee crisis: Hungary uses teargas and water cannon at Serbia border', *The Guardian*, 16 September 2015.

(41) 'Croatia to allow free passage of migrants, says prime minister', *AFP*, 17 September 2015.

(42) Ibid.

(43) Spottorno and Abril, *La Grieta*.

(44) Ibid.

(45) Ibid.

(46) Ibid.

(47) 'Avoiding risky seas, migrants reach Europe with an arctic bike ride', *The New York Times*, 9 October 2015 ; 'Syrians fleeing war find new route to Europe – via the Arctic Circle', *The Guardian*, 29 August 2015.

8 解ける国境

(1) R. Steininger, *South Tyrol : A Minority Conflict of the Twentieth Century* (Transaction Publishers, 2003).

(2) M. Ferrari, E. Pasqual and A. Bagnato, *A Moving Border : Alpine Cartographies of Climate Change* (Columbia University Press, 2018).

(3) 以下に引用。Ferrari, Pasqual and Bagnato, *A Moving Border*.

(4) R. Pergher, *Mussolini's Empire : Sovereignty and Settlement in Italy's Borderlands, 1922–43* (CUP, 2018).

(5) Steininger, *South Tyrol*.

(6) E. Lantschner, 'History of the South Tyrol conflict and its settlement', *Tolerance Through Law : Self Governance and Group Rights in South Tyrol* (Brill, 2018) ; Steininger, *South Tyrol*.

(7) Ferrari, Pasqual and Bagnato, *A Moving Border*.

(8) Ibid.

(9) C. Knoll and H. Kerschner, 'A glacier inventory for South Tyrol, Italy, based on airborne laser-scanner data', *Annals of Glaciology*, 50(53) (2009), pp. 46–52.

(10) 以下に引用。Ferrari, Pasqual and Bagnato, *A Moving Border*.

(11) Knoll and Kerschner, 'A glacier inventory for South Tyrol, Italy, based on airborne laser-scanner data'.

(12) A. Fleckinger, *Otzi the Iceman* (South Tyrol Museum of Archaeology, 2018).

(13) 以下に引用。Fleckinger, *Otzi the Iceman*.

(14) Fleckinger, *Otzi the Iceman*.

(15) Ibid.

(16) R. Nordland, 'Who killed the Iceman? Clues emerge in a very cold case', *The New York Times*, 26 March 2017.

(17) M. Zemp, H. Frey, I. Gartner-Roer, S. Nussbaumer, M. Hoelzle et al., 'Historically unprecedented global glacier decline in the early 21st century', *Journal of Glaciology*, 61 (228) (2015).

9 「この肉体の壁」

(1) M. de Piazza, 以下に引用。R. Horrox, *The Black Death* (Manchester University Press, 1994).

(2) Horrox, *The Black Death*.

(3) Ibid.

(4) Ibid.

(5) J. A. Legan, 'The medical response to the Black Death', James Madison University, Senior Honors Projects, 2010–current. 103 ; S. K. Cohn Jr, *Epidemics : Hate and Compassion from the Plague of Athens to Aids* (OUP, 2018).

(6) G. Boccaccio, *The Decameron*, trans. W. A. Rebhorn (Norton, 2013)（ボッカッチョ『デカメロン』（河出文庫、上・中・下）、平川祐弘訳、河出書房新社、2017 年ほか）.

(7) Ibid.

(8) Ibid.

(9) Ibid.

(10) Legan, 'The medical response to the Black Death'.

(11) Boccaccio, *The Decameron*.

(12) A. Cliff and M. Smallman-Raynor, 'Containing the spread of epidemics', *Oxford Textbook of Infectious Disease Control : A Geographical Analysis from Medieval Quarantine to Global Eradication* (Oxford University Press, 2013) ; P. A. Mackowiak and P. S. Sehdev, 'The origin of quarantine', *Clinical Infectious Diseases*, vol. 35, issue 9, 1 November 2002.

(13) Cliff and Smallman-Raynor, 'Containing the spread of epidemics'.

(14) Ibid.

(15) Ibid.

(16) *Magistrato della sanità* (1752), 以下に引用。Cliff and Smallman-Raynor, 'Containing the spread of epidemics'.

(17) G. Rothenberg, 'The Austrian sanitary cordon and the control of the bubonic plague : 1710–1871', *Journal of the History of Medicine and Allied Sciences*, 28 (1973), pp. 15–23.

(18) 'Mappa geographica qua preacautio contra pestem post factam locorum, iuxta Pacis Instrumenta, Evacuationem ac Demolitionem in Confinibus istis Cis-Danubialibus instituenda ostenditur'(平和条約に則した避難および取り壊し後に、ドナウ川の北岸・東岸地域内で講じられる予定の予防措置を示した地図); Cliff and Smallman-Raynor, 'Containing the spread of epidemics'.

(19) Cliff and Smallman-Raynor, 'Containing the spread of epidemics'.

(20) M. Drancourt and D. Raoult, 'Molecular history of plague', *Clinical Microbiology and Infection: The Official Publication of the European Society of Clinical Microbiology and Infectious Diseases*, vol. 22 (2016), p. 11; J-L. Ditchburn and R. Hodgkins, 'Yersinia pestis, a problem of the past and a re-emerging threat', *Biosafety and Health*, vol. 1, issue 2 (2019); C. E. Demeure, O. Dussurget, G. Mas Fiol et al., '*Yersinia pestis* and plague: an updated view on evolution, virulence determinants, immune subversion, vaccination, and diagnostics', *Genes Immun* 20 (2019), pp. 357–70.

(21) US Centers for Disease Control and Prevention, overview of plague: https://www.cdc.gov/plague/index.html

(22) B. R. tenOever, 'The evolution of antiviral defense systems', *Cell Host & Microbe* 19, 10 February 2016.

(23) D. Jordan, 'The deadliest flu: the complete story of the discovery and reconstruction of the 1918 pandemic virus', Centers for Disease Control and Prevention, 2018: https://archive.cdc.gov/#/details?url=https://www.cdc.gov/flu/pandemic-resources/reconstruction-1918-virus.html

(24) Ibid.

(25) Ibid.

(26) E. Rybicki, 'The classification of organisms at the edge of life or problems with virus systematics', *South African Journal of Science*, vol. 86, no. 4 (1990): https://journals.co.za/doi/10.10520/AJA00382353_6229

(27) M. M. H. Farahani, *A Shi'ite Pilgrimage to Mecca, 1885–1886* (University of Texas, 1990).

(28) Ibid.

(29) *The Times*, 14 October 1818.

(30) P. Zylberman, 'Civilizing the state: borders, weak states and international health in modern Europe', *Medicine at the Border*, ed. A. Bashford (Palgrave, 2006); Cohn Jr, *Epidemics: Hate and Compassion from the Plague of Athens to Aids*.

(31) Cohn Jr, *Epidemics: Hate and Compassion from the Plague of Athens to Aids*.

(32) C. Low, 'Empire and the Hajj: pilgrims, plagues, and pan-Islam under British surveillance, 1865–1908', *International Journal of Middle East Studies*, vol. 40, no. 2 (2008).

(33) Dr Achille Proust, 以下に引用。Low, 'Empire and the Hajj: pilgrims, plagues, and pan-Islam under British surveillance, 1865–1908'.

(34) Low, 'Empire and the Hajj: pilgrims, plagues, and pan-Islam under British surveillance, 1865–1908'.

(35) Zylberman, 'Civilizing the state: borders, weak states and international health in modern Europe'.

(36) Dr Achille Proust, 以下に引用。Zylberman, 'Civilizing the state: borders, weak states and international health in modern Europe'.

(37) Zylberman, 'Civilizing the state: borders, weak states and international health in modern Europe'.

(38) Zylberman, 'Civilizing the state: borders, weak states and international health in modern Europe'; A. Bashford, 'The age of universal contagion: history, disease and globalisation', *Medicine at the Border*.

(39) Bashford, 'The age of universal contagion'; A. Bashford, *Imperial Hygiene: A Critical History of Colonialism, Nationalism and Public Health* (Palgrave Macmillan, 2003).

(40) A. Camus, *The Plague* (Penguin, 1947)(カミュ『ペスト』(光文社古典新訳文庫)、中条省平訳、光文社、2021年ほか).

(41) Ibid.

(42) 政府から助成金が出たあとの研究内容は以下の論文にあった。: B. R. tenOever et al., 'Imbalanced Host Response to SARS-CoV-2 Drives

Development of COVID-19', *Cell*, vol. 181, issue 5 (2020).

(43) D. Hoagland et al., 'Leveraging the antiviral type-I interferon system as a first line defense against SARS- CoV-2 pathogenicity', *Immunity*, vol. 54, issue 3 (2021).

(44) Hoagland et al., 'Leveraging the antiviral type-I interferon system as a first line defense against SARS-CoV-2 pathogenicity'.

(45) tenOever et al., 'Imbalanced Host Response to SARS-CoV-2 Drives Development of COVID-19'.

(46) M. Shelley, *The Last Man* (OUP, 2008)（メアリ・シェリー『最後のひとり』、森道子・島津展子・新野緑訳、英宝社、2007 年）.

(47) 以下に引用。M. Paley, *The Last Man* への序文。

(48) Camus, *The Plague*.

(49) Shelley, *The Last Man*.

10 広大な岸辺に緑の線を

(1) E. P. Stebbing, 'The threat of the Sahara', *Journal of the Royal African Society*, vol. 36, no. 145 (1937).

(2) E. P. Stebbing, 'The encroaching Sahara: the threat to the West African colonies', *The Geographical Journal*, vol. 85, no. 6 (1935).

(3) Ibid.

(4) Ibid.

(5) Ibid.

(6) Ibid.

(7) J. M. Hodge, 'Colonial foresters versus agriculturalists: the debate over climate change and cocoa production in the Gold Coast', *Agricultural History*, vol. 83, no. 2 (2009); R. Grove, 'Conserving Eden: the (European) East India Companies and their environmental policies on St Helena, Mauritius and in Western India, 1660 to 1854', *Comparative Studies in Society and History*, vol. 35, no. 2 (1993).

(8) A. Aubreville, *Climats, forêts et désertification de l'Afrique tropicale* (Societe d'editions geographiques, maritimes et coloniales, 1949); 以下に引用。H. E. Dregne, 'Desertification of arid lands', *Physics of Desertification*, eds. F. El-Baz and M. H. A. Hassan (1986).

(9) Stebbing, 'The encroaching Sahara'.

(10) B. Jones, 'Desiccation and the West African colonies', *The Geographical Journal*, vol. 91, no. 5 (1938).

(11) Dregne, 'Desertification of arid lands'.

(12) Dregne, 'Desertification of arid lands'; C. M. Somerville, *Drought and Aid in the Sahel* (Routledge, 2019); M. Rosenblum and D. Williamson, *Squandering Eden* (Bodley Head, 1987); P. G. Munro and G. van der Horst, 'Contesting African landscapes: a critical reappraisal of Sierra Leone's competing forest cover histories', *Environment and Planning D: Society and Space*, 34(4) (2016); S. Salgado, *Sahel: The End of the Road* (University of California, 2004).

(13) Somerville, *Drought and Aid in the Sahel*.

(14) M. Sacande and N. Berrahmouni, 'Africa's Great Green Wall: a transformative model for communities' sustainable development', *Nature & Faune*, vol. 32, no. 1 (2018); Great Green Wall initiative: https://www.greatgreenwall.org/about-great-green-wall; D. Goffner, H. Sinare and L. J. Gordon, 'The Great Green Wall for the Sahara and the Sahel Initiative as an opportunity to enhance resilience in Sahelian landscapes and livelihoods', *Reg Environ Change* 19, (2019), pp. 1417-28.

(15) 以下に引用。A. Murrey, 'Thomas Sankara and a political economy of happiness', S. Oloruntoba and T. Falola (eds), *The Palgrave Handbook of African Political Economy* (Palgrave Macmillan, 2020); J. Carey, 'The best strategy for using trees to improve climate and ecosystems? Go natural', *Proceedings of the National Academy of Sciences*, 117 (9) (2020).

(16) Goffner, Sinare and Gordon, 'The Great Green Wall for the Sahara and the Sahel Initiative as an opportunity to enhance resilience in Sahelian landscapes and livelihoods'.

(17) Ibid.

(18) *The Great Green Wall Implementation Status and Way Ahead to 2030 (Advanced Version)*, United Nations Convention to Combat Desertification (UNCCD), 4 September 2020: https://catalogue.

unccd.int/1551_GGW_Report_ENG_Final_040920.pdf

(19) N. Pasiecznik and C. Reij, *Restoring African Drylands* (European Tropical Forest Research Network, 2020): https://www.tropenbos.org/file.php/2390/etfrnnews60-restoring-african-drylands.pdf

(20) R. Cernasky, 'New funds could help grow Africa's Great Green Wall. But can the massive forestry effort learn from past mistakes?', *Science*, 11 February 2021.

(21) 以下に引用。Pasiecznik and Reij, *Restoring African Drylands*.

(22) *The Great Green Wall Implementation Status and Way Ahead to 2030 (Advanced Version)*.

(23) 以下に引用。B. Bilger, 'The great oasis', *The New Yorker*, 11 December 2011.

(24) C. Reij, G. Tappan and M. Smale, 'Agroenvironmental transformation in the Sahel: another kind of "green revolution"', IFPRI Discussion Paper 00914, November 2009: https://www.ifpri.org/publication/agroenvironmental-transformation-sahel; Goffner, Sinare and Gordon, 'The Great Green Wall for the Sahara and the Sahel Initiative as an opportunity to enhance resilience in Sahelian landscapes and livelihoods'.

(25) Reij, Tappan and Smale, 'Agroenvironmental transformation in the Sahel'.

(26) Ibid.

(27) Reij, Tappan and Smale, 'Agroenvironmental transformation in the Sahel'; Goffner, Sinare and Gordon, 'The Great Green Wall for the Sahara and the Sahel Initiative as an opportunity to enhance resilience in Sahelian landscapes and livelihoods'.

(28) 以下に引用。Murrey, 'Thomas Sankara and a political economy of happiness'.

(29) 'Southeast is suffering its worst drought for 90 years', *The Times*, 31 March 2012; P. Plester, 'Weatherwatch: the great year-long drought of 1921', *The Guardian*, 13 October 2011; S. T. Reno, *Early Anthropocene Literature in Britain, 1750–1884* (Springer, 2020).

(30) T. S. Eliot, *The Waste Land* (Faber and Faber, 1925)（T・S・エリオット『荒地』、西脇順三郎訳、土曜社、2021年ほか）.

(31) M. Scheffer, C. Xu, T. A. Kohler, T. M. Lenton and J.-C. Svenning, 'Future of the human climate niche', *Proceedings of the National Academy of Sciences*, 117 (21) (2020).

(32) Scheffer et al., 'Future of the human climate niche'; M. Burke, S. M. Hsiang and E. Miguel, 'Global non-linear effect of temperature on economic production', *Nature* 527 (2015), pp. 235–9.

(33) Scheffer et al., 'Future of the human climate niche'.

(34) Ibid.

(35) Scheffer et al., 'Future of the human climate niche'; J. Rockstrom, W. Steffen, K. Noone et al., 'A safe operating space for humanity', *Nature* 461 (2009), pp. 472–5; ストックホルム・レジリエンス・センターのウェブサイトに「プラネタリー・バウンダリー」（地球の限界）の概念の説明がある。https://www.stockholmresilience.org/research/planetaryboundaries.html

(36) Scheffer et al., 'Future of the human climate niche'; Rockstrom, Steffen, Noone et al., 'A safe operating space for humanity'.

(37) C. Zickgraf, S. Vigil, F. De Longueville, P. Ozer and F. Gemenne, 'The impact of vulnerability and resilience to environmental changes on mobility patterns in West Africa' (KNOMAD, 2016).

(38) 以下に引用。Select Committee on the European Union Home Affairs Sub-Committee, 11 March 2020: https://committees.parliament.uk/oralevidence/234/html/

(39) 以下に引用。C. Farbotko and H. Lazrus, 'The first climate refugees? Contesting global narratives of climate change in Tuvalu' (University of Wollongong, 2012): https://ro.uow.edu.au/scipapers/4776

(40) 2017年6月5～9日に開かれた国連の海に関する会議のファクトシート。以下を参照。https://www.un.org/sustainabledevelopment/wp-content/uploads/2017/05/Ocean-fact-sheet-package.pdf〔訳注：現在はアクセス不可〕

(41) C. Zickgraf, 'Climate change and migration: myths and realities', *Green European Journal*, 20

January 2020.

(42) 'How helpful is the term "climate refugee"?', *The Guardian*, 31 August 2020; G. Bettini, 'Climate barbarians at the gate? A critique of apocalyptic narratives on "climate refugees"', *Geoforum*, vol. 45 (2013).

(43) Matteo Salvini, 当初はイタリアの新聞 *Il Giornale* に引用されていた。以下を参照。https://www.ilgiornale.it/news/politica/leuropa-spalanca-porte-libera-ai-migranti-climatici-1486186.html; A. Ruser and A. Machin, 'Nationalising the climate: is the European far right turning green?', *Green European Journal*, 27 September 2019.

(44) Ruser and Machin, 'Nationalising the climate: is the European far right turning green?'.

(45) 'A Great Green Wall for Cities', Food and Agriculture Organisation of the United Nations, 21 September 2019: https://www.fao.org/news/story/en/item/1234286/icode/

(46) 'Challenges', Great Green Wall: https://www.greatgreenwall.org/challenges〔訳注：現在はアクセス不可〕

(47) Eliot, *The Waste Land*.

図版クレジット

以下の画像以外は著者自身によって撮影された。

79 ページ
PLAKLE, Creative Commons, by Wikimedia Commons

203 ページ
DeLIMITations, Marcos Ramírez ERRE and David Taylor, 2014

253 ページ
Yesica Uvina, Courtesy of U.S. Customs and Border Protection

297 ページ、322 ページ
Photos by Carlos Spottorno

379 ページ
Reprinted from *Immunity*, Vol 54, Third edition. Daisy A. Hoagland, Rasmus Møller, Skyler Uhl, Kohei Oishi, Justin Frere, Ilona Golynker, Shu Horiuchi, Maryline Panis, Daniel Blanco-Melo, David Sachs, Knarik Arkun, Jean K. Lim, Benjamin R. tenOever. 'Leveraging the antiviral type I interferon system as a first line of defense against SARS-CoV-2 pathogenicity' (2021). With permission from Elsevier.

421 ページ
© Jason Edwards, bio-images.com